事業報告記載事項の分析

――2020年6月総会会社の事例分析――

三菱UFJ信託銀行法人コンサルティング部 編

はしがき

　2020年6月の株主総会は，新型コロナウイルス感染症拡大により，これまでの株主総会とは様変わりの様相を呈した。感染リスクへの対応として，会場においてさまざまな感染防止策が実施され，来場者の抑制や規模縮小が行われる一方，バーチャル株主総会やストリーミング配信等により，株主の満足度を向上させるための工夫がなされた。また，独立性の低い社外役員候補者に対して多くの反対票が集まるなど，機関投資家の議決権行使はより一層厳しさを増すとともに，ガバナンス強化を企図する株主提案にも注目が集まった。

　他方，企業においては，世界的に関心が高まるSDGs・ESG等のサステナビリティに関する中長期計画や取組みを招集通知等でも発信するため，招集通知等の英訳を行い，また，議決権行使に関する環境整備のため，議決権電子行使プラットフォームの採用が増加している。さらに，株主への情報提供を充実させる観点では，事業報告等にコーポレートガバナンス・コードのいわゆる開示11原則の実施状況等を記載する事例も多く見られるようになった。

　事業報告は株主総会における対話の中心的なツールであり，事業報告の法的記載事項を要領よく網羅しつつ，建設的な対話の観点から投資家（株主）の関心が高い事項を取り込むことが期待されている。あわせて，見やすさ，分かりやすさにも留意して，個人株主にも関心を持ってもらえるよう，創意工夫が求められている。

　本書は，会社法施行により作成が義務付けられた事業報告について，その実務への定着を願って刊行した別冊商事法務「事業報告記載事項の分析」の最新版である。分析対象の各社が工夫を凝らして作成した2020年6月総会の事業報告記載事項の傾向を整理・分析し，次回以後の事業報告作成に当たり参考となる事例を選りすぐって掲載した。本書が実務ご担当者の手元に置かれ，活用されることがあれば幸いである。

　なお，原典は資料版商事法務441号〔2020年12月号〕までに収録されたものである。

2021年3月

三菱UFJ信託銀行法人コンサルティング部

執筆者リスト

赤坂 美樹　　三菱ＵＦＪ信託銀行　法人コンサルティング部
　　　　　　　会社法務・コーポレートガバナンスコンサルティング室
　　　　　　　課長

飯澤 哲志　　三菱ＵＦＪ信託銀行　法人コンサルティング部
　　　　　　　会社法務・コーポレートガバナンスコンサルティング室
　　　　　　　上級調査役

大沼 泰明　　三菱ＵＦＪ信託銀行　法人コンサルティング部
　　　　　　　会社法務・コーポレートガバナンスコンサルティング室

青木 伴弥　　三菱ＵＦＪ信託銀行　法人コンサルティング部
　　　　　　　会社法務・コーポレートガバナンスコンサルティング室

倉持 佐友理　三菱ＵＦＪ信託銀行　法人コンサルティング部
　　　　　　　会社法務・コーポレートガバナンスコンサルティング室

目　次

Ⅰ　事業報告の概要 ………………………………………………………… 1

1　事業報告の記載内容 ………………………………………………… 1
2　会社法改正に伴う新たな事業報告記載事項 ……………………… 2
　(1)　株式会社の現況に関する事項 ………………………………… 2
　(2)　株式会社の株式に関する事項 ………………………………… 2
　(3)　株式会社の会社役員に関する事項 …………………………… 2
　(4)　社外役員に関する特則 ………………………………………… 4
　(5)　会計参与設置会社の特則 ……………………………………… 4
　(6)　会計監査人設置会社の特則 …………………………………… 4
3　事業報告の構成 ……………………………………………………… 5
4　ウェブ開示 …………………………………………………………… 6

Ⅱ　事業報告記載事項の分析
――2020年6月総会会社の事例分析―― ………………………… 8

1　事業報告の区分（大項目区分の内容） …………………………… 8
2　会社（企業集団）の現況に関する事項 …………………………… 14
　(1)　事業の経過およびその成果 …………………………………… 14
　(2)　設備投資・資金調達の状況 …………………………………… 38
　(3)　企業再編等 ……………………………………………………… 43
　(4)　対処すべき課題 ………………………………………………… 45
　(5)　業績の推移 ……………………………………………………… 72
　(6)　重要な親会社および子会社の状況 …………………………… 79
　(7)　主要な事業内容 ………………………………………………… 88

(8)	主要な営業所および工場	93
(9)	従業員の状況	99
(10)	主要な借入先の状況	105
(11)	その他会社（企業集団）の現況に関する重要事項	108

3　株式に関する事項 ……………………………………………………………112
　(1)　大株主の状況 ………………………………………………………………112
　(2)　大株主以外の株式に関する重要事項 ……………………………………112
　(3)　その他株式に関する重要な事項 …………………………………………112

4　新株予約権等に関する事項 …………………………………………………125

5　会社役員に関する事項 ………………………………………………………136
　(1)　会社役員の氏名等 …………………………………………………………136
　(2)　会社役員の報酬等 …………………………………………………………164
　(3)　社外役員に関する事項 ……………………………………………………181

6　会計監査人に関する事項 ……………………………………………………196
　(1)　報酬等の額の記載 …………………………………………………………196
　(2)　非監査業務の内容の記載 …………………………………………………196
　(3)　解任・不再任の方針 ………………………………………………………197
　(4)　子会社の監査法人に関する記載 …………………………………………197
　(5)　責任限定契約に関する記載 ………………………………………………197
　(6)　業務停止処分に関する記載 ………………………………………………197

7　業務の適正を確保するための体制 …………………………………………205

8　会社の支配に関する基本方針 ………………………………………………223

9　剰余金の配当等の決定に関する方針 ………………………………………230

10　その他株式会社（企業集団）に関する重要な事項 ………………………236

Ⅲ　事業報告における事故・法令違反等特殊事例 …………………………245

1　不祥事・事件等 ………………………………………………………………245

2　独占禁止法違反（各国競争法を含む） ……………………………………252

3 行政処分等……………………………………………………………255
4 訴訟・和解等…………………………………………………………260
5 事　　故………………………………………………………………265
6 不適切な会計処理・過年度決算の訂正等…………………………267

▨▨▨巻末資料▨▨▨　**事業報告の記載例と記載要領**……………………………268

I　事業報告の概要

1　事業報告の記載内容

　事業報告の記載事項は，会社法施行規則118条から126条までに詳細に列挙されている。すべての会社で記載を要するのは，株式会社の状況に関する重要な事項（計算書類および連結計算書類の内容となる事項を除く），および内部統制システムの概要（決定または決議がある場合），株式会社の支配に関する基本方針（定めている場合），特定完全子会社に関する事項（特定完全子会社がある場合），親会社等との取引に関する事項（個別注記表への注記を要するものがある場合）である（会社法施行規則118条）。

　公開会社については，さらに，株式会社の現況に関する事項，株式会社の会社役員に関する事項，株式会社の株式に関する事項，株式会社の新株予約権等に関する事項，株式会社の役員等賠償責任保険契約に関する事項を記載しなければならない（会社法施行規則119条，119条2号の2）。それぞれの記載事項は同規則120条から123条に詳細を列挙している。また，会社役員に関する事項については，社外役員がいる場合は社外役員に関する事項（会社法施行規則124条）を含む。）

　その他に，会計参与設置会社に関する記載事項（会社法施行規則125条），会計監査人設置会社に関する記載事項（会社法施行規則126条）がそれぞれ定められている。

　なお，連結計算書類作成会社は，株式会社の現況に関する事項（会社法施行規則120条1項各号）について，会社単体の記載に代えて，会社および子会社からなる企業集団の現況に関する事項を記載することができる。一般的には，会社法施行規則120条1項各号に定める事項のすべてを企業集団の状況で記載することによって，それぞれの会社単体の記載を省略することができると解されている。

記　載　事　項	公開会社	公開会社以外
株式会社の状況に関する重要な事項（会社法施行規則118条）	◎	◎
内部統制システムの概要（同規則118条）	○	○
株式会社の支配に関する基本方針（同規則118条）	○	○
特定完全子会社に関する事項（同規則118条）	○	○
親会社等との取引に関する事項（同規則118条）	○	○
株式会社の現況に関する事項（同規則120条）	◎	×
株式会社の会社役員に関する事項（同規則121条）	◎	×
株式会社の役員等賠償責任保険契約に関する事項（同規則121条の2）	○	×
株式会社の株式に関する事項（同規則122条）	◎	×

I　事業報告の概要

記 載 事 項	公開会社	公開会社以外
株式会社の新株予約権等に関する事項（同規則123条）	○	×
社外役員に関する特則（同規則124条）	○	×
会計参与設置会社の特則（同規則125条）	○	○
会計監査人設置会社の特則（同規則126条）	○	△

◎：記載を要する事項，○：該当ある場合に記載を要する事項
△：該当ある場合に記載を要する事項であるが一部につき記載不要，×：記載不要な事項

2　会社法改正に伴う新たな事業報告記載事項

　2020年11月20日に「会社法の一部を改正する法律の施行期日を定める政令」が公布され，令和元年改正会社法は2021年3月1日に施行された。令和元年会社法改正により，事業報告に記載が求められるようになった事項は，次のとおりである。

(1) 株式会社の現況に関する事項

　重要な親会社および子会社の状況（親会社との間に会社の重要な財務および事業の方針に関する契約等が存在する場合には，その内容の概要を含む）

(2) 株式会社の株式に関する事項

　事業年度中に会社役員（会社役員であった者を含む）に対して「職務執行の対価として会社が交付した」会社の株式がある場合，次に定める会社役員（会社役員であった者を含む）の区分ごとに株式の種類，種類ごとの数および交付を受けた者の人数
　(i) 取締役（指名委員会等設置会社においては取締役および執行役）のうち，監査等委員である取締役または社外役員でないもの
　(ii) 社外役員である社外取締役のうち，監査等委員でないもの
　(iii) 監査等委員である取締役
　(iv) 取締役または執行役以外の会社役員（監査役および会計参与）

(3) 株式会社の会社役員に関する事項

① 会社が取締役，監査役または執行役との間で補償契約（会社法430条の2第1項の契約）を締結している場合には，(i)当該会社役員の氏名，(ii)当該補償契約の内容の概要（当該補償契約によって当該会社役員の職務の執行の適正性が損なわれないようにするための措置を講じている場合にはその内容を含む。）
② 補償契約を締結した会社が会社役員（当該事業年度の前事業年度の末日までに退任した会社役員を含む。）に対して補償契約に基づき補償を行った場合，その内容に応じて以下の事項
　(i) 会社法430条の2第1項1号の費用を補償した場合

会社が，当該事業年度において，当該会社役員が同号の職務の執行に関し法令の規定に違反したことまたは責任を負うことを知ったときは，その旨
　(ii) 会社法430条の2第1項2号の損失を補償した場合
　　その旨および補償した金額
③ 会社が保険者との間で役員等賠償責任保険契約を締結している場合，以下の事項
　(i) 当該役員等賠償責任保険契約の被保険者の範囲
　(ii) 当該役員等賠償責任保険契約の内容の概要（被保険者が実質的に保険料を負担している場合にはその負担割合，填補の対象とされる保険事故の概要および当該役員等賠償責任保険契約によって被保険者である役員等（当該会社の役員等に限る）の職務の執行の適正性が損なわれないようにするための措置を講じている場合にはその内容を含む）
④ 会社役員に支払った報酬その他の職務執行の対価である財産上の利益（以下「報酬等」という）の額を，①業績連動報酬等，②非金銭報酬等，③それら以外の報酬等の種類別に，かつ，取締役および監査役（監査等委員会設置会社の場合は，監査等委員である取締役以外の取締役および監査等委員である取締役，指名委員会等設置会社の場合は取締役および執行役）ごとに区分して，それぞれの総額と員数
⑤ 報酬等に業績連動報酬等が含まれている場合には，当該業績連動報酬等について以下の事項
　イ　当該業績連動報酬等の額または数の算定の基礎として選定した業績指標の内容および当該業績指標を選定した理由
　ロ　当該業績連動報酬等の額または数の算定方法
　ハ　当該業績連動報酬等の額または数の算定に用いたイの業績指標に関する実績
⑥ 報酬等に非金銭報酬等が含まれている場合には，当該非金銭報酬等の内容
⑦ 会社役員の報酬等についての定款の定めまたは株主総会の決議による定めがある場合，以下の事項
　イ　当該定款の定めを設けた日または当該株主総会の決議の日
　ロ　当該定めの内容の概要
　ハ　当該定めに係る会社役員の員数
⑧ 取締役等の個人別の報酬等の内容についての決定に関する方針（会社法361条7項の方針または会社法409条1項の方針）を定めているときは，以下の事項
　イ　当該方針の決定の方法
　ロ　当該方針の内容の概要
　ハ　当該事業年度に係る取締役（監査等委員である取締役を除き，指名委員会等設置会社にあっては，執行役等）の個人別の報酬等の内容が当該方針に沿うものであると取締役会（指名委員会等設置会社にあっては，報酬委員会）が判断した理由
⑨ 取締役等を除く各会社役員（監査等委員，監査役）の報酬等の決定方針を定めているときは，当該方針の決定の方法およびその方針の内容の概要
⑩ 取締役会から委任を受けた取締役その他の第三者が当該事業年度に係る取締役（監査

等委員である取締役を除く）の個人別の報酬等の内容の全部または一部を決定したときは，その旨および以下の事項
イ　当該委任を受けた者の氏名ならびに当該内容を決定した日における当該会社における地位および担当
ロ　委任された権限の内容
ハ　委任した理由
ニ　権限が適切に行使されるようにするための措置を講じた場合にあっては，その内容

(4)　社外役員に関する特則

社外役員のうち社外取締役については，当該社外取締役が果たすことが期待される役割に関して行った職務の概要

(5)　会計参与設置会社の特則

会社が会計参与との間で補償契約を締結している場合や補償契約を締結した会社が会計参与に対して補償契約に基づき補償を行った場合，(3)①，②に準じた事項

(6)　会計監査人設置会社の特則

会社が会計監査人との間で補償契約を締結している場合や補償契約を締結した会社が会計監査人に対して補償契約に基づき補償を行った場合，(3)①，②に準じた事項

なお，会社が締結している役員等賠償責任保険契約の被保険者に会計参与や会計監査人が含まれている場合で，(3)③(i)の被保険者の範囲に会計参与や会計監査人を記載しない場合には，(3)③の事項を記載することになる。

また，会社法改正により，監査役会設置会社（公開大会社）かつ有価証券報告書提出会社は，社外取締役を置かなければならなくなった（会社法327条の2）ため，「社外取締役を置くことが相当でない理由」の記載は不要になった。ただし，改正後の327条の2の規定は，施行後最初に終了する事業年度に関する定時株主総会の終結の時までは適用しない（改正法附則5条）ため，「社外取締役を置くことが相当でない理由」の記載については，2022年3月決算会社の事業報告から記載不要となる。

会社法改正に伴う新たな記載事項
株式会社の現況に関する事項（会社法施行規則120条）
重要な親会社および子会社の状況（親会社との間に会社の重要な財務および事業の方針に関する契約等が存在する場合には，その内容の概要を含む）（同規則120条1項7号）
株式会社の株式に関する事項（同規則122条）
事業年度中に会社役員（会社役員であった者を含む）に対して職務執行の対価として交付された株式に関する事項（同規則1項2号）
株式会社の会社役員に関する事項（同規則121条）
補償契約に関する事項（補償契約に基づく補償に関する事項を含む）（同規則121条3号の2～3号の4）
役員等賠償責任保険契約に関する事項（同規則121条の2）
取締役，会計参与，監査役または執行役ごとの報酬等の総額（業績連動報酬等，非金銭報酬等，それら以外の報酬等の総額）（同規則121条4号）
業績連動報酬等に関する事項（同規則121条5号の2）
非金銭報酬等に関する事項（同規則121条5号の3）
報酬等に関する定款の定めまたは株主総会決議に関する事項（同規則121条5号の4）
取締役等の個人別の報酬等の内容についての決定に関する方針についての事項（同規則121条6号）
取締役等を除く各会社役員（監査等委員，監査役）の報酬等の額またはその算定方法に係る決定に関する方針についての事項（同規則121条6号の2）
取締役の個人別の報酬等の内容の全部または一部を決定した場合に関する事項（同規則121条6号の3）
社外役員に関する特則（同規則124条）
社外取締役が果たすことが期待される役割に関して行った職務の概要（同規則124条4号ホ）
会計参与設置会社の特則（同規則125条）
補償契約に関する事項（補償契約に基づく補償に関する事項を含む）（同規則125条2号～4号）
会計監査人設置会社の特則（同規則126条）
補償契約に関する事項（補償契約に基づく補償に関する事項を含む）（同規則126条7号の2～7号の4）

3　事業報告の構成

　事業報告の構成は，会社法施行規則に規定する順序どおりにする必要はない。株主にとって理解しやすいよう配慮したものであることが望ましく，各社の創意工夫によることでよい。

　事業報告を作成する上で，実務上参考になるものとして，全国株懇連合会の事業報告モデル，日本経済団体連合会の事業報告ひな型が作成されており，参考までにこれらモデル・ひな型の構成を示すと，以下のとおりである。これらのモデルのように，会社法施行規則の条

文ごとに大項目を立てて記載する構成がわかりやすいように思われる。なお，旧商法のもとでの営業報告書で多くみられた，「営業の概況」，「会社の概況」の2本立てで，事業報告を作成することでも差し支えない。

全国株懇連合会の事業報告モデル	日本経済団体連合会の事業報告ひな型
1．企業集団の現況に関する事項 2．会社の株式に関する事項 3．会社の新株予約権等に関する事項 4．会社役員に関する事項 5．会計監査人の状況 6．会社の体制および方針	1．株式会社の現況に関する事項 2．株式に関する事項 3．新株予約権等に関する事項 4．会社役員に関する事項 5．会計監査人に関する事項 6．業務の適正を確保するための体制等の整備に関する事項 7．株式会社の支配に関する基本方針 8．特定完全子会社に関する事項 9．親会社等との間の取引に関する事項 10．株式会社の状況に関する重要な事項

4　ウェブ開示

事業報告記載事項のうち，以下に定める事項については，あらかじめ定款の定めがあることを前提に，招集通知の添付書類として株主に送付する代わりにインターネットで開示することができる（会社法施行規則133条3項）。いわゆるウェブ開示であるが，これを利用する場合には，ウェブ開示事項を掲載するURLを株主に対して通知しなければならない。

企業集団の現況関係 ・主要な事業内容（会社法施行規則120条1項1号） ・主要な営業所および工場ならびに使用人の状況（同規則120条1項2号） ・主要な借入先（同規則120条1項3号） ・財産および損益の状況の推移（同規則120条1項6号） ・その他会社の現況に関する重要な事項（同規則120条1項9号）
株式関係（同規則122条1項1号～3号）
新株予約権等関係（同規則123条1号～3号）
会社役員関係 ・責任限定契約（同規則121条3号） ・辞任または解任された会社役員の氏名，意見，理由（同規則121条7号） ・会社役員の重要な兼職の状況（同規則121条8号） ・財務および会計に関する相当程度の知見（同規則121条9号） ・常勤の監査等委員または監査委員に関する事項（同規則121条10号） ・その他会社役員に関する重要な事項（同規則121条11号） ・社外役員に関する開示事項（同規則124条1号～8号）

会計参与関係（同規則125条1号）
会計監査人関係（同規則126条1号～9号，7号の2～7号の4除く）
その他 ・会社の状況に関する重要な事項（同規則118条1号） ・業務の適正を確保するための体制等の整備に関する事項（同規則118条2号） ・会社の支配に関する基本方針（同規則118条3号） ・特定完全子会社に関する事項（同規則118条4号） ・親会社等との取引に関する事項（同規則118条5号） ・剰余金の配当等の決定に関する方針（同規則126条10号）

　また，2021年1月29日に「会社法施行規則および会社計算規則の一部を改正する省令」（令和3年法務省令第1号）が公布，施行され，ウェブ開示の対象となる事項の範囲が拡大された。事業報告について，「当該事業年度における事業の経過およびその成果」（同規則120条1項4号），「対処すべき課題」（同規則120条1項8号）は，新型コロナウイルス感染症の影響を踏まえた時限措置として，2021年9月30日までに招集の手続が開始される定時株主総会に限り，ウェブ開示を行うことができる。

　事業報告に関してウェブ開示を採用している社数は年々増加している。

　なお，ウェブ開示を採用した場合，総会当日の来場株主への対応として招集通知の完全版を備置または交付するのか，ウェブ開示項目に関する資料のみを追加備置等するのかといった問題があるが，株主総会白書2020年版によると，ウェブ開示した事業報告部分（さらにはウェブ開示した計算書類部分）のみを備置または受付で交付したとする会社が74.0％と多数であり，招集通知の完全版を備置または受付で交付した会社は9.7％に過ぎなかった。また，特段対応していないとする会社も16.0％みられた（「株主総会白書2020年版」〔旬刊商事法務2256号〕84頁～85頁）。

Ⅱ 事業報告記載事項の分析
──2020年6月総会会社の事例分析──

　本書は，日経500種平均株価構成銘柄のうち2020年6月に総会を開催した385社（監査役会設置会社284社，指名委員会等設置会社32社，監査等委員会設置会社69社）の事業報告の記載内容を分析し，参考となる事例を紹介するものである。なお，以下の記載内容は令和元年改正会社法施行前の事例を分析したものである。

　過去の分析および事例については以下のとおりである。

○2016年6月総会事業報告
　　　　　　　　　　　　資料版商事法務No.392（2016年11月号）～No.394（2017年1月号）
　　　　　　　三菱UFJ信託銀行法人コンサルティング部編「事業報告記載事項の分析」
　　　　　　　　　　　　　　　　　　　　　　　　　　　　　　　　（別冊商事法務No.420）

○2017年6月総会事業報告
　　　　　　　資料版商事法務No.403（2017年10月号），No.404（同年11月号），No.406（2018年1月号）
　　　　　　　三菱UFJ信託銀行法人コンサルティング部編「事業報告記載事項の分析」
　　　　　　　　　　　　　　　　　　　　　　　　　　　　　　　　（別冊商事法務No.430）

○2018年6月総会事業報告
　　　　　　　資料版商事法務No.415（2018年10月号），No.416（同年11月号），No.418（2019年1月号）
　　　　　　　三菱UFJ信託銀行法人コンサルティング部編「事業報告記載事項の分析」
　　　　　　　　　　　　　　　　　　　　　　　　　　　　　　　　（別冊商事法務No.441）

○2019年6月総会事業報告
　　　　　　　　　　　　資料版商事法務No.427（2019年10月号）～No.429（2019年12月号）
　　　　　　　三菱UFJ信託銀行法人コンサルティング部編「事業報告記載事項の分析」
　　　　　　　　　　　　　　　　　　　　　　　　　　　　　　　　（別冊商事法務No.450）

1 事業報告の区分（大項目区分の内容）

　2020年6月総会の調査対象会社385社で事業報告をどのように区分しているかを見ると，最も多い区分は6区分で108社（28.1％），次いで5区分が86社（22.3％），7区分が49社（12.7％），2区分が47社（12.2％）の順となっている。

　ちなみに，全国株懇連合会の「全株懇モデル」では，「1．企業集団の現況に関する事項」，「2．会社の株式に関する事項」，「3．会社の新株予約権等に関する事項」，「4．会社役員に関する事項」，「5．会計監査人の状況」，「6．会社の体制および方針」の6区分，日

本経済団体連合会（以下，経団連）の事業報告のひな型では，「1．株式会社の現況に関する事項」，「2．株式に関する事項」，「3．新株予約権等に関する事項」，「4．会社役員に関する事項」，「5．会計監査人に関する事項」，「6．業務の適正を確保するための体制等の整備に関する事項」，「7．株式会社の支配に関する基本方針に関する事項」，「8．特定完全子会社に関する事項」，「9．親会社等との間の取引に関する事項」，「10．株式会社の状況に関する重要な事項」の10区分としている。

＜三菱倉庫＞　2区分方式に「会社の体制及び方針」を加えて3区分とした記載例

```
（添付書類）
                    事　業　報　告
                    (平成 31 年 4 月 1 日から)
                    (令和  2 年 3 月 31 日まで)

   Ⅰ　企業集団の現況に関する事項

                           ＜中　略＞

   Ⅱ　会社の状況に関する事項

                           ＜中　略＞

   Ⅲ　会社の体制及び方針

                           ＜以下略＞
```

＜京王電鉄＞　全株懇モデルから「新株予約権等に関する事項」を除いて5区分方式とした記載例

1 企業集団の現況に関する事項

＜中　略＞

2 会社の株式に関する事項（2020年3月31日現在）

＜中　略＞

3 会社役員に関する事項

＜中　略＞

4 会計監査人の状況

Ⅱ　事業報告記載事項の分析

```
                    <中　略>
┌─────────────────────────────────────┐
│ 5  会社の体制および方針                          │
│─────────────────────────────────────│
│                    <以下略>                │
└─────────────────────────────────────┘
```

＜森永乳業＞　全株懇モデルにならった６区分方式の記載例，「会社の体制および方針」はウェブ開示する例

┌─────────────────────────────────────┐
│ 添付書類   │
│ **事業報告**　2019年4月1日から2020年3月31日まで   │
│   │
│ 1 森永乳業グループ（企業集団）の現況に関する事項   │
│   <中　略>   │
│ 2 会社の株式に関する事項   │
│   <中　略>   │
│ 3 会社の新株予約権等に関する事項   │
│   <中　略>   │
│ 4 会社役員に関する事項   │
│   <中　略>   │
│ 5 会計監査人の状況   │
│   <以下略>   │
│   │
│   第97期定時株主総会招集に際しての   │
│   法令および定款に基づくインターネット開示事項   │
│   │
│   │
│   会社の体制および方針 ……………………… 1頁   │
│   <以下略>   │
└─────────────────────────────────────┘

1　事業報告の区分（大項目区分の内容）

＜三越伊勢丹ホールディングス＞　6区分の記載例

> 株主総会招集ご通知　添付書類
>
> ## 事業報告 (2019年4月1日から2020年3月31日まで)
>
> **1** 当社グループの現況に関する事項
>
> <中　略>
>
> **2** 会社の株式に関する事項 (2020年3月31日現在)
>
> <中　略>
>
> **3** 会社役員に関する事項 (2020年3月31日現在)
>
> <中　略>
>
> **4** 会計監査人に関する事項
>
> <中　略>
>
> **5** 剰余金の配当等の決定に関する方針
>
> <中　略>
>
> **6** コーポレート・ガバナンスに関する取り組み
>
> <以下略>

＜安藤・間＞　8区分の記載例

> 〔2020年3月期定時株主総会招集ご通知添付書類〕
>
> ## 事業報告 (2019年4月1日から2020年3月31日まで)
>
> **1** 企業集団の現況に関する事項
>
> <中　略>
>
> **2** 会社の株式に関する事項 (2020年3月31日現在)
>
> <中　略>

Ⅱ　事業報告記載事項の分析

3　会社の新株予約権等に関する事項

<中　略>

4　会社の役員に関する事項

<中　略>

5　会計監査人の状況

<中　略>

6　業務の適正を確保するための体制および運用状況の概要

<中　略>

7　会社の支配に関する基本方針

<中　略>

8　剰余金の配当等の決定に関する方針

<以下略>

＜東京海上ホールディングス＞　12区分の記載例

添付書類

2019年度〔2019年4月1日から2020年3月31日まで〕事業報告

1．保険持株会社の現況に関する事項

<中　略>

2．会社役員に関する事項

<中　略>

3．社外役員に関する事項

<中　略>

4．株式に関する事項

＜中　略＞

5．新株予約権等に関する事項

＜中　略＞

6．会計監査人に関する事項

＜中　略＞

7．財務及び事業の方針の決定を支配する者の在り方に関する基本方針

＜中　略＞

8．業務の適正を確保するための体制

＜中　略＞

9．特定完全子会社に関する事項

＜中　略＞

10．親会社等との間の取引に関する事項

＜中　略＞

11．会計参与に関する事項

＜中　略＞

12．その他

＜以下略＞

2　会社(企業集団)の現況に関する事項

「会社の現況に関する事項」については，①主要な事業内容，②主要な営業所および工場ならびに使用人の状況，③主要な借入先，④事業の経過およびその成果，⑤直前3事業年度の財産および損益の状況，⑥重要な親会社および子会社の状況，⑦対処すべき課題(会社法施行規則120条1項1～4号，6～8号)のほか，⑧当該事業年度における次に掲げる事項についての状況(重要なものに限る)として，㋐資金調達，㋑設備投資，㋒事業の譲渡，吸収分割または新設分割，㋓事業の譲受け，㋔吸収合併または吸収分割による他の法人等の事業に関する権利義務の承継，㋕他の会社の株式その他の持分または新株予約権等の取得または処分──が掲げられている(同項5号)。さらに，⑨上記のほか株式会社の現況に関する重要な事項を記載することとされている(同項9号)。

会社の現況に関する事項は，会社が当該事業年度に係る連結計算書類を作成している場合には，当該株式会社およびその子会社から成る企業集団の現況に関する事項とすることができる(会社法施行規則120条2項)。2020年6月総会の調査対象会社385社のうち，連結計算書類を作成している会社は371社であるが，「会社の現況に関する事項」について連結ベースと単体ベースのどちらで記載しているかを見ると，次のとおりである。

　　①　企業集団の現況等として連結ベースで記載した会社 ················· 371社 (96.4%)
　　②　連結計算書類を作成しているが，単体ベースで記載した会社 ············ 11社 (2.9%)
　　③　連結計算書類を作成しておらず，単体ベースで記載した会社 ············ 3社 (0.8%)

(1)　事業の経過およびその成果

「事業の経過およびその成果」の記載方法については，文章によって記載するのが一般的であるが，部門別の業績等につき，表，グラフ等が随時用いられることも多い。各社の記載方法を見ると，①文章のみで説明している会社は49社(12.7%)，②文章に加えて表を用いた会社76社(19.7%)，③文章に加えてグラフ(図を含む)を用いた会社は47社(12.2%)，④文章に加えて写真を用いた会社は3社(0.8%)，⑤文章に加えて表，グラフを用いた会社は64社(16.6%)，⑥文章に加えて表，写真を用いた会社は10社(2.6%)，⑦文章に加えてグラフ，写真を用いた会社は39社(10.1%)，⑧文章に加えて表，グラフおよび写真を用いた会社は97社(25.2%)であった。

また，構成としては，冒頭でわが国経済の状況を記載し，続いて業界の景気状況等を概観したうえで，企業集団(会社)の事業の経過および成果を記載するのがオーソドックスな流れである。次に，事業が2以上の部門に分かれている場合，企業集団(会社)の現況に関する事項はできる限り部門別に区分して記載することになるが，部門別の状況の記載方法を見ると，部門別に独立の見出しを設けて記載する会社が多いようである。

記載内容については，その事業年度における売上高，受注高，損益の状況に限らず，事業上の各種取組み等が該当しうるが，6月総会の調査対象会社385社の事例としては，損益の

状況の延長線上で，配当方針や配当額を記載する会社，無配である旨を記載する会社，また，本年は新型コロナウィルス感染症拡大に伴う影響について記載する会社，その他，中期経営計画の策定や進捗状況と総括について記載する会社，コーポレート・ガバナンス体制について記載する会社，企業理念について記載する会社，合併等の企業再編について記載する会社，業務提携について記載する会社，環境保全活動について記載する会社，ESGやSDGs対応について記載する会社，女性の活躍推進，働き方改革について記載する会社など，さまざまな事項が記載されている。

＜ホクト＞　事業区分別売上高を表記している例

１．企業集団の現況
(1) 当事業年度の事業の状況
① 事業の経過及び成果

当連結会計年度におけるわが国経済は、企業業績の回復や雇用・所得環境の改善により緩やかな景気回復基調が続く一方、米中貿易摩擦や英国のEU離脱問題に加え、新型コロナウイルスの感染拡大により国内外の経済に甚大な影響が懸念されるなど、依然として先行き不透明な状況が続いております。また、当社グループの主たる事業領域であります農業分野におきましては、消費税率の引き上げや人件費の高騰など、引き続き厳しい経営環境が続いております。

このような経済環境の中、当社グループは引き続き中期的な事業展開に向けた新たな課題に対応するため、「お客様のニーズにお応えした商品戦略、事業戦略の構築」を主眼に置いた経営戦略を実践し、市況に左右されない強靭な企業体質を構築するべく、事業活動を推進してまいりました。当期もきのこ事業を中心として、健康食材である「きのこ」の研究開発、生産、販売を通してより多くの皆様へ、おいしさと健康をお届けできるよう事業活動を行ってまいりました。

以上の結果、当連結会計年度の当社グループの業績は、売上高712億20百万円（前期比1.5％増）、営業利益39億23百万円（同6.5％増）、経常利益41億87百万円（同9.2％減）、親会社株主に帰属する当期純利益は15億31百万円（同52.0％減）となりました。

なお、当連結会計年度の生産量は、ブナピーを含めブナシメジ45,338ｔ（同2.0％増）、エリンギ18,031ｔ（同5.2％減）、マイタケ13,979ｔ（同2.6％増）となりました。

当連結会計年度の各セグメントの概況は次の通りであります。

「国内きのこ事業」

生産部門におきましては、衛生管理を徹底し、品質の向上と安定栽培に努め、安心・安全なきのこを提供してまいりました。2018年9月より新たに収穫・出荷を始めましたシイタケ生産におきましては、引き続き品質の向上と安定栽培に努めてまいりました。昨年10月に台風19号の影響で、赤沼きのこセンター（エリンギ生産拠点）が浸水し、10月中旬以降の生産が不可能となりましたが、現在、復旧作業を進めており、本年6月中旬には収穫・出荷出来る予定です。また、本年1月に、食の安全、環境保全、労働安全を実現させるため、GLOBAL G.A.P.の認証を取得いたしました。

研究部門におきましては、品質管理体制の強化、付加価値の高い新製品の開発及びきのこの薬理効果や機能性の追求に取り組んでまいりました。研究所においても、台風19号の影響で被害を受け、一部研究活動の停止を余儀なくされましたが、1月下旬に研究活動の再開をいたしました。

営業部門におきましては、健康・美容・スポーツを3本柱とした「きのこで菌活」を提唱し、鮮度に拘った営業活動を行ってまいりました。販売面では、当期の前半は野菜相場が堅調に推移したため、きのこの価格も前期を上回る状況で推移しましたが、後半は一部台風の影響があったものの暖かい日が続き、野菜は全般的に順調に出荷され、野菜相場が軟調に推移したため、きのこの価格も前期を下回る状況で推移しました。3月に入ると新型コロナウイルス感染症の

Ⅱ　事業報告記載事項の分析

影響で内食志向になったことにより、きのこの販売は伸びました。
　以上の結果、国内きのこ事業全体の売上高は481億92百万円（同2.8％増）となりました。

「海外きのこ事業」
　米国の現地法人「HOKTO KINOKO COMPANY」におきましては、引き続き非アジア系顧客マーケットの開拓に注力し、販売の拡大を行った結果、売上高は計画を上回りました。台湾の現地法人「台灣北斗生技股份有限公司」におきましては、生産部門では年度を通じて安定栽培が出来たこと及び販売の核となるスーパーとの取り組みが好調に推移したことや、ブランド力及び安定・安心栽培が市場に浸透してきたことから、売上高は計画を上回りました。マレーシアの現地法人「HOKTO MALAYSIA SDN. BHD.」におきましては、生産部門は工場建設から4年が経過し安定した栽培が継続する状況になりました。販売面では、中国産や韓国産とのシェア争いが厳しい中、販売力のある量販店でのキャンペーンやプロモーションの展開を強化することで、ブランディング効果が高まり、新規開拓営業の拡大につながりました。
　また、マレーシア国内に限らず、広く東南アジアのマーケットでの販売を展開した結果、徐々にではありますがきのこ市場を拡大することが出来ました。当社海外事業本部において、今後のさらなる販路拡大を目指し、アジア各国及び欧州でのマーケティング活動を引き続き行ってまいりました。
　以上の結果、海外きのこ事業全体の売上高は53億1百万円（同4.1％増）となりました。

「加工品事業」
　加工品事業におきましては、水煮・冷凍・乾燥などの業務用きのこの加工品の販売・開発及び市場開拓を行うとともに、サプリメントの企画・販売に取り組んでまいりました。また、市販用商品として自社きのこを活用した新商品の開発や販路拡大に努めてまいりました。通販事業では、健康食品・レトルト食品を中心に販売強化を図ってまいりました。
　以上の結果、加工品事業の売上高は78億73百万円（同1.2％減）となりました。

「化成品事業」
　化成品事業のうち、包装資材部門におきましては、包装資材を通じて安心・安全な食を消費者にお届けする使命のもと提案営業に尽力してまいりました。また、農業資材部門におきましては、原料等の安定供給とともに、農業栽培におけるコンサルティング業務を強化してまいりました。新規戦略部門におきましては、昨年10月の台風19号により豊野工場が製造休止の状態となり、早期復旧に全力を挙げて取り組んでまいりました。工場被災による影響と景況悪化により売上は低調に推移しました。なお、豊野工場は現在復旧作業を進めておりますが、5月中旬に一部稼働を始めました。
　以上の結果、化成品事業の売上高は98億53百万円（同3.6％減）となりました。

事業区分別売上高
（単位：百万円）

事業区分	第57期 2019年4月1日から 2020年3月31日まで 金額	第56期 2018年4月1日から 2019年3月31日まで 金額	前連結 会計年度比 増減率 （％）
国内きのこ事業	48,192	46,893	2.8
海外きのこ事業	5,301	5,092	4.1
加工品事業	7,873	7,972	△1.2
化成品事業	9,853	10,226	△3.6
合計	71,220	70,183	1.5

（注）1．記載金額は百万円未満を切り捨てて表示しております。
　　　2．上記金額には、消費税等が含まれておりません。

＜清水建設＞　文章に加えて表，グラフおよび写真を用いた例

I 企業集団（連結）の現況に関する事項

1. 事業の経過及びその成果

当期の連結業績

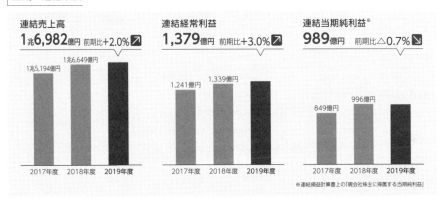

　2019年度の日本経済は，企業収益や雇用・所得環境の着実な改善を背景に緩やかな回復傾向が続いたものの，2020年1月下旬以降は新型コロナウイルス感染症の世界経済への影響が懸念されるなど，先行きが不透明な状況となりました。

　建設業界においては，官公庁工事で前期に大型案件の受注があった反動や，民間工事で消費税率引き上げに伴う駆け込み需要の反動がみられ，業界全体の受注高は前期を下回る水準で推移しました。

　このような状況のもと，当社グループの売上高は，完成工事高及び開発事業等売上高の増加により，前期に比べ2.0％増加し1兆6,982億円となりました。利益については，国内建築及び国内土木工事の工事採算の改善などにより完成工事総利益が増加したことに加え，開発物件の売却による開発事業等総利益の増加などにより，経常利益は前期に比べ3.0％増加し1,379億円となりました。当期純利益は固定資産の減損損失などを特別損失に計上したことから，0.7％減少し989億円となりました。

　なお，期末配当金につきましては，1株につき普通配当金10円に特別配当金10円を加えた20円でお諮りさせていただきます。これにより，中間配当金を加えた年間配当金は，1株につき38円となります。

事業別の概況

建設事業　[国内建築・国内土木・海外建設事業]

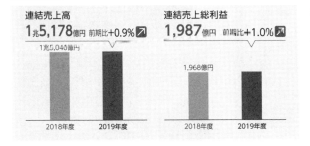

売上高は，前期に比べ0.9％増加し1兆5,178億円となりました。
利益については，国内建築及び国内土木工事の工事採算の改善などにより，1.0％増加し1,987億円となりました。

Ⅱ 事業報告記載事項の分析

ご参考 当社単体情報

■ 主な受注工事

建築工事	大名プロジェクト特定目的会社	(仮称)旧大名小学校跡地活用事業
	三井不動産レジデンシャル株式会社	(仮称)渋谷区千駄ヶ谷四丁目計画
	プロロジス	プロロジスパーク草加プロジェクト
土木工事	フィリピン共和国政府	マニラ地下鉄 CP101工区建設工事
	西日本高速道路株式会社	新名神高速道路 梶原トンネル工事

■ 主な完成工事

東京ワールドゲート 神谷町トラストタワー 新築工事 (東京都港区)
発注者 森トラスト株式会社

道玄坂一丁目駅前地区第一種市街地再開発事業
施設建築物新築工事（渋谷フクラス）(東京都渋谷区)
発注者 道玄坂一丁目駅前地区市街地再開発組合

(仮称)MM21地区47街区開発計画
(KTビル)(神奈川県横浜市)
発注者 三菱地所株式会社

2 会社(企業集団)の現況に関する事項

竹芝ウォーターフロント開発計画本体工事
(東京都港区)
発注者 東日本旅客鉄道株式会社

カチプール, メグナ, グムティ第2橋建設及び既存橋改修事業
(バングラデシュ)
発注者 バングラデシュ人民共和国政府

カチプール橋

メグナ橋

グムティ橋

非建設事業（開発事業等） ［投資開発事業・エンジニアリング事業・LCV事業・フロンティア事業 等］

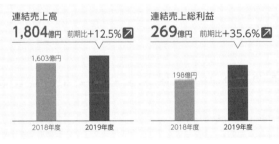

連結売上高 **1,804**億円 前期比+12.5% ↗
2018年度 1,603億円　2019年度

連結売上総利益 **269**億円 前期比+35.6% ↗
2018年度 198億円　2019年度

売上高は、前期に比べ12.5％増加し1,804億円、利益は開発物件の売却などにより、35.6％増加し269億円となりました。

ご参考　当社単体情報

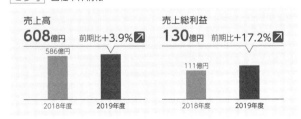

売上高 **608**億円 前期比+3.9% ↗
2018年度 586億円　2019年度

売上総利益 **130**億円 前期比+17.2% ↗
2018年度 111億円　2019年度

■LCV事業

「千葉大木戸ソーラーシェアリング®
(営農型太陽光発電)」
※一つの土地で農業と発電事業を同時に行う取組み

Ⅱ 事業報告記載事項の分析

■投資開発事業　　　　　　　■エンジニアリング事業

「S・LOGI新座West」

「テイカ製薬株式会社　点眼剤工場　無菌充填設備」

当社単体における部門別受注（契約）高・売上高・繰越高

(単位：百万円)

区分		前期繰越高	当期受注(契約)高	当期売上高	次期繰越高
建設事業	建築	1,581,530	907,799	1,073,463	1,415,866
	土木	479,023	286,981	283,251	482,753
	計	2,060,553	1,194,781	1,356,715	1,898,620
開発事業等		77,918	79,622	60,889	96,651
合計		2,138,472	1,274,404	1,417,604	1,995,272

次期連結業績の見通し

　2020年度の日本経済は、新型コロナウイルス感染症の影響による厳しい状況が続くと見込まれます。また、海外経済の動向や金融・資本市場の変動等の影響を注視する必要があります。
　建設業界においても、公共投資は堅調な推移が見込まれるものの、新型コロナウイルス感染症拡大により、民間建設投資では製造業を中心とした設備投資への影響が懸念され、また、建設資材を中心としたサプライチェーンの確保に留意を要するなど、業界全体を取り巻く経営環境は不透明さを増しております。

　このような状況の中、当社グループの次期連結業績見通しについては、新型コロナウイルス感染症の世界的な拡大の影響を合理的に算定することが困難であるため、本事業報告作成時点においては、未定としております。今後、合理的に算定することが可能となった時点で、当社ウェブサイト等を通じて速やかに公表いたします。

＜住友商事＞　中期経営計画の進捗状況を記載する例

Ⅰ．住友商事グループの現況に関する事項

1 事業の経過及びその成果

(1) 企業環境

　当期の世界経済は、緩慢な成長に留まりました。長期に渡る米中通商問題の緊張により先行き不透明感が強まったことで、貿易や投資が伸び悩んでいましたが、2020年に入り新型コロナウイルス（COVID-19）が世界的に感染拡大し、経済活動には未だかつて経験したことのないような制約要因となり、世界の経済活動は急減速しました。米国では、低失業率を背景に個人消費は景気の下支えとなってきましたが、新型コロナウイルス（COVID-19）の影響で足下では失業が急激に増加し、経済活動に深刻な悪影響を及ぼしています。中国では、米国との通商問題の深刻化が経済活動の重しとなり、消費者マインドが悪化したことで、自動車など耐久財の消費に陰りが見られていたところに新型コロナウイルス（COVID-19）の感染拡大が重なり経済活動に甚大な影響が出ています。欧州でも予てから景気回復の動きが弱まっていたところに、新型コロナウイルス（COVID-19）

の感染拡大が景気に対して極めて強い下押し圧力となっています。国際商品市況では、需要鈍化の影響により、多くの商品価格は下落傾向となりました。特に原油は、生産調整の不調に加えて、パンデミック対応による移動制限が重なったことで需給バランスが短期間で大きく崩れ、価格は暴落しました。

国内経済は、外需の低迷や消費増税により個人消費の伸びが減速基調となるなど景気回復の動きが弱まっていたところに、新型コロナウイルス（COVID-19）感染拡大により経済活動は停滞し、極めて厳しい状況を迎えることになりました。

(2) 全体業績及び財政状態
① 全体業績

当期の親会社の所有者に帰属する当期利益(注1)は1,714億円となり、前期に比べ1,492億円の減益となりました。一過性損益については、米国を中心とした鋼管事業において、原油価格の下落などによる減損損失及び在庫評価損を計上したことや、ボリビア銀・亜鉛・鉛事業での一過性損失を計上したことなどから約770億円の損失となり、前期に比べ約690億円の減益となりました。

一過性を除く業績は約2,480億円となり、前期に

(単位：億円)	第151期 (2018年度)	第152期 (2019年度)	増減
当期利益 (親会社の所有者に帰属)	3,205	1,714	△1,492
一過性損益	約△80	約△770	約△690
一過性を除く業績 (内、資源ビジネス) (内、非資源ビジネス)	約3,290 (610) (2,680)	約2,480 (250) (2,230)	約△810 (△360) (△450)
基礎収益(注2)	3,207	2,220	△988
基礎収益 キャッシュ・フロー(注3)	2,900	2,390	△510

(注1)「親会社の所有者に帰属する当期利益」は、住友商事の株主に帰属する純利益を示しています。
(注2)「基礎収益」＝（売上総利益＋販売費及び一般管理費（除く貸倒引当金繰入額）＋利息収支＋受取配当金）×（1－税率）＋持分法による投資損益
(注3)「基礎収益キャッシュ・フロー」＝基礎収益－持分法による投資損益＋持分法投資先からの配当

＜中　略＞

(4)「中期経営計画2020」の進捗

当社は、2018年5月に、2020年度までの3か年を対象とする「中期経営計画2020」を策定しました。

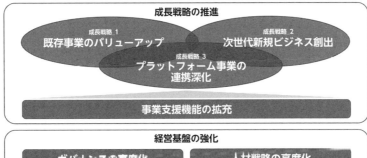

2019年度における「中期経営計画2020」の取組状況は、以下のとおりです。

① 成長戦略の推進の状況
　(a) 既存事業のバリューアップ
　　「既存事業のバリューアップ」を目指し、各事業部門の既存事業において、成長ポテンシャルの追求・実現に取り組みました。

　(b) 次世代新規ビジネス創出
　　加速度的にビジネス環境が変化する中で、大きな成長が見込まれる分野に経営資源を集中的に投下することとしています。具体的には、デジタルトランスフォーメーション(注1)の加速によるビジネスの

Ⅱ　事業報告記載事項の分析

(注1) IoT、ビッグデータ、AIといった革新的なデジタル技術の進化を背景に、さまざまなビジネス領域で最先端のICT技術を活用した既存事業の高度化・新規事業開発。

＜改　頁＞

　高度化やビジネスモデルの変革が期待できる「テクノロジー × イノベーション」分野、高齢化等の影響により市場の急速な拡大が見込まれる「ヘルスケア」分野、人口増大、都市化の進展によるスマートシティ・都市開発及びインフラ整備事業等の成長が見込まれる「社会インフラ」の3分野を対象にしています。
　2019年度は、この3分野に合計で約800億円の投資を実行しました。

(c) プラットフォーム事業の連携深化

　当社グループが有するさまざまな事業基盤や機能は、あらゆる「産業」「社会」「地域」に繋がる多くの「接点」を有しており、新たな価値を生み出す原動力になっています。「顧客基盤」「通信・放送・ネットワーク」「リース・レンタル・シェアリング」「デジタルプラットフォーム」などの事業基盤を通じ、事業と事業の掛合せや組織間の連携によって、新たな価値の創造に取り組んでいます。

　2019年度において、成長戦略の推進に向けた主な取組は次のとおりです。

既存事業の バリューアップ	・米国コイルセンターMagic Steelへの出資（金属） ・浅間技研工業の買収による鋳造事業の強化（輸送機・建機） ・フィリピン南北通勤鉄道車両の受注（インフラ） ・神田スクエア竣工等の不動産事業の推進（生活・不動産） ・全社デジタルトランスフォーメーションの推進（メディア・デジタル） ・資源上流案件（マダガスカルニッケル事業、チリ銅・モリブデン鉱山事業、ボリビア銀・亜鉛・鉛事業など）の早期収益化やコスト競争力の強化（資源・化学品）
次世代 新規ビジネス 創出	＜テクノロジー X イノベーション＞ ・石油ガス掘削自動化ソフトウェア開発事業Sekalへの出資（金属） ・5G関連事業（ローカル5Gソリューション、基地局シェアリング）（インフラ、メディア・デジタル） ・プリンテッド・エレクトロニクス(注2) 分野におけるエレファンテックへの出資（資源・化学品） ＜ヘルスケア＞ ・マレーシアにおけるマネージドケア事業(注3) の推進（生活・不動産） ＜社会インフラ＞ ・北欧駐車場事業AIMO Parkの買収（輸送機・建機）
プラットフォーム 事業の連携深化	・ハノイ北部スマートシティ開発（インフラ） ・農業資材直販事業の横展開の推進（資源・化学品）

(注2) 印刷技術を活用し、電子回路や電子デバイスを製造する技術のこと。金属のインクを基材に直接塗布することで、製造工程の簡略化や製品の小型化・薄型化が可能となる。
(注3) 民間の医療保険会社・医療機関と連携して、より良質で安価な医療の推進と個人の健康管理の向上を目指す仕組みづくりを行う医療関連サービス事業。

＜改　頁＞

② 事業支援機能拡充の状況

　成長戦略を推進するための全社的枠組みとして、「新規事業開発支援」「フルポテンシャルプラン」「アセットサイクルマネジメント」「デジタルトランスフォーメーション」の4つの「事業支援機能」の拡充に取り組んでいます。
　「新規事業開発支援」では、全社視点で次世代ビジネスを育成していく仕組みづくりに取り組んでいます。ヘルスケア、スマートシティ等の成長ポテンシャルの高い分野において、組織間連携を通じ、全社プロジェクトとして取り組む体制を強化しています。
　「フルポテンシャルプラン」では、未だ所期の成果を上げるに至っていない改善余地のある事業会社や、更なる成長が期待できる事業会社を対象に、事業価値最大化のための具体策を策定し、実行状況を重点的にモニタリングすることを通じ、全社ポートフォリオの更なる質の改善を図っています。
　「アセットサイクルマネジメント」では、他人資本の活用により、各事業の資産効率を上げるための支援を

行っています。

「デジタルトランスフォーメーション」では、2018年4月に設立したDXセンターを中心に、各分野の知見やプラットフォーム事業基盤にテクノロジーを掛け合わせることで、当社ビジネスモデルの変革に取り組んでいます。

2019年度においては、以下の取り組みを行いました。

新規事業開発支援	・イスラエルにおけるコーポレートベンチャーキャピタル（CVC）[注4]設立により、当社とベンチャー企業の連携体制をグローバルに強化 ・社内起業制度「0→1チャレンジ（ゼロワンチャレンジ）」における個人情報管理・活用ツール「iscream（アイスクリーム）」が事業化に向けて実証実験開始 ・社内外のさまざまなアイデアを融合させ、新たな価値を創造するためのオープンイノベーションラボとして、「MIRAI LAB PALETTE」をオープン
フルポテンシャルプラン	既存事業のバリューアップ支援の継続的取組
アセットサイクルマネジメント	・物流施設（当社開発物件を含む）を投資対象として組成された物流リートの上場 ・当社が保有する英国の洋上風力発電事業を組み入れた再生可能エネルギーファンドの出資組み入れ完了
デジタルトランスフォーメーション（DX）	・DXセンターを設立し、業務効率化を初手に社内の意識改革を推進。RPA（ロボティック・プロセス・オートメーション）では、10万時間以上の業務時間削減 ・専門知識を保有した人材の採用・登用も進め、デジタル技術・データを活用した、ビジネスモデル変革を加速 ・海外拠点にもDX組織を展開、グローバルベースで140名体制とし、外部パートナーともDXを推進

(注4) 当社事業とのシナジー効果の獲得を目的としたベンチャー投資を行うファンド。

<改　頁>

③ 経営基盤の強化
(a) ガバナンスの高度化

取締役会における、各事業部門の部門戦略の進捗状況及び課題並びに課題への対応方針に関する報告や、主要な委員会の活動報告、市況変動リスク、カントリー・リスク等の集中リスクに関わるポートフォリオ報告などのほか、取締役会オフサイトセッションにおける、ESG（環境・社会・ガバナンス）を含むさまざまな重要経営課題についての議論により、取締役会の執行に対するモニタリング機能の更なる強化に取り組みました。

また、グローバル連結ベースでのグループガバナンスの実効性の維持・向上のため、2018年度から、グループ標準ツールを活用しながら、連結子会社と対話することで内部統制の状況を可視化し、業務品質の向上に取り組んでいます。2019年度は、この連結子会社との対話をさらに推進しました。

(b) 人材戦略の高度化

「Diversity & Inclusion ～多様な力を競争力の源泉に～」を基本コンセプトに、各種人事施策を導入し、成長戦略を後押ししています。部門・組織を越えたローテーションによる重点分野への戦略的な人材投入、専門性の高い外部人材の採用拡充、海外駐勤時の処遇に関するグループ共通のルール導入等により、グローバル連結ベースで最適な人材を適時・適所に配置できる体制を整備しています。また、多様な個々人が最大限に力を発揮できるよう、「テレワーク制度」や「スーパーフレックス制度」の一層の活用と健康経営の推進を進めました。また、当社の退職者を対象とした「SC Alumni Network」を立ち上げました。当社Alumni[注5]との結びつきを高め、ビジネスイノベーションを起こすオープンな企業文化の醸成を図ります。

(c) 財務健全性の向上

経営基盤の更なる強化を目的として、配当後フリーキャッシュ・フローの黒字を確保することにより、財務健全性の向上に努めています。また、コア・リスクバッファーとリスクアセットのバランス[注6]についても、引き続きその維持に努めています。

(注5) Alumni（アラムナイ）とは、大学の卒業生を意味し、転じて企業を離職した方の集まりを表す言葉として近年使われています。
(注6) 「コア・リスクバッファー」とは、「資本金」、「剰余金」及び「在外営業活動体の換算差額」の和から「自己株式」を差し引いて得られる数値で、当社は、最大損失可能性額である「リスクアセット」を「コア・リスクバッファー」の範囲内に収めることを経営の基本としています。

＜沢井製薬＞　冒頭でIFRSの適用について説明する例

1. 企業集団の現況に関する事項
(1) 事業の経過及びその成果

当社グループでは、資本市場における財務情報の国際的な比較可能性を向上させることを目的として、2018年3月期より国際財務報告基準（IFRS）を適用しております。同基準に基づいた当連結会計年度の業績につきましては、売上収益182,537百万円（前期比1.0％減）、営業利益26,793百万円（前期比3.9％増）、税引前当期利益26,497百万円（前期比3.2％増）、親会社の所有者に帰属する当期利益19,279百万円（前期比0.5％減）となりました。

なお、当社は、IFRSの適用にあたり、会社の経常的な収益性を示す利益指標として、「コア営業利益」を導入し、経営成績を判断する際の参考指標と位置づけることとしております。「コア営業利益」は、営業利益から当社グループが定める非経常的な要因による損益を除外しております。同基準に基づいた当連結会計年度の「コア営業利益」は、34,391百万円（前期比8.9％減）となりました。

セグメント別の業績は、次のとおりであります。

① 日本セグメント

日本事業においては、2017年6月に閣議決定された「経済財政運営と改革の基本方針2017～人材への投資を通じた生産性向上～」（骨太方針2017）により、ジェネリック医薬品使用割合80％の目標の達成時期を2020年9月までとされています。これを受け、2018年4月には、保険薬局における「後発医薬品調剤体制加算」、医療機関における「後発医薬品使用体制加算」の要件見直しに加え、院内処方を行う診療所における「外来後発医薬品使用体制加算」の要件見直し、一般名処方の一層の推進等のジェネリック使用促進策を含む診療報酬改定が実施され、薬局市場を中心にジェネリック医薬品の需要が伸長しており、日本ジェネリック製薬協会の調査（速報ベース）によれば、2019年第3四半期のジェネリック医薬品の使用割合は77.1％まで高まってきております。

さらに、2019年6月に閣議決定された「経済財政運営と改革の基本方針2019～『令和』新時代：『Society5.0』への挑戦～」（骨太方針2019）においても「後発医薬品の使用促進について、安定供給や品質の更なる信頼性確保を図りつつ、2020年9月までの後発医薬品使用割合80％の実現に向け、インセンティブ強化も含めて引き続き取り組む」ことが明記されています。また、2020年4月の診療報酬改定では、ジェネリック医薬品の更なる使用促進を図る観点から、ジェネリック医薬品の調剤割合が高い薬局や使用割合が高い医療機関に重点を置いた評価や、ジェネリック医薬品の普及上ポイントとなる一般名での処方を推進するために、一般名処方加算の評価の見直しが行われることとなりました。その一方で、2019年10月には消費税率の引上げに伴う臨時の薬価改定が実施され、2020年3月には4月に実施される通常の薬価改定についても告示されたことから、当社を取り巻く収益環境は厳しいものとなりました。

このような環境におきまして、当社グループは、「なによりも患者さんのために」の企業理念のもと、2021年3月期を最終年度とする3ヶ年の新たな中期経営計画「M1 TRUST 2021（以下「中計」という）」を策定し、2018年5月に発表しました。中計では「国内GE市場での圧倒的地位の確立とUpsher-Smith Laboratories, LLC（以下「USL」という）の成長加速による世界をリードするジェネリック医薬品企業への変革」という中長期ビジョンの達成に向け、この3年間を「戦略的提携も視野に入れた業界内ネットワークの構築」の時期と位置づけ、「業界構造の変化に対応できる体制構築とコスト競争力強化」を重点課題に設定しました。

生産・供給体制面においては、全国7つの工場それぞれの特徴を活かした生産効率のアップに取り組んでおります。また、老朽化が進んでいる大阪工場の閉鎖を決定し、その包装工程を三田西工場へと移管することでさらなる高効率・低コストを追求しております。

製品開発・販売面においては、2019年6月に『シロドシンOD錠』を含む3成分7品目、同年12月に『アプレピタントカプセル』を含む2成分5品目、2020年3月に『タダラフィル錠』と各種新製品を発売しました。また、2019年5月に世界的なパッケージコンテストである「WorldStar Awards」を受賞した『ミノドロン酸錠50mg「サワイ」』の包装パッケージのように、患者さんの適正利用・利便性を考慮

した製品開発に努めております。

新型コロナウイルス感染症の流行については、2020年2月に危機管理本部を立ち上げ、社内においては従業員の感染防止対策を徹底し、社外に対しては医薬情報担当者（MR）の医療機関等への訪問自粛や一部従業員の在宅勤務等を実施しました。当連結会計年度への影響は軽微でありましたが、今後、本感染症の影響が長引けば、原材料の輸入や物流の停滞等による影響が発生することも予想されます。当社は、医薬品製造販売業として、引き続き感染予防・対策を徹底し、国民の生命、健康の保持に必要不可欠な医薬品の安定供給体制の維持に努めてまいります。

この結果、売上収益は144,130百万円、セグメント利益は24,401百万円となりました。

② 米国セグメント

米国事業においては、成長戦略を加速するため、創業100周年となるUSLを通じて米国市場への進出を果たしており、USLの持分20％を所持している住友商事株式会社の米国子会社Sumitomo Corporation of Americasと共にUSLの新たな成長戦略実現に取り組んでおります。中計では中長期ビジョン達成に向け、この3年間を「USLを基盤としたグローバル企業化への加速」の期間と位置付け、当社とUSLとの双方の強みを活かした連携を重点課題に設定し、取り組んでおります。

米国におけるジェネリック医薬品業界は、卸・薬局等の統合により3大購買グループのシェアが約90％を占めていること、米国食品医薬品局（FDA）による医薬品簡略承認申請（ANDA）承認件数が過去最高水準を記録したこと等により、ジェネリック医薬品価格の下落基調が続きました。

このような環境におきまして、上市製品の拡充に取り組み、ジェネリック医薬品としては、2019年9月に『モルヒネ硫酸塩錠』、2020年1月に『フルボキサミンマレイン酸塩錠』『ハロペリドール錠』『クロニジン塩酸塩徐放錠』を発売しました。また、ブランド医薬品としては、2019年6月にUSLとDr.Reddy's Laboratories Ltd.の間で契約を締結し、同年7月に取得完了した、『スマトリプタン製剤』である『Tosymra™点鼻薬10mg』、『Zembrace®Symtouch®注射液3mg』の販売を開始しました。

なお、新型コロナウイルス感染症の流行により、米国では、各州において自宅待機令が出る状況でしたが、USLの事業である医薬品製造業は重要なセクターの1つとして位置付けられており、事業活動を継続できました。USLは2020年3月初めには部門横断の対策チーム（COVID-19 Response Team）を立ち上げ、幅広く情報収集し対策を練りました。製造部門や研究開発部門などオンサイトでの業務が不可欠な従業員を除きテレワークへ移行しました。従業員の感染防止対策を施すとともに、人事面での施策を導入したほか、ITを活用した営業活動に切り替えました。今後、本感染症の影響が長引けば原材料の確保等に影響が発生することも予想されます。USLとしましても、引き続き感染予防・対策を徹底し、ヒトの生命、健康の保持に必要不可欠な医薬品の安定供給体制の維持に努めてまいります。

この結果、売上収益は38,407百万円、セグメント利益は2,388百万円となりました。

＜オリックス＞　冒頭で経営の基本方針等を記載する例

1 経営の基本方針等

(1) 経営の基本方針

オリックス（当社およびその子会社から成る企業集団をいう。以下同じとする。）はグループとして後記の企業理念および経営方針を定めています。

企業理念	経営方針
オリックスは、たえず市場の要請を先取りし、先進的・国際的な金融サービス事業を通じて、新しい価値と環境の創造を目指し、社会に貢献してまいります。	●オリックスは、お客さまの多様な要請に対し、たえず質の高いサービスを提供し、強い信頼関係の確立を目指します。 ●オリックスは、連結経営により、すべての経営資源を結集し、経営基盤の強化と持続的な成長を目指します。 ●オリックスは、人材の育成と役職員の自己研鑽による資質の向上を通じ、働く喜びと誇りを共感できる風土の醸成を目指します。 ●オリックスは、この経営方針の実践を通じて、中長期的な株主価値の増大を目指します。

Ⅱ　事業報告記載事項の分析

（2）目標とする経営指標

　オリックスは持続的な成長に向けて、収益力の観点から当社株主に帰属する当期純利益を、資本効率の観点からＲＯＥ（株主資本／当社株主に帰属する当期純利益率）を、健全性の観点から信用格付を経営指標としています。
　2019年10月に、2019年3月期から2021年3月期までの3ヵ年の目標（当期純利益の年間成長率4〜8％、ほか）を変更し、当期純利益の目標は「2020年3月期に3,000億円」、ＲＯＥの目標は「中期的に11％以上」とすることに致しました。当期の実績は以下のとおりです。

利益成長	資本効率	健全性
当社株主に帰属する当期純利益　**3,027億円** 2020年3月期 目標：3,000億円	ＲＯＥ　**10.3％** 中長期的な方向性：11％以上	信用格付（長期）　**A格以上を維持** 目標：信用格付A格維持に最大限努力

（3）剰余金の配当等の決定に関する方針

　当社は、事業活動で得られた利益を主に内部留保として確保し、事業基盤の強化や成長のための投資に活用することにより株主価値の増大に努めてまいります。同時に、業績を反映した安定的かつ継続的な配当を実施致します。また、自己株式取得につきましては、必要な内部留保の水準を考慮しつつ、経営環境の変化、株価の動向、財務状況および目標とする経営指標等を勘案の上、弾力的・機動的に対処してまいります。

　これらの基本方針の下、当期の1株当たりの年間配当金につきましては、前期の76円と同額の76円と致します。配当性向は32％となります（中間配当金は支払済みの35円、期末配当金は41円）。なお、配当の決定につきましては、会社法第459条第1項に基づき、取締役会の決議により剰余金の配当をすることができる旨を定款に定めています。

　また、当期は、2019年11月から2020年3月までの間に、合計457億円の自己株式取得を行いました。

　1株当たりの配当金の過去5年間の推移は以下のとおりです。

2020年3月期年間1株当たり配当金	**76円** 中間35円、期末41円
2020年3月期配当性向	**32.0％**

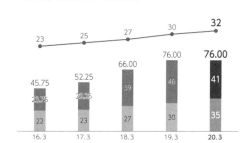

1株当たり配当金／配当性向

2　オリックスの現況に関する事項

＜以下略＞

＜京都銀行＞　働き方改革について記載する例

1．当行の現況に関する事項
（1）事業の経過及び成果等
銀行の主要な事業内容

　当行の本店ほか支店等においては、預金業務、貸出業務、商品有価証券売買業務、有価証券投資業務、内国為替業務、外国為替業務、信託業務などを行い、地域に密

着した事業活動を推進いたしております。

金融経済環境

　当期のわが国経済は、海外経済の減速とともに企業の輸出・生産活動で弱めの動きが続いたほか、消費税増税の反動などにより個人消費も力強さを欠くなど、減速感の目立つ展開となりました。とりわけ年明け以降は、新型コロナウイルス感染拡大防止措置に伴って、世界的な人の移動制限やサプライチェーンの混乱が広がり、国内での生産縮小が余儀なくされたほか、インバウンドを含めた国内需要が急速に減退するなど、経済活動の収縮による急激な景気の悪化が進行しました。金融市場では先行きの不透明感からリスク回避が急速に進むなど大混乱に陥り、各国が金融・財政政策を総動員して対策を講じる中で、期を終えることとなりました。

事業の経過及び成果

　このような環境のもと、当行は第6次中期経営計画「Timely & Speedy」（2017年度～2019年度）の最終年度として、メインテーマの「コンサルティング機能の発揮～つなげる～」のもと諸施策を推進した結果、第117期の決算は次のとおりとなりました。

預金および譲渡性預金

　預金および譲渡性預金は、個人預金が増加したものの、譲渡性預金を中心に期中309億円減少して、当期末残高は8兆267億円となりました。

貸出金

　法人・個人向けともに積極的な対応に努めました結果、期中3,409億円増加して、当期末残高は5兆8,284億円となりました。

有価証券

　市場動向を注視しつつ、適切な運用に努めました結果、期中502億円減少して、当期末残高は2兆8,708億円となりました。なお、このうち時価会計に伴う評価差額（含み益）は、期中158億円減少して、当期末現在で5,845億円となっております。

損益状況

　当期中も厳しい収益環境が続く中にあって、当行は、資産の効率的な運用・調達、および経営全般の効率化・合理化に鋭意努めました。
　その結果、経常利益は、株式等売却益が大きく減少したことなどから、前年度比158億20百万円減少して266億34百万円となり、当期純利益は前年度比108億69百万円減少して191億59百万円となりました。
　また、連結経常利益は前年度比159億52百万円減少して292億32百万円となり、親会社株主に帰属する当期純利益は前年度比112億97百万円減少して203億83百万円となりました。

　当行では、広域にわたる店舗ネットワークが持つポテンシャルを最大限発揮するために、次のとおり諸施策の推進や商品・サービスの開発に取り組みました。

店舗

　昨年4月に亀岡支店（亀岡市）を新築移転、同年11月に宇治支店（宇治市）を新築オープンし、ゆったりとしたご相談ブースや土曜日もご利用いただける全自動貸金庫を設置するなど、店舗機能を拡充いたしました。
　また、同年5月に北桑支店（京都市右京区）を、京都市京北合同庁舎内に移転オープンいたしました。行政関係機関等が入居する合同庁舎内への移転により、行政

機能と金融機能をワンストップでご利用いただくことができるようになりました。
　一方、同年11月に美山支店（南丹市）を同市内の園部支店内へ移転し、店舗内店舗として営業を継続しております。

〈店舗数の推移〉

当年度末	前年度末
174店（うち出張所 6）	174店（うち出張所 6）

サービス・生産性向上のための体制強化
　当行の進める生産性革新の取り組みを推進し、コンサルティング機能の充実によるサービス向上を図るため、本部組織・営業店の両面で体制強化を行いました。
　本部組織につきましては、昨年6月、新たな情報技術やシステム等を積極的に活用し、金融サービス・商品の企画・提供や、生産性向上の諸施策を強力に推進するため、「イノベーション・デジタル戦略部」を設置いたしました。
　また、役割が飛躍的に拡大している事務集中部門の効率的な運営を図るため、同月、事務集中の専担部署となる「業務サポート部」を設置し、同年7月に吸収合併した京銀ビジネスサービス株式会社の業務も継承いたしました。
　さらに、同年10月、営業本部の法人コンサルティング室とM＆A推進室を「法人総合コンサルティング室」へ、資産活用コンサルティング室と信託コンサルティング室を「個人総合コンサルティング室」へ統合し、相乗効果を発揮した総合コンサルティング営業の推進に取り組んでおります。
　加えて、社会環境の変化にあわせ、お客さまとの接点となる営業店のあり方を最適化することで、多様化するお客さまのニーズに一層きめ細かくお応えするため、本年2月に「店舗戦略本部」を設置いたしました。
　一方、営業店につきましては、昨年7月、コンサルティング機能を強化した拠点に一部店舗を指定し、「京銀 Myコンサルティングプラザ」として順次拡大しております。この「京銀 Myコンサルティングプラザ」では、予約制を採用しており、所定の研修を修了した行員が京都銀行グループの機能をフル活用し、より専門性の高いコンサルティングを提供しております。
　加えて、京銀インターネットEBサービスや京銀アプリといったデジタル技術を活用し、お客さまに金融サービスをより簡単・便利にご利用いただけるよう提案を行っております。

商品・サービス
　当行が強みとする創業・成長支援の取り組みにつきましては、当行が新しい金融サービスの"アイデア"を募集した「京都デジタルソリューションチャレンジ」で最優秀賞を受賞した企業に対し、昨年10月に「京銀輝く未来応援ファンド2号」を通じ投資を行いました。この「京銀輝く未来応援ファンド2号」につきましては、本年1月、当初10億円としていたファンド総額を20億円に増額し、金融面からの取り組みを強化しております。
　さらに、昨年11月、ベンチャー企業との協業の場として、株式会社東京証券取引所と「京銀・東証イノベーションミーティング 2019」を共催し、多くの企業にご参加いただきました。
　また、地域ブランド創出に向けた取り組みでは、同年9月、「インフォメーションバザール in Tokyo 2019」に、宇治商工会議所と連携して、「京の逸品」を出展する「京都コーナー」を設置し、地元食関連事業者の首都圏での販路拡大をサポートいたしました。
　一方、個人のお客さまに対しましては、同年10月より、お客さまの指定する金額を、円預金口座から外貨普通預金口座へ自動で振り替える、外貨普通預金自動積立サービス"ドルフィン"の取り扱いを開始し、資産形成のサポートを拡充いたしました。

そして、資産管理・資産承継ニーズへの対応といたしましては、同年12月より新たに「民事信託サービス」、「後見制度支援信託」の２種類のサービスの取り扱いを開始し、より幅広いお客さまのニーズにお応えできるように取り組んでおります。

働き方改革
　昨年８月、優良な子育てサポート企業として、厚生労働大臣の特例認定「プラチナくるみん認定」を受けました。
　また、本年３月、70歳まで働ける制度「アクティブ・シニア制度」を改定し、75歳まで働けるようにするとともに、職務内容や勤務形態の柔軟性を高め、豊富な知識・経験を有する高年齢者がさらに活躍できる環境を整えました。
　今後も行員が意欲・能力を十分に発揮できる環境づくりに取り組んでまいります。

持続可能な社会の実現に向けた取り組み
　持続可能な社会を実現するための国際目標「ＳＤＧｓ」への社会的な関心が高まる中、「地域社会の繁栄に奉仕する」という経営理念のもと、地域社会の一員として、地域社会の発展を念頭においたさまざまな企業活動を行っております。
　昨年４月、近畿の地域金融機関で初めて「震災時元本免除特約付き融資」の取り扱いを開始いたしました。本商品は、大規模地震が発生し一定の条件に合致した場合、借入金の元本の返済が免除となる商品で、お客さまに地震リスクへの対策や事業継続計画（ＢＣＰ）の一環としてご利用いただいております。
　さらに、社会的課題の解決に資するプロジェクトに資金使途を限定した「ソーシャルボンド」や「サステナビリティボンド」への投資のほか、寄付型ローンや寄付型私募債を推進し、持続可能な社会の実現に向け、金融面からの働きかけを行いました。
　加えて、新型コロナウイルス感染症の流行により、影響を受けているお客さまに対し、相談窓口の設置や「新型コロナウイルス対応特別融資」の取り扱いを開始するなど、地域金融機関としてお客さまのサポートに全力で取り組んでおります。また、従業員の感染防止のため、さまざまな取り組みを行っております。

＜ヤマトホールディングス＞　ＥＳＧの取組みについて記載する例

1 企業集団の現況に関する事項

(1) 事業の経過および成果

　当期における経済環境は、第３四半期までは企業業績が底堅さを維持し緩やかな回復基調が続いていたものの、2020年１月以降は世界的な新型コロナウイルス感染症の拡大に伴い大幅に悪化しており、今後の感染拡大ペースや収束時期が不透明な中、内外経済環境の回復が見通せない状況にあります。
　一方、物流業界においては、消費スタイルの急速な変化によりEC市場が拡大する中、第３四半期までは国内労働需給の逼迫や消費増税の影響による個人消費の低迷などにより厳しい経営環境が継続していたことに加え、2020年１月以降は、新型コロナウイルス感染症の拡大に伴う世界的な製造業の生産活動や貿易の停滞、移動の制限によるインバウンド需要の急激な減少、サービス業を中心とした営業自粛など経済活動全般が縮小しており、今後の経営環境への影響が不透明な状況にあります。
　このような状況下、ヤマトグループは高品質なサービスを提供し続けるため、「働き方改革」を経営の中心に据え、「デリバリー事業の構造改革」、「非連続成長を実現するための収益・事業構造改革」、「持続的に成長していくためのグループ経営構造改革」の３つの改革を柱とする中期経営計画「KAIKAKU 2019 for NEXT100」に基づき、ヤマトグループが持続的に成長していくための経営基盤の強化に取り組むとともに、新型コロナウイルス感染症の拡大に対応し、お客様、社員の安全を最優先に、宅急便をはじめとする物流サービスの継続に取り組みました。
　デリバリー事業においては、収益力の回復に向けて、プライシングの適正化や新規顧客への営業を

Ⅱ　事業報告記載事項の分析

推進するとともに、コストコントロールの強化に取り組みました。また、新型コロナウイルス感染症の拡大に伴う需要と物流の変化に応えるべく、社会的インフラである宅急便ネットワークの安定稼働に取り組みました。
　ノンデリバリー事業においては、グループ各社の強みを活かした既存サービスの拡充に取り組むとともに、グループ全体でアカウントマネジメントを強化し、お客様の課題解決に当たるソリューション営業を積極的に推進しました。
　当期の連結業績は以下のとおりとなりました。

(単位：百万円)

区　　　　分	前　期	当　期	増　減	伸率（％）
営　業　収　益	1,625,315	1,630,146	4,831	0.3
営　業　利　益	58,345	44,701	△13,644	△23.4
経　常　利　益	54,259	40,625	△13,633	△25.1
親会社株主に帰属する当期純利益	25,682	22,324	△3,358	△13.1

　上記のとおり、営業収益は1兆6,301億46百万円となり、前期に比べ48億31百万円の増収となりました。これは主に、デリバリー事業の構造改革を推進した中で、宅急便単価が上昇したことによるものです。営業費用は1兆5,854億45百万円となり、前期に比べ184億75百万円増加しました。これは主に、集配体制の構築に向けて増員などを進めたことで、委託費は減少したものの、人件費が増加したことなどによるものです。
　この結果、営業利益は447億1百万円となり、前期に比べ136億44百万円の減益となりました。
　経常利益は、海外関連会社に係るのれんの減損を持分法による投資損失として計上したことなどにより406億25百万円となりました。
　これらの結果、親会社株主に帰属する当期純利益は223億24百万円となり、前期に比べ33億58百万円の減益となりました。

<　中　略　>

〈ＥＳＧの取組み〉
① ヤマトグループは、人命の尊重を最優先とし、安全に対する様々な取組みを実施しており、輸送を主な事業とするグループ各社を中心に、安全管理規程の策定および管理体制の構築、年度計画の策定など、運輸安全マネジメントに取り組んでいます。当期においては、グループ全体で安全意識の向上を図るため、海外を含めたグループ全体で「交通事故ゼロ運動」を実施するとともに、ヤマト運輸株式会社が「第9回全国安全大会」を開催し、安全意識や運転技術の向上に取り組みました。また、子どもたちに交通安全の大切さを伝える「こども交通安全教室」を1998年より継続して全国の保育所・幼稚園・小学校などで開催しており、累計参加人数は約340万人となりました。
② ヤマトグループは、社会的インフラとしてお客様をはじめ社会の信頼に応えていくために、コンプライアンス経営を推進し、労働時間管理ルールの見直しや社員の新しい働き方を創造するなど、社員が「働きやすさ」と「働きがい」を持ち、イキイキと働ける労働環境の整備を進め、「働き方改革」に全社を挙げて取り組みました。その結果、総労働時間の短縮や年次有給休暇の取得率向上などが進むとともに、社員の働く意識も改善しました。
③ ヤマトグループは、グループ経営の健全性を高めるため、当社に設置した「グループガバナンス改革室」が中心となり、グループガバナンスの抜本的かつ包括的な再構築に取り組みました。当期においては、グループ全体の倫理観の醸成、更なる理念の浸透および業務での実践を促進するため、企業理念を構成する企業姿勢、社員行動指針の一部改訂を行い、全社員への倫理教育を推進するとともに、グループ全体の商品審査体制の強化やグループ各社でコンプライアンス強化を担当する人材の育成に取り組みました。
④ ヤマトグループは、気候変動や大気汚染、資源減少、生物多様性の損失などが、持続可能な社会の実現にとって重要な課題であることを認識しています。気候変動への対策としては、CO_2の排出がより少ない車両へのシフトや小型商用EVトラックの導入、自動車を使わない集配などに取り組んでいます。当期においては、主要都市間の幹線輸送の効率化によるCO_2排出量の低減および長距離輸送を担うドライバーの負担軽減に資する「スーパーフルトレーラSF25」の運行区間を、従来の関東（神奈川県）・関西（大阪府）間から九州（福岡県）まで伸長しました。また、次世代を担う子どもたちへの環境教育をサポートする「クロネコヤマト環境教室」を2005年より継続して全国各地で開催

しており、累計参加人数は約25万人となりました。
⑤ ヤマトグループは、より持続的な社会的価値の創造に向けて、社会と価値を共有するＣＳＶ（クリエーティング・シェアード・バリュー＝共有価値の創造）という概念に基づいた取組みを推進しています。当期においては、過疎化や高齢化が進む中山間地域等のバス・鉄道路線網の維持と物流の効率化による地域住民の生活サービス向上を目的とする「客貨混載」を推進しました。また、訪日外国人など増加する観光客の利便性向上と地域経済の活性化に向けて、手荷物預かりや宿泊施設への手荷物当日配送などを拡大し、手ぶら観光サービスの取組みを推進しました。ライフステージの変化が進む都市郊外部においては、拠点を活用した地域コミュニティの活性化や、買い物・家事代行などくらしのサポートサービスを提供することで、地域住民が快適に生活できる町づくりを支援する取組みを推進しました。全国各地で高齢者の見守り支援や観光支援、地域産品の販路拡大支援など、ヤマトグループの経営資源を活用した地域活性化や課題解決に行政と連携して取り組み、案件数の累計は検討段階のものを含め1,102件となりました。
⑥ ヤマトグループは、社会とともに持続的に発展する企業を目指し、公益財団法人ヤマト福祉財団を中心に、障がい者が自主的に働く喜びを実感できる社会の実現に向けて様々な活動を行っています。具体的には、パン製造・販売を営むスワンベーカリーにおける積極的な雇用や、クロネコDM便の委託配達を通じた働く場の提供、就労に必要な技術や知識の訓練を行う就労支援施設の運営など、障がい者の経済的な自立支援を継続的に行っています。
⑦ ヤマトグループは「サステナビリティの取組み〜環境と社会を組み込んだ経営〜」を、2020年1月に策定した中長期の経営のグランドデザインである経営構造改革プラン「YAMATO NEXT100」における基盤構造改革の一つとして位置づけました。持続可能な未来を切り拓く将来の姿として掲げた「つなぐ、未来を届ける、グリーン物流」、「共創による、フェアで、"誰一人取り残さない"社会の実現への貢献」という2つのビジョンの下、人や資源、情報を高度につなぎ、輸送をより効率化させることで、環境や生活、経済によりよい物流の実現を目指し、特定した重要課題に対する取組みを推進していきます。

<塩野義製薬> トピックスとして，事業を通じた持続可能な社会の実現（新型コロナウイルス感染症（COVID-19）への取組み等）について記載する例

シオノギグループの財務ハイライト

業績

- 売上高及び各種利益は、対前期を下回り減収減益
- 抗HIV薬のグローバルにおける売上が拡大しロイヤリティー収入が伸長
- 国内戦略品のうち、サインバルタ®、インチュニブ®は売上が伸長したものの、インフルエンザ関連製品は新型コロナウイルス感染症の拡大に伴う社会的な影響や、インフルエンザの流行が近年稀にみる小規模なものであったことから売上が減少
- 上記の影響に加え、ゾフルーザ®は前期に多く処方された青少年・成人の患者さまの割合がシーズンを通じて低かったことや、ゾフルーザ®の投与により変異したウイルスの蔓延を懸念する各種報道等の影響もあり、売上が大きく減少

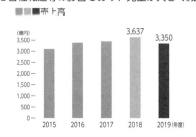

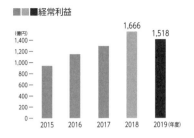
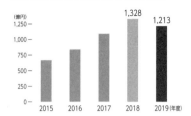

<中　略>

1. シオノギグループの現況に関する事項

当社グループは、2020年に向けた成長戦略となる中期経営計画「Shionogi Growth Strategy 2020（SGS2020）」を2014年4月にスタートさせ、2016年10月には、更なる高みを目指すために、その計画を更新いたしました。

更新したSGS2020においては、「創薬型製薬企業として社会とともに成長し続ける」ことをビジョンとして掲げ、「感染症」と「疼痛（痛み）・神経」をコア疾患領域と定め、「世界を感染症の脅威から守る」ならびに「個人が生き生きとした社会創り」という当社グループが注力する社会課題の解決を通じて、持続的な企業価値の向上に取り組んでまいりました。

当期は、国内において、注意欠陥／多動性障害（ADHD）治療剤ビバンセ®カプセル20mg・30mgを発売しました。今後、成人患者での追加適応を取得したインチュニブ®とともに、治療選択肢の拡充によりADHDでお困りの患者さまのQOL改善により一層貢献してまいります。また米国においては、「他の治療選択肢が無いもしくは限られた18歳以上の患者における、グラム陰性菌による腎盂炎を含む複雑尿路感染症治療」を適応としてFetroja®（一般名：セフィデロコル）を発売いたしました。

今後も、私たちの基本方針である「常に人々の健康を守るために必要な最もよい薬を提供する」ことのグローバルでの具現化に取り組んでまいります。

成長する地域・領域	成長の鍵
日米への集中 欧州・アジアの基盤整備	社会課題の解決
感染症 疼痛・神経	イノベーションと医療経済性のバランス

(1) 事業の経過及びその成果
2019年度事業の概要

売上高 前期比 7.9％減	営業利益 前期比 9.6％減	経常利益 前期比 8.9％減
3,350億円	1,252億円	1,518億円

親会社株主に帰属する当期純利益 前期比 8.6％減	自己資本利益率（ROE） 2.9ポイント減	年間1株当たり配当金 前期比 9円増（予定）
1,213億円	18.0％	103円

売上高は3,350億円（前期比7.9%減）となりました。国内医療用医薬品売上はゾフルーザ®の4億円（同98.4%減）などインフルエンザ関連製品の売上が減少したことにより、1,086億円（同15.6%減）となりました。

営業利益は1,252億円（同9.6%減）となりました。

経常利益は1,518億円（同8.9%減）となりました。

親会社株主に帰属する当期純利益は、経常利益の減益により、1,213億円（同8.6%減）となり、減益となりました。

その結果、当社グループが株主の皆さまからお預かりした資金から、どれだけの利益を生み出したかを示す指標となる自己資本利益率（ROE）は18.0%となりました。

2019年度は、自らの力で利益を生み出すために「新製品の売上拡大」を目指して取り組んでまいりましたが、残念ながら未達となりました。2020年度は、この要因をしっかりと分析した上で販売力の強化に取り組み、自らの力で利益を生み出せる企業体質への転換を図ってまいります。

2019年度の主な成果

1. ロイヤリティー及びマイルストン収入、並びにヴィーブ社からの配当金収入
2. 研究開発
    - 持続的な成長に向けた成長ドライバーの進展
3. 国内／海外 事業
4. ビジネスイノベーション
    - 新たな価値創造と経営基盤強化

＜中　略＞

【トピックス】事業を通じた持続可能な社会の実現

感染症の脅威からの解放：AMR＊を含む重症感染症への貢献

今やAMRは、現実的かつ喫緊のグローバルな脅威となっています。耐性菌による死亡者数はグローバルで年間70万人と報告されていますが、このまま何も対策を講じなければ、2050年にはがんによる死亡者数を上回ることを予測する報告もなされています。また、世界経済にも大きな影響を与えかねない重大な課題であり、社会に対して直接的・間接的に深刻な損失をもたらす可能性を有しています。これらのことから、各国政府や保健行政機関は、AMRをグローバル、地域・国レベルでの優先度の高い社会課題として取り上げており、グローバル規模での対応が急務となっています。

＊AMR：Antimicrobial Resistance、薬剤耐性

多剤耐性グラム陰性菌感染症治療薬セフィデロコル

セフィデロコル（米国製品名：Fetroja®、欧州製品名：Fetcroja®）は、当社が創製した多剤耐性グラム陰性菌に効果を示す抗菌薬で、WHOが緊急性が高く重大と位置づけている3種のカルバペネム耐性菌全てに対し有効性を示す唯一の薬剤です。当期は、欧米で開発が順調に進展し、米国においては複雑性尿路感染症を適応として承認・上市されました。欧州においても医薬品委員会（CHMP）より承認勧告をうけました（2020年4月「治療選択肢が限られた18歳以上の患者におけるグラム陰性菌感染症治療」の適応で承認取得）。

AMR Benchmark 2020への選定、評価

当社グループのAMRへの取り組みは外部からも高く評価されており、直近のAntimicrobial Resistance Benchmark 2020の調査において、2018年の選定に続き、他の研究開発型のグローバル製薬企業7社と並び高く評価されました。特に以下の点が高く評価されております。

・感染症薬の研究開発分野への年間投資比率（年間投資額／売上高）が対象企業の中で最大
・薬剤耐性菌に対する複数のパイプラインを保有し研究開発を進めている
・薬剤耐性の現状を積極的に監視するために国内外で複数のサーベイランスプログラムを実施している
・営業担当者の評価と抗生物質の販売数量を切り離している

AMR対策の取り組みにより、CDPより「水セキュリティ」でA評価を獲得

当社は、環境情報開示に取り組む国際的な非営利団体CDPにより、「水セキュリティ」分野で最高評価のAと高く評価されました。AMR（薬剤耐性）対策について、排水中に抗菌剤などが流出し汚染することがないように努めるとともに、当社と取引のある世界中のサプライヤーにも範囲を広げ、その取り組みを推進しております。また、同機関の「気候変動」分野においてもA-と高い評価を受けました。

II　事業報告記載事項の分析

WATER

感染症の脅威からの解放：新型コロナウイルス感染症（COVID-19）への取り組み

新型コロナウイルス感染症（COVID-19）への取り組み

・治療薬の創製に向けた取り組み

　当社グループは、北海道大学人獣共通感染症リサーチセンターと以前より共同研究を実施しており、新型コロナウイルス感染症が発生する以前から、コロナウイルスに対する治療薬の基礎的研究を行ってまいりました。今回の新型コロナウイルス感染症（COVID-19）の発生を受け、当社で所有する化合物ライブラリーの中から、新型コロナウイルスに対し試験管レベルで有効性を示す化合物を見出しております。COVID-19がもたらす社会への不安、経済への影響を踏まえ、2020年度内の臨床試験開始に向けて創薬研究を加速するとともに、今後の新たなパンデミックにも備え継続的に取り組んでまいります。

　当社グループは、治療薬の研究開発に加え、啓発・予防・診断といった感染症のトータルケアとしての取り組みを進めております。

・COVID-19のワクチン開発に向けた取り組み

　当社のグループ会社である株式会社UMNファーマが、国立研究開発法人日本医療研究開発機構（AMED）の支援する研究開発課題である「新型コロナウイルス感染症（COVID-19）のワクチン開発に関する研究」に2020年3月より参画し、2020年4月には当社グループ主導の開発に発展させ、2020年内の臨床試験開始に向けて組換えタンパクワクチンの評価や製造に関する検討を進めております。当社グループは、本ワクチンの開発を最優先プロジェクトの1つに位置付け、共同研究先の国立感染症研究所とともに取り組みを加速してまいります。

・COVID-19抗体検査キットの提供に向けた取り組み

　COVID-19抗体検査キット製品の導入に向け、マイクロブラッドサイエンス社（MBS社）との業務提携契約を締結いたしました。本キットは簡便で迅速な検査が可能であり、診断精度が高い特徴を有します。現在、国内での実用化に向けて性能試験に参画し、臨床データの収集を進めております。また、本キットの更なるエビデンス構築を目的に、臨床研究を計画しています。本キットの臨床における有用性を確認し、一日も早く医療に貢献することができるよう取り組んでまいります。

　当社グループは、感染症薬の適正使用推進のためには、疾患や感染予防などの正しい知識の普及が不可欠と考えております。そのため、従来より医療従事者に対する情報提供に加え、一般の方々向けの啓発活動にも積極的に取り組んでおり、感染症対策に関する情報を提供しております。
　　（http://www.shionogi.co.jp/wellness/index.html）

　これらの取り組みを通じて、COVID-19の早期診断・治療とパンデミックの早期終息による社会の安心・安全の回復にグループ一丸となって貢献してまいります。また、その他の新興感染症及び再興感染症にも鋭意取り組み、「世界を感染症の脅威から守る」ことを目指して努力してまいります。

＜第一三共＞　用語解説を記載する例

1　当社グループの現況に関する事項
(1) 事業の経過及びその成果

❶ 業績全般の概況

連結業績

（単位：百万円。百万円未満切捨て）

	2019年3月期	2020年3月期	対前期増減	
売上収益	929,717	981,793	52,076	(5.6%)
営業利益	83,705	138,800	55,095	(65.8%)
税引前利益	85,831	141,164	55,332	(64.5%)
親会社の所有者に帰属する当期利益	93,409	129,074	35,665	(38.2%)
当期包括利益合計額	163,893	101,602	△62,290	△38.0%)

グローバル主力品売上収益

（単位：百万円。百万円未満切捨て）

	2019年3月期	2020年3月期	対前期増減	
トラスツズマブ デルクステカン （抗悪性腫瘍剤／抗HER2抗体薬物複合体）	79	13,958	13,879	(－)
エドキサバン（抗凝固剤）	117,686	154,032	36,346	(30.9%)
オルメサルタン（高血圧症治療剤）	105,922	100,830	△5,092	(△4.8%)

売上収益
・当期（2019年4月1日～2020年3月31日）の売上収益は、前期比521億円（5.6%）増収の9,818億円となりました。
・**エドキサバン**等の主力品の伸長に加え、**トラスツズマブ デルクステカン（DS-8201、日米製品名：エンハーツ）**に係る収益増（139億円：米国における製品売上及びアストラゼネカ社から受領した契約一時金並びに開発マイルストン）等により、増収となりました。
・売上収益に係る為替の減収影響は151億円でした。

営業利益
・営業利益は、前期比551億円（65.8%）増益の1,388億円となりました。
・売上総利益は、売上収益の増収に加え、販売製品の構成比の変化及び高槻工場の譲渡に伴い子会社売却益（188億円）を計上したこと等により、売上原価が減少したため、735億円（13.0%）増益の6,386億円となりました。
・販売費及び一般管理費は、米国におけるがん事業体制構築に伴う費用や、日本における環境対策費用の増加等により、246億円（8.9%）増加の3,023億円となりました。
・研究開発費は、アストラゼネカ社との**トラスツズマブ デルクステカン（DS-8201）**に係るコストシェア等により、62億円（3.1%）減少の1,975億円となりました。
・営業利益に係る為替の減益影響は34億円でした。

税引前利益

2 会社（企業集団）の現況に関する事項

			対前期増減
プラスグレル (抗血小板剤)	23,214	18,134	△5,079 (△21.9%)

販売費及び一般管理費
（単位：百万円、百万円未満四捨五入）

	2019年3月期	2020年3月期	対前期増減
販売費及び一般管理費	277,695	302,320	24,625 (8.9%)
対売上収益比率	29.9%	30.8%	(0.9%)

研究開発費
（単位：百万円、百万円未満四捨五入）

	2019年3月期	2020年3月期	対前期増減
研究開発費	203,711	197,465	△6,246 (△3.1%)
対売上収益比率	21.9%	20.1%	(△1.8%)

■ 主要通貨の日本円への換算レート（期中平均レート）

	2019年3月期	2020年3月期
1米ドル／円	110.91	108.75
1ユーロ／円	128.40	120.83

地域別売上状況

当社グループの主な地域別売上状況は、次のとおりです。

a. 日本
売上収益：6,020億円（前期比2.1%増）　構成比 **61.3%**

- 日本の売上収益は、前期比123億円（2.1%）増収の6,020億円となりました。

国内医薬事業では、
- 国内医薬事業では、**リクシアナ、タリージェ**等の主力品の伸長及びオーソライズド・ジェネリック*製品の寄与等により、売上収益は102億円（1.9%）増収の5,335億円となりました。
- なお、この売上収益には、ワクチン事業の売上収益及び第一三共エスファ株式会社が取り扱うジェネリック事業の売上収益が含まれております。
- 2019年4月に**タリージェ**（一般名：ミロガバリンベシル酸塩）を末梢性神経障害性疼痛の適応症で、新発売しました。
- 2019年5月に**ミネブロ**（一般名：エサキセレノン）を高血圧症の適応症で、新発売しました。
- 2019年10月に**ヴァンフリタ**（一般名：キザルチニブ塩酸塩）を再発または難治性のFLT3-ITD変異陽性の急性骨髄性白血病の適応症で、新発売しました。
- 造影剤4製品（**オムニパーク、オムニスキャン、ビジパーク、ソナゾイド**）の独占的開発及び販売権を米国GEヘルスケア社に返還し、製造販売承認を同社の日本法人であるGEヘルスケアファーマ株式会社に2020年3月に承継いたしました。

ヘルスケア事業
- ヘルスケア事業の売上収益は、21億円（3.2%）増収の685億円となりました。

- 税引前利益は、前期比553億円（64.5%）増益の1,412億円となりました。

親会社の所有者に帰属する当期利益
- 親会社の所有者に帰属する当期利益は、前期比357億円（38.2%）増益の1,291億円となりました。
- 前期は**トラスツズマブ デルクステカン（DS-8201）**の戦略的提携に伴い、将来の課税所得見込み額が増加し、繰延税金資産の追加計上が可能となったことから、法人税等がマイナス計上となっていました。この影響等により、前期に比べ法人税等は増加しましたが、親会社の所有者に帰属する当期利益は増益となりました。

当期包括利益合計額
- 当期包括利益合計額は、前期比623億円（38.0%）減益の1,016億円となりました。
- 前期に、過年度の当社グループの事業再編に係る税金負債を取崩して、その他の包括利益を計上していたこと等から、減益となりました。

日本の主な売上構成
（単位：億円、億円未満四捨五入）

区分	2019年3月期	2020年3月期	対前期増減
国内医薬事業*	5,233	5,335	102 (1.9%)
ヘルスケア事業	664	685	21 (3.2%)

*ジェネリック事業、ワクチン事業を含む。

国内医薬主力品売上収益
（単位：億円、億円未満四捨五入）

製品名	2019年3月期	2020年3月期	対前期増減
リクシアナ (抗凝固剤)	649	830	181 (27.8%)
ネキシウム (抗潰瘍剤)	783	798	15 (1.9%)
メマリー (アルツハイマー型認知症治療剤)	502	505	3 (0.6%)
プラリア (骨粗鬆症治療剤・関節リウマチに伴う骨びらんの進行抑制剤)	274	309	36 (13.0%)
テネリア (2型糖尿病治療剤)	253	247	△6 (△2.4%)
ロキソニン (消炎鎮痛剤)	305	283	△22 (△7.3%)
イナビル (抗インフルエンザウイルス剤)	182	193	11 (5.9%)
ランマーク (がん骨転移による骨病変治療剤)	164	179	15 (9.1%)
エフィエント (抗血小板剤)	139	140	1 (0.7%)
レザルタス (高血圧症治療剤)	155	146	△9 (△5.8%)
カナリア (2型糖尿病治療剤)	92	128	36 (38.8%)
ビムパット (抗てんかん剤)	66	112	46 (70.0%)
オムニパーク (造影剤)	120	103	△17 (△13.9%)
オルメテック (高血圧症治療剤)	149	117	△32 (△21.5%)
タリージェ (疼痛治療剤)	-	80	80 (-)

リクシアナ　　　タリージェ　　　ミネブロ　　　ヴァンフリタ　　　エンハーツ

…用語解説
※1 オーソライズド・ジェネリック：先発医薬品メーカーからの許諾を受けて製造された後発医薬品

b. 北米
売上収益：1,629億円（前期比5.7%増）　構成比 **16.6%**

- 北米の売上収益は、前期比88億円（5.7%）増収の1,629億円、現地通貨ベースでは、1億1千万米ドル（7.9%）増収の14億9千9百万米ドルとなりました。
- なお、この売上収益には、第一三共Inc.とアメリカン・リージェントInc.の売上収益が含まれております。
- 第一三共Inc.は、2019年8月に**TURALIO**（一般名：ペキシダルチニブ）を腱滑膜巨細胞腫の適応症で、新発売しました。また、2020年1月に**エンハーツ**（一般名：トラスツズマブ デルクステカン）を転移性の乳がんに対する治療として2つ以上の抗HER2療法を受けたHER2陽性の手術不能または転移性乳がんの適応症で、新発売しました。
- 第一三共Inc.では、**ウェルコール**等が減収となりました。
- アメリカン・リージェントInc.では、**インジェクタファー、ヴェノファー**等が増収となりました。

第一三共Inc.主力品売上収益
（単位：百万米ドル、百万米ドル未満四捨五入）

製品名	2019年3月期	2020年3月期	対前期増減
エンハーツ (抗性腫瘍剤／抗HER2抗体薬物複合体)	-	30	30 (-)
オルメサルタン* (高血圧症治療剤)	97	91	△6 (△6.5%)
ウェルコール (高コレステロール血症治療剤・2型糖尿病治療剤)	121	84	△37 (△30.5%)

*ベニカー／ベニカーHCT、エイゾール、トライベンゾール及びオルメサルタンのオーソライズド・ジェネリック

アメリカン・リージェントInc.主力品売上収益
（単位：百万米ドル、百万米ドル未満四捨五入）

製品名	2019年3月期	2020年3月期	対前期増減
インジェクタファー (鉄欠乏性貧血治療剤)	399	477	78 (19.7%)
ヴェノファー (鉄欠乏性貧血治療剤)	261	285	24 (9.3%)

c. 欧州
売上収益：955億円（前期比7.8%増）　構成比 **9.7%**

- 欧州の売上収益は、前期比69億円（7.8%）増収の955億円、現地通貨ベースでは9千9百万ユーロ（14.4%）増収の7億8千9百万ユーロとなりました。
- **オルメサルタン及び配合剤、エフィエント**等が減収となったものの、**リクシアナ**が伸長しました。

第一三共ヨーロッパGmbH主力品売上収益
（単位：百万ユーロ、百万ユーロ未満四捨五入）

製品名	2019年3月期	2020年3月期	対前期増減
リクシアナ (抗凝固剤)	357	509	153 (42.9%)
オルメサルタン* (高血圧症治療剤)	213	203	△10 (△4.7%)
エフィエント (抗血小板剤)	44	21	△24 (△53.1%)

*オルメテック／オルメテックプラス、セビカー及びセビカーHCT

d. アジア・中南米
売上収益：983億円（前期比12.2%増）　構成比 **10.0%**

- アジア・中南米の売上収益は、前期比107億円（12.2%）増収の983億円となりました。なお、この売上収益には、海外ライセンシーへの売上収益等が含まれております。
- 中国では、合成抗菌剤**クラビット**並びに**オルメサルタン及び配合剤**等の主力品が増収となりました。
- 中国で、2019年8月に**リクシアナ**を新発売しました。

II 事業報告記載事項の分析

ENHERTU（エンハーツ）

TURALIO

❷ 研究開発の状況

・当社グループは、「がんに強みを持つ先進的グローバル創薬企業」を2025年ビジョンとして掲げております。
・2025年ビジョンの実現に向けて、3つのADC[*1]（**DS-8201、DS-1062、U3-1402**）の製品価値最大化を目指して研究開発リソースを集中投入するとともに、持続的成長の実現に向けてSOC[*2]を変革する製品群（Alpha）の創薬を目指す「**3 and Alpha**」戦略のもと、研究開発に取り組んでおります。
・パートナリングの積極的な活用や、新規モダリティ[*3]の技術研究等を通じた創薬力の強化に取り組むとともに、グローバル臨床開発の加速化にも注力しております。中長期的には、疾患領域にこだわらず、当社のサイエンス&テクノロジーの優位性を活かせる疾患の治療薬創製を目指しております。

主な研究開発プロジェクトの進捗状況は、次のとおりです。

3つのADC

a. トラスツズマブ デルクステカン（DS-8201、日米製品名：エンハーツ）：抗HER2 ADC

当社独自のADC技術を使って創製された**DS-8201**の価値最大化を図るため、がん領域のグローバル事業において豊富な経験を持つアストラゼネカ社と本剤を共同で開発しております。

乳がん
- DESTINY-Breast01試験
  2019年12月に「転移性の乳がんに対する治療として2つ以上の抗HER2療法を受けたHER2陽性の手術不能または転移性乳がん」を適応として、米国食品医薬品局（以下「FDA」）より販売承認を取得しました。本適応は、2019年12月のサンアントニオ乳がんシンポジウム（SABCS）で発表したグローバル・フェーズ2試験の結果等に基づき、迅速審査のもとで承認され、2020年1月より米国で販売しております。
  2020年3月に「化学療法歴のあるHER2陽性の手術不能又は再発乳がん（標準的な治療が困難な場合に限る）」を適応として、国内においても迅速審査のもと、製造販売承認を取得しました。
- DESTINY-Breast02試験
  抗HER2 ADC **T-DM1**の治療を受けたHER2陽性の再発・転移性乳がん（3次治療以降）の患者を対象とした、本剤投与群と治験医師選択薬投与群の有効性と安全性を比較評価するグローバル・フェーズ3試験を実施しております。
- DESTINY-Breast03試験
  抗HER2抗体**トラスツズマブ**等の前治療を受けたHER2陽性の再発・転移性乳がん患者を対象（2次治療）とした、本剤投与群と**T-DM1**投与群の有効性と安全性を直接比較評価するグローバル・フェーズ3試験を実施しております。
- DESTINY-Breast04試験
  HER2低発現乳がん患者を対象とした、本剤投与群と治験医師選択薬投与（化学療法）群の有効性と安全性を比較評価するグローバル・フェーズ3試験を実施しております。

胃がん
- DESTINY-Gastric01試験
  2020年1月に、HER2陽性の再発・進行性胃がん患者を対象とした日本及び韓国でのフェーズ2試験において主要評価項目を達成したことを公表しました。
  本剤は、上記の患者に対する治療として、厚生労働省より、先駆け審査指定[*4]を受けております。
- DESTINY-Gastric02試験
  HER2陽性の手術不能または転移性胃がん患者を対象とした欧米でのフェーズ2試験も実施しております。

⋯用語解説⋯
- ※1 ADC (Antibody Drug Conjugateの略)：抗体薬物複合体。抗体医薬と薬物（低分子医薬）を適切なリンカーを介して結合させた医薬で、がん細胞に発現している標的因子に結合する抗体医薬を介して薬物をがん細胞へ直接届けることで、薬物の全身曝露を抑えつつ、がん細胞への攻撃力を高めた薬剤
- ※2 SOC (Standard of Careの略)：現在の医学では最善とされ、広く用いられている治療法
- ※3 新規モダリティ：ADC、核酸医薬、治療用ウイルス、細胞治療等の新規治療手段
- ※4 先駆け審査指定：世界に先駆けて日本での革新的医薬品等の早期実用化を促すため、臨床試験や承認手続を優先して受けられる制度

非小細胞肺がん
- HER2陽性及びHER2変異の再発・進行性非小細胞肺がん患者を対象としたグローバル・フェーズ2試験を実施しております。

大腸がん
- HER2陽性の再発・進行性大腸がん患者を対象としたグローバル・フェーズ2試験を実施しております。

併用等
- HER2陽性の乳がん患者を対象とした、免疫チェックポイント阻害剤**ニボルマブ**（製品名：**オプジーボ**）との併用療法を評価する臨床試験をBristol-Myers Squibb Co.と実施しております。

b. DS-1062：抗TROP2 ADC

- 再発・進行性の非小細胞肺がん患者を対象としたフェーズ1試験を日本及び米国で実施しております。本試験の用量漸増パートにおける安全性と有効性に関する中間データについて、2019年5月から6月に開催された米国臨床腫瘍学会（ASCO）及び9月に開催された世界肺がん学会議（WCLC）で発表しました。

c. U3-1402：抗HER3 ADC

乳がん
- HER3陽性の再発・転移性乳がん患者を対象としたフェーズ1/2試験を日本及び米国で実施しております。

非小細胞肺がん
- EGFRチロシンキナーゼ阻害剤を投与中に病勢進行したEGFR変異のある非小細胞肺がん患者を対象としたフェーズ1試験を日本及び米国で実施しております。本試験の用量漸増パートにおける安全性と有効性に関する中間データについて、2019年5月から6月に開催された米国臨床腫瘍学会（ASCO）及び9月に開催された世界肺がん学会議（WCLC）で発表しました。

ご参考　抗体薬物複合体（ADC）とは?
がん細胞表面に発現するタンパク質（抗原）に結合する抗体に、抗がん剤である薬物をリンカーと呼ばれる化合物を介して複合させた薬剤で、抗体が抗がん剤をがん細胞に運ぶことで、がんを死滅させるメカニズムです。

当社のADC技術は様々な抗体と組み合わせることが可能です。

Alpha

2 会社（企業集団）の現況に関する事項

1) がん領域

a. キザルチニブ：FLT3阻害剤

- 2019年6月に再発または難治性のFLT3-ITD変異陽性の急性骨髄性白血病（以下「AML」）を適応として、国内製造販売承認を取得し、10月より製品名**ヴァンフリタ**として販売しております。
- FLT3-ITD変異を有する再発または難治性のAMLに係る販売承認申請について、2019年6月に米国FDAより現在の申請内容では承認に至らない場合に発行される審査完了報告通知（Complete Response Letter）を受領しました。また、2019年10月には欧州医薬品庁の医薬品委員会より承認を推奨しないという否定的見解が示されました。
- 現在、AMLの一次治療の適応取得を目的としたグローバル・フェーズ3試験（QuANTUM-First試験）を実施しております。
- 本剤は厚生労働省、米国FDA及び欧州医薬品庁より、AML治療を対象として、希少疾病用医薬品指定を受けております。

併用等

- FLT3-ITD変異を有する再発または難治性のAML患者及びFLT3-ITD変異を有し強力な化学療法が受けられない新規AML患者を対象とした、MDM2阻害剤**ミラデメタン(DS-3032)**[※5]との併用療法を評価するグローバル・フェーズ1試験を実施しております。

b. ペキシダルチニブ：CSF-1R/KIT/FLT3阻害剤

- 2019年8月に腱滑膜巨細胞腫（以下「TGCT」）を適応として、米国FDAより販売承認を取得し、同月より製品名**TURALIO**として販売しております。
- 2019年4月に欧米でのTGCT患者を対象としたフェーズ3試験（ENLIVEN試験）結果に基づく販売承認申請が欧州医薬品庁に受理されました。
- 本剤は欧州医薬品庁より、TGCTの治療を対象として、希少疾病用医薬品指定を受けております。

c. バレメトスタット（DS-3201）：EZH1/2阻害剤

- 2019年12月に成人T細胞白血病・リンパ腫の患者を対象とした国内フェーズ2試験において、最初の患者への投与を開始しました。
- 末梢性T細胞リンパ腫（以下「PTCL」）を含む非ホジキンリンパ腫の患者を対象としたフェーズ1試験を日本及び米国で実施しております。
- 2019年4月に厚生労働省より、PTCLの治療を対象として、先駆け審査指定を受けました。
- AML、急性リンパ性白血病及び小細胞肺がんの患者を対象としたフェーズ1試験を米国で実施しております。

d. DS-7300：抗B7-H3 ADC

- 2019年10月に再発・進行性の固形がん患者（頭頸部がん、食道がん、非小細胞肺がん等）を対象とした日本及び米国でのフェーズ1/2試験において、最初の患者への投与を開始しました。

…用語解説…
※5 ミラデメタン（DS-3032）：固形がん及び血液がん患者を対象としたフェーズ1試験を実施中。キザルチニブとの併用は、AML疾患動物モデル等を用いた非臨床試験において、単剤に比べて相乗効果があることが示唆されている。

e. Zymeworks Inc.とのバイスペシフィック抗体に関する共同研究の拡大

- 2019年4月にバイスペシフィック抗体[※6]（二重特異性抗体）に関するZymeworks Inc.との共同研究及びクロスライセンス契約に基づくオプション権を行使し、特定のがん免疫バイスペシフィック抗体を商業化する権利を取得しました。引き続き、同社が開発したバイスペシフィック抗体の作製技術基盤を有効活用し、がん患者に新たな治療の選択肢を提供することを目指してまいります。

f. アキシカブタジン シロルーセル/Axi-Cel®：抗CD19 CAR-T細胞

- 2017年1月にギリアド・サイエンシズの子会社であるKite Pharma, Inc.から、本剤の国内における開発、製造及び販売の独占的権利を取得しました。
- 本剤は、厚生労働省より希少疾病用再生医療等製品指定[※7]を受けております。
- 2020年3月に再発又は難治性のB細胞リンパ腫に係る再生医療等製品製造販売承認申請を国内で行いました。

2) がん以外の領域

a. エドキサバン：FXa阻害剤

- 日本では、非弁膜症性心房細動患者における虚血性脳卒中及び全身性塞栓症の発症抑制、並びに静脈血栓塞栓症（深部静脈血栓症及び肺塞栓症）の治療及び再発抑制等の適応症で製品名**リクシアナ**として販売しております。
- 日本を含めた全世界では、30以上の国または地域で販売されております。
- 経皮的冠動脈血管形成術を施行した心房細動患者を対象としたENTRUST-AF PCI試験で確認された安全性及び有効性について、2019年9月に欧州心臓病学会議（ESC Congress）で発表しました。
- 現在、80歳以上の非弁膜症性心房細動患者における脳卒中及び全身性塞栓症の発症抑制を目標適応とする国内フェーズ3試験を実施しております。

b. ミロガバリン：α2δリガンド

- 日本で、2019年4月より末梢性神経障害性疼痛の適応症で製品名**タリージェ**として販売しております。
- 現在、脊髄損傷後神経痛等の患者を対象としたフェーズ3試験を日本及びアジアで実施しております。

c. エサキセレノン：ミネラルコルチコイド受容体ブロッカー

- 日本で、2019年5月より高血圧症の適応症で製品名**ミネブロ**として販売しております。
- 糖尿病性腎症の患者を対象とした国内フェーズ3試験において、主要評価項目及び重要な副次評価項目を達成し、本試験の結果を2019年11月に米国腎臓学会議（ASN）で発表しました。

…用語解説…
※6 バイスペシフィック抗体：抗体1分子中の2つの抗原結合部位に、異なる種類の抗原が結合できる抗体
※7 希少疾病用再生医療等製品指定：医薬品医療機器等法第77条の2に基づき、対象患者数が国内において5万人未満であること、医療上特にその必要性が高いものなどの条件に合致するものとして、薬事・食品衛生審議会の意見を参考にして、厚生労働大臣が指定する制度。指定されると、できるだけ早く医療の現場に提供できるよう、他の医薬品・医療機器・再生医療等製品に優先して承認審査がなされる。また承認された場合は、再審査期間が最長10年間に延長される。

Ⅱ 事業報告記載事項の分析

❸ 生産・物流活動
・当社グループは、がん事業の立上げ・確立に向けて、生産体制の転換を加速させております。
・2019年3月のトラスツズマブ デルクステカン（DS-8201、日米製品名：エンハーツ）に関するアストラゼネカ社との提携による開発の加速化と他ADC製品の開発の進捗に伴い、ADC製品の需要が増加することに備え、2022年度までに生産設備に関して1,000億円以上の設備投資を行う方針です。
本方針に基づき、自社生産設備の増強を計画し、投資を進めております。またトラスツズマブ デルクステカン（DS-8201）を初めとする将来のADC製品のグローバル展開を見据え、海外CMO（医薬品製造受託会社）とのアライアンス強化も積極的に進め、将来計画に合わせた生産基盤の構築を図っております。
・当社ADCのフラッグシップ製品であるトラスツズマブ デルクステカン（DS-8201）については、確実な製品供給基盤を整え、米国承認後速やかな発売開始（2020年1月）に繋げました。また、日本においても、2020年3月25日に製造販売承認を得て、2020年度の上市に向けた製品供給体制を整えました。
・ワクチン事業の見直しの一環として、北里第一三共ワクチン株式会社の機能再編を行い、2019年4月1日より、ワクチン生産機能子会社である第一三共バイオテック株式会社として事業を開始しております。
・サプライチェーン機能の最適化を図るため、2019年10月1日に第一三共プロファーマ株式会社の高槻工場を太陽ホールディングスに譲渡し、同社グループへの製造委託を開始しております。

❹ サステナビリティ活動
・第一三共グループは、社会からの多様な要請に積極的に応え、社会課題に事業と一体的に取り組むこととしております。
・2019年4月、国連による「持続可能な開発目標（SDGs）」、「ビジネスと人権に関する指導原則」等をはじめとする国際的なフレームワークを当社グループが踏まえるべき重要な原則と位置づけ、「企業行動憲章」を改訂し、グループ内への浸透を図っております。
・当社グループのマテリアリティ（重要課題）として、「革新的な医薬品の創出」、「高品質な医薬品の安定供給」、「高品質な医療情報の提供」、「コンプライアンス経営の推進」、「企業理念の実現に向けたコーポレートガバナンス」、「医療アクセスの拡大」、「環境経営の推進」、「競争力と優位性を生み出す多様な人材の活躍推進と育成」を特定しました。
・ステークホルダーの皆さまからいただいた多くのご指摘・ご意見を企業活動に活かすとともに、その改善結果や解決すべき課題の積極的な開示に努めております。また、これらのサステナビリティ・マネジメントを強化するため、ESG投資家との積極的な対話を実施しております。

(2) 設備投資の状況
・当社グループは、生産設備の増強・合理化及び研究開発の強化・効率化等を目的とした設備投資を継続的に実施しており、当期の設備投資額は290億円でした。

(3) 資金調達の状況
・該当事項はありません。

(2) 設備投資・資金調達の状況

2020年6月総会の調査対象会社385社における「設備投資・資金調達の状況」の記載方法を見ると、①「設備投資の状況」、「資金調達の状況」等と見出しを2つに分けて記載している会社が308社（80.0％）、②「設備投資の状況および資金調達の状況」等と1つの見出しで記載している会社が30社（7.8％）、③「設備投資の状況」等のように片方のみの見出しを記載している会社が43社（11.2％）、④「資金調達の状況」等のように片方のみの見出しを記載している会社が3社（0.8％）、⑤「事業の経過および成果」の中で見出しを設けずに記載している会社が1社（0.3％）となっている。なお、上記の各見出しに「企業集団の」「当グ

ループの」といった，連結ベースである旨を示す用語を冠した会社も見られる。

　記載方法については，文章によって記載するのが一般的であるが，設備投資や資金調達の状況について実績を一覧表にしたり，直近数年間の設備投資額のグラフ，設備投資により完成した営業所等の写真を掲載する会社が見られた。

＜レンゴー＞　簡潔に記載する例

---
(2) 設備投資の状況
　　当連結会計年度につきましては、板紙・紙加工関連事業を中心に総額38,700百万円の設備投資を実施いたしました。
(3) 資金調達の状況
　　当連結会計年度につきましては、借入金の返済資金等に充当するため、2019年12月に国内無担保普通社債200億円を発行いたしました。

＜日本Ｍ＆Ａセンター＞　該当がない旨を記載する例

---
(3) 設備投資等及び資金調達の状況
　①設備投資の状況
　　重要な該当事項はありません。
　②資金調達の状況
　　重要な該当事項はありません。

＜出光興産＞　設備投資の内容をセグメント別に表記する例

---
⑤ 設備投資の状況
　当社グループの当期の設備投資額は1,430億円で、主な投資の内容は次のとおりであります。

セグメントの名称	主な設備投資の内容
燃料油	製油所設備の合理化及び維持・更新 給油所販売施設の増強及び維持・更新
基礎化学品	生産設備の合理化及び維持・更新
高機能材	生産設備の合理化及び維持・更新
電力・再生可能エネルギー	発電所の建設及び維持・更新
資源	油田・ガス田の開発・維持、石炭生産設備の維持・更新 他
その他	研究開発設備の維持・更新 他

⑥ 資金調達の状況
　当社グループの運転資金需要は、製品製造のための原材料の購入等によるものであり、原油価格及び為替の状況などにより変動します。当連結会計年度は、昭和シェル石油株式会社との統合関連費用等の支出に伴い、短期借入金残高が前期末比1,849億円増加しています。設備投資資金については、当連結会計年度において1,430億円の投資を行い、必要とされる1,210億円の借入を行いました。また、会計基準変更によりリース債務が311億円増加しています。
　上記の結果、当社グループの当連結会計年度末における有利子負債残高は13,363億円となり、前期末比3,849億円増加しました。

Ⅱ 事業報告記載事項の分析

＜イビデン＞ 当社，子会社別に完成・継続中・売却等に分けて記載する例

(6) 設備投資等の状況

当連結会計年度において実施いたしました設備投資等は総額570億76百万円であり、その主なものは、次のとおりであります。

① 当連結会計年度中に完成した主要設備

当 社 拠 点 名	主 な 内 容
・該当なし	

子 会 社 拠 点 名	主 な 内 容
(電子事業)	
・揖斐電電子（北京）有限公司	次世代プリント配線基板生産設備の拡充
・イビデンエレクトロニクスマレーシア株式会社	次世代プリント配線基板生産設備の拡充

② 当連結会計年度において継続中の主要設備の新設、拡充及び更新

当 社 拠 点 名	主 な 内 容
(電子事業)	
・大垣中央／青柳事業場	最先端パッケージ基板生産設備の新設
・大垣中央事業場	大垣中央事業場発電設備（コージェネ）の新設
・大垣事業場	次世代パッケージ基板生産設備の拡充

子 会 社 拠 点 名	主 な 内 容
(電子事業)	
・イビデンフィリピン株式会社	次世代パッケージ基板生産設備の拡充 次世代パッケージ基板環境対応設備の新設
(セラミック事業)	
・イビデンハンガリー株式会社	ＡＦＰ生産設備の拡充

③ 当連結会計年度中に実施した重要な固定資産の売却、撤去、滅失
経常的な設備の更新のための除却・売却を除き、生産能力に重要な影響を及ぼす固定資産の売却、撤去又は滅失はありません。

＜小田急電鉄＞ 完成・施行中に分けて表記する例

3 設備投資の状況

当期中に実施した設備投資の総額は915億9千9百万円で、その主な内容は次のとおりであります。

(1) 完成した主な工事等

事　業	会　社　名	主な設備投資の内容
運　輸　業	当社	新列車制御システム（Ｄ－ＡＴＳ－Ｐ）導入工事
		ホームドア整備関連工事（代々木八幡駅、代々木上原駅、東北沢駅、世田谷代田駅、梅ヶ丘駅）
		5000形通勤車両1編成（10両）新造工事
	箱根観光船㈱	新船（クイーン芦ノ湖）建造
流　通　業	当社 ㈱小田急百貨店	町田駅ビル（小田急百貨店町田店）リニューアル工事
	当社 江ノ島電鉄㈱ ㈱小田急百貨店	江ノ電第1ビル（ＯＤＡＫＹＵ 湘南 ＧＡＴＥ）リニューアル工事
		西新宿7丁目賃貸施設（小田急西新宿Ｏ－ＰＬＡＣＥ、

事業	会社名	主な設備投資の内容
不動産業	小田急不動産㈱	リージア西新宿O-PLACE）建設工事
		カレッジコート狛江取得
		東和泉2丁目賃貸施設（リージア狛江）建設工事
		町田市森野1丁目賃貸施設（小田急町田森野ビル）建設工事
その他の事業	当社	御殿場ホテル（HOTEL CLAD、木の花の湯）開発計画

(注) 1　新列車制御システム（D-ATS-P）は、2015年9月より全線で運用を開始しております。
2　代々木八幡駅のホームドアは、2019年3月より使用を開始しております。
3　新船（クイーン芦ノ湖）は、2019年4月より運航を開始しております。
4　町田駅ビル（小田急百貨店町田店）および江ノ電第1ビル（ODAKYU湘南GATE）は、それぞれ2019年3月にグランドオープンしております。

(2) 施工中の主な工事等

事業	会社名	主な設備投資の内容
運輸業	当社	各停10両化ホーム延伸工事（代々木八幡駅）
		ホームドア整備関連工事
		5000形通勤車両新造工事
		中央林間駅改良工事
		ロマンスカーミュージアム整備計画
	箱根登山鉄道㈱ 箱根施設開発㈱	早雲山駅改築・改修工事
不動産業	当社	下北沢地区（下北線路街）上部利用計画
		海老名駅間地区（ViNA GARDENS）開発計画
	小田急不動産㈱	新宿区片町賃貸レジデンス建設工事
		印西市松崎台2丁目物流施設建設工事
		仙台市青葉区上杉1丁目賃貸レジデンス建設工事
		品川区大井3丁目賃貸レジデンス建設工事
その他の事業	当社	博多祇園町ホテル開発計画
	㈱白鳩	新本社物流センター建設工事

(注)　各停10両化ホーム（代々木八幡駅）は、2019年3月より使用を開始しております。

4　資金調達の状況

　当社において、設備投資、社債償還の資金需要に備え、2019年6月に第83回無担保社債100億円および第84回無担保社債200億円、7月に第85回無担保社債100億円、12月に第86回無担保社債150億円、2020年1月に第87回無担保社債100億円をそれぞれ発行いたしました。
　なお、企業集団の当期末における社債、借入金等の有利子負債残高は、7,410億2千7百万円となり、前期末と比べ、257億3千4百万円増加いたしました。

＜住友重機械工業＞　設備投資総額、研究開発投資総額の推移グラフを掲載する例

2．設備投資等の状況
（1）設備投資の状況

　当期は、主力事業及び情報化投資に重点を置き、積極的な設備投資を行いました。
　具体的には、機械コンポーネント部門、精密機械部門及び建設機械部門における生産能力の増強及び老朽化設備の更新並びにITインフラ整備を主たる目的とした投資を行いました。

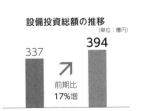

設備投資総額の推移
(単位：億円)
337　394
前期比17%増

その結果、当期の設備投資総額は394億円となりました。

（2）研究開発投資の状況

当期は、「顧客に安心をお届けすること」、「社会課題解決への貢献も図ること」を目的として、一流の商品とサービスの提供を目指して開発投資を行いました。

具体的には、機械コンポーネント部門においては、精密制御用サイクロ®減速機等の開発に投資を行い、産業機械部門においては、加速器を用いた治療システム等の開発に投資を行いました。

その結果、当期の研究開発投資総額は188億円となりました。

研究開発投資総額の推移
（単位：億円）

2018年度 169　→　2019年度 188　前期比11%増

3．資金調達の状況

当期は、設備投資資金及び社債償還資金に充当するため、2019年7月及び2020年1月に国内無担保普通社債を発行し、計200億円の資金調達を行いました。

上記に加え短期運転資金への充当及び手元流動性の確保のため、コマーシャルペーパー1,660億円を発行しました。当該コマーシャルペーパーの年度末時点の残高は350億円であります。

＜王子ホールディングス＞　設備投資額，減価償却費の推移グラフを掲載する例

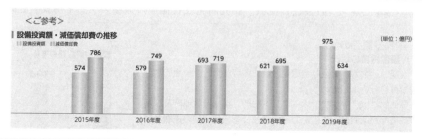

（2）企業集団の設備投資の状況

当期の設備投資額は975億円で、前期に比し353億円増加しました。

当社グループにおいては、経営戦略の遂行に必要な投資、品質改善、省力化、生産性向上、安全および環境のための工事を継続的に行っております。主な設備投資は次のとおりです。

① 当期中に完成した主要な工事

会社名	工事の内容
エム・ピー・エム・王子エコエネルギー株式会社	三菱製紙株式会社との共同発電事業
Oji India Packaging Pvt. Ltd.	段ボール新工場建設工事（インド西部および南部）
Harta Packaging Industries Sdn. Bhd.	段ボール新工場建設工事（カンボジア）
Harta Packaging Industries Sdn. Bhd.	段ボール生産設備増設工事（マレーシア）
GS Paperboard & Packaging (Selangor) Sdn. Bhd.	段ボール生産設備増設工事（マレーシア）
United Packaging Co.,Ltd.	紙器生産設備増設工事（ベトナム）
Ojitex Haiphong Co., Ltd.	段ボール新工場建設工事（ベトナム）
PT. Oji Indo Makmur Perkasa	紙おむつ新工場建設工事（インドネシア）
Celulose Nipo-Brasileira S.A.	パルプ製造設備更新工事（ブラジル）

② 当期継続中の主要な工事

会社名	工事の内容
森紙業株式会社	段ボール新工場建設工事（千葉県船橋地区）
王子ネピア株式会社	家庭紙新工場建設工事（王子マテリア江戸川工場内）
王子エフテックス株式会社	水力発電所更新工事（中津工場川上発電所）
GSPP Holdings Sdn. Bhd.	段ボール生産設備増設工事（マレーシア）
PT. Oji Sinar Mas Packaging	APP社との段ボール合弁事業（インドネシア）
Oji Fibre Solutions (NZ) Ltd.	段ボール新工場建設工事（ニュージーランド）
Oji Fibre Solutions (NZ) Ltd.	排水処理設備更新工事（ニュージーランド）
Oji Papéis Especiais Ltda.	感熱紙増産工事（ブラジル）
江蘇王子製紙有限公司	家庭紙等製造設備設置工事（中国）

＜ご参考＞

設備投資額・減価償却費の推移（単位：億円）
■設備投資額　■減価償却費

年度	設備投資額	減価償却費
2015年度	574	786
2016年度	579	749
2017年度	693	719
2018年度	621	695
2019年度	975	634

＜ＳＭＣ＞　写真を掲載する例

❹ 設備投資の状況

　将来を見据えたグローバルな最適生産体制の確立を目指して、国内外において工場の新設・増設、工場用地の取得を積極的に進めました。

　また、さらなる合理化・コストダウンを実現するため、新規設備の導入や金型の更新等を実施し、当期の設備投資の総額は、383億7千万円（前期比20.1％増）となりました。

　当期中の主な設備投資案件は、次のとおりです。

SMC Mfgベトナム　第3工場（第1期建設工事）

SMC天津製造（第1期建設工事）

＜三井不動産＞　社債の発行について表記する例

(2) 設備投資等の状況

　当連結会計年度は、「Otemachi One タワー」（東京都千代田区）、「三井ショッピングパーク ららぽーと沼津」（静岡県沼津市）の建物の取得などを中心に合計3,792億円の設備投資を行いました。

(3) 資金調達の状況

　当連結会計年度は、2019年9月12日に第68回国内無担保普通社債（グリーンボンド）500億円、第69回国内無担保普通社債300億円、第70回国内無担保普通社債200億円、2019年12月16日に第71回国内無担保普通社債300億円、第72回国内無担保普通社債200億円、2020年3月17日に第73回国内無担保普通社債300億円、第74回国内無担保普通社債100億円、第75回国内無担保普通社債100億円を発行いたしました。

日　付	社債の名称	金　額
2019年9月12日	第68回国内無担保普通社債（グリーンボンド）	500億円
	第69回国内無担保普通社債	300億円
	第70回国内無担保普通社債	200億円
2019年12月16日	第71回国内無担保普通社債	300億円
	第72回国内無担保普通社債	200億円
2020年3月17日	第73回国内無担保普通社債	300億円
	第74回国内無担保普通社債	100億円
	第75回国内無担保普通社債	100億円

　また、今後の機動的な資金調達を可能とするために、2020年2月28日開催の取締役会において、総額2,000億円の国内もしくはユーロ円建て無担保普通社債、および総額1,500億円の海外無担保普通社債の発行に関する包括決議を行っております。

(3) 企業再編等

　企業再編等については、①事業の譲渡，吸収分割または新設分割，②他の会社（外国会社を含む）の事業の譲受け，③吸収合併または吸収分割による他の法人等の事業に関する権利

義務の承継、④他の会社（外国会社を含む）の株式その他の持分または新株予約権等の取得または処分——の4項目の記載を要する（会社法施行規則120条1項5号ハ～ヘ）。

　全株懇モデルは、モデル自体に特に項目を設けず、補足説明の「1．企業集団の現況に関する事項」〔その他の記載事項〕②で、該当する事項があった場合は「（その他の記載事項として）これらの状況を記載する」とし、「『事業の経過およびその成果』や『対処すべき課題』に記載することも考えられ、子会社の異動を伴う場合は『重要な親会社および子会社の状況』に記載することも考えられる」としているが、日本経団連のひな型は、会社法施行規則の定めに忠実に、資金調達の状況、設備投資の状況に並べて4項目の見出しを記載する例を挙げている。

　2020年6月総会の調査対象会社385社を見ると、何らかの形で企業再編等について独立した見出しを設けている会社は142社（36.9％）であった。

＜ゼンショーホールディングス＞　独立した4項目の見出しを設け、そのうち3項目について具体的な内容を記載する例

---
④　事業の譲渡、吸収分割または新設分割の状況
　　当社は、2019年9月1日付で当社の完全子会社である㈱日本レストランホールディングスに対して簡易吸収分割を行い、当社の完全子会社である㈱ジョリーパスタ及び当社の連結子会社である㈱ココスジャパンを㈱日本レストランホールディングスの子会社としました。
⑤　他の会社の事業の譲受けの状況
　　該当事項はありません。
⑥　吸収合併または吸収分割による他の法人等の事業に関する権利義務の承継の状況
　　当社の完全子会社である㈱すき家本部は、2020年3月31日付ですき家地域会社9社（㈱九州すき家、㈱中四国すき家、㈱関西すき家、㈱中部すき家、㈱中京すき家、㈱神奈川すき家、㈱東京すき家、㈱関東すき家、㈱北日本すき家）と合併し、商号を㈱すき家と変更しております。
⑦　他の会社の株式その他の持分または新株予約権等の取得または処分の状況
　（ア）当社の完全子会社であるZensho Holdings Malaysia Sdn.Bhd.は、2019年5月31日付でマレーシアにおいてチキンライス専門チェーンを運営するTCRS Restaurants Sdn.Bhd.の全株式を取得し、完全子会社としました。
　（イ）当社は、2019年8月1日付で簡易株式交換により当社の連結子会社である㈱ジョリーパスタの全株式を取得し、完全子会社としました。
　（ウ）当社は、2020年2月20日付で当社株式を割り当てる三角株式交換により当社の完全子会社である㈱日本レストランホールディングスが当社の連結子会社である㈱ココスジャパンの全株式を取得し、完全子会社としました。

＜カルビー＞　独立した4項目の見出しを設け、そのうち2項目について具体的な内容を記載する例

---
(5)　事業の譲渡、吸収分割又は新設分割の状況
　　該当する事項はありません。
---

(6) 他の会社の事業の譲受けの状況

　該当する事項はありません。

(7) 吸収合併又は吸収分割による他の法人等の事業に関する権利義務の承継の状況

　当社の連結子会社であるCalbee (UK) Ltdは、Seabrook Crisps Limitedを含む同社の連結子会社Pacific Shelf 1809 Limited 以下4社を2020年1月1日付で吸収合併し、Calbee Group (UK) Ltdへ会社名を変更しました。

　(注)吸収分割につきましては、該当する事項はありません。

(8) 他の会社の株式その他の持分又は新株予約権等の取得又は処分の状況

　当社の連結子会社であるCalbee America Inc.は、米国の製菓会社Warnock Food Products, Incの事業を買収することを目的として、同社の発行済株式の80％を取得する株式売買契約書を締結し、2019年10月25日付で株式を取得しました。

＜富士通＞　「重要な企業再編等の状況」の包括的な見出しで記載する例

(5) 重要な企業再編等の状況
①当社は、2019年4月1日付で、富士通エフ・アイ・ピー株式会社のデータセンターサービス事業を当社に承継させる吸収分割を行いました。
②当社の子会社である富士通セミコンダクター株式会社（以下、FSL）は、2019年10月1日付で、三重富士通セミコンダクター株式会社（以下、MIFS）の全株式について、ユナイテッド・マイクロエレクトロニクス・コーポレーションへの譲渡手続を完了しました。この結果、MIFSは当社の連結子会社ではなくなりました。
③当社は、2020年1月1日付で、富士通CIT株式会社を当社に吸収合併しました。
④当社は、2020年3月31日付で、半導体事業に関するグループ組織再編を行いました。これに伴い、FSLはシステムメモリ事業を新設分割により分社化するとともに、保有する半導体事業関連資産を会津富士通セミコンダクター株式会社（以下、AFSL）に吸収分割し、当社はFSLを吸収合併しました。また、AFSLは商号を「富士通セミコンダクター株式会社」に変更しました。

＜ＩＨＩ＞　「事業の譲渡及び他の会社の事業の譲受け、他の会社の株式等の取得及び処分等の状況」の見出しで記載する例

(6) 事業の譲渡及び他の会社の事業の譲受け、他の会社の株式等の取得及び処分等の状況
　該当する重要な事項はありません。

(4) 対処すべき課題

　記載方法としては、「対処すべき課題」等の見出しを設け、対処すべき当面の主要な課題等を文章で記載するのが通常であるが、課題の内容ごとにさらに小見出しを設けて記載する

会社や，事業部門ごとに小見出しを設け，当該事業部門が対処すべき課題を記載する会社もある。

対処すべき課題の記載内容は，経営の基本方針について記載する会社，中期経営計画の内容等について記載する会社，ダイバーシティの推進について記載する会社，SDGsへの対応について記載する会社，コーポレート・ガバナンスについて記載する会社，業績予想について記載する会社，配当方針や配当額（無配である旨の記載をした会社を含む）を記載する会社，女性の活躍推進について記載する会社，中期経営計画の振返りについて記載する会社，本年については新型コロナウイルス感染症への対応について記載する会社など，さまざまである。

なお，これらのうち，事件・事故に関するもの，訴訟等に関するものなど特殊な記載については，本書245頁以下の「Ⅲ　事業報告における事故・法令違反等特殊事例」を参照されたい。

＜オリエンタルランド＞　「新型コロナウイルス感染症への対応」と「2020中期経営計画」について記載する例

中長期的な経営戦略、対処すべき課題

新型コロナウイルス感染症への対応

オリエンタルランドグループでは、新型コロナウイルス感染拡大の影響を最小限に食い止めるべく、社内外の情報を適宜収集しパーク運営に関する重要事項について迅速に意思決定するため、2020年2月に「東京ディズニーリゾート感染症対策統括本部」を設置し、政府からのイベント等の自粛要請を踏まえ、2020年2月29日から東京ディズニーランドおよび東京ディズニーシーを臨時休園することといたしました。

《臨時休園中の従業員に向けた対応》

- 原則、全従業員の出勤を見合わせ（業務内容に応じて一部の従業員のみ出勤）
- 準社員および出演者に対して、特別休業手当を支給
- 従業員向け特別動画メッセージ「こころはひとつ」の配信

パークの再開にあたり、様々な検討を進めております。

《主な検討内容》

パーク運営	・ディズニー社と連携し、ゲストおよびキャストの安全を最優先した運営方法を準備

資金計画	・手元資金の活用 ・2,000億円の資金融資枠を新たに確保 ・発行済みの500億円の社債と、設定済みの1,500億円の地震リスク対応型ファイナンス(新型コロナウイルス感染症への対応資金にも充当できるが、地震のリスクに備え現時点での活用予定はなし)
投資計画	・以下の大規模投資は計画通り実施。その他は精査中 1. 東京ディズニーランド大規模開発 2. ディズニー/ピクサー映画『トイ・ストーリー』シリーズをテーマとした新ディズニーホテル 3. 東京ディズニーシー新テーマポート「ファンタジースプリングス」

2020中期経営計画

　オリエンタルランドグループは、2017年4月に2017年度から2020年度までの2020中期経営計画を策定いたしました。当社では、本中期経営計画期間を長期持続的な成長のための事業基盤の強化の期間と位置付け、「高い満足度を伴ったパーク体験を提供できている状態とすること」「2020年度に過去最高の入園者数および営業キャッシュ・フローを目指すこと」の2点を目標に掲げてまいりました。しかしながら、新型コロナウイルス感染拡大の収束が見通せないことから2020年度の業績予想も含め、2020中期経営計画の進捗については現在精査しております。

目標

高い満足度を伴った パーク体験を提供できている 状態とする	2020年度に 過去最高の入園者数および 営業キャッシュ・フローを 目指す

2020年度業績予想も含めて精査中

── 営業キャッシュ・フロー(億円)　　---- 臨時休園前に想定していた営業キャッシュ・フロー(億円)
■ 入園者数(万人)　　■ 臨時休園前に想定していた入園者数(万人)

Ⅱ 事業報告記載事項の分析

＊2019年度の営業キャッシュ・フローの算出にあたっては、特別損失に計上した減価償却費が含まれています。

コア事業戦略　"新鮮さ"と"快適さ"を提供するハードの強化

❶ "新鮮さ"と"快適さ"の向上

　幅広い世代が一緒になって楽しむことのできるよう、"新鮮さ"と"快適さ"両方の向上のために、2019年7月に東京ディズニーシーに大型アトラクション「ソアリン：ファンタスティック・フライト」をオープンいたしました。今までにはない新たな体験ができるこのアトラクションは、幅広い世代から高い満足度を得られており、集客にも貢献いたしました。また、以前は東京ディズニーシーに来園されたゲストの多くが、入園後に「トイ・ストーリー・マニア！」や「タワー・オブ・テラー」など、メインエントランスから向かって左側にあるアトラクションに向かう傾向にありました。これによりゲストが同じエリアに集中してしまい混雑感が生じてしまう環境でしたが、「ソアリン：ファンタスティック・フライト」の導入により、ゲストの動きが左右に分散化され、混雑感の改善を図ることができました。

《ゲスト滞留バランスの改善》

　一方、東京ディズニーランドにおいては、大型アトラクション「美女と野獣"魔法のものがたり"」を含む大規模開発エリアをオープンすることで、引き続き2つのテーマパークにおいて今までにない"新鮮さ"の提供と"快適さ"の向上に努めてまいります。

▶東京ディズニーランド大規模開発の全景
※画像はイメージであり、今後変更になる場合があります

▶「美女と野獣"魔法のものがたり"」体験シーン

❷ ITの活用

　ITを活用した利便性の向上施策としては、2019年7月に「東京ディズニーリゾート・アプリ」において、ディズニー・ファストパス®を取得できるサービスを開始したことにより、ゲストの利便性がさらに向上いたしました。ファストパス取得者の約8割がアプリを通じて取得しており、ファストパス発券所でお並びいただくゲストの列はほぼ解消できている状況となりました。

　ITの活用は、"快適さ"の向上や収益拡大において大きな可能性があると考えており、引き続きさらなる展開を検討してまいります。

❸ 海外ゲストの受入体制と集客活動の強化

　海外ゲストの受入体制の整備として、2019年10月にはレストランやバケーションパッケージ等の各種予約サイトの英語版と中国語版を公開いたしました。集客活動としては、各国の特性に合わせたマーケティング活動を実施したほか、インターネット上のみで営業を行う海外の旅行会社と新たに契約すること等により、販売チャネルを拡充いたしました。

❹ サービス施設の更新改良

　2019年7月に東京ディズニーランドの立体駐車場が完成したことにより、メインエントランス近くの駐車スペースが増加し、ゲストの"快適さ"が向上しました。2020年4月には、リニューアル工事をしていた東京ディズニーランドのメインエントランスが竣工いたしました。

コア事業戦略　ソフト(人財力)の強化

　ソフトの強化に向けては、「働きやすい」環境の整備と「成長を実感できる」施策への取り組みを進めております。

　「働きやすい」環境の整備の一環としては、2020年2月から「テーマパークオペレーション社員」の採用を開始いたしました。「テーマパークオペレーション社員」は、パークの最前線で複数のオペレーション職種を担う新たな雇用区分であり、2022年度までに主に当社に勤務する準社員を対象に3,000人から4,000人程度の採用を計画しております。2020年3月31日時点のテーマパークオペレーション社員数は1,479人となっております。

　「成長を実感できる」施策としては、東京ディズニーランド大規模開発エリアのオープンに向けて、キャストに対して約1年間かけて研修、動画、社内報、冊子配布など様々な手段を通じて、「ゲストに非日常の世界を体感して楽しんでもらいたい」というテーマパークの作り手の想いを共有することや、キャストの役割を改めて伝えるための施策を実施いたしました。これらのホスピタリティ向上施策を通じてキャスト一人ひとりが最高のサービスで最大

のハピネスをゲストに提供することの大切さを改めて理解できるよう努めました。

今後もより一層、キャストが働くことを通して成長を実感し、安心して楽しく働き続けることができるよう、人事制度や職場環境のさらなる改善等、人財の確保と育成に向けた様々な取り組みを実施してまいります。

財務方針

これまで同様、創出された営業キャッシュ・フローを次の成長投資に充当し、長期持続的に企業価値を向上させるとともに、株主還元の充実を図ってまいります。

なお、2020年1月31日から2020年3月2日までの期間に自己株式の公開買付を行い、150万株の自己株式を総額207億円で取得いたしました。

今後の大規模開発

2020中期経営計画以降の大規模開発としては、東京ディズニーシーで8番目となる新テーマポート「ファンタジースプリングス」の開発を行ってまいります。当該プロジェクトは一部施設の仕様等の決定に時間を要したため、開業予定時期を2022年度から2023年度に変更いたしました。

この新テーマポート「ファンタジースプリングス」およびディズニー/ピクサー映画『トイ・ストーリー』シリーズをテーマとした新ディズニーホテルに関しては計画通り実施いたしますが、施設維持・向上の更新改良を含むその他の投資計画については現在精査しております。

▶「ファンタジースプリングス」全景

▶『アナと雪の女王』をテーマとするエリア

▶『塔の上のラプンツェル』をテーマとするエリア

▶『ピーター・パン』をテーマとするエリア

▶パーク一体型の新たなディズニーホテル

※画像はイメージであり、今後変更になる場合があります

　先行きが不透明な状況ではありますが、足元ではゲストおよびキャストの安全、安心を最優先としたパーク運営を実現させながら、既に発表している今後の大規模投資を計画通り実施することで、引き続き東京ディズニーリゾートの長期持続的な成長を目指してまいります。

＜三菱重工業＞ 「新型コロナウイルス感染症の影響を踏まえた緊急対策」および次期事業計画策定の早期着手について記載する例

2 対処すべき課題

当社グループは、中期経営計画「2018事業計画」において事業成長と財務健全性のバランスの取れた経営を目指してまいりました。しかしながら、米中貿易摩擦や新型コロナウイルス感染症の世界的流行により、計画策定時と比べて世界経済や当社グループの置かれている環境が急激に悪化していることから、緊急対策に着手いたしました。三菱スペースジェット事業の開発スケジュールについても、この影響を加味して、検討を進めてまいります。また、世界的な低炭素化・脱炭素化の流れの加速を受けて エナルギ 事業の構造転換への取組みをより一層強化してまいります。さらに、新型コロナウイルス感染症の影響の長期化や、今後の事業環境の更なる変化を想定して、次期事業計画の策定を前倒しで進めてまいります。

■ 新型コロナウイルス感染症の影響を踏まえた緊急対策

新型コロナウイルス感染拡大の影響を大きく受けている民間航空機関連事業と中量産品事業では、既に着手している緊急対策に加え、かつてないほど厳しい事態を念頭に、市場への影響が最悪となるケースも想定して、人員対策を含めた固定費の圧縮、外部流出費用の削減、投資計画の見直しなどあらゆる対策を講じます。
また、当社グループの売上の約3分の2を占めるインフラ関連企業・官公庁向けの受注品事業でも、海外を中心に、既に受注した案件の進捗遅延による売上計上時期の遅れや新規受注の減少、サプライチェーンの停滞といった影響が生じており、これらが長期化する可能性もあります。当社グループが一丸となり、臨機応変に影響を最小限にとどめるための施策を実行してまいります。
一方、在宅勤務によるテレワーク拡大等を業務改革の好機と捉え、コーポレート関連の業務プロセスの抜本的な見直しにも着手しております。働き方改革やIT化の加速により、グローバル本社を中心に業務効率化及び生産性向上を図り、

Ⅱ　事業報告記載事項の分析

　　間接費の大幅な削減と人員リソースの有効活用につなげます。

　■ 三菱スペースジェット事業での対応
　三菱スペースジェット事業に関しては、型式証明取得の遅れにより全体スケジュールを精査する必要性が生じていたところ、その後の新型コロナウイルスの感染拡大に伴って、最新の試験機10号機の米国へのフェリーフライトや、米国での飛行試験の実施にも影響が出ているほか、顧客である航空業界も深刻な打撃を受けて危機的な経営状況にあります。このような状況の下、引き続き開発スケジュールの精査を行うとともに、予算についても適正な規模で推進してまいります。

　■ エネルギー事業の構造転換
　エネルギー業界は、最近の世界的な低炭素化・脱炭素化の流れの中で、クリーンエネルギーへのシフトが進展しています。当社グループはこれを商機と捉えて、グループの総力を挙げて最適なエネルギーソリューションの提案を積極的に進めてまいります。まず、当社の完全子会社となる予定の三菱日立パワーシステムズ株式会社は、「三菱パワー株式会社」と社名を一新し、競争力を高めつつ、世界をリードする発電技術で低炭素・脱炭素社会の実現に引き続き貢献してまいります。また、同社をエネルギー事業の中核に据え、当社グループが保有するCCS[*1]やCCU[*2]、バイオマス、ごみ焼却、再生可能エネルギー等の技術を活用し、グループ内の関連事業とのシナジーを生み出す会社へと変革させてまいります。
　*1　Carbon dioxide Capture and Storage（二酸化炭素の回収・貯留）
　*2　Carbon dioxide Capture and Utilization（二酸化炭素の回収・利用）

　■ 「2021事業計画」策定の早期着手
　事業環境の変化と新型コロナウイルス感染症流行に伴う影響を軽減し、更に抜本的な対策を講じるため、緊急対策の推進にとどまらず、次の中期経営計画「2021事業計画」の策定に前倒しで着手いたします。「2021事業計画」では、市場・顧客・社会のニーズの変化を捉えつつ、事業ポートフォリオマネジメントの強化と事業運営体制のスリム化に取り組むとともに、成長戦略の推進を加速してまいります。
　当社グループは、事業ポートフォリオマネジメントについて、2012年以降「戦略的事業評価制度」に基づいて継続して見直してきましたが、今般の事業環境の急激な変化を踏まえ、収益性や成長戦略との適合性などの判断軸に基づき、事業の更なる改革を進めてまいります。
　次に、事業運営体制のスリム化のため、事業の選択と集中に加え、グループ会社や国内拠点の再編によるバランスシート全体の圧縮、業務効率化、人材流動化等の生産性向上の促進により、販売費及び一般管理費の低減を図ります。
　さらに、成長戦略の推進を加速するため、既存事業の規模拡大によって収益性を維持・強化しつつ、エネルギー・環境等を中心とする成長分野への投資を行い、新たな付加価値を生む事業の創出に取り組みます。ここでは、エネルギーやモビリティ分野の革新を支える自律・知能化技術、環境対応技術、電化技術など、今まで培ってきた当社グループの様々な技術の組合せと高度化により、当社グループを挙げて皆様が安全・安心に生活していただくための社会基盤の構築やサービスの提供を追求してまいります。

　当社グループは、コンプライアンスやCSRは経営の重要課題であるとの認識の下で、リスク管理を徹底しながら、以上の諸施策の実行を通じて社会の持続的発展に貢献していく所存であります。株主の皆様には、引き続きご理解、ご支援を賜りますようお願い申し上げます。

＜ブラザー工業＞　中期戦略の進捗状況やESGの取組みについて記載する例

　(5) 対処すべき課題
　　　ブラザーグループは、すべてのステークホルダーから信頼され、従業員にとって心の底から誇りの持てる企業となることを目指しています。2002年に策定した中長期ビジョン「Global Vision 21」では、ブラザーグループが目指す3つの項目を以下のとおり掲げ、事業活動に取り組んでいます。

　　・「グローバルマインドで優れた価値を提供する高収益体質の企業」になる
　　・独自の技術開発に注力し「傑出した固有技術によってたつモノ創り企業」を実現する
　　・「"At your side."な企業文化」を定着させる

◆中期戦略「CS B2021」
　2021年度を最終年度とする中期戦略「CS B2021」では、"Towards the Next Level ～次なる成長に向けて～"をテーマに掲げ、グループ全体で以下の4つの経営の優先事項にフォーカスした改革を実行し、成長基盤の構築を進めております。

①プリンティング領域での勝ち残り
・高PV[*1]ユーザーの獲得強化と本体収益力向上による事業規模の維持、収益力の強化
・新たなビジネスモデルへの転換加速により、安定収益確保と顧客との繋がりを強化

②マシナリー・FA[*2]領域の成長加速
・自動車/一般機械市場強化による産業機器分野の大幅な成長
・省人化、自動化ニーズを捉えたFA領域の拡大

③産業用印刷領域の成長基盤構築
・シナジー顕在化によるドミノ事業の成長再加速
・インクジェットを核としたプリンティング技術活用による産業用印刷領域の拡大

④スピード・コスト競争力のある事業運営基盤の構築
・IT活用によるグループ全体の業務プロセス変革・効率化の実現
・人財の底上げ、最適人員体制の確立による組織パフォーマンスの最大化
・不採算・低収益事業の梃入れ

　＊1：Print Volume（印刷量）の略
　＊2：Factory Automationの略。工場の様々な作業や工程を機械や情報システムを用いて自動化すること

　これらの改革を成し遂げることにより、中期戦略「CS B2021」の最終年度となる2021年度の業績目標として、売上収益7,500億円、営業利益750億円、営業利益率10％の達成を目指してまいります。
　同時に、グローバル社会の一員として企業活動のあらゆる面で環境・社会・ガバナンス（ESG）を中心としたCSR経営を推進し、地球環境の保全、従業員の健康維持、人財多様性の確保、コーポレート・ガバナンスの強化などの取り組みを通じて、企業価値の持続的な向上を目指してまいります。

◆中期戦略「CS B2021」の進捗状況
①プリンティング領域での勝ち残り
　モノクロレーザープリンター・複合機、カラーレーザープリンター・複合機とも、上位機種の拡販をKPI[*3]として設定し、各国の状況に合わせた販売活動を推進しました。主力製品であるモノクロレーザー複合機は、先進国・新興国とも概ね初年度の目標を達成しました。カラーレーザー複合機は、年度前半でのシェア低下を受けて目標は未達となったものの、年度後半は積極的な拡販施策の効果により販売が持ち直しています。
　インクジェット複合機は、先進国ではコストパフォーマンスに優れたビジネス向けモデルの拡販が順調に進んだほか、新興国では大容量インクタンクモデルを搭載したモデルの販売数量も計画を達成しました。
　新たなビジネスモデルへの転換による安定収益確保と顧客との繋がり強化への取り組みとしては、欧米地域におけるサブスクリプションモデルのテスト導入の検討や、アジア地域における低CPP[*4]のモノクロレーザー機の投入など、様々な取り組みを進めています。

　＊3：Key Performance Indicator（重要業績評価指標）の略
　＊4：Cost Per Page（1枚あたりの印刷コスト）の略

②マシナリー・FA領域の成長加速

　工業用ミシン分野では、中国やアジアにおける需要低迷の影響で販売目標は未達となったものの、景気回復局面での事業成長を見据え、アパレル業界向けには、世界初となる電子布送り機構「DigiFlex Feed」を搭載し生産性向上に貢献する本縫いミシンや、特定工程向けの特殊ミシンの拡販活動を進めています。また、シートベルトやエアバッグなどの自動車内装部品向けの販売拡大を目指し、ブリッジ型プログラム式電子ミシン「BAS-360H/365H」などの高付加価値製品の販売強化に取り組んでいます。

　産業機器分野においては、自動車/一般機械市場向け強化を目指し、加工部品の自動搬送・供給により省人化に貢献する「ローディングシステム BV7-870」を投入したことに加え、高速パレットチェンジャーを搭載した「スピーディオ R450X2/R650X2」や、旋削加工とマシニング加工の工程を1つに集約することで生産の効率化に貢献する小型複合加工機の新モデル「スピーディオ M200X3/M300X3」を発売するなど、製品ラインアップの強化を計画どおり推進しました。

③産業用印刷領域の成長基盤構築

　産業用印刷領域においては、ブラザーの持つノウハウ（事業基盤・強み・技術）とドミノプリンティングサイエンス（DPS）とのシナジー強化を重点施策と位置づけ、開発体制・開発力の強化に取り組んでいます。具体的な成果として、サーマルインクジェット「Gxシリーズ」、CO_2レーザーマーカー「D310シリーズ」の投入に加え、日本の大手包装機メーカー向けに産業用サーマルプリンター「Vx3-A」の提供を開始するなど、コーディング＆マーキング製品で複数の新製品を市場投入いたしました。販売面では、日本におけるドミノブランド製品の販売拡大を狙い、DPSの日本総代理店であったコーンズテクノロジー株式会社から各種マーキング機器の輸入・販売・アフターサービスの提供を行う事業を譲り受け、ブラザーインダストリアルプリンティング株式会社として販売体制を整えました。

④スピード・コスト競争力のある事業運営基盤の構築

　限られたリソースを有効活用し、顧客への価値提案力を継続的に高めていくために、グループ全体で業務プロセスの抜本的な見直しを行うとともに、RPAやAI等のITを活用した業務の自動化を推進しています。中期戦略の期間中に70万時間に相当する時間を創出することも目標に、初年度は41万時間の創出を達成しました。

　また、中期戦略の期間中に80億円超の損益を改善することを目標に、サブ事業単位での損益管理を強化しています。活動の中で、将来的な改善が見込めないと判断したヘッドマウントディスプレーとウェブ会議システムサービスについては事業を撤退することで経営資源の再配分を実行し、持続的成長に向けた基盤強化を進めています。

◆ESGの取り組み

　環境・社会・経済のシステムが統合的に変化し社会環境も大きく変化する中、気候変動対応などの社会課題の解決に貢献し、持続的発展が可能な社会を構築するため、2018年3月に「ブラザーグループ 環境ビジョン2050」を策定しました。この環境ビジョンに基づき、グループ全体で「CO_2排出削減」「資源循環」「生物多様性保全」に関する活動を一層強化しています。また、ブラザーグループは、2020年2月に「気候関連財務情報開示タスクフォース（TCFD）」の提言に賛同を表明しました。今後、TCFDの提言に基づき、気候変動が事業に及ぼすリスクと機会を分析し、経営戦略に反映するとともに、関連する情報の開示に努めてまいります。また同月、国連が提唱する国連グローバル・コンパクトにも賛同、署名しました。ブラザーグループは、「持続的な開発目標（SDGs）」に掲げられている17のゴールの達成に貢献するために、モノ創り企業として事業を通じた社会価値をグローバルに創出するとともに、ESGを中心としたCSR経営を推進してまいります。

　株主の皆様におかれましては、何卒格別のご理解を賜り、今後とも一層のご支援とご鞭撻を賜りますようお願い申し上げます。

<信越化学工業> ご参考として、ESGへの取組みについて記載する例

(3) 対処すべき課題

世界経済は、コロナ禍の真っ只中にあります。コロナ禍がいつどのように終息するか、世界経済への毀損がどのくらいになるのか、現時点では見通せません。このような状況下、従業員の健康と安全の維持、生産の継続と販売の確保、債権保全ほかの事業要件に注力します。顧客との意思疎通を密にして、顧客にとって価値ある製品の開発と製品の安定供給に引き続き努めてまいります。コスト競争力と品質の向上への取り組みも継続してまいります。決定した投資案件は目下計画に沿って実行しています。また、事業の成長のために適時適切な投資を遂行してまいります。

塩化ビニル事業では、米国のシンテック社で、主要原料であるエチレンの生産工場が稼働を開始し、それを長期的なコスト競争力の伸長に役立てます。塩化ビニル樹脂製造工場の新設は計画通りに進めており、その一方で第2期増設の検討に入りました。

シリコーン事業では、主要拠点でのシリコーンモノマー並びに最終製品の生産能力増強を進め、全世界の顧客への供給体制と品揃えの拡充に取り組んでいます。顧客の課題解決に貢献する製品及び用途開発をより一層推し進めます。

機能性化学品事業では、セルロース事業で、日米欧の3拠点から多様な製品群の安定供給を図ります。これまで注力してきました製剤用特殊品や産業用機能品に加え、食品用でも需要の広がりに応えていきます。フェロモン製品も適用品種を増やして、農産物収穫向上に貢献していきます。ポバール他の現有製品についても拡販を推進します。

半導体シリコン事業では、半導体デバイス市場の短期的な変動はあるものの、長期に亘る成長は確実ゆえ、高品質なシリコンウエハーの安定供給継続のため、あらゆる手立てを施してまいります。今後とも、顧客と市場の動向を見極めつつ、競争力を高めてまいります。

電子・機能材料事業では、希土類磁石事業で、日本とベトナムの2拠点での原料の精製から最終製品までの一貫生産体制を活かす一方で、安定供給体制の見直しも行います。封止材料や基板材料で5G対応をはじめとする新製品を繰り出していきます。光ファイバー用プリフォームは、唯一のマーチャントサプライヤー(光ファイバーケーブルの母材であるプリフォームの専業メーカー)として顧客の要請に応えていきます。合成石英基板では、高品質とサイズ対応の迅速さで需要に応えていきます。フォトレジストでは、引き続き先端品の開発と安定供給を中心に据え、マスクブランクスでも先端品を基板からの一貫生産体制で需要に応えていきます。

【ご参考】環境・社会・ガバナンス(ESG)への取り組み

当社は、「遵法に徹して公正な企業活動を行い、素材と技術による価値創造を通じて、暮らしや社会と産業に貢献する」という企業規範のもと、ESGの推進に取り組んでいます。

ESGの推進体制

当社グループの社会的責任は、企業規範を実践し、株主・投資家、顧客、取引先、地域社会、従業員といった関連する皆様（ステークホルダー）に貢献することと考えています。
　その実現のためには、企業が成長するために欠かせないESGに関する課題に取り組むことが重要であると認識し、基本方針と各種社内規程を定め、活動を進めています。また、社長を委員長とするESG推進委員会を組織し、企業活動のあらゆる面においてESG活動を全社的に推進しています。

ESGの基本方針
当社グループは、
1．持続的な成長により企業価値を高め、多面的な社会貢献を行います。
2．安全を常に最優先とする企業活動を行います。
3．省エネルギー、省資源、環境負荷低減に絶えず取り組み、地球環境との調和を図ります。
4．最先端の技術と製品を通じ、地球温暖化の防止と生物多様性の保全に取り組みます。
5．人権の尊重と雇用における機会の均等を図り、働く人の自己実現を支援していきます。
6．適時そして的確な情報開示を行います。
7．倫理に基づいた健全で信頼される、透明性ある企業活動を行います。

重要課題（マテリアリティ）の特定
　当社グループでは2005年のCSR推進委員会（現、ESG推進委員会）設置以来、あらゆる事業活動においてESGの取り組みを推進してきましたが、2015年に当社グループにとっての重要課題を抽出したうえで審議を行い、「法令遵守」と「公正な企業活動」を全ての活動の礎として、特に注力すべき課題を「重要課題」として定めました。
　2018年12月には、当社の全部門及び国内の主要グループ会社がそれぞれの重要課題を見直し、ESG推進委員会で検討の結果、2015年に特定した重要課題を継続することを決定しました。

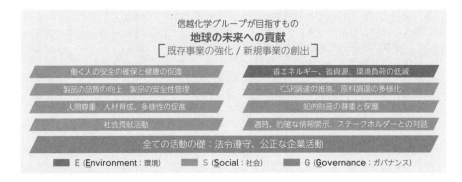

直近の活動事例
▶TCFDへの支持を表明
　G20の要請により金融安定理事会（FSB）が設立した気候変動に関連する財務情報開示の特別チーム、TCFD（Task Force on Climate-related Financial Disclosures）が2017年に、「企業は、中長期の複数の気候変動の予測と将来シナリオを元に自社のリスクと機会を分析し、財務への影響度を開示すべきである」との提言を発表しました。これを受けて当社グループは2019年5月にTCFDの提言への支持を表明し、さらにこの取り組みを推進するために経済産業省、金融庁、環境省などが設立した「TCFDコンソーシアム」にも参加しました。今後、気候変動に関する提言に沿った情報の開示を進めていきます。

▶グループ人権方針の制定
　当社グループは、全世界の事業所で人権を尊重することを礎として事業に取り組んできましたが、2019年5月に、全社的な活動の推進と社外発信の強化に向けて「信越化学グループ人権方針」を制定しました。今後も国際的な行動規範を遵守し、人権尊重に向けた活動を力強く推進していきます。

国連「持続可能な開発目標（SDGs）」の達成に貢献する取り組み
　当社グループはさまざまな社会の課題の解決に挑戦しています。この挑戦により生まれた製品は、SDGsの達成にも貢献しています。例えば、塩化ビニル樹脂、シリコーン及び希土類磁石などは、全世界でさまざまな最終製

品に使用されることで、SDGsの目標7「エネルギーをみんなに そしてクリーンに」と目標13「気候変動に具体的な対策を」の達成につながっています。
　当社グループが世の中にSDGsの達成に貢献する製品を提供することは、当社グループが目指している「地球の未来への貢献」につながります。同時に、お客様、お取引先様といったステークホルダーの皆様と当社グループの双方に持続的な成長をもたらしています。

　環境・社会・ガバナンス（ESG）への取り組みの詳しい情報は、当社ウェブサイトのサステナビリティサイトをご覧ください。
https://www.shinetsu.co.jp/jp/csr/

＜石油資源開発＞　「長期ビジョン」と「中期事業計画2018－2022」について記載する例

(2) 対処すべき課題
　当社は、エネルギーの安定供給及び長期的な視点で持続可能な社会への貢献を果たすことが当社の使命であるとの認識のもと、2018年5月に「長期ビジョン2030・中期事業計画2018－2022」を公表しました。その要旨は以下のとおりです。

【長期ビジョン2030】
1) 2030年に目指す姿（ビジョン）
　　「E＆Pとその供給事業基盤を活かした総合エネルギー企業への成長」

2) 長期基本方針
・石油・天然ガスは、中長期的に世界の一次エネルギーの中心的な役割を担うとの認識のもと、市場や顧客からのニーズの変化に対応しながら、エネルギーの安定供給に引き続き取り組みます。
・国連加盟国が達成を目指す「持続可能な開発目標（SDGs）」において、特に、低炭素化・脱炭素化に対する地球規模の課題解決に対して、当社として積極的な役割を果たすため、当社事業におけるCO_2排出削減に努めるとともに、当社の知見を活かしたCO_2排出量オフセット技術の実用化や再生可能エネルギーなど、環境配慮型の非E＆P分野における新規事業の創出・拡大を目指します。

3) 長期目標
・E＆P事業における新規案件の発掘や推進等により、RRR＞1（注）を目指します。
　（注）RRR：Reserve Replacement Ratio＝（一定期間中の）「埋蔵量の増加分」÷「生産量」
・CO_2排出量オフセットへの貢献が期待されるCCS（二酸化炭素回収・貯留）技術の実用化に向け、当社が培ってきたE＆P地下技術を活用し、先導的な役割を果たします。
・有利子負債／EBITDA＜2を目安とした財務規律のもとで新規投資原資を確保し、その2分の1程度を非E＆P事業に配分することで、E＆P事業と非E＆P事業の収益貢献割合が6：4程度となるよう、事業構造を変革します。

【中期事業計画2018－2022】
1) 中期基本方針
・2030年に目指す姿を実現するために、油価60米ドル／バレルの前提のもとで、2022年度に自己資本利益率（ROE）≧5％の水準となることを目標に、収益改善を目指していきます。
・前半の2018～2019年度は、事業ポートフォリオの最適化と財務健全化を最優先課題として取り組んでいきます。
・後半の2020年度以降は、前半で得られる新規投資原資を活用し、持続的成長に向けたE＆P事業における新規投資案件の具体化や、非E＆P事業での新規事業創出に向けた取組みを本格化させてい

Ⅱ　事業報告記載事項の分析

　　　　　きます。
　　2）個別事業計画・目標等
　　　①E＆P事業：国内での操業効率化や既存油ガス田周辺エリアの追加開発、国の基礎調査を軸とした海域探鉱を推進していきます。また、海外においては、保有ポートフォリオ適正化や新規投資機会の発掘に重点的に取り組んでいきます。
　　　②インフラ・ユーティリティ事業：国内天然ガス取扱量160万トン／年（LNG換算）と電力販売量28億kWh／年を目標に、国産ガスとLNG調達ソースの多様化による安定供給の確保と、天然ガス利用促進に向けた取組みを推進していきます。また、福島天然ガス発電所の安定操業確立と稼働率向上や、再生可能エネルギーの開発を追求していきます。
　　　③新規事業：当社が培ってきたE＆P技術や国内天然ガス供給ネットワークでの知見など、「競争優位性の源泉」を活かした新たな事業機会を発掘する体制を強化するための専従組織を新設し、ビジネスモデルの構築と収益事業化に向けた取組みを加速していきます。
　　3）CSR経営
　　　・持続的成長のためのESGの取組みを踏まえた、当社CSR重点課題「SHINE」（注）を実現するための取組みを推進します。
　　　　　（注）S　エネルギー安定供給　　　　：Stable & Sustainable Energy Supply
　　　　　　　　H　企業文化としてのHSE　　　：HSE as Our Culture
　　　　　　　　I　誠実性とガバナンス　　　　：Integrity & Governance
　　　　　　　　N　社会との良好な関係構築　　：Being a Good Neighbor
　　　　　　　　E　選ばれる魅力ある職場　　　：The Employer of Choice
　　4）株主還元
　　　・長期安定配当の継続を基本方針とし、具体的な配当金の額は、当社財務基盤の強化及び持続的成長による企業価値の最大化の観点から、各期の利益状況や今後の資金需要等を総合的に勘案して決定します。

　　当社は、上記長期ビジョンと中期事業計画の基本戦略のもと、低油価環境下でも持続的成長が可能な収益構造への改善と、変化する社会のニーズに対応できる事業構造への変革により、企業価値の向上を図ってまいります。
　　株主の皆様におかれましては、今後とも一層のご理解とご支援を賜りますようお願い申し上げます。

＜TOTO＞　SDGsの取組みについて記載する例

4．企業集団の対処すべき課題

　2017年に創立100周年を迎えた当社グループは、次の100年に向け、世界中にTOTOファンを増やしていきます。その実現のため、2018年度から始まる5カ年の中期経営計画「TOTO WILL2022」を策定しました。
　その戦略フレームは、企業活動のベースとなるコーポレートガバナンスがあり、「グローバル住設事業」「新領域事業」の2つの事業軸と、全社

最適視点で横串を通す「マーケティング革新」「デマンドチェーン革新」「マネジメントリソース革新」の3つの全社横断革新活動です。これらの事業活動と「TOTOグローバル環境ビジョン」がより一体となり、更なる企業価値向上を目指します。

　＜グローバル住設事業について＞
　　■日本住設事業
　　　日本では、新築住宅着工戸数が減少し、ストック型社会へ移行が進む中、日本住設事業においては、住宅リモデルにおける「あんしんリモデル戦略」を推進しています。また、パブリックにおいてはTOTOが創り出した日本のトイレ文化を世界に発信し、日本を世界のショールームにすることを目指します。

これらの戦略推進により、強固な事業体質を確立・維持します。

■中国・アジア住設事業

中国では、国民の所得増加にともない、温水洗浄便座が普及し始めています。中国住設事業においては、市場環境や消費者の購買行動の変化などを捉えながら、「高級ブランドTOTO」としての強みを活用し、事業活動を推進しています。

アジア諸国・地域についても、所得水準の上昇や下水道普及にともない、TOTOブランドの認知度が高まっています。アジア住設事業においては、各国・地域の販売基盤をさらに強化するとともに、将来の需要増加を見据えた"世界の供給基地"として工場建設を進めています。

■米州・欧州住設事業

欧州の水まわり文化は、世界に大きな影響力があります。そのため、米州・欧州住設事業においては、商品優位性や価値伝達によってブランド価値を高め、差別化を図り、欧米の水まわり文化を変革していくことで、世界中にTOTOファンを増やしていきます。

<新領域事業について>

■セラミック事業

IoT社会の到来により、半導体・表示デバイスなどの先端デバイスの需要が拡大しています。セラミック事業ではそれらの製造装置に採用されているエアスライド、静電チャックなどの高品質・高精密セラミック商品を展開していきます。オンリーワン技術を活かし、お客様・サプライヤー様と三位一体で価値を共創します。

■環境建材事業

環境建材事業では、地球環境に貢献し、生活文化の向上に役立つ価値ある商品を提供し続けることを目指しています。光触媒を利用した環境浄化技術「ハイドロテクト」を世界へ展開し、普及に努めています。

<全社横断革新活動について>

■全社最適視点での商品戦略を担う「マーケティング革新」

日本発のコアテクノロジーをグローバルでも共通基盤技術として活かしながら、エリア毎の市場や特性に応じた商品企画・開発を推進し、世界に通用する美しく快適な商品を展開しています。デザインと技術の進化をグローバル統一プロモーションで世界へ発信しています。

■モノ・情報の流れを最適・高速化し、魅力ある商品をお客様へお届けする「デマンドチェーン革新」

原材料調達から、お客様施工現場到着までの流れにおいて高速サプライチェーンを構築する「サプライチェーン革新」と、全社最適の生産技術開発体制で既成概念を超えた新たな発想によるもの創りを進める「もの創り革新」からなる「デマンドチェーン革新」の活動を推進しています。これまで日本で培ってきた、商品企画から、研究開発、購買、生産、物流、販売、アフターサービスまで一体となった活動をグローバルに展開し、お客様のご要望に素早く効率的に応える体制を構築しています。

また、昨今多発する大規模自然災害や突発的な感染症によるサプライチェーンリスクに対しBCP*強化にも取り組んでいます。

※ BCP：Business Continuity Plan（事業継続計画）

（当期までの主な進捗状況）
・「サプライチェーン革新」では「生産・販売・物流・購買・情報の一体行動」の基本方針のもと、「納期乖離」「棚卸資産」「サプライチェーンコスト」の極小化をグローバルで推進しています。
新型コロナウイルスによるサプライチェーン寸断に対しても影響を最小限に抑えるべく、生産・販売が一体となって取り組んでいます。
・「もの創り革新」では、自動化・IoT・AIを活用した究極のムダ取り・品質向上のために、Smart Factory化に取り組み、具体的な計画を策定し推進しています。

■多様な人財※が集まり、安心して働き、イキイキとチャレンジできる会社をつくる
「マネジメントリソース革新」

「働き方改革」を継続して推進しています。多様な人財の安心とチャレンジを後押しし、ダイバーシティを強みにできる職場づくりに取り組んでいます。

※ 当社グループで働くすべての人々は「次世代を築く貴重な財産である」という考えから、「人材」ではなく「人財」と表記しています。

(当期までの主な進捗状況)
・やりがいを感じる働き方の実現に向けて、働きやすい職場づくりに取り組み、有給休暇取得推進を進めました。
・女性、障がいをお持ちの方、60歳以上の方々等、多様な人財が活躍できる職場の環境整備を行いました。
・場所と時間を柔軟に活用できる働き方として、在宅勤務を定着させました。

<TOTOグローバル環境ビジョンについて>

当社グループでは、水まわりから環境に貢献するために、CSR活動として、「TOTOグローバル環境ビジョン」を推進しています。このビジョンでは、グローバルで取り組む3つのテーマとして「きれいと快適」「環境」「人とのつながり」を掲げ、きれいで快適な暮らしを世界に届け、環境にやさしいものづくりを行い、人とのつながりを大切に活動しています。また、このビジョンを中期経営計画「TOTO WILL2022」の推進エンジンとすることで、経営とCSRの一体化を図ると共に、これらの活動を通じて、国連の「持続可能な開発目標(SDGs)」についても貢献していきます。

2019年5月には、金融安定理事会(FSB)が設置した「気候関連財務情報開示タスクフォース(TCFD)」の提言に賛同しました。気候変動は、TOTOグループの重要課題と認識しており、長期の視点でも脱炭素社会の構築に貢献していきます。具体的な貢献としては、2050年までの気候変動の分析や2030年までの長期的な事業成長を考慮したCO_2排出削減計画に取り組み、従来からの省エネ活動に加えて、グループ全体で再生可能エネルギーの積極的な導入を進めるなど、地球温暖化防止に努めています。

(当期までの主な進捗状況)

■「きれいと快適」

「きれい・快適を世界で実現する」「すべての人の使いやすさを追求する」を目指す姿とし、「きれいで快適なトイレのグローバル展開」に取り組んでいます。

「除菌」「防汚」「清掃」の技術(「きれい除菌水」「セフィオンテクト」「フチなし形状／トルネード洗浄」)を複合させた「きれいなトイレ」と、「ウォシュレット」に代表される「快適なトイレ」の提供を通じて、清潔で健康的な生活環境を世界中に提供しています。これにより、あらゆる年齢のすべての人の健康的な生活を確保することを目指しているSDGsのテーマ「3：すべての人に健康と福祉を」などに貢献していきます。

主な取り組みの2019年度の指標と実績は次のとおりです。

指標	2019年度実績	(ご参考) 2022年度目標	SDGsのテーマ
セフィオンテクト出荷比率(海外)	79%	79%	3, 5
トルネード出荷比率(海外)	44%	53%	6, 11
ウォシュレット出荷台数(海外)	63万台	200万台	

■「環境」

「限りある水資源を守り、未来へつなぐ」「地球との共生へ、温暖化対策に取り組む」「地域社会とともに、持続的発展を目指す」を目指す姿とし、「節水商品の普及」や「CO_2排出量削減」、「地域に根付いた社会貢献活動」に取り組んでいます。

「節水商品の普及」により、限りある水資源を守るとともに、「TOTO水環境基金」の活動により、生活用水不足や衛生環境の改善を進めている団体への支援を続けています。これにより、生活用水不足や劣悪な衛生環境で困っている人をなくそうとしているSDGsのテーマ「6：安全な水とトイレを世界中に」などに貢献していきます。

「TOTO水環境基金」助成団体の活動により完成した水汲み場（パキスタン）

主な取り組みの2019年度の指標と実績は次のとおりです。

指標	2019年度実績	（ご参考）2022年度目標	SDGsのテーマ
商品使用時水消費削減量※	9.4億m^3	11億m^3	6, 7, 13, 15
事業所からのCO_2総排出量	34.4万 t	45.0万 t	
施策によるCO_2排出削減量	2.4万 t	2.2万 t	
商品使用時CO_2排出削減量※	346万 t	370万 t	
地域の課題解決に寄与するプロジェクト数（2018年度からの累計）	77件	100件	

※2005年当時の商品を普及し続けた場合と比べた削減効果

＜JVCケンウッド＞ 「環境変化への対応」および「SDGs達成への貢献」について記載する例

（2）会社の対処すべき課題

当社は企業ビジョンとして「感動と安心を世界の人々へ」を掲げています。このビジョン実現のため、当社が持つ製品やサービスごとに市場動向の変化に柔軟かつ迅速性を持って対応すると同時に、事業を通じた持続型社会への貢献を目指し、当社グループが有するコアテクノロジーを生かしたイノベーションによる持続可能（サステナブル）な企業価値向上を図ります。

①環境変化への対応

2020年3月期に発生した新型コロナウイルス感染症の拡大により、消費や企業の経済活動が停滞し、多くの国々で外出や移動が制限されるなど、世界経済は今後も不透明な状況が継続すると予想されます。

このため、当社はCEOをリーダーとする緊急対策プロジェクトを4月中旬に発足させ、グループでのキャッシュアウト抑制と経費削減を強力に推進するとともに、With/Afterコロナ（COVID-19）を見据えて、売上拡大に向けた事業収益構造の改革を図っていきます。

また、当面の手元流動性は十分に確保しているものの、さらなる経営の安定化に向けて融資枠を要請していきます。

②SDGs達成への貢献

当社グループは、事業と関連の強い社会課題を抽出・分析し、企業ビジョンとのつながりを考慮しながらマテリアリティ（重要課題）を特定しています。SDGs※1の全17ゴールのうちの8ゴールを最優先で取り組むべき重要課題として選定し、進捗管理のためKPIs※2として、定性・定量的な目標を設定しています。社会課題テーマ（社会、労働、環境、品質、経済、安全、ガバナンス、価値創造）を明確にし、課題解決に向けた製品やサービス、ソリューションを提供することで、持続的な企業価値の向上とSDGs達成への貢献を図ります。

※1：Sustainable Development Goals（持続可能な開発目標）、※2：Key Performance Indicators（重要業績評価指標）

SUSTAINABLE DEVELOPMENT G❍ALS

Ⅱ　事業報告記載事項の分析

当社グループのSDGs優先8ゴール

▶詳細につきましては、当社ウェブサイト（https://www.jvckenwood.com/jp/sustainability/group.html）をご覧ください。

＜日本郵政＞　セグメント別に記載している例

■ 対処すべき課題

　当年度判明したかんぽ生命保険商品の募集品質に係る問題に関し、当社及びグループ各社は真摯に反省し、お客さま本位の業務運営の徹底にグループ一丸となって取り組んでまいります。

　当社としましては、グループ各社とともに、2020年1月に策定した業務改善計画の実行を経営の最重要課題として位置づけ、業務改善計画に掲げた施策に取り組んでまいります。2020年4月には外部専門家により構成された「JP改革実行委員会」を設置し、公正・中立な立場から、特別調査委員会提言事項に対する進捗状況の確認や、当社グループが実施する各種取組みの有効性や十分性についての検証等を実施しております。

　また、交付金・拠出金制度も活用し、郵便、貯金及び保険のユニバーサルサービス確保の責務を果たし、地域社会に貢献するとともに、郵便局ネットワークの一層の活用・維持による安定的なサービスの提供等を図るため、グループ各社の経営の基本方針を策定し、その実施に努めてまいります。

　さらに、ゆうちょ銀行及びかんぽ生命保険の株式について、2社の経営状況、ユニバーサルサービスの責務の履行への影響等を勘案しつつ、できる限り早期に処分するものとするという郵政民営化法の趣旨に沿って、所要の準備を行ってまいります。あわせて、必要に応じて、政府による当社の株式の処分を可能とするための所要の準備を行ってまいります。

　そして、当社グループの企業価値向上を目指し、グループ中期経営計画を踏まえたグループ会社の収益力強化策やさらなる経営効率化を図るとともに、不動産事業など、新たな収益源の確保等が着実に進展するよう、グループ運営を行ってまいります。さらに、2020年度は、グループ全体に係る将来の事業方針や成長戦略を踏まえ、次期中期経営計画の策定に向けて検討を進めてまいります。

　あわせて、当社グループが抱える経営課題については、持株会社として、グループ各社と連携を深めながら必要な支援を行い、その解消に努めてまいります。

　まずは、業務の適正を確保するため、コーポレートガバナンスのさらなる強化に向け、引き続き、グループ全体の内部統制の強化を推進し、コンプライアンス水準の向上を重点課題として、グループ各社に必要となる支援・指導を行います。特に、かんぽ生命保険商品の募集品質に係る問題を踏まえ、業務改善計画に掲げた施策に取り組み、適正な事業運営に向けて、お客さま本位の業務運営の徹底に努めてまいります。また、マネー・ローンダリング及びテロ資金供与対策等についても、最重要課題の一つとして取組みを一層推進・管理してまいります。

　また、新型コロナウイルス感染症の拡大防止、業務・サービスの継続等のため、必要な取組みを続け、厚生労働省から委託を受けた日本郵便によるマスクの全戸配達等を通じ、コロナ禍の早期収束に少しでも貢献してまいります。自然災害の発生等の危機に対しては、危機管理態勢を整備するとともに、危機発生時には迅速かつ的確な対応を行い、業務継続の確保に努めます。

　高まるサイバー攻撃のリスクに対しては、グループ全体のサイバーセキュリティ対策の高度化及び情報共有による対応力の強化に取り組みます。

　さらに、引き続き、グループ各社が提供するサービスの公益性・公共性の確保や、お客さま満足度の向上に取り組み、国連で採択された国際目標である「持続可能な開発目標（SDGs）」を踏まえ、ＥＳＧ（環境、社会、ガバナンス）に関する取組みをグループ全体として推進し、企業価値の向上につなげてまいります。

　また、人的依存度の高いサービスを提供する当社グループにとって、人材は最も重要な経営資源との認識に立ち、お客さまへの総合的なコンサルティングサービス向上に向けた研修等の人材育成、

ワーク・ライフ・バランスの確保を目指す働き方改革や、社員の多様な能力・個性を活かすダイバーシティ・マネジメントの推進に取り組んでまいります。
各事業セグメント毎の対処すべき課題は、以下のとおりであります。

郵便・物流事業

日本郵便では、郵便物の減少や荷物需要の増加に対応するため、以下の取組みを行います。
① 商品やオペレーション体系の一体的見直しとサービスの高付加価値化
引き続き、年賀状を始めとしたスマートフォン等を使ったＳＮＳ連携サービスや手紙の楽しさを伝える活動の展開等により、郵便利用の維持を図るとともに、eコマース市場の拡大による荷物需要の増加に対応するため、個々のお客さまの課題に応える課題解決型営業を深化させるほか、物流ソリューションの拡大や差出・受取利便性を追求したサービス改善により収益の拡大を図ってまいります。
また、お客さまの利便性向上、業務効率や不在再配達率の改善に向け、置き配の普及・拡大等を進めるとともに、業務量に応じた担務別人件費・要員マネジメントの高度化を図ることにより、競争力あるオペレーションの確立を目指します。
② 先端技術の積極的な活用による利便性・生産性向上
先端技術の活用によってオペレーション体系を見直し、生産性を向上させていくため、テレマティクスを活用した安全推進・業務適正化、区画・道順の見直しや、スマートフォンアプリを活用したゆうパック等の集配業務の効率化を進め、また、音声認識AIを活用した再配達依頼受付の本格展開に取り組むとともに、ドローンや配送ロボット等の配送高度化についても、将来的な実用化に向けて、試行・実験を進めてまいります。
さらに、郵便窓口でのキャッシュレス決済の導入局を拡大し、お客さまの利便性向上を実現します。
また、お客さまのニーズの変化やテクノロジーの進歩に即した業務の効率化、具体的にはデジタル化した差出情報等を活用した顧客視点の商品・サービスの付加価値創出、ストックデータを活用した組織運営の変革等を実現すべく、「デジタルトランスフォーメーション」の検討・実践に向けた取組みも継続して進めてまいります。

金融窓口事業

日本郵便において、以下の取組みを行います。
① かんぽ生命保険商品の不適正募集の再発防止に向けた取組み等
グループ各社と連携し、お客さまの不利益解消に取り組むとともに、業務改善計画を着実に実行することで、再発防止に取り組み、お客さま本位の業務運営を徹底してまいります。
② 郵便局ネットワークの維持・強化
お客さまの需要の動向や店舗・施設の計画的な保全・更新に伴う店舗配置の見直しを行ってまいります。
郵便局の移転・建替の際には、ショッピングセンター内等、市場性の高い場所へ出店することにより、お客さまの利便性向上に取り組みます。なお、利用者層や利用サービスが特定の層や商品に限られている郵便局等については、運営形態等の見直しを進めてまいります。
また、地方公共団体や他企業と連携したサービス展開や地方創生の取組み拡大、地域ニーズに応じた多様な郵便局の展開により、郵便局ネットワークの価値向上を実現します。
具体的には、地方公共団体からの包括事務受託、地方銀行との提携、駅と郵便局との併設、コンサルティングに特化した店舗の拡大等を進め、「地域の拠点」としての郵便局の価値向上に取り組んでまいります。

国際物流事業

日本郵便において、トール社に対する管理を強化・徹底してまいります。
同社では、新経営陣のもと、コスト削減施策の徹底や事業領域の見直し等、経営改善に向けた取組みを推進するとともに、エクスプレス事業※における収益性改善、アジア顧客への営業強化等に取り組

んでまいります。

> ※ エクスプレス事業とは豪州及びニュージーランド国内におけるネットワークを活用して道路、鉄道、海上及び航空貨物輸送サービスを提供する事業のことです。

銀行業

ゆうちょ銀行において、非常に厳しい経営環境が見込まれ、金融資本市場が動揺している中、安定的な収益の確保と経営管理態勢の強化に向け、以下の諸施策に注力します。

① お客さま本位の良質な金融サービスの提供

お客さま本位の業務運営のもと、お客さまのライフプランに応じたコンサルティングを確立し、お客さま一人ひとりの資産形成ニーズに対応した商品・サービスを拡充します。具体的には、資産運用コンサルタントの育成や、タブレットを活用してお客さまのニーズ把握をサポートするツールを充実するほか、2019年5月に大和証券グループとの間で合意した「投資一任サービス※」について、サービスの開始に向けた取組みを進めます。

> ※ 投資一任契約に基づき、投資運用業者が、お客さまから投資判断の全部又は一部を一任されるとともに、当該投資判断に基づきお客さまのための投資を行うに必要な売買・管理等までを行うサービスです。

また、スマートフォン決済サービス「ゆうちょPay」については、利用できる店舗の開拓、普及促進、サービス拡充等を進め、「ゆうちょ通帳アプリ」については、機能追加や普及促進に取り組みます。さらに、コールセンター等へのAI導入等のデジタル技術活用により、お客さまに応対する品質及び運営効率を向上するなど、サービスのデジタル化やデジタル技術を用いた業務の効率化により、人的資源などの経営資源をトランザクション業務（窓口等における定型業務）からコンサルティング業務に再配分し、お客さまサービスのさらなる充実に努めます。

② 運用の高度化・多様化

国内の低金利環境の継続や、新型コロナウイルスの感染拡大に伴う世界経済の急速な後退懸念等、運用を取り巻く環境は非常に厳しい状況にあり、こうしたリスクに十分に留意し最大限のリスク管理に努めて、国際分散投資に取り組みます。

海外クレジット資産を中心に、よりクレジット・クオリティ、リスク・リターン、ポートフォリオ分散を重視した機動的なポートフォリオ運営を実施します。プライベートエクイティファンド、不動産ファンドなど戦略的な投資領域については、引き続き市場環境の変化を踏まえ、優良案件に対し選別的に投資を実行します。

また、財務健全性の観点から必要十分な自己資本比率を確保し、収益確保と財務健全性の両立を図るとともに、市場環境の変化に備えポートフォリオ・商品の特性を踏まえて、リスク管理態勢を見直し・高度化します。

③ 地域への資金の循環等

引き続き、地域金融機関との連携・協働により、地域経済の発展・成長に貢献します。

地域活性化ファンドへの出資を推し進めるとともに、ＡＴＭネットワークの活用や事務の共同化等を通じて、地域金融機関との協業関係を深めます。

地域経済活性化へのさらなる貢献に向けて、案件選定・投資判断などに努めるとともに、新型コロナウイルス感染拡大の影響を受ける全国の企業への資本面での支援について、検討していきます。

④ 経営管理態勢の強化

お客さま本位の業務運営に向け、「サービス向上委員会」を中心に、全社一体となって取り組みます。また、コンプライアンスに関する指導・研修を強化し、お客さま目線に立った適正な投資勧誘・販売プロセスを徹底します。

また、全社的なリスクアペタイト・フレームワークに基づく業務運営を実施し、経営管理態勢の一層の高度化を図ります。

生命保険業

かんぽ生命保険では、かんぽ生命保険商品の不適正募集の再発防止に向けた取組み等として、グループ各社と連携し、ご契約調査、お客さまの不利益解消等に取り組むとともに、業務改善計画（健全な組織風土の醸成・適正な営業推進態勢の確立、適正な募集管理態勢の確立、取締役会等によるガバナンスの強化）を着実に実行することで、お客さま本位の業務運営の徹底に取り組んでまいります。

また、これらの改善策やお客さまにご契約内容を確認いただくフォローアップ活動等の取組みを確実に実施するとともに、事業基盤を強化し、事業の成長につなげていくため、以下の施策についても取り組んでまいります。
① ビジネスモデルの再構築
　既存のお客さまは高齢層が中心でありますが、今後、青壮年層へのアプローチを充実させていくことで、お客さま層を拡大していけるよう検討してまいります。
　また、国内における超高齢社会の進展、健康志向の高まり、ソーシャルメディアネットワーク等で繋がるコミュニケーションの多様化といった社会的な変化を踏まえ、地域に根差した対面チャネルとしての郵便局の強みを再構築しつつ、健康増進サービスやデジタルマーケティング等によるお客さまサービスの充実やお客さま接点の拡大にも取り組んでまいります。
② 商品開発
　国内における低金利環境の継続、長寿社会の到来や医療技術の高度化等を背景として、青壮年層を含めた全てのお客さまの保障ニーズが多様化していることを踏まえ、死亡、医療や介護に備える保障ニーズにお応えできるよう、早期に保障性商品ラインナップの拡充を目指してまいります。
③ ＩＣＴ活用によるサービス向上・事務の効率化
　前述の業務改善計画に対応した各種制度の導入及びシステム開発に最優先で取り組むとともに、情報通信技術（ＩＣＴ）の積極的な活用により、事務サービスの高度化によるお客さまサービスの更なる向上と、バックオフィス（サービスセンター）事務の効率化等による事務コストの削減を目指してまいります。
④ 資産運用の多様化
　新型コロナウイルス感染拡大による実体経済への影響等から、世界景気の急速な後退が懸念される等、2020年度は非常に厳しい運用環境が想定されますが、今後もＥＲＭの枠組みの下、財務の健全性を十分に確保しつつ、リスク対比リターンの向上を目指してまいります。

　当社グループは、これらの取組みによって、着実な成果をお示しすることにより、株主の皆さまのご期待に応えてまいりたいと考えております。
　株主の皆さまには、何卒今後ともなお一層のご理解、ご支援を賜りますようお願い申し上げます。

＜コーセー＞　「会社の経営の基本方針」「目標とする経営指標」「中長期的な会社の経営戦略と対処すべき課題」を記載する例

(4) 対処すべき課題
① 会社の経営の基本方針
　当社グループは、お客様に心から満足していただける優れた品質の化粧品とサービスを提供したい、という信念のもとに経営に取り組んでまいりました。この思いは、画期的なファンデーションや業界初の美容液などの創造的な化粧品を生み出す研究開発力や生産技術力、生活者ニーズに合ったブランドを様々な販売チャネルを通じてお客様に提供する「独自のブランドマーケティング」の展開などに具現化され、発展の原動力にもなっております。
　当社グループは、今後もこれら３つの強みを最大限に発揮し、「世界で存在感のある企業への進化」を目指し、事業運営を行ってまいります。

コーセーグループの将来像「世界で存在感のある企業への進化」
　　目指す姿「究極の高ロイヤルティ企業」
　　　～魅力に溢れるブランドで埋め尽くされたポートフォリオ～
　　　　・憧れの存在・・・誰もが知っていて、誰もが憧れ、誰からも一目置かれる存在
　　　　・唯一無二の存在・・・オリジナリティが高く、他社のどことも似ていない"孤高"の存在
　　　　・かけがえのない存在・・・リピート率や顧客固定化率が高く、顧客にとって「なくてはならない」存在

　また同時に、法令等遵守の徹底やサステナビリティへの取り組みに一層注力することで、社会的責任を果たしてまいる所存です。
② 目標とする経営指標
　当社グループは、売上高営業利益率及び総資産事業利益率（ＲＯＡ）、自己資本当期純利益率（ＲＯＥ）の向上を重要な経営指標としております。

注）総資産事業利益率＝（営業利益＋受取利息、配当金）／総資産（期首期末平均）×100
自己資本当期純利益率＝親会社株主に帰属する当期純利益／自己資本（期首期末平均）×100

③ 中長期的な会社の経営戦略と対処すべき課題
　当社グループは、創業80周年に向けて更なる成長ステージを目指した中長期ビジョン「VISION2026」を推進しております。
　「VISION2026」では、売上高500,000百万円、営業利益率16％以上を経営目標とし、その実現に向けたロードマップとして、「グローバルブランド拡充と顧客接点の強化（PhaseⅠ）」、「世界での存在感拡大と更なる顧客体験の追求（PhaseⅡ）」、「世界のひとりひとりに存在感のある顧客感動企業への進化（PhaseⅢ）」の３つのフェーズを経て、世界で存在感のある企業への進化を目指してまいります。
　2018年4月に掲げた以下基本戦略のもと、引き続き「グローバルブランド拡充と顧客接点の強化（PhaseⅠ）」に取り組んでまいります。

「VISION2026」　3つのフェーズ
・PhaseⅠ：「グローバルブランド拡充と顧客接点の強化」（2018年4月〜2021年3月）
・PhaseⅡ：「世界での存在感拡大と更なる顧客体験の追求」（2021年4月〜2024年3月）
・PhaseⅢ：「世界のひとりひとりに存在感のある顧客感動企業への進化」（2024年4月〜2027年3月）

「VISION2026」　基本戦略
・3つの成長戦略
　　1）ブランドのグローバル展開加速
　　2）独自性のある商品の積極的開発
　　3）新たな成長領域へのチャレンジ
・2つの価値追求
　　1）デジタルを活用したパーソナルな顧客体験の追求
　　2）外部リソースや技術と連携した独自の価値追求
・3つの基盤
　　1）企業の成長を支える経営基盤の構築
　　2）ダイバーシティ＆インクルージョン経営の実践
　　3）バリューチェーン全体にわたるサステナビリティ戦略の推進

＜日清製粉グループ本社＞　有価証券報告書との記載を共通化している例

(2)対処すべき課題

❶経営の基本方針

　当社グループは、「信を万事の本と為す」と「時代への適合」を社是とし、「健康で豊かな生活づくりに貢献する」ことを企業理念として、事業を進め業容の拡大を図ってまいりました。また、グループ各社は「健康」を常に念頭においた製品やサービスの提供に努め、「信頼」を築き上げる決意をこめて「健康と信頼をお届けする」をコーポレートスローガンとしております。
　これらの基本的な理念を踏まえて、当社グループは長期的な企業価値の極大化を経営の基本方針とし、コア事業と成長事業へ重点的に資源配分を行いつつ、グループ経営を展開しております。

また、内部統制システムへの取組み、コンプライアンスの徹底、食品安全、環境保全、社会貢献活動等の社会的責任を果たしつつ自己革新を進め、株主、顧客、取引先、社員、社会等の各ステークホルダーから積極的に支持されるグループであるべく努力を重ねております。

❷中長期的な会社の経営戦略、目標とする経営指標

当社グループは、現在取り組んでいる2020年度を最終年度とした中期経営計画「NNI－120 Ⅱ」(業績目標：売上高7,500億円、営業利益300億円、1株当たり当期純利益(EPS)80円)を通過点に、長期ビジョン「NNI "Compass for the Future" 新しいステージに向けて ～総合力の発揮とモデルチェンジ」で掲げる将来のグランド・デザインの実現に向けて、ニュー・ニッシン・イノベーション活動を推進してまいります。

長期ビジョンでは、当社グループが目指す姿"未来に向かって、「健康」を支え「食のインフラ」を担うグローバル展開企業"の実現に向けて、グループの「総合力」を発揮する仕組みを構築するとともに「顧客志向」を改めて徹底し、「既存事業のモデルチェンジ」と「グループの事業ポートフォリオ強化」を柱とした成長戦略の推進、及びそれを支える経営機能の一層の強化等を図ってまいります。

また、「当社創業以来の価値観」を共有して下さる株主の皆様に長期的スタンスで安定的に利益還元を強化してまいります。連結ベースでの配当性向の基準を40%以上とし連続増配により配当の上積みを図り、自己株式取得等はキャッシュ・フローや戦略的な投資資金需要を勘案した上で機動的に行ってまいりたいと考えております。

当社グループは、長期ビジョン実現のために策定したこれらの戦略を遂行し、利益成長と資本政策の両面から更なる1株当たり当期純利益(EPS)の成長を図るとともに資本の効率性と財務の安定性のバランスを取りながら、資本コストを上回る自己資本利益率(ROE)の確保・向上に努めてまいります。

また、企業価値を高める規律としてのガバナンス(G)の強化、事業の持続可能性に関わる環境(E)・社会(S)への貢献を事業戦略と深く関連させ経営を推進していくことで、「企業理念の実現」と「企業価値の極大化」をより強く結び

付け、あらゆるステークホルダーの皆様から積極的に支持され続ける企業グループとして発展を目指してまいります。

❸経営環境及び対処すべき課題

国内外の食品業界では、新型コロナウイルス感染症の世界的大流行により社会的、経済的基盤が脅かされるとともに、為替相場や穀物・資源価格の変動等、事業環境にも大きく影響が及んでおり、先行きもかつてないほど不確実性が高まっております。また、国内では、国際貿易交渉の進展により自由化に向けた潮流が加速していくことが予想されます。

なお、経営環境及び対処すべき課題、並びに対応については、新型コロナウイルス感染症に伴う事業への影響を踏まえ、今後、変化する可能性もあります。

そのような中、当社グループでは、小麦粉をはじめとする「食」の安定供給を引き続き確保し、各事業におきまして安全・安心な製品をお届けするという使命を果たしていくことが、一層重要になっていると認識しており、また、その使命を支える従業員の安全確保に努めてまいります。新型コロナウイルス感染症の世界的大流行やその対策に伴う事業環境の急変に最優先で対応しながら、国内・海外を含めた事業会社間の連携を強化し、グループとしての「総合力」をさらに発揮して、長期ビジョンの実現を目指してまいります。社会課題や技術革新がもたらす環境変化に向き合い、持続的な成長を実現するとともに、自らが創出する付加価値を通じて社会に貢献する循環を作り上げることで、持続可能な社会の実現に貢献してまいります。

1. 国内事業戦略

製粉事業では、お客様のニーズを的確に捉えた製品の開発や価値営業の推進によりお客様との関係を一層強化し、引き続き安全・安心な製品の安定供給に努めてまいります。

加工食品事業では、生活者のニーズに対応すべく、「簡単・便利」「本格」「健康」をキーワードとした新製品の投入や積極的な販売促進施策等によるブランドロイヤリティの向上、及び成長分野である冷凍食品事業の一層の拡大を図るなど、事業ポートフォリオの最適化に取り組んでまいります。

中食・惣菜事業では、昨年7月に、国内屈指の総合中食サプライヤーであるトオカツフーズ株式会社を連結子会社化し、新しい事業体制がスタートしました。新体制の下で、美味しさの追求と高い生産効率を両立する高度に事業化されたビジネスモデルへの転換を図ってまいります。

酵母・バイオ、健康食品、エンジニアリング、メッシュクロス等の各事業では、製品開発・技術開発を進め、各業界において存在感のある事業群として成長を図ってまいります。なお、本年3月には、長期ビジョンを踏まえ、ペットフード事業において長年培ってきたブランド等価値を承継させるとともに、業界全体の更なる発展を見据え、当社の連結子会社である日清ペットフード株式会社の事業をペットライン株式会社に譲渡しました。

また、国内での人手不足問題にもロボットやAIの活用、自動化等の新技術による業務プロセス改善等により適切に対応してまいります。

2. 海外事業戦略

製粉事業では、当社グループの強みである製粉技術、提案力を活かした拡販に取り組み、現地市場での更なる成長を図ってまいります。昨年4月には、豪州の小麦粉市場(でん粉製造用等の産業用途を除く)でトップシェアを持つAllied Pinnacle Pty Ltd.を買収しました。引き続き、戦略投資を積極的に推進し、海外事業の基盤拡大に取り組んでまいります。

加工食品事業では、アジア市場で成長が見込まれる業務用プレミックス事業をさらに拡大してまいります。本年1月には、ベトナムのVietnam Nisshin Technomic Co., Ltd.にて進めてまいりました業務用プレミックスの新工場の建設工事が完了し、稼働を開始しました。また、生産面ではグローバルな最適生産体制をベースにコスト競争力を強化するとともに、当社グループが長年培ってきた製造技術や高度な品質管理ノウハウを活かし、パスタ、パスタソース、冷凍食品等の更なる事業拡大に取り組んでまいります。

酵母・バイオ事業では、製パン用イーストの需要が高まっているインド市場に参入すべく、Oriental Yeast India Pvt. Ltd.がイースト工場の建設を進めており、高品質な製品を現地市場に供給することで、事業の拡大を目指してまいります。なお、当該工場の稼働時期につきましては、新型コロナウイルス感染症の拡大の影響により、当初予定の本年夏頃より遅れる可能性があります。

その他、製粉、食品、ベーカリー関連ビジネスを中心に、新たな領域での事業拡大を自社独自に又はM&A、アライアンスによりスピード感を持って推進してまいります。

3. 研究開発戦略、コスト戦略

当社グループはお客様の視点に立った新製品開発と新しい領域の基礎・基盤技術の創出に取り組んでおります。新製品開発につきましては、新規性、独自性があり、お客様にとって付加価値の高い新製品を継続的に開発してまいります。研究面におきましては、研究成果の実用化、事業化推進のため、重点研究領域を明確にするとともに、事業戦略に即した研究テーマを設定するなど効率化、スピード化を図ってまいります。さらに、自動化技術の活用による更なる効率化も検討し、人手不足問題等にも対応してまいります。

また、今後も大きな変動が想定される原料及び燃料相場への対応として、調達・生産コストの低減を進めるとともに、変動するコストに適切に対応できる事業基盤を構築してまいります。

4. 麦政策等の制度変更に向けた取組み

TPP11協定(環太平洋パートナーシップに関する包括的及び先進的な協定)、日EU・EPA、並びに日米貿易協定の発効により、米国産・カナダ産・豪州産小麦のマークアップ(政府が輸入する際に徴収している差益)の引き下げが開始された一方で、小麦関連製品の国境措置が低下し、関係国からの輸入製品との競争激化が想定されます。自由化に向けた潮流が加速していく中、情勢の変化を適切に見極めながら、引き続きグローバル競争で勝ち抜くべく国内外での

強固な企業体質を構築してまいります。
5. 企業の社会的責任への取組み

　当社グループは、従前より社会にとって真に必要な企業グループであり続けるべく、「日清製粉グループの企業行動規範及び社員行動指針」の実践並びにそのための取組みの促進を目的に社会委員会を設置し、企業活動全般におきまして企業の社会的責任(CSR)を果たしてきております。

　ガバナンスの強化につきましては、監査等委員会設置会社として、健全で実効性のあるコーポレート・ガバナンス体制を構築、維持するとともに、コンプライアンスにつきましては、関連法規や社会規範及び社内規程・ルールを遵守し、公正かつ自由な競争の中で事業の発展を図っております。内部統制においても、金融商品取引法により求められる範囲を超え、当社グループ全体に広く内部統制システムの整備を行い、専任組織によるモニタリングにより、その維持、改善に努めております。

　また、安全で健康的な食の提供、気候変動への対応等を内容とする「CSR重要課題(マテリアリティ)」を特定し、経営の最重要課題の一つと位置付けました。専門部署として「CSR推進室」を設置し、グループ全社の取組みを推進してまいります。

　安全で健康的な食の提供につきましては、安全・安心な製品をお届けするために、食品安全に加え、食品防御(フードディフェンス)を強化しております。また、消費者の皆様の意識や社会の潮流を見極め、備えるべき事項や対策を適時、適切に指示する役割を担うCR(Consumer Relations)室が、消費者の皆様の声や消費者行政関連の情報を積極的に収集し、消費者の皆様への対応の充実を図っております。さらには、小麦粉をはじめとする安全・安心な「食」の安定供給を確保するために、BCP(事業継続計画)による災害や感染症等への備えの拡充にも努めております。

　気候変動への対応につきましては、2030年度までのグループ CO_2 削減目標を設定し、工場での省エネ性能の高い機器の導入や他社との共同配送等により

> 環境負荷の低減を目指しております。製品開発においても、調理段階まで想定したエネルギー低減やプラスチックの削減・減量化、リサイクル性の向上等、環境に配慮した製品の開発を行っております。
> 　さらに、社会の一員として、広く社会貢献活動に取り組み、震災被災地の復興支援、「製粉ミュージアム」による地域観光資源や教育資産としての地域貢献等を行っております。
> 　当社グループは、このような企業の社会的責任への取組みを、今後も継続してまいります。
>
> 　以上の課題への取組みを着実に実行し、グループの一層の発展を図ってまいりますので、何卒株主各位の変わらぬご支援を賜りますようお願い申し上げます。

(5) 業績の推移

　2020年6月総会の調査対象会社385社の「業績の推移」の記載状況を見ると、連結ベースで企業集団の業績の推移を記載した会社は380社（98.7％）であり、そのうち144社（380社に対し37.9％）は単体ベースの業績の推移についても記載している。

　業績の推移の記載内容については、基本的に4期分の記載が必要である。全株懇モデルでは、受注高、売上高、当期純利益、1株当たり当期純利益、総資産（または純資産）を表形式で当期を含めて4期対比させることとし、事業成績が著しく変動し、その要因が明らかなときは、その要因を注記することとしている。

　2020年6月総会の調査対象会社385社においてどのような指標を記載しているかを見ると、①売上高（「営業収益」を含む）＝381社（99.0％）、②営業利益＝177社（46.0％）、③経常利益＝303社（78.7％）、④当期純利益＝384社（99.7％）、⑤1株当たり当期純利益＝377社（97.9％）、⑥総資産＝384社（99.7％）、⑦純資産＝358社（93.0％）、⑧1株当たり純資産＝154社（40.0％）、⑨自己資本比率＝38社（9.9％）、⑩受注高＝35社（9.1％）などとなっている。

　これら以外の指標としては、連結子会社数、持分法適用会社数、税引前当期純利益、ROE、ROA、DOE、ROIC、1株当たり配当金、配当性向、フリー・キャッシュフロー、研究開発費、設備投資額、減価償却費、店舗数、為替レートなどが見られた。また、銀行業、保険業は各業法が定めるひな型により、当該業種独自の経営指標を記載しているケースが多く見られる。

2 会社（企業集団）の現況に関する事項

＜大日本印刷＞　連結ベースと単体ベースを掲載する例

(4) 直前三事業年度の財産及び損益の状況

① DNPグループの財産及び損益の状況

区分	第123期 (2016.4～2017.3)	第124期 (2017.4～2018.3)	第125期 (2018.4～2019.3)	第126期（当期） (2019.4～2020.3)
売上高	1,410,172 百万円	1,412,251 百万円	1,401,505 百万円	1,401,894 百万円
営業利益	31,410 百万円	46,372 百万円	49,898 百万円	56,274 百万円
経常利益	36,740 百万円	50,971 百万円	58,259 百万円	63,786 百万円
親会社株主に帰属する当期純利益（△純損失）	25,226 百万円	27,501 百万円	△35,668 百万円	69,497 百万円
1株当たり当期純利益（△純損失）	40.78 円	90.76 円	△118.22 円	235.18 円
総資産	1,741,904 百万円	1,794,764 百万円	1,775,022 百万円	1,721,724 百万円
純資産	1,081,286 百万円	1,102,550 百万円	1,046,622 百万円	968,574 百万円
1株当たり純資産	1,680.55 円	3,493.78 円	3,300.52 円	3,260.38 円

(注) 1. 第125期における親会社株主に帰属する当期純損失は、主に補修対策引当金繰入額の計上によるものです。
　　 2. 2017年10月1日をもって、普通株式2株を1株の割合で株式併合を行っております。
　　　　第124期の期首に当該株式併合が行われたと仮定し、1株当たり当期純利益及び1株当たり純資産を算出しております。
　　 3. 「『税効果会計に係る会計基準』の一部改正」（企業会計基準第28号　2018年2月16日）等を第125期の期首から適用しており、第124期の総資産については、当該会計基準等を遡って適用した後の数値となっております。

② 当社の財産及び損益の状況

区分	第123期 (2016.4～2017.3)	第124期 (2017.4～2018.3)	第125期 (2018.4～2019.3)	第126期（当期） (2019.4～2020.3)
売上高	976,797 百万円	990,750 百万円	982,691 百万円	984,888 百万円
営業損失（△）	△9,406 百万円	△2,914 百万円	△2,573 百万円	△6,507 百万円
経常利益	20,962 百万円	26,422 百万円	18,441 百万円	15,359 百万円
当期純利益（△純損失）	19,985 百万円	18,353 百万円	△51,196 百万円	29,998 百万円
1株当たり当期純利益（△純損失）	32.28 円	60.52 円	△169.61 円	101.51 円
総資産	1,399,653 百万円	1,433,487 百万円	1,426,257 百万円	1,359,719 百万円
純資産	737,211 百万円	737,696 百万円	669,873 百万円	560,334 百万円
1株当たり純資産	1,197.27 円	2,444.02 円	2,219.36 円	1,994.84 円

(注) 1. 第125期における当期純損失は、主に補修対策引当金繰入額の計上によるものです。
　　 2. 2017年10月1日をもって、普通株式2株を1株の割合で株式併合を行っております。
　　　　第124期の期首に当該株式併合が行われたと仮定し、1株当たり当期純利益及び1株当たり純資産を算出しております。
　　 3. 「『税効果会計に係る会計基準』の一部改正」（企業会計基準第28号　2018年2月16日）等を第125期の期首から適用しており、第124期の総資産については、当該会計基準等を遡って適用した後の数値となっております。

＜任天堂＞　連結ベースのみ掲載する例

(4) 財産および損益の状況の推移

(単位：百万円)

区分	第77期 2017年3月期	第78期 2018年3月期	第79期 2019年3月期	第80期 2020年3月期 (当連結会計年度)
売上高	489,095	1,055,682	1,200,560	1,308,519
営業利益	29,362	177,557	249,701	352,370

Ⅱ　事業報告記載事項の分析

経常利益	50,364	199,356	277,355	**360,461**
親会社株主に帰属する当期純利益	102,574	139,590	194,009	**258,641**
1株当たり当期純利益	853円87銭	1,162円30銭	1,615円51銭	**2,171円20銭**
総資産	1,468,452	1,633,474	1,690,304	**1,934,087**
純資産	1,250,972	1,323,574	1,414,798	**1,540,900**
自己資本比率	85.2%	80.8%	83.4%	**79.7%**
1株当たり純資産額	10,412円59銭	10,980円45銭	11,833円91銭	**12,933円51銭**

(注) 1．1株当たり当期純利益は、期中平均発行済株式数(自己株式を控除した株式数)により算出しております。
　　 2．「「税効果会計に係る会計基準」の一部改正」(企業会計基準第28号　2018年2月16日)等を第79期の期首から適用しており、第78期以前に係る主要な経営指標等については、当該会計基準等を遡って適用した後の指標等になります。
　　 3．1株当たり純資産額は、期末発行済株式数(自己株式を控除した株式数)により算出しております。

＜住友電気工業＞　業績変動要因を注記する例。ご参考として，連結業績の推移のグラフを掲載する例

(5) 財産及び損益の状況の推移

① 企業集団の財産及び損益の状況の推移

項目＼年度	2015年度	2016年度	2017年度	2018年度	2019年度(当期)
売上高 (百万円)	2,933,089	2,814,483	3,082,247	3,177,985	3,107,027
営業利益 (百万円)	143,476	150,503	173,139	166,260	127,216
経常利益 (百万円)	165,658	173,872	195,010	188,649	130,498
親会社株主に帰属する当期純利益 (百万円)	91,001	107,562	120,328	118,063	72,720
1株当たり当期純利益 (円)	114.73	137.61	154.29	151.38	93.24
純資産 (百万円)	1,561,289	1,628,615	1,764,086	1,776,313	1,766,830
総資産 (百万円)	2,742,848	2,907,292	2,999,903	3,053,263	3,084,517

(注) 1．1株当たり当期純利益は期中の平均株式数に基づき算出しております。
　　 2．2019年度の期首より米国を除く海外連結子会社にて「リース」(IFRS第16号)を適用しております。
　　 3．2016年度につきましては、海外を中心に自動車用ワイヤーハーネスや光ファイバ・ケーブル、光・電子デバイス等の需要は堅調であったものの、携帯機器用FPCの需要減少、及び円高や銅価格下落の影響により、売上高は前期を下回りました。一方、グローバルでのコスト低減や新製品の開発・拡販を進めたことにより、営業利益、経常利益及び親会社株主に帰属する当期純利益はいずれも前期を上回りました。
　　 4．2018年度につきましては、2018年後半から中国や欧州における自動車生産の減少が顕著となり、スマートフォンの世界的販売不振や超硬工具の一部市場での需要減退もあったものの、上期は概ね堅調に推移したことから、売上高は前期を上回りました。一方、将来に向けた研究開発費の増加に加えて、自動車事業における価格低下や米中間追加関税などのコスト上昇要因により、営業利益、経常利益及び親会社株主に帰属する当期純利益はいずれも前期を下回りました。
　　 5．2019年度につきましては、前記「(1) 事業の経過及びその成果」に記載のとおりであります。

2 会社(企業集団)の現況に関する事項

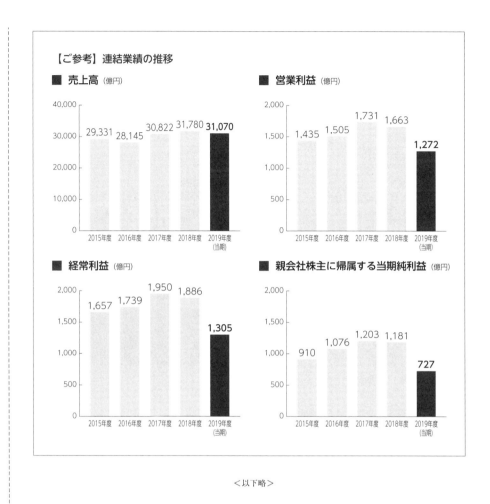

＜以下略＞

<富士通ゼネラル> グラフを掲載する例

(5) 財産および損益の状況の推移
　①企業集団の財産および損益の状況の推移

項　目 ＼ 期　別	2016年度 (第98期)	2017年度 (第99期)	2018年度 (第100期)	2019年度 (第101期)
売　上　高　（百万円）	260,054	262,340	252,667	262,117
営　業　利　益　（百万円）	26,490	20,207	14,589	14,941
経　常　利　益　（百万円）	23,960	18,543	14,116	13,683
親会社株主に帰属する 当期純利益　（百万円）	10,031	12,854	8,892	5,765
1株当たり当期純利益（円）	95.88	122.86	84.99	55.11
総　資　産　（百万円）	193,949	210,403	215,784	213,250

　②当社の財産および損益の状況の推移

— 75 —

Ⅱ　事業報告記載事項の分析

期　別 項　目	2016年度 （第98期）	2017年度 （第99期）	2018年度 （第100期）	2019年度 （第101期）
売　上　高　（百万円）	207,694	210,151	193,843	201,617
営　業　利　益　（百万円）	14,961	5,783	2,836	1,552
経　常　利　益　（百万円）	19,222	14,170	6,393	6,929
当　期　純　利　益　（百万円）	8,577	12,420	5,583	5,310
1株当たり当期純利益（円）	81.98	118.72	53.36	50.76
総　資　産　（百万円）	151,872	167,752	173,065	168,659

業績の推移（連結）

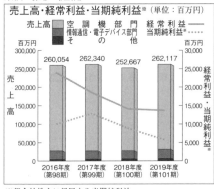

業績の推移（単体）

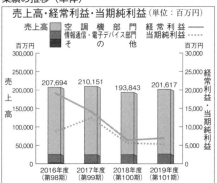

※親会社株主に帰属する当期純利益

（ご参考）

自己資本・自己資本比率の推移（連結）

	2016年度	2017年度	2018年度	2019年度
総　資　産　（百万円）	193,949	210,403	215,784	213,250
自　己　資　本　（百万円）	92,793	104,516	109,487	106,901
（自己資本比率）	（47.8％）	（49.7％）	（50.7％）	（50.1％）

自己資本：純資産合計－非支配株主持分
自己資本比率：自己資本÷総資産（負債純資産合計）×100

キャッシュ・フローの推移（連結）

	2016年度	2017年度	2018年度	2019年度
営業活動によるCF（百万円）	26,799	10,894	8,513	9,724
投資活動によるCF（百万円）	△4,923	△5,862	△12,515	△19,141
財務活動によるCF（百万円）	△2,891	△2,936	△3,172	2,090
現金及び現金同等物残高	40,789	42,710	35,412	27,571

CCCの推移（連結）

	2016年度	2017年度	2018年度	2019年度
Ｃ　Ｃ　Ｃ　（日）	74.5日	74.5日	87.4日	91.9日

ＣＣＣ（キャッシュ・コンバージョン・サイクル）：売上債権回転日数＋棚卸資産回転日数－買掛債務回転日数

2 会社(企業集団)の現況に関する事項

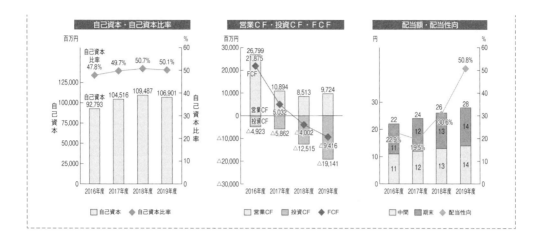

<日本製鉄> IFRSを採用している事例

(5)財産及び損益等の状況の推移

国際会計基準(IFRS)に基づく当期及び過去の財産及び損益等の状況

区分	事業年度	第93期 (参考)	第94期	第95期 (当期)
生産高				
粗鋼	(万トン)	4,702	4,784	4,705
売上収益	(億円)	57,129	61,779	59,215
(内、海外売上収益)		(19,837)	(21,247)	(20,660)
事業利益 (△は損失)	(億円)	2,887	3,369	△2,844
親会社の所有者に 帰属する当期利益 (△は損失)	(億円)	1,808	2,511	△4,315
資産合計	(億円)	77,561	80,495	74,449
親会社の所有者に 帰属する持分	(億円)	31,369	32,307	26,416
基本的1株当たり当期利益 (△は損失)		204円87銭	281円77銭	△468円74銭
1株当たり親会社所有者 帰属持分		3,554円21銭	3,509円72銭	2,869円19銭
1株当たり配当額		70円	80円	10円
(内、1株当たり中間配当額)		(30円)	(40円)	(10円)
連結配当性向	(%)	34.2	28.4	―

(注1) 第94期から、会社計算規則第120条第1項の規定により、国際会計基準(IFRS)に従って連結計算書類を作成しております。
(注2) 第93期の諸数値については、参考として記載しております。
(注3) 粗鋼生産高は、当社の生産高に連結子会社の生産高を加えた数値です。
(注4) 事業利益とは、持続的な事業活動の成果を表し、当社グループの業績を継続的に比較・評価することに資する連結経営業績の代表的指標であり、売上収益から売上原価、販売費及び一般管理費並びにその他費用を控除し、持分法による投資利益及びその他収益を加えたものです。その他収益及びその他費用は、受取配当金、為替差損益、固定資産除却損等から構成されております。

日本基準に基づく過去の財産及び損益等の状況

区分	事業年度	第92期	第93期

Ⅱ　事業報告記載事項の分析

生産高			
粗鋼	（万トン）	4,536	4,702
売上高	（億円）	46,328	56,686
（内、海外売上高）		(16,769)	(19,600)
経常利益	（億円）	1,745	2,975
親会社株主に帰属する当期純利益	（億円）	1,309	1,950
総資産	（億円）	72,619	75,924
純資産	（億円）	32,910	35,155
１株当たり当期純利益		147円96銭	221円00銭
１株当たり純資産額		3,340円21銭	3,563円80銭
当社１株当たり配当額		45円	70円
（内、１株当たり中間配当額）		（−）	（30円）
連結配当性向	（％）	30.4	31.7

（注）粗鋼生産高は、当社の生産高に連結子会社の生産高を加えた数値です。

＜ＪＶＣケンウッド＞　「財務ハイライト」を掲載している例

(9) 財産および損益の状況の推移

① 当社グループの財産および損益の状況（IFRS）

区　分	第9期 (2017年3月期)	第10期 (2018年3月期)	第11期 (2019年3月期)	第12期 (2020年3月期)
売上収益（百万円）	297,890	300,687	307,627	291,304
コア営業利益（百万円）	6,360	6,310	8,562	5,684
営業利益又は営業損失（△）　（百万円）	△128	6,937	7,263	4,080
税引前利益又は税引前損失（△）　（百万円）	△1,259	5,940	6,401	2,877
親会社の所有者に帰属する当期利益又は 親会社の所有者に帰属する当期損失（△）（百万円）	△3,114	2,389	3,847	954
基本的１株当たり当期利益又は 基本的１株当たり当期損失（△）　（円）	△22.42	17.20	25.00	5.82
希薄化後１株当たり当期利益（円）	−	−	24.96	−
資産合計（百万円）	241,696	239,933	250,617	249,660
資本合計（百万円）	45,236	53,792	65,321	59,999
親会社の所有者に帰属する持分（百万円）	39,551	50,634	62,009	56,485
１株当たり親会社所有者帰属持分（円）	284.65	364.42	378.24	344.55

（注）「基本的１株当たり当期利益又は基本的１株当たり当期損失」および「希薄化後１株当たり当期利益」は、期中平均株式数に基づいて算出しております。なお、期中平均株式数は、自己株式を控除して計算しております。

② 当社の財産および損益の状況（日本基準）

区　分	第9期 (2017年3月期)	第10期 (2018年3月期)	第11期 (2019年3月期)	第12期 (2020年3月期)
売上高（百万円）	160,049	170,283	175,873	162,290
営業利益又は営業損失（△）（百万円）	△5,316	586	△1,415	△2,709
経常利益又は経常損失（△）（百万円）	△5,026	3,932	1,554	697
当期純利益又は当期純損失（△）（百万円）	△12,422	8,806	850	△1,830
１株当たり当期純利益又は １株当たり当期純損失（△）（円）	△89.40	63.38	5.53	△11.17
潜在株式調整後１株当たり当期純利益（円）	−	−	5.52	−
総資産額（百万円）	205,680	205,276	211,766	211,805
純資産額（百万円）	63,792	71,387	79,561	77,117
１株当たり純資産額（円）	459.11	513.78	485.30	470.39

2 会社(企業集団)の現況に関する事項

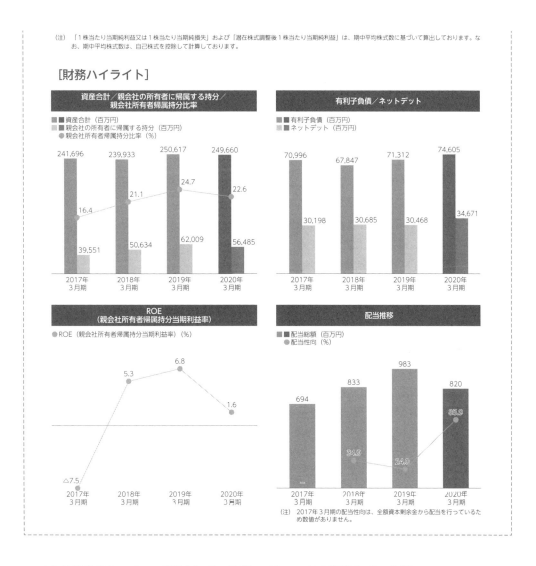

＜小松製作所＞　ウェブ開示している例，QRコードを掲載している例

上記内容を表で一覧にしている「財産および損益の状況の推移」につきましては、法令および当社定款第16条の規定に基づき、インターネット上の当社ウェブサイトに掲載しております。
⇒ https://home.komatsu/jp/ir/

(6) 重要な親会社および子会社の状況

2020年6月総会の調査対象会社385社における「重要な親会社および子会社の状況」の記載状況を見ると、383社が「重要な親会社および子会社の状況」等の見出しを設けている。そのうち、見出しを、①「重要な親会社および子会社の状況」（類似の表現を含む。以下同じ）とした会社は144社（383社に対し37.6％）、②「重要な子会社の状況」とした会社は212社（同

55.4％），③「重要な子会社および関連会社の状況」とした会社が15社（同3.9％），④「重要な子会社および企業結合の状況」とした会社が12社（同3.1％）などであった。

経団連のひな型は，「重要な親会社および子会社の状況」に記載すべき内容として，親会社については，その名称等とともに事業上の関係があればその内容等を記載し，子会社についても，その名称や出資比率，主要な事業内容等に加えて子会社の増加減少等があればその内容を記載することが考えられるとしている。また，全株懇モデルによれば，「①親会社との関係」として会社名，親会社の持株数および出資比率ならびに親会社との事業上の関係，「②重要な子会社の状況」として会社名，主要な事業内容，資本金，会社の出資比率を記載するとされ，さらに，「③その他」として技術提携を例示している。

また，重要な親会社および子会社の状況に関連するものとしては，「特定完全子会社に関する事項」（会社法施行規則118条4号）と「親会社等との一定の利益相反取引に関する事項」（会社法施行規則118条5号）があり，これらを記載する例が見られる。

＜ニチレイ＞　「重要な親会社及び子会社の状況」の見出しで記載する例

6．重要な親会社及び子会社の状況 ［2020年3月31日現在］

(1) 親会社の状況
　　該当事項はありません。

(2) 重要な子会社の状況

会社名	資本金	当社の議決権比率	主要な事業内容
株式会社ニチレイフーズ	15,000百万円	100.0%	加工食品の製造・販売業
株式会社中冷 ※1	200百万円	100.0%	加工食品の製造・販売業
株式会社キューレイ ※1	10百万円	100.0%	加工食品の製造・販売業
GFPT Nichirei (Thailand) Co.,Ltd. ※1	30億1千4百万タイ・バーツ	51.0%	加工食品の製造・販売業
Surapon Nichirei Foods Co.,Ltd. ※1	1億タイ・バーツ	51.0%	加工食品の製造・販売業
InnovAsian Cuisine Enterprises,Inc. ※1	220万米ドル	89.0%	加工食品の販売業
株式会社ニチレイフレッシュ	8,000百万円	100.0%	水産品、畜産品の加工・販売業
株式会社ニチレイロジグループ本社	20,000百万円	100.0%	低温物流事業統括、設備の賃貸
株式会社ロジスティクス・ネットワーク ※2	100百万円	100.0%	貨物利用運送業、冷蔵倉庫業
株式会社ニチレイ・ロジスティクス関東 ※2	100百万円	100.0%	冷蔵倉庫業
株式会社ニチレイ・ロジスティクス関西 ※2	100百万円	100.0%	冷蔵倉庫業
株式会社キョクレイ ※2	298百万円	100.0%	冷蔵倉庫業
Hiwa Rotterdam Port Cold Stores B.V. ※2	227万ユーロ	100.0%	冷蔵倉庫業
株式会社ニチレイバイオサイエンス	450百万円	100.0%	診断薬・化粧品原料等の製造・売買

（注）※1　株式会社ニチレイフーズを通じて間接所有しているものです。
　　　※2　株式会社ニチレイロジグループ本社を通じて間接所有しているものです。

＜キッコーマン＞　「重要な子会社の状況」の見出しで記載する例

(6) 重要な子会社の状況

会社名	資本金	出資比率	主要な事業内容
キッコーマン食品㈱	5,000百万円	100.0%	食料品の製造及び販売

2 会社(企業集団)の現況に関する事項

キッコーマン飲料㈱	百万円 100	100.0	飲料の販売
キッコーマンビジネスサービス㈱	百万円 100	100.0	グループ共通の間接業務の提供
キッコーマンバイオケミファ㈱	百万円 100	100.0	医薬品、各種酵素、化成品等の製造及び販売
日本デルモンテ㈱	百万円 10	100.0	飲料、調味料の製造
マンズワイン㈱	百万円 900	100.0	ワイン、その他酒類の製造及び販売
JFCジャパン㈱	百万円 228	100.0 (29.8)	食料品、雑貨類の輸出入及び販売
キッコーマンフードテック㈱	百万円 10	100.0	調味料の製造
北海道キッコーマン㈱	百万円 350	100.0	調味料の製造
流山キッコーマン㈱	百万円 300	100.0	みりん、その他酒類の製造
埼玉キッコーマン㈱	百万円 10	100.0	レトルト食品の製造
テラヴェール㈱	百万円 350	100.0	ワイン、その他酒類の輸入及び販売
宝醤油㈱	百万円 100	56.1	調味料の製造及び販売
キッコーマンソイフーズ㈱	百万円 3,585	100.0	豆乳飲料、業務用食材の製造及び販売
日本デルモンテアグリ㈱	百万円 10	100.0	農産品及び農業用資材の販売
総武物流㈱	百万円 60	100.0	運送業及び倉庫業
㈱総武サービスセンター	百万円 13	100.0	製造作業受託及び業務請負業
KIKKOMAN FOODS, INC.	千米ドル 6,000	100.0	調味料の製造
KIKKOMAN SALES USA, INC.	千米ドル 400	100.0	調味料の販売
JFC INTERNATIONAL INC.	千米ドル 1,760	100.0	食料品、雑貨類の輸出入及び販売
JFC INTERNATIONAL (CANADA) INC.	千カナダドル 4,535	100.0 (70.0)	食料品の輸入及び販売
KI NUTRICARE, INC.	千米ドル 49,692	100.0	栄養補助食品、健康食品の製造及び販売会社の持株会社
COUNTRY LIFE, LLC	−	100.0 (100.0)	栄養補助食品、健康食品の製造及び販売
KIKKOMAN FOODS EUROPE B. V.	千ユーロ 12,705	100.0	調味料の製造
KIKKOMAN TRADING EUROPE GmbH	千ユーロ 255	100.0 (5.0)	調味料の販売
JFC INTERNATIONAL (EUROPE) GmbH	千ユーロ 1,500	100.0 (13.7)	食料品、雑貨類の輸入及び販売会社等の持株会社
KIKKOMAN (S) PTE. LTD.	千シンガポールドル 7,500	100.0	調味料の製造
KIKKOMAN TRADING ASIA PTE LTD	千シンガポールドル 500	100.0	調味料の販売
PT.KIKKOMAN AKUFOOD INDONESIA	百万インドネシアルピア 10,000	70.0	調味料の製造及び販売
DEL MONTE ASIA PTE LTD	千米ドル 240	100.0	デルモンテ製品の販売
SIAM DEL MONTE COMPANY LIMITED	百万タイバーツ 850	95.6 (95.6)	デルモンテ製品の製造
KIKKOMAN AUSTRALIA PTY. LIMITED	千オーストラリアドル 500	100.0	調味料の販売
JFC HONG KONG LIMITED	千香港ドル 600	100.0 (70.0)	食料品、雑貨類の輸入及び販売
JFC AUSTRALIA CO PTY LTD	千オーストラリアドル 250	100.0 (75.0)	食料品、雑貨類の輸出入及び販売
JFC (S) PTE. LTD.	千シンガポールドル 7,200	100.0 (60.0)	食料品、雑貨類の輸入及び販売
亀甲万(上海)貿易有限公司	千人民元 3,000	100.0	調味料の販売
統萬股份有限公司	千台湾元 120,000	50.0	調味料の製造

Ⅱ　事業報告記載事項の分析

統万珍極食品有限公司	300,000 千人民元	50.0	調味料の製造及び販売
昆山統万微生物科技有限公司	91,056 千人民元	50.0	調味料の製造及び販売

(注) 出資比率の ( ) 内は間接保有を内数で示しております。

＜ＮＯＫ＞ 「企業結合の状況」の見出しで記載する例。また，重要な提携先について記載する例

(4) 企業結合の状況
① 重要な子会社および関連会社の状況

区分	会 社 名	資 本 金	当社の出資比率	主要な事業内容
シール事業	タイＮＯＫ Co.,Ltd.（タイ）	1,200,000 千B	100.0 %	シール製品の製造・販売
	無錫NOKフロイデンベルグ Co.,Ltd.（中国）	350,622 千人民元	－ % (50.0)	シール製品の製造・販売
	ＮＯＫ Inc.（アメリカ）	7,200 千US$	100.0 %	シール製品等の製造・販売を行っているフロイデンベルグNOKジェネラルパートナーシップへの出資
	ユニマテック株式会社	400 百万円	100.0 %	化学合成品等の製造・販売
	イーグル工業株式会社	10,490 百万円	28.6 % (1.3)	メカニカルシール等の製造・販売
電子部品事業	日本メクトロン株式会社	5,000 百万円	100.0 %	電子部品の製造・販売
	メクテック Corp. 台湾（台湾）	367,312 千NT$	－ % (85.0)	電子部品の製造・販売
	メクテックマニュファクチャリング Corp. タイ Ltd.（タイ）	200,000 千B	－ % (75.0)	電子部品の製造・販売
	メクテックマニュファクチャリング Corp. 珠海 Ltd.（中国）	431,678 千人民元	－ % (97.0)	電子部品の製造・販売
	メクテックマニュファクチャリング Corp. 蘇州（中国）	791,236 千人民元	－ % (96.3)	電子部品の製造・販売
ロール事業	シンジーテック株式会社	350 百万円	100.0 %	事務機用ロール製品等の製造・販売
その他事業	ＮＯＫクリューバー株式会社	100 百万円	51.0 %	特殊潤滑剤の製造・販売

(注) 1. 当社の出資比率欄の ( ) 内は、子会社の所有する出資比率を外数で表示しています。
　　 2. 連結子会社は92社、持分法適用会社は21社（前記重要な子会社および関連会社12社を含む）であります。

② 重要な提携先
　ドイツ連邦共和国のフロイデンベルグ社と資本・技術等全面的な提携をしております。

＜日本製紙＞　企業結合等の状況を記載する例

(6) 重要な子会社の状況等（2020年3月31日現在）
❶ 重要な子会社の状況

会 社 名	資 本 金	当社の議決権比率	主要な事業内容
〔紙・板紙事業〕			
日本製紙パピリア株式会社	3,949百万円	100.0%	特殊紙の製造販売
オーストラリアンペーパー (Paper Australia Pty Ltd)	662,280 千豪ドル	100.0%	紙、板紙、パルプ、事務用品の製造販売

2　会社（企業集団）の現況に関する事項

日本紙通商株式会社	1,000百万円	100.0%	紙、パルプ、薬品の販売
日本東海インダストリアルペーパーサプライ株式会社	350百万円	65.0%	紙、板紙の販売
〔生活関連事業〕			
日本製紙クレシア株式会社	3,067百万円	100.0%	家庭紙の製造販売
日本ダイナウェーブパッケージング (Nippon Dynawave Packaging Company, LLC)	200,000千米ドル	100.0%	ジュースおよび牛乳等向け紙容器の原紙、カップ容器の原紙等の製造・加工・販売、パルプの製造販売
〔木材・建材・土木建設関連事業〕			
日本製紙木材株式会社	440百万円	100.0%	木材、製材の販売
〔その他〕			
日本製紙物流株式会社	70百万円	100.0%	倉庫業、通運業、貨物運送業

(注)　百万円未満、千豪ドル未満および千米ドル未満は切り捨てて表示しております。

❷　企業結合等の状況
（イ）当期の連結子会社は50社、持分法適用会社は10社です。
（ロ）当社は、2019年10月10日付で、豪州証券取引所上場会社であるオローラ社（Orora Limited）との間で、同社の豪州・ニュージーランド事業のうち、板紙パッケージ部門を譲り受ける契約を締結し、2020年4月30日付で、事業の譲受けを完了しました。今後は、オーストラリアンペーパー（Paper Australia Pty Ltd）の既存事業を含めた事業体「Opal（オパール）」として運営してまいります。

＜味の素＞　重要な関連会社の状況について記載する例

8. 重要な子会社等の状況 (2020年3月31日現在)

当社の連結子会社は、「(1) 重要な子会社の状況」に記載の48社を含む99社であり、持分法適用会社は、「(2) 重要な関連会社の状況」に記載の3社を含む17社であります。

(1) 重要な子会社の状況

会社名	住所	資本金	議決権比率	主要な事業の内容
味の素冷凍食品株式会社	東京都中央区	9,537百万円	100 ％	冷凍食品
味の素食品株式会社	川崎市川崎区	4,000百万円	100	調味料・加工食品
味の素AGF株式会社	東京都渋谷区	3,862百万円	100*	コーヒー類
味の素アニマル・ニュートリション・グループ株式会社	東京都中央区	1,334百万円	100	動物栄養
エースベーカリー株式会社	横浜市磯子区	400百万円	100*	調味料・加工食品
味の素ヘルシーサプライ株式会社	東京都中央区	380百万円	100	アミノ酸
味の素エンジニアリング株式会社	東京都大田区	324百万円	100	サービス他
味の素ファインテクノ株式会社	川崎市川崎区	315百万円	100	化成品
株式会社味の素コミュニケーションズ	東京都中央区	295百万円	100	サービス他
デリカエース株式会社	埼玉県上尾市	200百万円	100	調味料・加工食品
味の素ベーカリー株式会社	東京都中央区	100百万円	100	調味料・加工食品
株式会社ジーンデザイン	大阪府茨木市	59百万円	100*	アミノ酸
サップス株式会社	東京都中央区	50百万円	100	調味料・加工食品
味の素ダイレクト株式会社	東京都中央区	10百万円	100	その他（ヘルスケア）
味の素トレーディング株式会社	東京都港区	200百万円	96.7	サービス他
味の素アセアン地域統括社	タイ	2,125,000千タイバーツ	100	サービス他
タイ味の素社	タイ	796,362千タイバーツ	94.5	調味料・加工食品
タイ味の素販売社	タイ	50,000千タイバーツ	100*	調味料・加工食品
ワンタイフーヅ社	タイ	60,000千タイバーツ	60.0*	調味料・加工食品
タイ味の素ベタグロ冷凍食品社	タイ	764,000千タイバーツ	50.0*	冷凍食品
インドネシア味の素社	インドネシア	8,000千米ドル	51.0	調味料・加工食品
インドネシア味の素販売社	インドネシア	250千米ドル	100*	調味料・加工食品
ベトナム味の素社	ベトナム	50,255千米ドル	100	調味料・加工食品
マレーシア味の素社	マレーシア	65,102千マレーシアリンギット	50.4	調味料・加工食品
フィリピン味の素社	フィリピン	665,444千フィリピンペソ	95.0	調味料・加工食品
味の素（中国）社	中国	104,108千米ドル	100	動物栄養
上海味の素調味料社	中国	27,827千米ドル	100*	調味料・加工食品
味の素（香港）社	香港	5,799千香港ドル	100	加工用うま味調味料・甘味料

Ⅱ　事業報告記載事項の分析

味の素アニマル・ニュートリション・シンガポール社	シンガポール	8,955 千米ドル	100※	動物栄養
シンガポール味の素社	シンガポール	1,999 千シンガポールドル	100	調味料・加工食品
カンボジア味の素社	カンボジア	11,000 千米ドル	100	調味料・加工食品
韓国味の素社	韓国	1,000,000 千韓国ウォン	70.0	調味料・加工食品
台湾味の素社	台湾	250,000 千台湾ドル	100	調味料・加工食品
味の素北米ホールディングス社	アメリカ	—	100※ ％	持株会社
味の素フーズ・ノースアメリカ社	アメリカ	15,030 千米ドル	100※	冷凍食品
味の素アニマル・ニュートリション・ノースアメリカ社	アメリカ	750 千米ドル	100※	動物栄養
味の素ヘルス・アンド・ニュートリション・ノースアメリカ社	アメリカ	0 米ドル	100※	アミノ酸、加工用うま味調味料・甘味料、化成品
味の素アルテア社	アメリカ	0 米ドル	100	アミノ酸
味の素キャンブルック社	アメリカ	34,280 千米ドル	100※	メディカルフード
ブラジル味の素社	ブラジル	913,298 千ブラジルレアル	100	調味料・加工食品、加工用うま味調味料・甘味料、動物栄養、アミノ酸
ペルー味の素社	ペルー	45,282 千ヌエボソル	99.6	調味料・加工食品
欧州味の素食品社	フランス	106,909 千ユーロ	100	加工用うま味調味料・甘味料
味の素アニマル・ニュートリション・ヨーロッパ社	フランス	26,865 千ユーロ	100※	動物栄養
味の素オムニケム社	ベルギー	21,320 千ユーロ	100	アミノ酸
ウエスト・アフリカン・シーズニング社	ナイジェリア	2,623,714 千ナイジェリアナイラ	100	調味料・加工食品
イスタンブール味の素食品社	トルコ	51,949 千トルコリラ	100	調味料・加工食品
ポーランド味の素社	ポーランド	39,510 千ポーランドズロチ	100※	調味料・加工食品
アグロ2アグリ社	スペイン	2,027 千ユーロ	70.0	アミノ酸

(注) 1. 有価証券報告書との一体的開示を推進するため、当期より、有価証券報告書の主要な事業内容の記載に合わせました。
2. 当期において、株式会社ジーンデザインおよび味の素キャンブルック社を重要な子会社に加えました。
3. ※印の議決権比率には、間接所有の議決権が含まれております。
4. 当期において、F-LINE株式会社およびフジエース社を重要な子会社から除外しました。
5. 味の素北米ホールディングス社は、資本金を全額資本剰余金へ振り替えているため、同社の資本金の額は記載しておりません。

(2) 重要な関連会社の状況

会　社　名	資本金	議決権比率	主要な事業内容
EAファーマ株式会社	9,145百万円	40.0 ％	医薬品等の製造販売
株式会社J-オイルミルズ	10,000百万円	27.3	油脂等の製造販売
プロマシドール・ホールディングス社	0千米ドル	33.3	加工食品等の製造販売

＜古河電気工業＞　「主要な営業所および工場等ならびに重要な子会社の状況」の見出しで記載する例

（8）主要な営業所および工場等ならびに重要な子会社の状況 (2020年3月31日現在)

１ 当社

本　　社	東京都千代田区丸の内二丁目2番3号	
区　分	名　　称	所　在　地
営業所	北海道支社 東北支社 中部支社 関西支社 中国支社 九州支社	札幌市 仙台市 名古屋市 大阪市 広島市 福岡市
工　場	日光事業所 千葉事業所 横浜事業所 平塚事業所 三重事業所 銅管事業部門 銅箔事業部門	栃木県日光市 千葉県市原市 横浜市 神奈川県平塚市 三重県亀山市 兵庫県尼崎市 栃木県日光市
研究所	コア技術融合研究所 先端技術研究所 自動車・エレクトロニクス研究所 情報通信・エネルギー研究所	横浜市（横浜事業所内） 横浜市（横浜事業所内） 神奈川県平塚市（平塚事業所内） 千葉県市原市（千葉事業所内）

(注) 銅管事業部門は、2020年4月1日付で、会社分割（吸収分割）により、当社が2019年12月2日に設立したDaishin

P&T㈱へ承継させております。また、同社の発行済株式の全てを日本産業パートナーズ㈱傘下の特別目的会社へ譲渡することを決定しております。

2 国内子会社

会社名（本社/工場所在地）	資本金	出資比率	主要な事業内容
東京特殊電線㈱ （東京都港区/長野県上田市）	1,925百万円	56.71%	電線、デバイス製品等の製造・販売
古河電池㈱ （横浜市/栃木県日光市、福島県いわき市）	1,640百万円	58.04%	電池（自動車用、産業用）の製造・販売
古河産業㈱　（東京都港区）	700百万円	100%	電線、非鉄金属製品等の販売
岡野電線㈱ （神奈川県大和市/同左）	489百万円	44.32%	光ファイバケーブル、光部品等の製造・販売
古河電工産業電線㈱ （東京都荒川区/神奈川県平塚市）	450百万円	100%	電線・ケーブル等の製造・販売
古河電工パワーシステムズ㈱ （横浜市/山形県長井市）	450百万円	100%	送変電機材、架空・地中配電機材等の製造・販売
奥村金属㈱ （兵庫県尼崎市/同左、滋賀県栗東市）	310百万円	100%	銅およびアルミニウム加工品の製造・販売
古河物流㈱　（東京都千代田区）	292百万円	100%	貨物運送等
古河AS㈱ （滋賀県犬上郡/同左、三重県亀山市）	100百万円	100%	自動車部品等の製造・販売
古河エレコム㈱　（東京都千代田区）	98百万円	100%	電線・ケーブル等の販売
古河マグネットワイヤ㈱ （東京都千代田区/三重県亀山市）	96百万円	100%	巻線、各種金属線の製造・販売

(注) 奥村金属㈱について、当社が保有する株式の全てを、日本産業パートナーズ㈱傘下の特別目的会社へ譲渡することを決定しております。

3 海外子会社

会社名（所在地）	資本金	出資比率	主要な事業内容
OFS Fitel, LLC （米国）	362百万米ドル	100%	情報通信ソリューション事業
American Furukawa, Inc. （米国）	109百万米ドル	100%	自動車部品等の製造・販売
Furukawa Electric LatAm S.A.（ブラジル）	149百万レアル	100%	情報通信ソリューション事業
瀋陽古河電纜有限公司 （中国）	643百万元	100%	電線等の製造・販売
古河銅箔股份有限公司 （台湾）	1,555百万新台湾ドル	100%	リチウムイオン電池用電解銅箔等の製造・販売
台日古河銅箔股份有限公司 （台湾）	1,475百万新台湾ドル	81.85%	回路用電解銅箔等の製造・販売
Furukawa Metal (Thailand) Public Co., Ltd. （タイ）	480百万バーツ	44.00%	銅管等の製造・販売
Thai Furukawa Unicomm Engineering Co., Ltd. （タイ）	104百万バーツ	91.75%	情報通信、CATV等のエンジニアリング
Furukawa Automotive Parts (Vietnam) Inc. （ベトナム）	18百万米ドル	100%	自動車部品等の製造
PT Tembaga Mulia Semanan Tbk （インドネシア）	12百万米ドル	42.42%	銅線・アルミ線の製造・販売
Furukawa Electric Singapore Pte. Ltd. （シンガポール）	3百万米ドル	100%	電線、電子線材、巻線、金属製品等の販売
Trocellen GmbH （ドイツ）	8,500千ユーロ	100%	発泡製品の製造・販売

(注) 1. 出資比率は、間接保有を含んでいます。
　　2. 当期における当社の連結子会社は112社、持分法適用の関連会社は13社です。
　　3. Furukawa Metal (Thailand) Public Co., Ltd.について、当社が保有する株式の全てを、日本産業パートナーズ㈱傘下の特別目的会社へ譲渡することを決定しております。

Ⅱ 事業報告記載事項の分析

＜東京海上ホールディングス＞ 特定完全子会社に関する事項を独立した見出しでウェブ開示する例

> **9．特定完全子会社に関する事項**
> インターネット上の当社ウェブサイト(https://www.tokiomarinehd.com/)に掲載しております。

＜シャープ＞ 親会社との間の取引について記載する例

> **⑽ 重要な親会社の状況**（2020年3月31日現在）
> 　鴻海精密工業股份有限公司は、第三者割当による新株式の発行により、2016年8月12日付で当社の親会社となっております。同社は当社の議決権を41.7％（うち間接出資17.2％）保有しているほか、同社の緊密な者又は同意している者が19.1％を保有しております。なお、同社が当社の親会社に該当するとの判断は、日本の法令・会計基準に照らし、当社が認識する事実に基づき判断したものです。日本以外の法令あるいは会計基準において、親会社に該当すると判断したものではありません。
> 　当社は、同社との間で仕入・販売等の取引があります。同社との取引等については、第三者との取引と同様に、市場価格や当社採算などを勘案して、当該取引等の必要性、合理性、取引条件の妥当性が認められると判断される場合に限り行うものとしております。

＜ジェイテクト＞ ご参考として地図を用いてグローバルネットワークを掲載する例

8．重要な子会社の状況

会 社 名	資 本 金	出資比率(％)	主要な事業内容
光洋機械工業株式会社	1,100百万円	100.0	工作機械、機械部品の製造・販売
豊興工業株式会社	254百万円	62.9	油圧・空圧機器の製造・販売
光洋シーリングテクノ株式会社	125百万円	100.0	オイルシールの製造
株式会社CNK	48百万円	100.0	金属表面処理、工作機械用付属装置の製造・販売
光洋サーモシステム株式会社	450百万円	100.0	工業用熱処理炉、半導体製造用熱処理炉の製造・販売
光洋電子工業株式会社	1,593百万円	100.0	電子制御機器装置の製造・販売
ダイベア株式会社	2,317百万円	100.0	ベアリングの製造・販売
宇都宮機器株式会社	100百万円	100.0	ベアリングの製造
株式会社豊幸	100百万円	100.0	工作機械の製造・販売
豊田バンモップス株式会社	481百万円	66.0	各種工具の製造・販売
富士機工株式会社	5,985百万円	100.0	自動車部品の製造・販売
豊精密工業株式会社	2,000百万円	100.0	自動車部品の製造・販売
JTEKT(THAILAND)CO., LTD.(タイ)	3,273,797千タイバーツ	96.2	ステアリング、ベアリングの製造・販売
JTEKT PHILIPPINES CORPORATION(フィリピン)	2,485,990千フィリピンペソ	100.0	ステアリング、ベアリングの製造・販売
JTEKT AUTOMOTIVE TENNESSEE-VONORE, LLC(アメリカ)	52,000千米ドル	＊100.0	ステアリングの製造・販売
JTEKT AUTOMOTIVE TENNESSEE-MORRISTOWN, INC.(アメリカ)	65,130千米ドル	＊91.2	自動車部品の製造・販売
JTEKT AUTOMOTIVE LYON S.A.S.(フランス)	45,979千ユーロ	＊98.1	ステアリングの製造・販売
JTEKT AUTOMOTIVA BRASIL LTDA.(ブラジル)	236,307千ブラジルレアル	100.0	ステアリングの製造・販売
KOYO BEARINGS NORTH AMERICA LLC(アメリカ)	229,400千米ドル	＊100.0	ベアリングの製造・販売
KOYO ROMANIA S.A.(ルーマニア)	561,569千レイ	99.3	ベアリングの製造・販売
光洋汽車配件(無錫)有限公司(中国)	6,150百万円	＊100.0	ベアリングの製造
KOYO BEARINGS INDIA PRIVATE LTD.(インド)	6,713,000千インドルピー	100.0	ベアリングの製造・販売
KOYO BEARINGS (EUROPE) LTD.(イギリス)	54,842千英ポンド	100.0	ベアリングの製造
JTEKT TOYODA AMERICAS CORPORATION(アメリカ)	42,800千米ドル	＊100.0	工作機械の製造・販売

（注）＊印は、間接保有による持分を含む比率であります。

2　会社(企業集団)の現況に関する事項

〈ご参考〉グローバルネットワーク

欧州
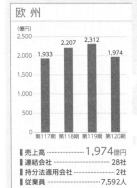

- 売上高　　　　　　1,974億円
- 連結会社　　　　　　28社
- 持分法適用会社　　　　2社
- 従業員　　　　　　7,592人

日本
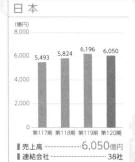

- 売上高　　　　　　6,050億円
- 連結会社　　　　　　38社
- 持分法適用会社　　　　5社
- 従業員　　　　　　20,205人

アジア・オセアニア・南米・その他
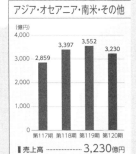

- 売上高　　　　　　3,230億円
- 連結会社　　　　　　67社
- 持分法適用会社　　　　7社
- 従業員　　　　　　15,226人

EUROPE
欧　州
★●■▲

ASIA
アジア(中国を含む)
★●■▲

OCEANIA
オセアニア
■

★：統括拠点
●：生産拠点
■：販売拠点
▲：研究・開発拠点

Ⅱ　事業報告記載事項の分析

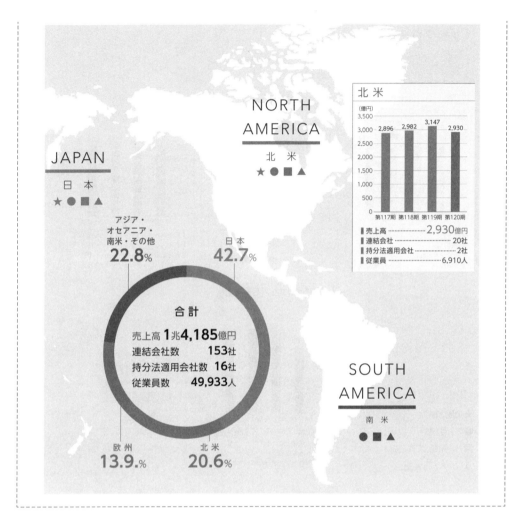

(7) 主要な事業内容

　2020年6月総会の調査対象会社385社における「主要な事業内容」の記載状況を見ると，「主要な事業内容」等の見出しを設けて記載している会社が多いが，独立の項目とせずに「事業の経過およびその成果」の中で主要な事業内容を記載する会社も見られる。

＜住友大阪セメント＞　事業の経過および成果で記載する例

（添付書類）　**事業報告**（2019年4月1日から2020年3月31日まで）
　1．企業集団の現況に関する事項
　　(1) 事業の経過およびその成果

＜中　略＞

2 会社(企業集団)の現況に関する事項

セメント事業

販売数量が前期を下回ったことなどから、売上高は、188,800百万円と前期に比べ4,856百万円(2.5%)減となったものの、生産コスト等の削減により、営業利益は、8,247百万円と前期に比べ667百万円(8.8%)増となりました。

主要な事業内容
ポルトランドセメント(普通、早強、中庸熱、低熱)、高炉セメント、フライアッシュセメント、セメント系固化材、生コンクリート、電力の供給、原燃料リサイクル

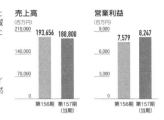

鉱産品事業

骨材の販売数量が減少したことなどから、売上高は、12,640百万円と前期に比べ179百万円(1.4%)減となったものの、採掘コストが改善したことなどから、営業利益は、2,385百万円と前期に比べ24百万円(1.0%)増となりました。

主要な事業内容
石灰石、ドロマイト、タンカル、骨材、シリカ微粉

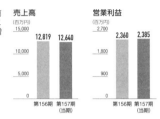

建材事業

コンクリート構造物補修・補強材の販売数量が増加したことなどから、売上高は、19,089百万円と前期に比べ624百万円(3.4%)増となり、営業利益は、1,824百万円と前期に比べ576百万円(46.2%)増となりました。

主要な事業内容
コンクリート構造物補修・補強(材料、工事)、各種混和材、重金属汚染対策材、魚礁・藻場礁、電気防食工法、各種地盤改良工事、PC(製品、工事)、各種ヒューム管

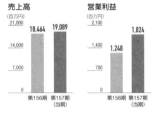

光電子事業

新伝送方式用光通信部品の販売数量が増加したことから、売上高は、5,871百万円と前期に比べ113百万円(2.0%)増となり、生産コストが改善したことなどもあり、営業利益は、195百万円と前期に比べ767百万円の好転となりました。

主要な事業内容
光通信部品、光計測機器

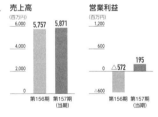

新材料事業

半導体製造装置向け電子材料の販売数量が減少したことなどから、売上高は、11,390百万円と前期に比べ614百万円(5.1%)減となり、営業利益は、1,850百万円と前期に比べ520百万円(21.9%)減となりました。

主要な事業内容
各種セラミック製品、各種ナノ粒子材料、抗菌剤、化粧品材料、各種機能性塗料、防汚塗料、熱線遮蔽塗料

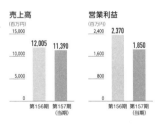

Ⅱ　事業報告記載事項の分析

電池材料事業

　二次電池正極材料の販売数量が減少したことから、売上高は、1,250百万円と前期に比べ623百万円（33.3％）減となり、生産コストが改善したことなどから、損益は、前期に比べ287百万円の好転となったものの、149百万円の営業損失となりました。

主要な事業内容
二次電池正極材料

売上高（百万円）：第156期 1,874、第157期（当期）1,250
営業利益（百万円）：第156期 △437、第157期（当期）△149

その他事業

　電気設備工事が減少したことなどから、売上高は、6,115百万円と前期に比べ366百万円（5.7％）減となったものの、コスト削減等により、営業利益は、1,859百万円と前期に比べ148百万円（8.7％）増となりました。

主要な事業内容
不動産賃貸、エンジニアリング、ソフトウエア開発

売上高（百万円）：第156期 6,482、第157期（当期）6,115
営業利益（百万円）：第156期 1,711、第157期（当期）1,859

＜三井金属鉱業＞　事業の経過および成果で記載する例

1　三井金属グループの現況

1）事業の経過および成果

＜中　略＞

機能材料部門

売上高　**1,678**億**26**百万円（前期比　**1.4**％増 ↑）
経常利益　**133**億**94**百万円（前期比　**19.3**％減 ↓）

売上高構成比 **31.7％**

＜主要製品＞　2020年3月31日現在
電池材料（水素吸蔵合金など）、排ガス浄化触媒、機能粉（電子材料用金属粉、酸化タンタルなど）、銅箔（キャリア付極薄銅箔、プリント配線板用電解銅箔など）、スパッタリングターゲット（ITOなど）、セラミックス製品

＜中　略＞

金属部門

売上高　**1,611**億**23**百万円（前期比　**3.3**％減 ↓）
経常損失　**14**億**72**百万円（前期は60億39百万円の経常損失）

売上高構成比 **30.4％**

＜主要製品＞　2020年3月31日現在
亜鉛、鉛、銅、金、銀、資源リサイクル

＜中　略＞

2 会社（企業集団）の現況に関する事項

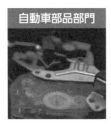

自動車部品部門

売 上 高　905億81百万円（前期比 12.9%減↓）
経常利益　4億69百万円（前期比 90.0%減↓）

売上高構成比 **17.1%**

＜主要製品＞ 2020年3月31日現在
自動車用ドアロック

＜中　略＞

関連部門

売 上 高　1,099億16百万円（前期比 13.4%減↓）
経常利益　14億45百万円（前期比 70.4%減↓）

売上高構成比 **20.8%**

＜主要製品＞ 2020年3月31日現在
各種産業プラントエンジニアリング、ダイカスト製品、粉末冶金製品、伸銅品、パーライト製品など

＜以下略＞

＜第一三共＞　簡潔に記載する例

(6) 主要な事業内容

医薬品等の研究、開発、製造、販売及び輸出入

＜ユニチカ＞　箇条書きする例

(7) 主要な事業内容（2020年3月31日現在）
　当社グループの事業の主なものは、次のとおりであります。
　① 高分子事業
　　　フィルム（ナイロン・ポリエステル）、樹脂（ナイロン・ポリエステル・ポリアリレート）、不織布（ポリエステルスパンボンド、コットンスパンレース）、生分解性材料
　② 機能材事業
　　　ガラス繊維・織物、ガラスビーズ、活性炭繊維
　③ 繊維事業
　　　糸・綿・織編物等（ナイロン・ポリエステル・綿等）、二次製品

＜メディパルホールディングス＞　文章に加えて主要取扱品等を表記する例

(6) 主要な事業内容（2020年3月31日現在）
　当社グループは、当社を中核として、医薬品、化粧品・日用品等の販売やサービスの提供を主とする事業活動を展開しております。各事業の内容は以下のとおりであります。

Ⅱ　事業報告記載事項の分析

事業区分	主要取扱品等
医療用医薬品等卸売事業	医療用医薬品、医療機器、臨床検査試薬
化粧品・日用品、一般用医薬品卸売事業	化粧品、日用品、一般用医薬品

＜ＳＭＣ＞　写真，グラフを用いて掲載する例

＜小松製作所＞　ウェブ開示している例，QRコードを掲載している例

「主要な事業内容」・「主要な営業所および工場」につきましては、法令および当社定款第16条の規定に基づき、インターネット上の当社ウェブサイトに掲載しております。　⇒ https://home.komatsu/jp/ir/

＜三和ホールディングス＞　地域セグメント別に主要製品等を記載する例

(6) 主要な事業内容

当社は、当社グループの事業会社の株式を保有することにより事業活動を支配、管理する持株会社です。当社グループの事業会社の主要な事業内容は、次のとおりであります。

セグメント	主要製品等
日本	シャッター製品、シャッター関連製品、ビル用ドア製品、間仕切製品、ステンレス製品、フロント製品、窓製品、住宅用ドア製品、エクステリア製品、住宅用ガレージドア製品、自動ドア製品、メンテ・サービス事業
北米	シャッター製品、シャッター関連製品、産業用セクショナルドア製品、住宅用ガレージドア製品、ガレージドア等開閉機、自動ドア製品、メンテ・サービス事業
欧州	シャッター製品、シャッター関連製品、ドア製品、産業用セクショナルドア製品、住宅用ガレージドア製品、ガレージドア等開閉機、メンテ・サービス事業
アジア	シャッター製品、シャッター関連製品、ドア製品、住宅用ガレージドア製品、メンテ・サービス事業

(8) 主要な営業所および工場

連結ベースでの「主要な営業所および工場」は，企業集団を構成する各社の主要な営業所および工場の名称とその所在地が記載されるが，所在地の記載については，都道府県名や政令指定都市までの記載でよい。記載の仕方については，企業集団を構成する各社を一括して網羅的に記載しても，各社別に記載することとしても，いずれでも差し支えない。

＜大林組＞　当社と子会社に分けて表記する例

(8)	主要な営業所等（2020年3月31日現在）		
当社	主要な営業所	（国内） 本　社　東京都港区港南2丁目15番2号 札幌支店、東北支店（仙台市）、東京本店（東京都港区）、横浜支店、 北陸支店（新潟市）、名古屋支店、京都支店、大阪本店、神戸支店、広島支店、 四国支店（高松市）、九州支店（福岡市） （海外） アジア支店（シンガポール）、北米支店（サンフランシスコ）	
	研究所	技術研究所（東京都清瀬市）	
	海外事務所	ロンドン、オークランド、シドニー、グアム、台北、ジャカルタ、 ハノイ、プノンペン、クアラルンプール、バンコック、ヤンゴン、 ダッカ、ドバイ	
子会社		大林道路株式会社（東京都千代田区）	
		株式会社内外テクノス（東京都新宿区）	
		大林ファシリティーズ株式会社（東京都千代田区）	
		オーク設備工業株式会社（東京都中央区）	
		大林新星和不動産株式会社（東京都千代田区）	
		株式会社大林クリーンエナジー（東京都港区）	
		株式会社オーシー・ファイナンス（東京都港区）	
		大林USA（サンフランシスコ）	
		大林カナダホールディングス（バンクーバー）	
		ジャヤ大林（ジャカルタ）	
		タイ大林（バンコック）	
		台湾大林組（台北）	
		大林シンガポール（シンガポール）	
		大林ベトナム（ホーチミン）	

（注）本年4月1日付で、関東支店（さいたま市）を新設いたしました。

＜アステラス製薬＞　国内と海外に分けて表記する例

7. 主要な事業所及び工場（2020年3月31日現在）		
	名　称　及　び　所　在　地	
	本社（本店）	東京都中央区日本橋本町二丁目5番1号
国内	営業拠点[*1]	札幌支店（北海道）、東北支店（宮城県）、関越支店（東京都）、埼玉・千葉支店（東京都）、 東京支店（東京都）、横浜支店（神奈川県）、名古屋支店（愛知県）、京都支店（京都府）、 大阪支店（大阪府）、中国支店（広島県）、四国支店（香川県）、九州支店（福岡県）
	研究拠点	つくば研究センター（茨城県）、つくばバイオ研究センター（茨城県）、高萩合成研究センター（茨城県）、 焼津製剤研究センター（静岡県）

Ⅱ 事業報告記載事項の分析

	生産拠点*2*3	高萩技術センター（茨城県）、富山技術センター（富山県）、富山技術センター高岡工場（富山県）、焼津技術センター（静岡県）
海外	営業拠点*2	米国、ドイツ、中国、フランス、スペインほか
	研究拠点*2	米国
	生産拠点*2	アイルランド、オランダ、中国

*1 2019年4月1日付で埼玉支店（埼玉県）と千葉支店（千葉県）を埼玉・千葉支店（東京都）に、大阪支店（大阪府）と神戸支店（兵庫県）を大阪支店（大阪府）にそれぞれ統合しました。また、2020年4月1日付で全国12支店を廃止し、営業本部が各営業所を直接管轄する体制に変更しました。
*2 子会社における拠点
*3 2019年6月に当社の生産拠点の一つである西根工場（岩手県）の事業をシミックCMO株式会社に承継しました。

＜富士フイルムホールディングス＞　地図を用いて表示する例

＜日本精工＞　地域別に分けて表記する例。また，ご参考として地図を用いて国別に拠点数等を表示する例

〔8〕主要拠点（2020年3月31日現在）
〈主要販売拠点〉

地域	名称	所在地
	東北支社	宮城県仙台市
	北関東支社	群馬県高崎市

地域		名称	所在地
日 本	当 社	東京支社	東京都品川区
		西関東支社	神奈川県厚木市
		長野支社	長野県諏訪市
		静岡支社	静岡県静岡市
		名古屋支社	愛知県名古屋市
		北陸支社	石川県金沢市
		関西支社	大阪府大阪市
		兵庫支社	兵庫県姫路市
		中国支社	広島県広島市
		九州支社	福岡県福岡市
		東日本自動車第一部	神奈川県厚木市
		東日本自動車第二部	東京都品川区
		東日本自動車第三部	栃木県宇都宮市
		東日本自動車第四部	群馬県高崎市
		中部日本自動車部	愛知県豊田市
		中部日本浜松自動車部	静岡県浜松市
		西日本自動車部	大阪府大阪市／広島県広島市
米 州	NSKコーポレーション社		Michigan, U.S.A.
	NSKプレシジョン・アメリカ社		Indiana, U.S.A.
	NSKステアリングシステムズ・アメリカ社		Vermont, U.S.A.
	NSKベアリング・メキシコ社		Silao Guanajuato, Mexico
	NSKブラジル社		Suzano, Brazil
欧 州	NSK UK社		Nottinghamshire, U.K.
	NSKドイツ社		Ratingen, Germany
	NSKフランス社		Guyancourt, France
	NSKイタリア社		Milano, Italy
	NSKポーランド社		Kielce, Poland
アジア	NSK中国社		中国　昆山市
	NSKベアリング・マニュファクチュアリング（タイ）社		Chonburi, Thailand
	サイアムNSKステアリングシステムズ社		Chachoengsao, Thailand
	ラネーNSKステアリングシステムズ社		Tamil Nadu, India
	NSK韓国社		韓国　ソウル市

〈主要生産拠点〉

地域		名称	所在地
日 本	当 社	藤沢工場	神奈川県藤沢市
		福島工場	福島県東白川郡
		大津工場	滋賀県大津市
		石部工場	滋賀県湖南市
		埼玉工場	埼玉県羽生市
		高崎工場／榛名工場	群馬県高崎市
	日本精工九州株式会社		福岡県うきは市
	井上軸受工業株式会社		大阪府富田林市
	NSKステアリングシステムズ株式会社		群馬県前橋市
	NSKマイクロプレシジョン株式会社		神奈川県藤沢市
	NSKワーナー株式会社		静岡県袋井市
	株式会社天辻鋼球製作所		大阪府門真市
	NSKマシナリー株式会社		埼玉県久喜市
米 州	NSKコーポレーション社		Indiana, U.S.A.
	NSKプレシジョン・アメリカ社		Indiana, U.S.A.
	NSKステアリングシステムズ・アメリカ社		Tennessee, U.S.A.
	NSKベアリング・マニュファクチュアリング・メキシコ社		Silao Guanajuato, Mexico
	NSKブラジル社		Suzano, Brazil
欧 州	NSKベアリング・ヨーロッパ社		Durham, U.K.
	NSKベアリング・ポーランド社		Kielce, Poland
	NSKステアリングシステムズ・ポーランド社		Walbrzych, Poland
アジア	NSK昆山社		中国　昆山市
	NSKステアリングシステムズ杭州社		中国　杭州市
	NSKベアリング・インドネシア社		Bekasi, Indonesia
	NSKベアリング・マニュファクチュアリング（タイ）社		Chonburi, Thailand
	サイアムNSKステアリングシステムズ社		Chachoengsao, Thailand
	ラネーNSKステアリングシステムズ社		Haryana, India
	NSK韓国社		韓国　昌原市

Ⅱ　事業報告記載事項の分析

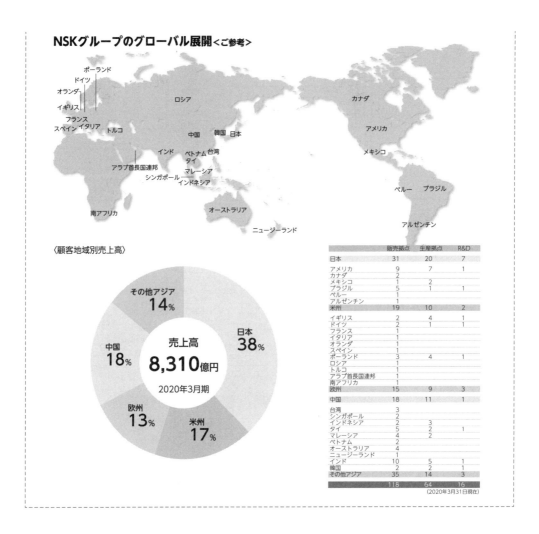

<帝　　人>　セグメント別に表記する例

(7) 主要な事業所等			(2020年3月31日現在)
区　分		機　能	所　在　地
当　　社		本　　社	大阪府、東京都
マテリアル	マテリアル	生産拠点	愛媛県、山口県、岐阜県、静岡県、広島県
			米国、ドイツ、オランダ、中国、タイ
		営業拠点	東京都、大阪府
			米国、ドイツ、オランダ、中国、タイ、台湾、ブラジル、インド、メキシコ、ロシア、シンガポール
		研究拠点	静岡県、愛媛県、岐阜県、千葉県、山口県
			米国、ドイツ、オランダ、中国、タイ
	繊維・製品	生産拠点	愛媛県、石川県、福井県、新潟県、岐阜県、山口県、広島県、島根県
			中国、タイ、ベトナム、ドイツ、ハンガリー
		営業拠点	東京都、大阪府、愛知県、新潟県、岐阜県
			米国、ドイツ、中国、タイ、ベトナム、ミャンマー、インドネシア、メキシコ
		研究拠点	愛媛県
			中国、タイ

2 会社(企業集団)の現況に関する事項

複合成形材料他	生産拠点	愛媛県、岐阜県
		米国、メキシコ、韓国、ポルトガル、チェコ、ドイツ
	営業拠点	東京都
		米国、メキシコ、韓国、ポルトガル、チェコ
	研究拠点	東京都、愛媛県、山口県
		米国、ドイツ、フランス
ヘルスケア	生産拠点	山口県、岡山県、兵庫県
	営業拠点	日本全国12支店
	研究拠点	東京都、山口県
		米国
その他	営業拠点	東京都、大阪府、愛媛県、山口県

(注) 当社は本社機能を記載し、生産、営業及び研究拠点は各事業に記載しています。

＜三菱電機＞ 機能別に表記する例

7．主要な事業所(2020年3月31日現在)

(1) 当社

① 本社(東京都)

② 営業拠点

名　称	所在地
北　海　道　支　社	北海道
東　北　支　社	宮城県
関　越　支　社	埼玉県
神　奈　川　支　社	神奈川県
北　陸　支　社	石川県
中　部　支　社	愛知県
関　西　支　社	大阪府
中　国　支　社	広島県
四　国　支　社	香川県
九　州　支　社	福岡県

③ 研究開発拠点

名　称	所在地
情報技術総合研究所	神奈川県
デザイン研究所	神奈川県
住環境研究開発センター	神奈川県
設計システム技術センター	兵庫県
生産技術センター	兵庫県
コンポーネント製造技術センター	兵庫県
先端技術総合研究所	兵庫県
自動車機器開発センター	兵庫県

④ 製造拠点

部　門	名　称	所在地
■重電システム部門	稲沢製作所	愛知県
	伊丹製作所	兵庫県
	系統変電システム製作所	兵庫県
	神戸製作所	兵庫県
	電力システム製作所	兵庫県
	受配電システム製作所	香川県
	長崎製作所	長崎県
■産業メカトロニクス部門	名古屋製作所	愛知県
	三田製作所	兵庫県
	姫路製作所	兵庫県
	福山製作所	広島県
■情報通信システム部門	インフォメーションシステム統括事業部	神奈川県
	鎌倉製作所	神奈川県
	通信機製作所	兵庫県
	コミュニケーション・ネットワーク製作所	兵庫県
■電子デバイス部門	高周波光デバイス製作所	兵庫県
	パワーデバイス製作所	福岡県
	液晶事業統括部	熊本県
■家庭電器部門	群馬製作所	群馬県
	静岡製作所	静岡県
	中津川製作所	岐阜県
	京都製作所	京都府
	冷熱システム製作所	和歌山県

(2) 子会社

後記の「11．重要な子会社の状況」に記載のとおりであります。

Ⅱ　事業報告記載事項の分析

＜サンドラッグ＞　都道府県別に店舗数を記載する例

(6) 主要な営業所（2020年3月31日現在）

北　海　道	59店舗	京　　都　　府	12店舗
青　森　県	4店舗	大　　阪　　府	55店舗
秋　田　県	7店舗	兵　　庫　　県	31店舗
岩　手　県	6店舗	奈　　良　　県	8店舗
宮　城　県	14店舗	和　歌　山　県	5店舗
山　形　県	4店舗	鳥　　取　　県	7店舗
福　島　県	15店舗	島　　根　　県	5店舗
新　潟　県	68店舗	岡　　山　　県	10店舗
群　馬　県	8店舗	広　　島　　県	15店舗
栃　木　県	13店舗	山　　口　　県	15店舗
茨　城　県	12店舗	徳　　島　　県	12店舗
埼　玉　県	62店舗	香　　川　　県	11店舗
千　葉　県	40店舗	愛　　媛　　県	10店舗
東　京　都	166店舗	高　　知　　県	4店舗
神　奈　川　県	62店舗	福　　岡　　県	76店舗
山　梨　県	24店舗	佐　　賀　　県	22店舗
長　野　県	7店舗	長　　崎　　県	28店舗
静　岡　県	13店舗	熊　　本　　県	38店舗
岐　阜　県	2店舗	大　　分　　県	20店舗
愛　知　県	60店舗	宮　　崎　　県	23店舗
三　重　県	7店舗	鹿　児　島　県	27店舗
滋　賀　県	7店舗	沖　　縄　　県	10店舗
		フランチャイズ	64店舗

＜京都銀行＞　銀行の記載例

（1）営業所等の状況
　　イ．営業所数の推移

	当年度末		前年度末	
	店	うち出張所	店	うち出張所
京　都　府	111	（　6）	111	（　6）
大　阪　府	31	（　－）	31	（　－）
滋　賀　県	14	（　－）	14	（　－）
奈　良　県	7	（　－）	7	（　－）
兵　庫　県	8	（　－）	8	（　－）
愛　知　県	2	（　－）	2	（　－）
東　京　都	1	（　－）	1	（　－）
合　　　計	174	（　6）	174	（　6）

　　注　上記のほか、当年度末において海外駐在員事務所を4か所（前年度末4か所）、移動店舗車を1台（前年度末1台）、店舗外現金自動設備を280か所（前年度末301か所）、株式会社セブン銀行との

提携による共同の店舗外現金自動設備を23,389か所（前年度末23,367か所）それぞれ設置しております。

ロ．当年度新設営業所

該当ありません。

注．当年度において次のとおり店舗外現金自動設備の新設・廃止を行いました。

［店舗外現金自動設備の新設］
　　京都民医連中央病院前出張所　　（京都市右京区）
　　美山出張所　　　　　　　　　　（京都府南丹市）
　　マツモト桂川店出張所　　　　　（京都市南区）

［店舗外現金自動設備の廃止］
　　コープ島本出張所　　　　　　　　　　（大阪府三島郡）
　　ＪＲ吹田駅前出張所　　　　　　　　　（大阪府吹田市）
　　近鉄百貨店奈良店出張所　　　　　　　（奈良県奈良市）
　　イオンモール奈良登美ヶ丘出張所　　　（奈良県生駒市）
　　アル・プラザ野洲出張所　　　　　　　（滋賀県野洲市）
　　イオンタウン豊中緑丘出張所　　　　　（大阪府豊中市）
　　あまがさきキューズモール出張所　　　（兵庫県尼崎市）
　　京都市役所出張所　　　　　　　　　　（京都市中京区）
　　ＪＲ膳所駅前出張所　　　　　　　　　（滋賀県大津市）
　　フォレスタ六甲出張所　　　　　　　　（神戸市灘区）
　　東山丸太町出張所　　　　　　　　　　（京都市左京区）
　　ポップタウン住道オペラパーク出張所　（大阪府大東市）
　　コープ桜塚店出張所　　　　　　　　　（大阪府豊中市）
　　うめきた出張所　　　　　　　　　　　（大阪市北区）
　　阪急高槻市駅前出張所　　　　　　　　（大阪府高槻市）
　　近鉄小倉駅前出張所　　　　　　　　　（京都府宇治市）
　　舞鶴海上自衛隊出張所　　　　　　　　（京都府舞鶴市）
　　舞鶴共済病院出張所　　　　　　　　　（京都府舞鶴市）
　　大久保陸上自衛隊出張所　　　　　　　（京都府宇治市）
　　福知山総合庁舎出張所　　　　　　　　（京都府福知山市）
　　京都工芸繊維大学出張所　　　　　　　（京都市左京区）
　　近鉄生駒駅出張所　　　　　　　　　　（奈良県生駒市）
　　天橋立駅出張所　　　　　　　　　　　（京都府宮津市）
　　地下鉄国際会館駅出張所　　　　　　　（京都市左京区）

また、株式会社セブン銀行との提携による共同の店舗外現金自動設備は22か所減少いたしました。

＜東急不動産ホールディングス＞　ウェブ開示している例

(8) 主要な事業所（2020年3月31日現在）
　法令及び定款第16条の規定に基づき、当社ウェブサイト（https://www.tokyu-fudosan-hd.co.jp/ir/stockandbond/generalmeeting/）に掲載しております。

(9) 従業員の状況

　2020年6月総会の調査対象会社385社における「従業員の状況」の記載状況を見ると，「従業員」という用語を使用している会社は289社（75.1％），「使用人」という用語を用いている会社は96社（24.9％）であった。従前は「従業員」の使用が圧倒的多数であったが，会社法施行規則が「使用人の状況」と規定した（会社法施行規則120条1項2号）ことから，「使用人」を用いる会社も多い。また，事業報告と有価証券報告書の一体的開示の関連で，事業報告において「従業員」の用語を使用して差し支えないことが示され，「従業員」の用語を用いる会社が再び増加傾向にある（以下，用語については「従業員」で統一する）。

　「従業員の状況」として記載する内容は，事業年度末の従業員数（就業者数でも可）および

前期末比増減を記載するのが一般的である。加えて，経団連ひな型は従業員の平均年齢や平均勤続年数等を，また，子会社等への出向者がある場合には，出向者数を注記することが考えられる（内数または外数）としている。一方，全株懇モデルでは，男女別の記載や企業集団に属する会社が多い場合には，企業集団の従業員の平均年齢および平均勤続年数の把握が困難であることから，これらの記載は要しない，としている。

次に，連結ベースで記載した会社は371社（96.4％）であった。連結ベースとともに，単体ベースをあわせて記載することも考えられるが，こうした対応を行った会社は207社（53.8％）であった。

以下，連結ベースの記載状況と単体ベースの記載状況に分けて分析するが，連結ベースで記載した会社は上記の371社，単体ベースで記載した会社は上記の207社に単体ベースのみを記載した14社を加えた221社（57.4％）である。

(ア) 連結ベースでの記載状況

連結ベースで記載している371社の「従業員の状況」の記載内容を見ると，以下のとおりである。

① 従業員数・前期末比増減を記載 ……………………………… 308社（371社に対し83.0％）
② 従業員数を記載 ……………………………………………………… 55社（同14.8％）
③ 従業員数・前期末比増減・平均年齢・平均勤続年数を記載 ……… 7社（同 1.9％）
④ 従業員数・前期末比増減・平均勤続年数を記載 ………………… 1社（同 0.3％）

(イ) 単体ベースの記載状況

単体ベースで記載している221社の「従業員の状況」の記載内容を見ると，以下のとおりである。

① 従業員数・前期末比増減・平均年齢・平均勤続年数を記載
 …………………………………………………………………………… 172社（221社に対し77.8％）
② 従業員数・平均年齢・平均勤続年数を記載 ……………………… 23社（同10.4％）
③ 従業員数・前期末比増減を記載 …………………………………… 20社（同 9.0％）
④ 従業員を記載 ………………………………………………………… 3社（同 1.4％）
⑤ 従業員数・前期末比増減・平均勤続年数を記載 ………………… 2社（同 0.9％）
⑥ 従業員数・前期末比増減・平均年齢を記載 ……………………… 1社（同 0.5％）

＜村田製作所＞　連結ベースと単体ベースを記載する例

(7) 従業員の状況
①企業集団の従業員の状況

従業員数	
当期末	前期末比増減
74,109 人	△3,462 人

2　会社（企業集団）の現況に関する事項

(注) 従業員数は就業人員（当社グループ外への出向者を除く。）であり、臨時雇用者・パート・嘱託者（1,601人）は含めておりません。

②当社の従業員の状況

従業員数		平均年齢	平均勤続年数
当期末	前期末比増減		
9,199 人	416 人	41.0 歳	14.9 年

(注) 従業員数は就業人員（子会社等への出向者を除き、子会社等からの出向者を含む。）であり、臨時雇用者・パート・嘱託者（318人）は含めておりません。

＜コニカミノルタ＞　連結ベースで記載する例

②当社グループの使用人の状況

使用人数	対前期末比
43,961名	399名減

(注)　使用人数は就業人員数です。

＜リゾートトラスト＞　連結はセグメント別，単体は男女別に記載する例

(8) 従業員の状況（2020年3月31日現在）
① 企業集団の従業員の状況

事業の種類別セグメントの名称	従業員数（名）
会員権事業	676
ホテルレストラン等事業	5,045
メディカル事業	1,707
その他	6
全社（共通）	503
合計	7,937 (3,556)

(注)　1. 従業員数は就業人員であります。
　　　2. 従業員数欄の（外書）は、臨時従業員（パートタイマー及び嘱託）の期中平均人数であります。
　　　3. 全社（共通）として記載されている従業員数は特定のセグメントに区分できない管理部門に所属しているものであります。

② 当社の従業員の状況

区分	当期末従業員数	前期末比増減	平均年齢	平均勤続年数
男性	3,453名	30名減	37.8歳	10.1年
女性	2,020	90増	30.5	6.0
合計または平均	5,473	60増	35.1	8.6

(注)　従業員数は就業人員であり、他社への出向社員（138名）及び臨時従業員（期中平均人数2,423名）は含まれておりません。

＜アズビル＞　従業員数の増加要因について記載する例

(9) 従業員の状況（2020年3月31日現在）

Ⅱ　事業報告記載事項の分析

① 企業集団の従業員の状況

セグメントの名称	従業員数	前期末比増減
ビルディングオートメーション事業	3,294 [561] 人	208 人
アドバンスオートメーション事業	3,597 [336]	13
ライフオートメーション事業	1,793 [361]	22
報　告　セ　グ　メ　ン　ト　計	8,684 [1,258]	243
そ　　　　の　　　　他	3 [2]	1
全　　社　　（　共　　通　）	1,210 [158]	46
合　　　　　　　　　計	9,897 [1,418]	290

（注）1. 全社（共通）として記載されている従業員数は、特定の事業セグメントに区分できないスタッフ部門及び研究開発部門に所属している者であります。
　　　2. 臨時従業員数（有期雇用のパートタイマー、定年後再雇用社員及び契約社員を含み、人材派遣会社からの派遣社員は除いております。）は、［　］内に年間の平均雇用人数を外数で記載しております。
　　　3. 従業員数が増加しておりますが、その主な要因は、当社における改正労働契約法の施行に伴う有期雇用の契約社員（臨時従業員）に対する無期雇用制度の導入及び派遣社員と同様の管理対象としていた協力会社等からの出向社員を常用雇用者としたことによるものであります。

② 当社の従業員の状況

従業員数	前期末比増減	平均年齢	平均勤続年数
5,369 [934] 人	218人	45.5歳	20.0年

（注）1. 臨時従業員数（有期雇用のパートタイマー、定年後再雇用社員及び契約社員を含み、人材派遣会社からの派遣社員は除いております。）は、［　］内に年間の平均雇用人数を外数で記載しております。
　　　2. 従業員数が増加しておりますが、その主な要因は、改正労働契約法の施行に伴う有期雇用の契約社員（臨時従業員）に対する無期雇用制度の導入及び派遣社員と同様の管理対象としていた協力会社等からの出向社員を常用雇用者としたことによるものであります。

＜日本航空電子工業＞　国内と海外に分けて記載する例

7 従業員の状況 (2020年3月31日現在)

企業集団の従業員の状況

区　分	従業員数	前連結会計年度末比増減
国内	3,357名	3名増
海外	4,638名	1,737名増
合計	7,995名	1,740名増

（注）従業員は、グループ外から当社グループへの出向者を含む就業人員であり、当社グループからグループ外への出向者、臨時社員、嘱託、有期契約社員277名を除いております。

＜オムロン＞　エリア別従業員構成比のグラフを掲載する例

[8] 従業員の状況

2 会社(企業集団)の現況に関する事項

当社グループ(連結)の従業員の状況

(2020年3月31日現在)

従業員数	前期末比増減
28,006名	7,084名減

(注) 1. 従業員数は就業人員数(当社グループからグループ外への出向者を除き、グループ外から当社グループへの出向者を含みます)を記載しています。
　　 2. 従業員数の前期末比減少の主な理由は、車載事業を当期において日本電産株式会社グループへ譲渡したことによるものです。

○当社グループ(連結)の従業員のエリア別の状況

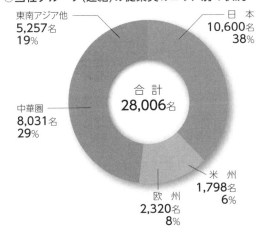

東南アジア他 5,257名 19%
日　本 10,600名 38%
中華圏 8,031名 29%
欧　州 2,320名 8%
米　州 1,798名 6%
合　計 28,006名

(注)日本以外の区分に属する主な国または地域
(1) 米　州……米国・カナダ・ブラジル
(2) 欧　州……オランダ・英国・ドイツ・フランス・イタリア・スペイン
(3) 中華圏……中国・香港・台湾
(4) 東南アジア他……シンガポール・韓国・インド・豪州

＜カルビー＞　女性管理職の状況について記載する例

(12) 従業員の状況(2020年3月31日現在)
① 当社グループの従業員の状況

従業員数	前連結会計年度末比増減
4,053名	290名増

(注) 1. 従業員数は、当社グループから当社グループ外への出向者を除き、当社グループ外から当社グループへの出向者を含む就業人員であります。
　　 2. 従業員数には、従業員兼務役員は含みません。
　　 3. 上記のほか、嘱託及びパートタイマーが期中平均3,142名おります。

② 当社の従業員の状況

区分	従業員数	前事業年度末比増減	平均年齢	平均勤続年数
男性	1,086名	19名増	41.7歳	16.0年
女性	679名	11名増	38.0歳	14.3年
合計または平均	1,765名	30名増	40.3歳	15.3年

(注) 1. 上記には従業員兼務役員は含みません。
　　 2. 上記のほか、嘱託及びパートタイマーが期中平均1,950名おります。
　　 3. 従業員数は出向者を除き受入出向者を含めて記載しております。

③ 女性管理職の状況
2020年4月1日現在の女性管理職比率は以下のとおりであります。

女性管理職比率
20.4%

Ⅱ　事業報告記載事項の分析

＜ベネッセホールディングス＞　ご参考で「女性活躍推進について」を記載する例

> ## 10 従業員の状況（2020年3月31日現在）
>
> **企業集団の従業員の状況**
>
> | 区分 | 従業員数（名） |
> |---|---|
> | 国内教育事業 | 3,860 |
> | グローバルこどもちゃれんじ事業 | 2,430 |
> | 介護・保育事業 | 8,667 |
> | ベルリッツ事業 | 4,610 |
> | その他 | 972 |
> | 全社 | 134 |
> | 合計 | 20,673 |
>
> （注）1．上記の人数には臨時従業員の人数を含みません。
> 　　　2．全社は当社の従業員です。
>
> 【ご参考】女性活躍推進について
> 当社グループの事業は、「教育」「子育て」「介護」「保育」等、生活者としての視点が重要であり、女性の活躍も求められています。女性の活躍をサポートするために、若手時代からのキャリア観の醸成、ロールモデルの顕在化、モチベーションUP施策、育児に取り組む社員への両立支援施策等の施策を推進しています。その結果、当社グループ全体での女性管理職比率は30％以上と高い水準となっています。今後も、当社グループの成長のためにも継続的に女性活躍推進を進めていきます。

＜ＳＵＢＡＲＵ＞　ご参考で「ダイバーシティ推進の取り組み」を記載する例

> ⑽ **従業員の状況**（2020年3月31日現在）
> ① ＳＵＢＡＲＵグループ
>
> | 事業別名称 | 従業員数（名） | | 前期末比増減（名） | |
> |---|---|---|---|---|
> | 自動車事業 | 31,687 | (8,469) | 888 | (735) |
> | 航空宇宙事業 | 2,807 | (772) | 95 | (223) |
> | その他事業 | 540 | (472) | △149 | (△102) |
> | 合計 | 35,034 | (9,713) | 834 | (856) |
>
> （注）従業員数は就業人員数であり、臨時雇用者数（期間従業員、アルバイトおよびパートタイマーならびに外部からの派遣社員、応援およびゲストエンジニア）は、年間の平均人員を（　）外数で記載しております。
>
> ② 当社
>
> | | 従業員数（名） | 前期末比増減（名） | 平均年齢（歳） | 平均勤続年数（年） |
> |---|---|---|---|---|
> | 男性 | 14,665 | 478 | 38.5 | 15.6 |
> | 女性 | 1,141 | 54 | 36.5 | 14.7 |
> | 合計 | 15,806 | 532 | 38.4 | 15.5 |
>
> | 事業別名称 | 従業員数（名） | | 前期末比増減（名） | |
> |---|---|---|---|---|
> | 自動車事業 | 13,585 | (5,518) | 475 | (178) |

航空宇宙事業	2,221	(619)	57	(154)
合計	15,806	(6,137)	532	(332)

(注) 従業員数は就業人員数であり、臨時雇用者数(期間従業員、アルバイトおよびパートタイマーならびに外部からの派遣社員、応援およびゲストエンジニア)は、年間の平均人員を( )外数で記載しております。

(ご参考)ダイバーシティ推進の取り組み
　ＳＵＢＡＲＵグループでは、様々な個性や価値観を持つ従業員が個々の能力を十分に発揮できるよう、性別・国籍・文化・ライフスタイルなどの多様性を尊重し、働きやすい職場環境の整備に努めております。また、国内・海外の関連会社では、ダイバーシティに関してそれぞれの事業内容や地域性を踏まえた取り組みを後述のCSR活動の中核の1つとして進めております。
　ダイバーシティ推進室では、「女性活躍推進」「障がい者雇用」「高年齢者雇用推進」「外国籍従業員雇用推進」を重点テーマに活動を展開し、現在、「女性活躍推進」を最重要課題として取り組んでおります。当社では「女性活躍推進法」に基づき、女性の活躍推進に向けた行動計画を策定しております。「2020年に女性管理職数を2014年時点の5倍以上」とする目標を設定し、2020年3月31日時点の女性管理職数は20名となり、その目標は達成いたしました。今般、2025年までに「女性管理職数を2014年時点の12倍以上」とする新たな目標を設定し、女性管理職育成に向けた取り組みをさらに強化しております。今後も、役員・部長・課長の女性候補者の層を厚くし、女性管理職の増加に努めるとともに、女性がやりがいを持って働き、活躍できる職場環境の構築を目指します。

⑽ 主要な借入先の状況

　2020年6月総会の調査対象会社385社における「主要な借入先の状況」の記載状況を見ると341社(88.6％)が見出しを設けているが、そのうち具体的な内容を記載している会社は306社(79.5％)となっている。全株懇モデルでは、「実質上の無借金会社などは記載を要しない」とされているが、該当事項はない旨等を記載した会社は35社(9.1％、「重要性がないため記載省略」等を含む)であった。

＜ジェイ エフ イー ホールディングス＞　一般的な記載例

(10)主要な借入先(2020年3月31日現在)
　当社および連結子会社の主要な借入先は以下のとおりであります。

借入先	借入残高(百万円)
株式会社みずほ銀行	284,493
株式会社三井住友銀行	150,216
株式会社三菱ＵＦＪ銀行	138,107
株式会社日本政策投資銀行	73,023

＜日揮ホールディングス＞　該当事項はない旨を記載する例

(12)主要な借入先(2020年3月31日現在)
　該当事項はありません。

＜森永製菓＞　連結と単体に分けて記載する例

　　　　9. 主要な借入先
　　(1) 森永製菓グループの借入先の状況

Ⅱ　事業報告記載事項の分析

借入先	借入金残高 (百万円)
株式会社三菱UFJ銀行	5,600
株式会社みずほ銀行	3,000

(2) 森永製菓株式会社の借入先の状況

借入先	借入金残高 (百万円)
株式会社三菱UFJ銀行	5,600
株式会社みずほ銀行	3,000

＜西松建設＞　借入残高上位5社を記載する例

10. 主要な借入先 (2020年3月31日現在)

(百万円)

借入先	借入残高
株式会社みずほ銀行	20,000
株式会社三井住友銀行	11,850
株式会社りそな銀行	2,858
株式会社肥後銀行	1,870
みずほ信託銀行株式会社	867

(注) 借入残高上位5社の金融機関を記載しております。

＜住友金属鉱山＞　借入会社別に表記する例

(11) 主要な借入先および借入額 (2020年3月31日現在)

借入会社	借入先名	借入金残高
		百万円
当社	シンジケートローン	91,082
	株式会社国際協力銀行	19,586
	農林中央金庫	16,483
	株式会社三井住友銀行	10,620
	三井住友信託銀行株式会社	4,740
Taganito HPAL Nickel Corporation (タガニートHPALニッケル社)	株式会社国際協力銀行	40,675
	株式会社三菱UFJ銀行	8,080
	株式会社みずほ銀行	6,665
	株式会社三井住友銀行	5,441
	三井物産株式会社	544
Sumitomo Metal Mining America Inc. (住友金属鉱山アメリカ社)	株式会社国際協力銀行	67,830
SMM Holland B.V. (エス・エム・エム　オランダ社)	株式会社三井住友銀行	4,628
	MUFG Bank (Europe) N.V.	4,628
	株式会社みずほ銀行	4,628
	三井住友信託銀行株式会社	3,537

(注) シンジケートローンは、株式会社三井住友銀行を主幹事、三井住友信託銀行株式会社を共同主幹事とする協調融資および株式会社三井住友銀行を主幹事とする協調融資によるものです。

＜川崎重工業＞ 長期借入残高と短期借入残高に分けて記載する例

(10) 主要な借入先

借入先	借入残高		
	長期	短期	合計
（株）みずほ銀行	50億円	427億円	477億円
（株）三井住友銀行	75	216	291
三井住友信託銀行（株）	135	66	201
（株）三菱ＵＦＪ銀行	45	116	161
農林中央金庫	7	142	149

＜石油資源開発＞ シンジケートローンについて記載する例

(11) 主要な借入先の状況（2020年3月31日現在）

借入先	借入残高
シンジケートローン（注）	62,558百万円
㈱国際協力銀行	62,558
㈱北越銀行	1,290

(注) ㈱みずほ銀行をエージェントとし、㈱三菱ＵＦＪ銀行、㈱三井住友銀行からのローンにより構成される協調融資です。

＜エディオン＞ 複数のシンジケート団について記載および注記する例

1-8. 主要な借入先及び借入額（2020年3月31日現在）

借入先	借入金残高
株式会社三菱ＵＦＪ銀行	3,857百万円
株式会社広島銀行	1,716
三井住友信託銀行株式会社	1,502
株式会社三井住友銀行	1,000
株式会社池田泉州銀行	1,000
株式会社山陰合同銀行	1,000
株式会社日本政策投資銀行	1,000
株式会社三井住友銀行をエージェントとするシンジケート団#4（注）1	7,200
株式会社三菱ＵＦＪ銀行をエージェントとするシンジケート団#9（注）2	7,350
株式会社みずほ銀行をエージェントとするシンジケート団#2（注）3	7,500
株式会社三菱ＵＦＪ銀行をエージェントとするシンジケート団#10（注）4	6,850

(注) 1. 株式会社三井住友銀行をエージェントとするシンジケート団#4は、株式会社八十二銀行他全19行で構成されております。
    2. 株式会社三菱ＵＦＪ銀行をエージェントとするシンジケート団#9は、株式会社福井銀行他全17行で構成されております。

Ⅱ 事業報告記載事項の分析

> 3．株式会社みずほ銀行をエージェントとするシンジケート団#2は、株式会社伊予銀行他全19行で構成されております。
> 4．株式会社三菱ＵＦＪ銀行をエージェントとするシンジケート団#10は、株式会社十六銀行他全14行で構成されております。

⑪ その他会社（企業集団）の現況に関する重要事項

「会社の現況に関する事項」として会社法施行規則120条で具体的に例示・列挙されている項目は以上のとおりであるが，その他に「前各号に掲げるもののほか，当該株式会社の現況に関する重要な事項」があれば，これを記載しなければならない（同条1項9号）。

2020年6月総会の調査対象会社385社のうち，「その他会社（企業集団）の現況に関する重要な事項」等の見出しを設けている会社は145社（37.7％）あるが，該当事項はない旨の記載をしている会社が91社（145社に対し62.8％）であり，具体的な内容を記載している会社は54社（同37.2％）であった。

具体的な記載事項として，全株懇モデルでは，訴訟の提起・判決・和解，事故，不祥事，社会貢献等が例示されている。実際の記載事項としては，全株懇モデルで例示されている事項のほか，企業再編等，業務提携等，本店移転，新株発行，昇格上場，合弁会社の設立，商号変更，公開買付，訴訟の和解成立など多様な内容が記載されている。

＜出光興産＞ 株式交換，会社分割について記載する例

> **(8) その他当社グループの現況に関する重要な事項**
> ① 株式交換について
>   当社は、2019年4月1日を効力発生日として、当社を株式交換完全親会社とし、昭和シェル石油株式会社（以下「昭和シェル」）を株式交換完全子会社とする株式交換を実施しました。
> ② 会社分割について
>   当社は、2019年7月1日を効力発生日として、当社を吸収分割承継会社とし、昭和シェルを吸収分割会社とする吸収分割を実施し、昭和シェルの全事業を承継しました。

＜ラウンドワン＞ 対処すべき課題で新型コロナウイルスへの対応を記載する例

> **2. 対処すべき課題**
>
> ＜中略＞
>
> **新型コロナウイルスへの対応**
>
> 当社グループは、新型コロナウイルスへの対応として、2020年4月に全店の臨時休業を実施いたしました。今後も感染拡大防止のため、政府ならびに地方自治体の要請に従い、店舗の臨時休業や営業時間制限などを必要に応じ適時実施してまいります。
> また、新型コロナウイルス対策として以下を実施いたします。
>
> 『運営資金の確保』
> 健全な事業の運営を継続するためには運営資金の確保が重要となります。当社グループでは、2020年5月、

新たに約100億円の長期借入を行い財務安定性を高めるとともに、各金融機関と160億円のコミットメントライン契約（即時借入を可能とする契約）を締結し、機動的な資金調達を可能とする環境を整備いたしました。その結果、5月1日現在において約360億円の現預金※ならびに160億円の融資枠を確保しておりますが、今後も必要な諸施策を適宜実行できる体制を維持してまいります。

『お客様の安心・安全への取組み』
　「安心・安全」にご利用いただける環境整備を徹底することは、店舗運営において最優先事項となります。当社は以下の対応を含め、随時必要な感染防止策を検討・実施し、ラウンドワンブランドの確立に努めてまいります。

具体的施策
・各種備品等の定期的な入替を伴う殺菌・乾燥、巡回スタッフによるアルコール殺菌など殺菌対応の徹底
・殺菌用アルコール液の設置、各種備品への「殺菌済み」シール貼付など、お客様自身が安心してご利用いただける環境の整備
・検温による入場制限、社会的距離の確保による利用者数制限などの感染防止策の徹底

※自己株式取得予定金額約20億円を含む。なお別途、差入保証金約85億円を保有（いずれも5月1日現在）。

＜中　略＞

9. その他企業集団の現況に関する重要な事項

新型コロナウイルス対応として本招集ご通知24ページ記載の対応を行っております。

＜ファンケル＞　資本業務提携について記載する例

11　その他当社グループの現況に関する重要な事項

当社は、2019年8月6日付で、キリンホールディングス株式会社と資本業務提携契約を締結いたしました。そして、同社は当社創業者池森賢二および創業家の株式を取得したことで、当社の議決権の約33％を保有する筆頭株主となりました。
当社とキリングループの素材・製品やお客様、販売チャネル、海外展開には重複がなく、お互いの強みで補完し合える関係にあります。将来的に幅広い分野でシナジーを創出してまいります。

＜三菱マテリアル＞　株式引受契約について記載する例

(14) その他企業集団の現況に関する重要な事項

当社は、Mantos Copper Holding SpAとの間で、チリ北部のアタカマ地域に位置するMantoverde銅鉱山の権益の30％を当社が取得し、同鉱山が計画している拡張プロジェクトに参画することについて合意し、株式引受契約や株主間契約等の関係契約を締結することを2020年2月7日に決定し、同日付で株式引受契約を締結いたしました。

＜ＺＯＺＯ＞　指名報酬諮問委員会の設置について記載する例

(11) その他企業集団の現況に関する重要な事項
　　（指名報酬諮問委員会の設置）

Ⅱ　事業報告記載事項の分析

　　　当社は、2020年1月28日開催の取締役会において、取締役の指名や報酬等に関する評価・決定プロセスを明確化することで監督機能を強化するとともに、コーポレートガバナンス体制の更なる充実を図るため、取締役会の任意の諮問機関として指名報酬諮問委員会を設置いたしました。
　　　なお、指名報酬諮問委員会の審議結果およびその答申を踏まえ、2020年5月21日開催の取締役会において、当社の取締役（業務執行取締役に限ります。以下「業務執行取締役」という。）について、当社の持続的かつ中長期の企業価値向上を促し、健全なインセンティブとして機能させることを目的とし、当社の経営戦略に基づく短期・中長期の業績の達成および企業価値の向上に向けた取り組みとその成果に対して報酬を支払う報酬制度に改定することを決議しております。
　　　当社の業務執行取締役に対する報酬は、固定報酬および業績連動報酬で構成され、固定報酬は現金のみ、業績連動報酬は現金賞与および株式報酬の2種類の報酬から構成されます。
　　　報酬の割合については、業績連動報酬の割合が固定報酬の割合を上回り、業績連動報酬のうち、現金賞与と株式報酬の割合を半分ずつとすることとします（※）。各報酬の種類および目的・概要は以下の図表のとおりです。

報酬の種類		目的・概要
固定	現金報酬	職責に応じた職務遂行に対する固定報酬
業績連動	現金賞与 （短期インセンティブ報酬）	事業年度毎の短期的な業績目標の達成を意識した業績連動報酬 ・具体的な支給額は、単年度計画で定める業績目標の達成度に応じて決定する。 ・事業の成長性としての商品取扱高と収益性としての連結営業利益（※）を報酬の支給判断基準として設定する。
	株式報酬 （中長期インセンティブ報酬）	中長期的な企業価値・株主価値の向上を重視した経営を推進するための業績連動報酬 ・譲渡制限付株式とし、譲渡制限解除割合は、3事業年度の当社株価成長率および連結営業利益（※）に応じて決定（株価成長率については、36社ほどベンチマーク企業群の株価成長率と比較） ・原則として、毎年交付する。

　　（※）今後、報酬割合、報酬の支給判断基準等は取締役会決議により変更されることがあります。

（資本業務提携契約の締結）
　　　当社は、2019年9月12日開催の取締役会において、Zホールディングス㈱との間で資本業務提携契約を締結することについて決議を行い、同日付で資本業務提携契約を締結しております。当該契約に基づき同社が実施した当社株式を対象とする公開買付けにより、同社は当社の発行済株式総数の50.1％を取得し、当社の親会社となりました。

＜カドカワ〔現　KADOKAWA〕＞　商号変更について記載する例

(12) その他企業集団の現況に関する重要な事項
　　当社は、2019年7月1日付の会社分割に伴い、商号をカドカワ㈱から㈱KADOKAWAに変更いたしました。

＜新明和工業＞　業績見通しの開示の見合わせについて記載する例

(14) その他企業集団の現況に関する重要な事項
　　今後のわが国経済は、国内、ひいては世界レベルで拡大、蔓延している新型コロナウイルス感染症の収束時期が見通せない中、大多数の産業において経営計画の見直しが求められるなど、かつて経験したことのない厳しい局面を迎えることが予想されます。
　　当社グループにおいても、航空機事業に関し、ボーイング社の主要工場の稼働停止に伴い、民間航空機の年間生産計画の立案が困難な状況にあります。加えて、新型コロナウイルス感染症による影響が長期に及んだ場合、設備投資意欲の鈍化、建設工事等の遅延もしくは中止に至る懸念や、当社グループの生産活動に要する資材や部品在庫の枯渇、これに伴う納期遅延といった多くのリスクが想定されます。
　　このように、現時点で新型コロナウイルス感染症による影響を合理的に算定するのは至極困難な状況にあることから、2020年度の業績見通しの開示は見合わせることとしております。今後、何らかの前提に基づいた合理的な算定が可能となりましたら、速やかに情報を開示いたします。

＜沖電気工業＞　仲裁手続に関して記載する例

（11）その他OKIグループの現況に関する重要な事項
　当社子会社である沖電気金融設備（深セン）有限公司は、2015年10月、深セン市怡化電脳実業有限公司に対して、ATM販売代金等、金1,115,463千人民元（当期年度末為替レートでの円換算額約171億円）の支払を求める仲裁を申し立てました。仲裁手続きは、現在も華南国際経済貿易仲裁委員会において審理中です。本件につきましては、貸倒引当金繰入額を計上しておりますが、全額回収の方針に変わりありません。

3　株式に関する事項

　公開会社の事業報告には「株式に関する事項」を記載しなければならないことから（会社法施行規則119条3号），2020年6月総会の調査対象会社385社すべてが「株式に関する事項」について記載している。

　「株式に関する事項」として記載を求められるのは，「当該事業年度の末日において発行済株式（自己株式を除く。）の総数に対するその有する株式の数の割合が高いことにおいて上位となる10名の株主の氏名または名称，当該株主の有する株式の数（種類株式発行会社にあっては，株式の種類および種類ごとの数）および当該株主の有する株式にかかる当該割合」である。株式の種類とは無関係に発行済株式総数に対する割合の順に上位10名を記載し，その10名がそれぞれ保有する株式の種類と種類ごとの数を記載する。その他株式に関する重要な事項があればこれも記載する必要がある（同規則122条1項）。

　また，議決権基準日を事業年度末日後の日に設定しているときは，大株主の状況を当該基準日現在で記載することもでき，この場合は当該基準日を明らかにしなければならない（同規則122条2項）。

(1)　大株主の状況

　2020年6月総会の調査対象会社385社は，すべての会社で大株主の状況の記載をしている。見出しについては，「大株主」とする会社のほか，上位10名の記載を要することから「上位10名の株主」，「大株主（上位10名）」などとすることが多い。

　また，一般に，大株主の一覧表に注記を付していることが多い。その注記の内容は，「自己株式は大株主には含めていない」旨を記載する会社が多いが，その他には，大量保有報告書の提出，主要株主の異動に関する記載などが見られる。

(2)　大株主以外の株式に関する重要事項

　2020年6月総会の調査対象会社385社について，大株主以外の記載状況を見ると，次のとおりである（重複集計）。

① 発行可能株式総数 ……………………………………………… 376社（97.7％）
② 発行済株式総数 ………………………………………………… 385社（100％）
③ 株主数 …………………………………………………………… 385社（100％）
④ 単元株式数 ……………………………………………………… 23社（6.0％）
⑤ 資本金 …………………………………………………………… 5社（1.3％）
⑥ 株式分布状況 …………………………………………………… 138社（35.8％）

(3)　その他株式に関する重要な事項

　上記(1)，(2)のほか，「その他株式に関する重要な事項」の小見出しを設けている会社も見

られる。具体的な記載内容には，自己株式の取得等，取締役の報酬等としての株式発行，株式分割などが見られる。

●株式・株主に関する記載例

<住友商事> 譲渡制限付株式報酬として普通株式を発行したことに伴う発行済株式総数の増加について注記する例

Ⅱ. 会社の株式に関する事項 (2020年3月31日現在)

発行可能株式総数　　2,000,000,000株
発行済株式の総数　　1,250,985,467株（対前期末197,800株増／自己株式1,702,929株を含む）
　（注）発行済株式の総数の増加は、2019年8月16日付で譲渡制限付株式報酬として普通株式を発行したことによるものです。
株主数　　　　　　　183,064名（対前期末26,004名増）
単元株式数　　　　　100株
大株主

株　主　名	持株数	持株比率
	千株	％
日本マスタートラスト信託銀行株式会社（信託口）	109,579	8.77
日本トラスティ・サービス信託銀行株式会社（信託口）	58,183	4.66
BNYM RE NORWEST / WELLS FARGO OMNIBUS	55,293	4.43
住友生命保険相互会社	30,855	2.47
日本トラスティ・サービス信託銀行株式会社（信託口5）	25,306	2.03
JP MORGAN CHASE BANK 385151	19,553	1.57
三井住友海上火災保険株式会社	19,000	1.52
日本トラスティ・サービス信託銀行株式会社（信託口9）	18,726	1.50
日本トラスティ・サービス信託銀行株式会社（信託口7）	18,413	1.47
STATE STREET BANK WEST CLIENT - TREATY 505234	17,385	1.39

（注）持株比率は、自己株式（1,702,929株）を発行済株式の総数から控除して算出し、小数点第3位以下を四捨五入しています。

（ご参考）所有者別持株比率

自己株式 0.14%
金融機関 37.18%
個人その他 17.09%
証券会社 3.87%
外国法人等 34.07%
その他の国内法人 7.64%

（注）持株比率は、小数点第3位以下を四捨五入しているため、合計は100％になっていません。

<日立物流> 単元株式数や資本金についても記載する例

2. 会社の株式に関する事項 (2020年3月31日現在)

(1) 発行可能株式総数　292,000,000株

Ⅱ　事業報告記載事項の分析

(2) 発行済株式の総数　111,776,714株(自己株式を含む。)　（資本金　16,802,892,578円　単元株式数　100株）

(3) 上位10位の株主

株主名	持株数	所有比率
株式会社日立製作所	33,471千株	30.01%
SGホールディングス株式会社	32,349	29.00
日本マスタートラスト信託銀行株式会社（信託口）	3,582	3.21
日本トラスティ・サービス信託銀行株式会社（信託口）	3,043	2.73
全国共済農業協同組合連合会	2,733	2.45
ステート ストリート バンク アンド トラスト カンパニー510312	2,364	2.12
ステート ストリート バンク アンド トラスト カンパニー510311	2,015	1.81
ＭＳＩＰ　ＣＬＩＥＮＴ　ＳＥＣＵＲＩＴＩＥＳ	1,536	1.38
日本トラスティ・サービス信託銀行株式会社（信託口9）	1,384	1.24
日立物流社員持株会	1,310	1.17

(注)　所有比率は、自己株式(227,790株)を除いて計算しております。

(4) 株主構成

その他法人　67,589,219株(159名)　**60.47%**
金融機関・証券会社　17,257,041株(71名)　**15.44%**
個人・その他　6,018,222株(5,187名)　**5.38%**
外国人　20,912,232株(277名)　**18.71%**
発行済株式の総数　111,776,714株(5,694名)

※（　）は株主数

＜丸一鋼管＞　株式の分布状況について，所有者別および地域別等にグラフや図を掲載する例

2　会社の株式に関する事項 (2020年3月31日現在)

1．発行可能株式総数　200,000,000株　　2．発行済株式の総数　94,000,000株(自己株式11,148,034株を含む。)
3．株主数　11,462名
4．大株主の状況

株主名	持株数(株)	持株比率(%)
株式会社ヨシムラホールディングス	4,700,000	5.67
日本マスタートラスト信託銀行株式会社（信託口）	4,375,100	5.28
株式会社三井住友銀行	3,900,310	4.70
日本トラスティ・サービス信託銀行株式会社（信託口）	3,890,500	4.69
株式会社三菱ＵＦＪ銀行	3,886,134	4.69
日本トラスティ・サービス信託銀行株式会社（三井住友信託銀行再信託分・JFEスチール株式会社退職給付信託口）	3,003,000	3.62
ＪＦＥスチール株式会社	2,602,382	3.14
ＣＨＩＮＡ　ＳＴＥＥＬ　ＣＯＲＰＯＲＡＴＩＯＮ	2,000,000	2.41
NORTHERN TRUST CO.(AVFC) RE THE KILTEARN GLOBAL EQUITY FUND	1,924,600	2.32
堀川　金子	1,599,854	1.93

(注)　1．当社は自己株式(11,148,034株)を保有しておりますが、上記の表には記載しておりません。
　　　2．持株比率は小数点第3位以下を切り捨てて表示しております。また、自己株式を控除して計算しております。なお、自己株式(11,148,034株)には、従業員インセンティブプラン「株式給付型ESOP」制度の信託財産として、日本トラスティ・サービス信託銀行株式会社（信託口）が所有している当社株式(89,000株)は含めておりません。

3 株式に関する事項

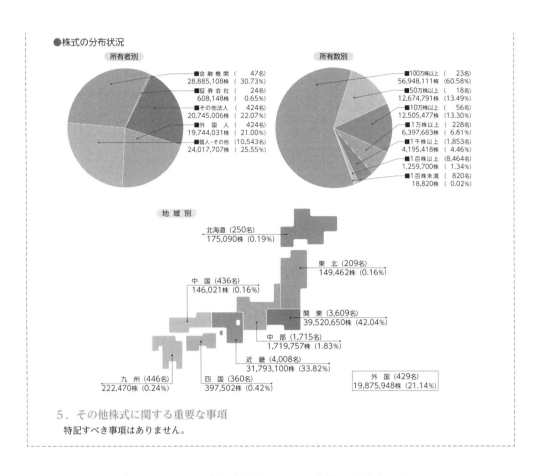

5．その他株式に関する重要な事項
　特記すべき事項はありません。

<UACJ>　ご参考として，政策保有株式に関する方針を記載する例

2. 会社の株式に関する事項 (2020年3月31日現在)

(1) 発行可能株式総数　　170,000,000株
(2) 発行済株式の総数　　48,328,193株（自己株式97,121株を含む）
(3) 株主数　　29,438名
(4) 大株主の状況

株主名	持株数	持株比率
古河電気工業株式会社	120,365百株	24.95%
日本製鉄株式会社	37,446	7.76
日本マスタートラスト信託銀行株式会社（信託口）	21,308	4.41
E C M M F	14,500	3.00
GOLDMAN SACHS INTERNATIONAL	12,467	2.58
日本トラスティ・サービス信託銀行株式会社（信託口）	12,417	2.57
MLI FOR CLIENT GENERAL OMNI NON COLLATERAL NON TREATY-PB	12,050	2.49
J.P. MORGAN SECURITIES PLC FOR AND ON BEHALF OF ITS CLIENTS JPMSP RE CLIENT ASSETS-SEGR ACCT	8,400	1.74
日本トラスティ・サービス信託銀行株式会社（信託口9）	8,253	1.71
UACJグループ従業員持株会	8,012	1.66

(注) 1．持株数は百株未満を切り捨てて表示しております。
　　 2．持株比率は自己株式（97,121株）を控除して計算し，小数点第3位以下を切り捨てて表示しております。

— 115 —

Ⅱ　事業報告記載事項の分析

(ご参考)
【政策保有株式に関する方針】
　当社は、取引の維持強化、事業提携、原材料の安定調達等、事業の持続的な成長と円滑な推進を図るために必要と判断した企業の株式を保有しています。
　その保有は必要最小限とし、縮減を図っていく基本方針の下、毎年、取締役会において、個別の政策保有株式について、政策保有の意義、経済合理性等、定量的、定性的両側面からの検討に基づき総合的に検証していきます。
　検証の結果、保有の意義が希薄と判断される、或いは、合理性が認められなくなったと判断される銘柄については順次売却を図ってまいります。

大株主に関する記載例

＜野村ホールディングス＞　優先株式について表記する例

Ⅱ 株式に関する事項

1．当社が発行できる株式の総数　6,000,000,000株

各種類の株式の発行可能種類株式総数は次のとおりです。

種　類	発行可能種類株式総数（株）
普通株式	6,000,000,000
第1種優先株式	200,000,000
第2種優先株式	200,000,000
第3種優先株式	200,000,000
第4種優先株式	200,000,000

2．発行済株式総数　　普通株式　　3,493,562,601株

3．株主数　　　　　　　　　　　349,668名

4．上位10名の株主

株　主　名	持株数および持株比率	
	千株	％
日本マスタートラスト信託銀行株式会社（信託口）	228,152	7.50
日本トラスティ・サービス信託銀行株式会社（信託口）	163,096	5.36
日本トラスティ・サービス信託銀行株式会社（信託口5）	70,680	2.32
JP MORGAN CHASE BANK 385151	53,546	1.76
NORTHERN TRUST CO. (AVFC) RE SILCHESTER INTERNATIONAL INVESTORS INTERNATIONAL VALUE EQUITY TRUST	51,872	1.70
日本トラスティ・サービス信託銀行株式会社（信託口7）	50,758	1.67
STATE STREET BANK WEST CLIENT-TREATY 505234	49,110	1.61
NORTHERN TRUST CO. (AVFC) RE U.S. TAX EXEMPTED PENTION FUNDS	39,176	1.28
日本トラスティ・サービス信託銀行株式会社（信託口1）	36,260	1.19
SSBTC CLIENT OMNIBUS ACCOUNT	34,172	1.12

(注) 1．当社は、2020年3月31日現在、自己株式を454,625千株保有しておりますが、上位10名の株主からは除外しております。
　　 2．持株数は千株未満を切り捨て、持株比率は自己株式を控除して計算しております。

5．自己株式の取得、処分等および保有の状況
（1）取得した株式
　　普通株式　　　　　　　　299,381,781株
　　取得価額の総額　　　　150,009,244千円
　　うち、取締役会決議により買い受けた株式

3 株式に関する事項

```
        普通株式        299,362,300株
        取得価額の総額    149,999,997千円
      買受けを必要とした理由
        資本効率の向上および機動的かつ柔軟な資本政策の実施を可能とし、また株式報酬として交付する株式へ充当す
        るため。
    (2) 処分した株式
        普通株式         27,168,475株
        処分価額の総額    15,373,218千円
    (3) 当事業年度末日における保有株式
        普通株式        454,625,108株
```

＜リクルートホールディングス＞ 大量保有報告書の変更報告書の内容について注記する例

2 株式の状況（2020年3月31日現在）

(1) 発行可能株式総数　　6,000,000,000株
(2) 発行済株式の総数　　1,695,960,030株
(3) 株主数　　　　　　　57,773名
(4) 大株主

株主名	持株数	持株比率
日本マスタートラスト信託銀行㈱（信託口）	144,400,200株	8.75%
日本トラスティ・サービス信託銀行㈱（信託口）	89,100,100株	5.40%
JP MORGAN CHASE BANK 385632	84,322,440株	5.11%
凸版印刷㈱	72,600,000株	4.40%
㈱電通グループ	53,550,000株	3.24%
大日本印刷㈱	40,100,000株	2.43%
日本トラスティ・サービス信託銀行㈱（信託口7）	37,323,000株	2.26%
リクルートグループ社員持株会	35,036,280株	2.12%
SSBTC CLIENT OMNIBUS ACCOUNT	33,665,580株	2.04%
㈱TBSテレビ	33,330,000株	2.02%
日本テレビ放送網㈱	33,330,000株	2.02%

(注1) 持株比率は自己株式（46,052,603株）を控除して計算しています。なお、自己株式には、「役員報酬BIP信託」により当該信託が保有する株式（1,521,856株）は含まれていません。
(注2) 2020年3月6日付で公衆の縦覧に供されている大量保有報告書の変更報告書において、Capital Research and Management Company並びにその共同保有者であるCapital International Inc及びキャピタル・インターナショナル株式会社が2020年2月28日現在で以下の株式を所有している旨が記載されているものの、当社として2020年3月31日時点における実質所有株式数の確認ができませんので、上記大株主の状況では考慮していません。
なお、当該報告書の内容は以下のとおりです。

氏名又は名称	株式数	株券等保有割合
Capital Research and Management Company	99,825,174株	5.89%
Capital International Inc.	2,049,700株	0.12%
キャピタル・インターナショナル株式会社	3,426,000株	0.20%
計	105,300,874株	6.21%

Ⅱ　事業報告記載事項の分析

<テルモ>　退職給付信託について注記する例

2　当社の現況

(1) 株式の状況（2020年3月31日現在）
1) 発行可能株式総数　　　3,038,000,000株
2) 発行済株式の総数　　　　759,521,040株
3) 株主数　　　　　　　　　　　37,389名
4) 大株主（上位10名）

株式所有者別の状況（%）
- 信託銀行　39.1
- 外国法人等　31.8
- 金融機関　13.7
- 個人・その他　7.1
- その他法人　6.1
- 金融商品取引業者　1.2
- 自己名義株式　1.0

株主名	持株数(千株)	持株比率(%)
日本マスタートラスト信託銀行株式会社（信託口）	114,778	15.3
日本トラスティ・サービス信託銀行株式会社（信託口）	68,010	9.0
第一生命保険株式会社	40,519	5.4
明治安田生命保険相互会社	27,136	3.6
STATE STREET BANK AND TRUST COMPANY 505223	19,440	2.6
株式会社みずほ銀行	15,736	2.1
公益財団法人テルモ生命科学振興財団	14,720	2.0
JP MORGAN CHASE BANK 385632	13,034	1.7
資産管理サービス信託銀行株式会社（証券投資信託口）	11,893	1.6
東京海上日動火災保険株式会社	11,579	1.5

※1　持株比率は、自己株式（7,236,929株）を控除して計算しています。
　2　第一生命保険株式会社の持株数には、同社が退職給付信託に係る株式として拠出している株式6,000千株（株主名簿上の名義は「みずほ信託銀行株式会社　退職給付信託　第一生命保険口　再信託受託者　資産管理サービス信託銀行株式会社」であり、その議決権行使の指図権は第一生命保険株式会社が留保しています。）が含まれています。
　3　株式会社みずほ銀行の持株数には、同社が退職給付信託に係る株式として拠出している株式13,036千株（株主名簿上の名義は「みずほ信託銀行株式会社　退職給付信託　みずほ銀行口　再信託受託者　資産管理サービス信託銀行株式会社」であり、その議決権行使の指図権は株式会社みずほ銀行が留保しています。）が含まれています。
　4　2019年4月1日付で、普通株式1株を2株とする株式分割を行いました。

<日本通運>　大株主の商号変更について注記する例

2．会社の現況

(1) 株式の状況（2020年3月31日現在）
① 発行可能株式総数　　　　398,800,000株
② 発行済株式の総数　　　　　96,000,000株
③ 株主数　　　　　　　　　　　48,798名
④ 大株主

株主名	持株数(千株)	持株比率(%)
日本マスタートラスト信託銀行株式会社（信託口）	9,513	10.2
日本トラスティ・サービス信託銀行株式会社（信託口）	8,737	9.4
朝日生命保険相互会社	5,601	6.0
みずほ信託銀行株式会社　退職給付信託　みずほ銀行口　再信託受託者　資産管理サービス信託銀行株式会社	4,150	4.5
日通株式貯蓄会	3,634	3.9
損害保険ジャパン日本興亜株式会社	3,567	3.8
日本トラスティ・サービス信託銀行株式会社（信託口9）	2,291	2.5

株主名	持株数	持株比率
日本トラスティ・サービス信託銀行株式会社（信託口4）	1,960 千株	2.1 %
日本トラスティ・サービス信託銀行株式会社（信託口7）	1,504 千株	1.6 %
株式会社三菱UFJ銀行	1,492 千株	1.6 %

(注) 1. 当社は、自己株式2,946千株を保有しておりますが、上記の大株主からは除外しております。
2. 上記の持株比率は、自己株式を控除して計算しております。
3. 損害保険ジャパン日本興亜株式会社は、2020年4月1日付で損害保険ジャパン株式会社へ商号変更しております。

◉「その他株式に関する重要な事項」の記載例

＜小松製作所＞ 譲渡制限付株式報酬としての新株式発行について記載する例

2. 会社の株式および新株予約権等に関する事項 (2020年3月31日現在)

(1) 発行可能株式総数　　3,955,000,000株
(2) 発行済株式の総数　　945,101,274株 （自己株式27,479,956株を除く）
(3) 株主数　　230,041名
(4) 大株主（上位10名）

株主名	持株数	持株比率
日本マスタートラスト信託銀行株式会社（信託口）	75,533千株	7.99%
日本トラスティ・サービス信託銀行株式会社（信託口）	45,657	4.83
STATE STREET BANK AND TRUST COMPANY 505223 （常任代理人　株式会社みずほ銀行決済営業部）	32,244	3.41
太陽生命保険株式会社	27,200	2.87
日本生命保険相互会社 （常任代理人　日本マスタートラスト信託銀行株式会社）	26,626	2.81
日本トラスティ・サービス信託銀行株式会社（信託口7）	22,815	2.41
日本トラスティ・サービス信託銀行株式会社（信託口5）	18,449	1.95
株式会社三井住友銀行	17,835	1.88
JP MORGAN CHASE BANK 385151 （常任代理人　株式会社みずほ銀行決済営業部）	15,951	1.68
THE BANK OF NEW YORK MELLON AS DEPOSITARY BANK FOR DEPOSITARY RECEIPT HOLDERS （常任代理人　株式会社三井住友銀行）	14,237	1.50

(注) 1. 持株比率は自己株式を控除して計算しています。
2. 当社は、自己株式27,479千株を保有していますが、上記大株主から除外しています。

(5) その他株式に関する重要な事項

当社は、2019年7月12日開催の取締役会の決議に基づき、譲渡制限付株式報酬として新株式を次のとおり発行しました。

①株式の種類および数	当社普通株式　328,770株
②発行価額	1株につき2,507.5円
③発行総額	824,390,775円
④株式の割当対象者およびその人数	当社の取締役（社外取締役を除く）および使用人ならびに当社子会社の取締役および使用人　計89名
⑤払込期日	2019年9月2日

Ⅱ 事業報告記載事項の分析

<ユー・エス・エス> 自己株式の取得および従業員株式所有制度の概要について記載する例

(5) その他株式に関する重要な事項
① 自己株式の取得
当社は、2019年2月12日開催の取締役会決議により、以下のとおり自己株式を取得いたしました。

	2019年3月期	2020年3月期	合 計
取得した株式の種類	当社普通株式	当社普通株式	―
取得した株式の総数	1,175千株	3,661千株	4,836千株
取得価額の総額	2,359,114千円	7,640,799千円	9,999,914千円
取得した期間	2019年2月13日から2019年3月31日まで	2019年4月1日から2019年8月9日まで	―

② 従業員株式所有制度の概要(2020年5月11日現在)
当社は、2020年5月12日開催(予定)の取締役会における承認を条件として、USSグループ従業員に対する当社の中長期的な企業価値向上へのインセンティブの付与を目的として、「信託型従業員持株インセンティブ・プラン」(以下「本プラン」といいます。)を再導入いたします。
本プランでは、当社が信託銀行に「USS従業員持株会専用信託」(以下「従持信託」といいます。)を設定し、従持信託は、設定後一定期間にわたり「USS従業員持株会」(以下「持株会」といいます。)が取得すると見込まれる数の当社株式を予め取得し、その後、信託終了まで毎月持株会へ売却します。なお、従持信託は当社株式を取得するための資金確保のため、当社保証による銀行借入を行います。
信託終了時点において、持株会への当社株式の売却を通じて従持信託内に株式売却益相当額が累積した場合には、当該株式売却益相当額が信託残余財産として受益者適格要件を満たす者に分配されます。当社株価の下落により従持信託内に株式売却損相当額が累積した場合には、当該株式売却損相当額の借入金残債について、当社が弁済することになります。

<セイノーホールディングス> 従業員等に信託を通じて自社株式を交付する取引および取締役に対する株式給付信託について記載する例

Ⅱ. 会社の株式に関する事項(2020年3月31日現在)
1. 発行可能株式総数　794,524,668株
2. 発行済株式の総数　207,679,783株
3. 株主数　6,312名
4. 大株主(上位10名)

株主名	持株数	持株比率
公益財団法人田口福寿会	25,949千株	12.92%
日本トラスティ・サービス信託銀行株式会社	21,223	10.57
日本マスタートラスト信託銀行株式会社(信託口)	14,039	6.99
株式会社十六銀行	6,538	3.25
あいおいニッセイ同和損害保険株式会社	5,347	2.66
資産管理サービス信託銀行株式会社(信託E口)	4,939	2.46
JPMORGAN CHASE BANK 385632	4,495	2.24
日野自動車株式会社	4,369	2.18
株式会社大垣共立銀行	4,065	2.02
アドニス株式会社	3,299	1.64

(注)1. 上記のほか、当社保有の自己株式6,829千株(3.29%)があります。自己株式6,829千株には、株式報酬制度「株式給付信託(BBT)」および「株式給付信託(J-ESOP)」により、資産管理サービス信託銀行株式会社(信託E口)が保有する当社株式4,939千株を含めておりません。
2. 持株比率は自己株式6,829千株を控除して計算しております。

5. その他株式に関する重要な事項
(従業員等に信託を通じて自社株式を交付する取引)

(1) 信託型従業員持株インセンティブ・プラン（E-Ship®）

当社は、「セイノーホールディングス従業員持株会」（以下、「持株会」といいます。）に加入する全ての従業員に対する当社の中長期的な企業価値向上へのインセンティブの付与を目的として「信託型従業員持株インセンティブ・プラン（E-Ship®）」（以下、「本プラン」といいます。）を2017年3月3日に導入いたしました。本プランでは、当社が信託銀行に「セイノーホールディングス従業員持株会専用信託」（以下、「従持信託」といいます。）を設定し、従持信託は、導入後3年間にわたり持株会が取得すると見込まれる数の当社株式を予め取得した後は、従持信託から持株会に対して継続的に当社株式の売却が行われるとともに、信託終了時点で従持信託内に株式売却益相当額が累積した場合には、当該株式売却益相当額が残余財産として受益者適格要件を満たす者に分配されます。なお、当社は、従持信託が当社株式を取得するための借入に対し保証することになるため、当社株価の下落により従持信託内に株式売却損相当額が累積し、信託終了時点において従持信託内に当該株式売却損相当の借入金残債がある場合は、かかる保証行為に基づき、当社が当該残債を弁済することになります。なお、従持信託の信託期間は2020年3月26日に終了いたしました。

(2) 株式給付信託（J-ESOP）

当社は、2019年12月6日開催の取締役会決議に基づき、当社の株価や業績と当社グループの従業員の処遇の連動性をより高め、経済的な効果を株主の皆様と共有することにより、株価向上への当社グループの従業員の意欲や士気を高めるため、当社グループの従業員に対して自社の株式を給付する「株式給付信託（J-ESOP）」を導入しております。本制度は、予め対象会社が定める株式給付規程に基づき、一定の要件を満たした対象会社の従業員に対し当社株式を給付する仕組みです。対象会社は、従業員に対し勤続年数や個人の貢献度等に応じてポイントを付与し、一定の条件により受給権を取得したときに当該付与ポイントに相当する当社株式を給付します。従業員に対し給付する株式については、当社が予め信託設定した金銭により将来分も含め取得し、信託財産として分別管理するものとしております。

（取締役に対する株式給付信託）

当社は、2018年6月27日開催の第97回定時株主総会において、当社の取締役（社外取締役を除く）に対して新たな株式報酬制度「株式給付信託（BBT（＝Board Benefit Trust））」（以下、BBT制度といいます。）を導入することを決議いたしました。BBT制度は取締役（社外取締役を除く。以下、「対象取締役」といいます。）の報酬と当社の株式価値との連動性をより明確にし、対象取締役が株価上昇によるメリットのみならず、株価下落リスクまでも株主の皆様と共有することで、当社の中長期的な企業価値の増大に貢献する意識を高めることを目的としております。BBT制度は、当社が拠出する金銭を原資として当社株式が信託（以下、BBT制度に基づき設定される信託を「本信託」といいます。）を通じて取得され、対象取締役に対して当社が定める役員株式給付規程に従い役位等に応じて、当社株式および当社株式を時価で換算した金額相当の金銭（以下、「当社株式等」といいます。）が本信託を通じて給付される株式報酬制度です。なお、対象取締役が当社株式等の給付を受ける時期は、原則として対象取締役の退任時となります。

＜アステラス製薬＞　自己株式の取得および消却について記載する例

2 当社の現況に関する事項 (2020年3月31日現在)

1. 株式に関する事項*

（1）発行可能株式総数　　　　　9,000,000,000株
（2）発行済株式の総数　　　　　1,861,787,075株（自己株式1,294,076株を含む）
（3）株主数　　　　　　　　　　87,568名
（4）上位10名の株主

株 主 名	持株数（千株）	持株比率（％）
日本マスタートラスト信託銀行株式会社（信託口）	210,258	11.30
日本トラスティ・サービス信託銀行株式会社（信託口）	113,716	6.11
日本生命保険相互会社	64,486	3.46
日本トラスティ・サービス信託銀行株式会社（信託口7）	52,498	2.82
STATE STREET BANK AND TRUST COMPANY 505001	49,996	2.68
SSBTC CLIENT OMNIBUS ACCOUNT	38,226	2.05
JP MORGAN CHASE BANK 385151	37,440	2.01
日本トラスティ・サービス信託銀行株式会社（信託口5）	35,314	1.89

Ⅱ 事業報告記載事項の分析

JP MORGAN CHASE BANK 385632	**35,121**	1.88
STATE STREET BANK WEST CLIENT － TREATY 505234	**30,300**	1.62

(注) 持株比率は発行済株式（自己株式を除く）の総数（1,860,492,999株）に対する割合として算出し、小数第3位以下を切り捨てて表示しています。

(5) 株式に関するその他の重要な事項

当期に実施した市場買付けによる自己株式の取得及び消却は以下のとおりです。

取得株式数: 27,036千株（取得価格の総額500億円）
消却株式数: 91,000千株（消却日2019年5月31日）
　　　　　　27,036千株（消却日2020年2月14日）

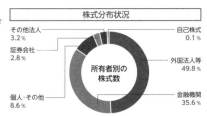
株式分布状況
その他法人 3.2％
証券会社 2.8％
個人・その他 8.6％
自己株式 0.1％
外国法人等 49.8％
金融機関 35.6％
所有者別の株式数

＊ 自己株式には、役員報酬BIP信託及び株式付与ESOP信託の所有する当社株式は含まれていません。

＜オリックス＞　自己株式の取得および消却について記載する例

3 株式に関する事項 (2020年3月31日現在)

(1) 発行可能株式総数　　　　2,590,000,000株
(2) 発行済株式の総数　　　　1,324,629,128株
(3) 株主数　　　　　　　　　　　603,966名
(4) 大株主（上位10名）

株　主　名	持株数（千株）	持株比率（％）
日本トラスティ・サービス信託銀行株式会社（信託口）	106,417	8.47
日本マスタートラスト信託銀行株式会社（信託口）	99,484	7.92
日本トラスティ・サービス信託銀行株式会社（信託口9）	31,280	2.49
日本トラスティ・サービス信託銀行株式会社（信託口7）	29,260	2.32
SSBTC CLIENT OMNIBUS ACCOUNT	27,184	2.16
日本トラスティ・サービス信託銀行株式会社（信託口5）	25,145	2.00
CITIBANK, N.A.-NY, AS DEPOSITARY BANK FOR DEPOSITARY SHARE HOLDERS	23,515	1.87
BNYM AS AGT/CLTS 10 PERCENT	23,460	1.86
JP MORGAN CHASE BANK 385151	22,440	1.78
STATE STREET BANK WEST CLIENT－TREATY 505234	19,732	1.57

(注) 1. 持株数は、千株未満を切り捨てて表示しています。
　　 2. 持株比率は、小数点以下第3位を切り捨てて表示しています。
　　 3. 前記のほか自己株式68,680千株を保有しています。なお、当該株式は会社法第308条第2項の規定により議決権を有していません。前記持株比率は自己株式（68,680千株）を控除して計算しています。

(5) その他株式に関する重要な事項

① 自己株式の取得

当社は、2019年10月28日開催の取締役会決議に基づく自己株式の取得を終了しました。当期の末日後に取得した自己株式は、以下のとおりです。

・取得した株式の種類　　：当社普通株式
・取得した株式の総数　　：8,224,900株
・株式の取得価額の総額　：10,088,218,300円
・取得期間　　　　　　　：2020年4月1日～2020年5月8日
・取得方法　　　　　　　：自己株式取得にかかる取引一任契約に基づく市場買付

② 自己株式の消却

2019年10月28日開催の取締役会決議に基づく自己株式の消却について、消却する株式の数が確定しました。当

期の末日後に確定した消却する自己株式は、以下のとおりです。

・消却する株の種類　　　：当社普通株式
・消却する株式の総数　　：10,674,148株
・消却予定日　　　　　　：2020年5月29日

＜武田薬品工業＞　役員報酬BIP信託制度および株式付与ESOP信託制度について記載する例

2. 当社の株式に関する事項 (2020年3月31日現在)

(1) 発行可能株式総数　　3,500,000,000 株
(2) 発行済株式の総数　　1,576,373,908 株（自己株式169,878株を含む。）
(3) 株主数　　　　　　　406,386 名
(4) 大株主

株主名	持株数(千株)	持株比率(%)
日本マスタートラスト信託銀行株式会社(信託口)	125,740	7.98
THE BANK OF NEW YORK MELLON AS DEPOSITARY BANK FOR DEPOSITARY RECEIPT HOLDERS	84,991	5.39
日本トラスティ・サービス信託銀行株式会社(信託口)	81,195	5.15
JP MORGAN CHASE BANK 385632	47,739	3.03
日本生命保険相互会社	35,360	2.24
日本トラスティ・サービス信託銀行株式会社(信託口5)	33,897	2.15
SSBTC CLIENT OMNIBUS ACCOUNT	25,727	1.63
JP MORGAN CHASE BANK 385151	25,030	1.59
STATE STREET BANK WEST CLIENT-TREATY 505234	23,355	1.48
日本トラスティ・サービス信託銀行株式会社(信託口7)	22,268	1.41

(注)持株比率は、発行済株式の総数から自己株式の数を減じた株式数(1,576,204,030株)を基準に算出しております。

(5) その他株式に関する重要な事項

①当社は、2016年6月29日開催の第140回定時株主総会の決議および2019年6月27日開催の第143回定時株主総会の決議ならびにこれらに基づく取締役会決議に基づき、当社取締役(社外取締役でない海外居住の取締役を除く)を対象に、役員報酬BIP信託制度を導入しております。
2020年3月31日現在において、役員報酬BIP信託にかかる信託口が所有する当社株式は合計で1,783,687株です。
②当社は、第138期より、取締役会の決議に基づき、当社グループ上級幹部を対象に、株式付与ESOP信託制度を導入しております。
2020年3月31日現在において、株式付与ESOP信託にかかる信託口が所有する当社株式は合計で16,569,621株です。

＜ブラザー工業＞　単元株式数について記載する例

2 会社の株式に関する事項 (2020年3月31日現在)

① 発行可能株式総数　　　600,000,000株
② 発行済株式の総数　　　260,179,378株
　　(自己株式2,041,152株を除く)
③ 株主数　　　　　　　　14,601名
④ 大株主（上位10名）

株主名	持株数	持株比率
日本マスタートラスト信託銀行株式会社（信託口）	18,089千株	6.95%

II　事業報告記載事項の分析

SSBTC CLIENT OMNIBUS ACCOUNT	13,793	5.30
日本トラスティ・サービス信託銀行株式会社（信託口）	12,393	4.76
日本生命保険相互会社	11,798	4.53
株式会社三井住友銀行	6,728	2.59
日本トラスティ・サービス信託銀行株式会社（信託口５）	4,983	1.92
住友生命保険相互会社	4,499	1.73
ブラザーグループ従業員持株会	4,372	1.68
JP MORGAN CHASE BANK 385151	4,154	1.60
JPモルガン証券株式会社	3,804	1.46

(注) 持株比率は、自己株式を控除して計算しております。

⑤　その他会社の株式に関する重要な事項
　　当社の単元株式数は100株であります。

4　新株予約権等に関する事項

　新株予約権等に関する事項については，①「事業年度末日において会社役員（事業年度末日において在任している者に限る。以下同じ）が新株予約権等（職務執行の対価として会社が交付したものに限る。以下同じ）を保有しているときは，取締役（監査等委員および社外取締役を除き，執行役を含む），社外取締役，監査等委員，取締役以外の会社役員の区分に従い，新株予約権等の内容の概要および新株予約権を有する者の人数」，②「事業年度中に使用人，その子会社の役員および使用人に交付した新株予約権等があるときは，使用人，その子会社の役員および使用人の区分に従い，新株予約権等の内容の概要および交付した者の人数」，さらに③上記以外の新株予約権等について重要な事項があればこれを記載する（会社法施行規則123条）。

　2020年6月総会の調査対象会社385社の記載状況を見ると，新株予約権等に関する事項につき見出しを設けている会社は261社（67.8％）であるが，そのうち93社（261社に対し35.6％）が該当事項はない旨を記載しており，具体的な内容を記載した会社は168社（同64.4％）であった。

＜東京エレクトロン＞　コンパクトに表記する例

会社の新株予約権等に関する事項

1.　当事業年度末日において当社役員が保有する職務執行の対価として交付した新株予約権等の状況

区　分	割当日	割当個数	当事業年度末日残高			目的となる株式の種類及び数	行使時の払込金額	行使期間
			うち取締役(社外取締役を除く)の保有状況	うち社外取締役の保有状況	うち監査役の保有状況			
第9回新株予約権	2011年6月18日	2,342個	134個	10個（1名）	―	―	当社普通株式 13,400株	1株当たり 1円	2014年7月1日から 2031年5月30日まで (注)2
第10回新株予約権	2012年6月23日	1,307個	125個	31個（2名）	―	29個（1名）	当社普通株式 12,500株	1株当たり 1円	2015年7月1日から 2032年5月31日まで (注)3
第11回新株予約権	2015年6月20日	1,357個	357個	98個（2名）	―	63個（2名）	当社普通株式 35,700株	1株当たり 1円	2018年7月2日から 2035年5月31日まで (注)4
第12回新株予約権	2016年6月18日	1,944個	674個	212個（5名）	―	18個（1名）	当社普通株式 67,400株	1株当たり 1円	2019年7月1日から 2036年5月30日まで (注)5
第13回新株予約権	2017年6月21日	1,447個	1,447個	463個（8名）	―	15個（1名）	当社普通株式 144,700株	1株当たり 1円	2020年7月1日から 2037年5月29日まで (注)6
第14回新株予約権	2018年6月20日	2,199個	2,199個	619個（7名）	―	18個（1名）	当社普通株式 219,900株	1株当たり 1円	2021年7月1日から 2038年5月31日まで (注)7
第15回新株予約権	2019年6月19日	3,604個	3,604個	1,158個（7名）	―	―	当社普通株式 360,400株	1株当たり 1円	2022年7月1日から 2039年5月31日まで (注)8

(注) 1．監査役が保有する新株予約権は，当該監査役が，当社取締役または執行役員としての職務執行の対価として付与されたものであります。
　　 2．米国での納税者が新株予約権を行使できる期間は2014年7月1日に限る。
　　 3．米国での納税者が新株予約権を行使できる期間は2015年7月1日に限る。
　　 4．米国での納税者が新株予約権を行使できる期間は2018年7月2日に限る。
　　 5．米国での納税者が新株予約権を行使できる期間は2019年7月1日に限る。
　　 6．米国での納税者が新株予約権を行使できる期間は2020年7月1日に限る。
　　 7．米国での納税者が新株予約権を行使できる期間は2021年7月1日に限る。
　　 8．米国での納税者が新株予約権を行使できる期間は2022年7月1日に限る。

2.　当事業年度中に交付した新株予約権のうち当社使用人等に職務執行の対価として交付した新株予約権等の状況

区　分	割当日	割当個数	うち当社使用人に対する割当個数	うち当社子会社の役員及び使用人に対する割当個数	目的となる株式の種類及び数	行使時の払込金額	行使期間
第15回新株予約権	2019年6月19日	3,604個	890個（33名）	1,242個（60名）	当社普通株式 360,400株	1株当たり 1円	2022年7月1日から 2039年5月31日まで (注)2

Ⅱ　事業報告記載事項の分析

(注)　1. 上記うち数には、第56期定時株主総会終結の時をもって退任した当社取締役のうち、割当日時点で当社使用人、並びに当社子会社の役員及び使用人に該当しない者に対する割当個数314個が含まれておりません。
　　　2. 米国での納税者が新株予約権を行使できる期間は2022年7月1日に限る。

＜小松製作所＞　ウェブ開示している例，QRコードを掲載している例

(6) 新株予約権の状況

新株予約権の数（合計）	目的となる株式の数	（ご参考）発行済株式総数
4,783個	478,300株	945,101,274株 (自己株式を除く)

(注) 当事業年度においては、新株予約権を発行しておりません。

「会社の新株予約権等に関する事項」の詳細につきましては、法令および当社定款第16条の規定に基づき、インターネット上の当社ウェブサイトに掲載しております。
⇒ https://home.komatsu/jp/ir/

＜住友倉庫＞　行使条件（株価条件）を設定している株式報酬型ストックオプションについて記載する例

3．会社の新株予約権等に関する事項
(1) 新株予約権の状況（2020年3月31日現在）

名称	発行決議の日	新株予約権の個数	目的となる株式の種類及び数	払込金額（新株予約権1個当たり）	行使価額（1株当たり）	行使期間
2011年度ストックオプション新株予約権	2011年11月7日	20個	当社普通株式 10,000株	無償	710円	2013年11月8日から2021年11月7日まで
2012年度ストックオプション新株予約権	2012年8月30日	20個	当社普通株式 10,000株	無償	708円	2014年8月31日から2022年8月30日まで
2013年度ストックオプション新株予約権	2013年8月29日	69個	当社普通株式 34,500株	無償	1,240円	2015年8月30日から2023年8月29日まで
2014年度ストックオプション新株予約権	2014年8月28日	30個	当社普通株式 15,000株	無償	1,126円	2016年8月29日から2024年8月28日まで
2015年度株価条件付株式報酬型ストックオプション新株予約権	2015年8月28日	80個	当社普通株式 40,000株	563,000円	1円	2018年9月17日から2035年9月16日まで
2016年度株価条件付株式報酬型ストックオプション新株予約権	2016年8月30日	116個	当社普通株式 58,000株	483,000円	1円	2019年9月21日から2036年9月20日まで
2017年度株価条件付株式報酬型ストックオプション新株予約権	2017年8月31日	84個	当社普通株式 42,000株	698,000円	1円	2020年9月20日から2037年9月19日まで
2018年度株価条件付株式報酬型ストックオプション新株予約権	2018年6月27日	91個	当社普通株式 45,500株	643,000円	1円	2021年7月18日から2038年7月17日まで
2019年度株価条件付株式報酬型ストックオプション新株予約権	2019年6月20日	91個	当社普通株式 45,500株	626,000円	1円	2022年7月11日から2039年7月10日まで

(注)　1. 上記の各新株予約権の行使に際しては当社が保有する自己株式を充当する予定であり、新株式の発行は行わない予定であります。
　　　2. 2018年10月1日をもって、当社普通株式2株につき1株の割合で株式併合を行ったことにより、「目的となる株式の種類及び数」並びに「行使価額（1株当たり）」の項目に記載の内容（「行使価額（1株当たり）」の項目については2011年度から2014年度までのストックオプション新株予約権に限ります。）はそれぞれ調整されております。
　　　3. 株価条件付株式報酬型ストックオプション新株予約権の割当時の払込金額は、新株予約権の割当てを受けた者が当社に対して有する報酬債権と相殺されております。
　　　4. 株価条件付株式報酬型ストックオプション新株予約権の割当てを受けた者が行使できる新株予約権の個数は、以下に記載の株価条件に従い制限されます。

[株価条件]
(1) 当社株価成長率がＴＯＰＩＸ（東証株価指数）成長率と同じか、これを上回った場合には、割り当てられた新株予約権すべてを行使することができる。

当社株価成長率（ｇ）及びＴＯＰＩＸ成長率（ｇＴＯＰＩＸ）は、次に定める計算式により算出する。ただし、当社が、新株予約権を割り当てる日（以下、割当日という）の属する月の直前3か月の初日後の日を効力発生日とする当社普通株式についての株式分割（当社普通株式の株式無償割当てを含む。以下、株式分割の記載につき同じ）又は株式併合を行い、当社株価の連続性が保たれなくなった場合には、当社は、当社株価成長率の算定に用いる数値を、株式分割又は株式併合の比率等に応じ、合理的な範囲で適切に調整することができる。また、上記のほか、当社が割当日の属する月の直前3か月の初日後の日を効力発生日とする合併又は会社分割を行う場合その他これらの場合に準じて当社株価成長率の算定に用いる数値の調整を必要とする場合には、当社は、合理的な範囲でこれを適切に調整することができる。

g＝（a＋b）÷c
　a：割当日から3年を経過する日の属する月の直前3か月の各日の東京証券取引所における当社普通株式の終値平均値
　b：割当日後3年間における当社普通株式1株当たりの配当金の総額
　c：割当日の属する月の直前3か月の各日の東京証券取引所における当社普通株式の終値平均値

gＴＯＰＩＸ＝d÷e
　d：割当日から3年を経過する日の属する月の直前3か月の各日のＴＯＰＩＸの終値平均値
　e：割当日の属する月の直前3か月の各日のＴＯＰＩＸの終値平均値

(2) 当社株価成長率がＴＯＰＩＸ成長率を下回った場合には、行使することができる新株予約権の個数（X）を次の計算式により算出し、1個未満の端数は切り捨てる。

X＝Y×g÷gＴＯＰＩＸ
　Y　　　：割り当てられた新株予約権の個数
　g　　　：当社株価成長率
　gＴＯＰＩＸ：ＴＯＰＩＸ成長率

(2) 当社役員が保有している新株予約権の状況（2020年3月31日現在）

名　称	取締役 （社外取締役を除く）	監査役
2013年度ストックオプション新株予約権	15個（1名）	19個（1名）
2014年度ストックオプション新株予約権	15個（1名）	―
2015年度株価条件付株式報酬型ストックオプション新株予約権	56個（4名）	3個（1名）
2016年度株価条件付株式報酬型ストックオプション新株予約権	70個（4名）	4個（1名）
2017年度株価条件付株式報酬型ストックオプション新株予約権	48個（4名）	―
2018年度株価条件付株式報酬型ストックオプション新株予約権	51個（4名）	―
2019年度株価条件付株式報酬型ストックオプション新株予約権	57個（4名）	―

(注) 1．上記の各新株予約権は取締役としての職務執行の対価として交付されたものであります。
　　 2．監査役が保有する新株予約権は、当該監査役が取締役又は執行役員の地位にあった時に交付されたものであります。
　　 3．社外取締役は新株予約権を保有しておりません。
　　 4．2011年度及び2012年度ストックオプション新株予約権については、当社役員は保有しておりません。

(3) 当期中に執行役員（取締役兼務者を除く）に交付した新株予約権の状況

II 事業報告記載事項の分析

名　称	新株予約権の個数	目的となる株式の種類及び数	執行役員（取締役兼務者を除く）
2019年度株価条件付株式報酬型ストックオプション新株予約権	34個	当社普通株式 17,000株	34個（10名）

（注）上記の新株予約権は執行役員としての職務執行の対価として交付されたものであります。

＜大和ハウス工業＞　業績目標を達成した場合にのみ権利行使が可能となるコミットメント型新株予約権の有償発行について記載する例

会社の新株予約権等に関する事項
（自2019年4月1日　至2020年3月31日）

(1) 当事業年度の末日において当社役員が保有している職務執行の対価として交付された新株予約権の状況
　　該当事項はありません。
(2) 当事業年度中に職務執行の対価として使用人等に対し交付した新株予約権の状況
　　該当事項はありません。
(3) その他新株予約権等に関する重要な事項
　　当社は、2016年5月13日開催の取締役会決議により、第5次中期経営計画における業績目標の達成並びに持続的な企業価値向上を目指すにあたり、役職員の貢献意欲及び士気を一層向上させることを目的として、以下のとおり、業績目標を達成した場合にのみ権利行使が可能となるコミットメント型新株予約権を有償にて発行しております。

	第2回新株予約権
発行決議日	2016年5月13日
新株予約権の数	20,375個
新株予約権の目的となる株式の種類と数	普通株式　2,037,500株 （新株予約権1個につき　100株）
新株予約権の払込金額	新株予約権1個当たり　5,700円
新株予約権の行使に際して出資される財産の価額	新株予約権1個当たり　301,700円 （1株当たり　3,017円）
権利行使期間	自　2019年5月1日（注） 至　2022年3月31日

（注）本新株予約権を行使することができる期間は、2019年5月1日から2022年3月31日までとする。ただし、当該権利行使開始日は、2019年3月期決算短信公表日の翌営業日とする。

＜三菱商事＞　行使条件（株価条件）の詳細について注記する例

新株予約権の状況

1. 2019年度末日における新株予約権の状況
　　株式報酬型ストックオプションとしての新株予約権

4 新株予約権等に関する事項

〈取締役、監査役及び執行役員が保有する新株予約権〉

発行年度	新株予約権の数	目的となる株式の種類及び数	発行価額	権利行使時の1株当たり払込金額(行使価額)	権利行使期間
2005年度	54個	普通株式 5,400株	無償	1円	2005年8月11日から 2035年6月24日まで
2006年度	28個	普通株式 2,800株	無償	1円	2006年8月11日から 2036年6月27日まで
2011年度分 (2012年6月4日発行)	94個	普通株式 9,400株	無償	1円	2012年6月 5日から 2041年8月 1日まで
2012年度	137個	普通株式 13,700株	無償	1円	2012年8月 7日から 2042年8月 6日まで
2014年度	147個	普通株式 14,700株	無償	1円	2014年6月 3日から 2044年6月 2日まで
2015年度	167個	普通株式 16,700株	無償	1円	2015年6月 2日から 2045年6月 1日まで
2016年度	717個	普通株式 71,700株	無償	1円	2016年6月 7日から 2046年6月 6日まで
2017年度	1,443個	普通株式 144,300株	無償	1円	2017年6月 6日から 2047年6月 5日まで
2018年度	2,317個	普通株式 231,700株	無償	1円	2018年6月 5日から 2048年6月 4日まで
2018年度分 (2019年6月3日発行)	602個	普通株式 60,200株	無償	1円	2019年6月 4日から 2048年6月 4日まで
2019年度	8,835個	普通株式 883,500株	無償	1円	2022年7月 9日から 2049年7月 8日まで

〈区分別の内訳〉

発行年度	取締役(社外取締役を除く)		監査役		執行役員	
	個 数	保有者数	個 数	保有者数	個 数	保有者数
2005年度	54個	1名	—	—	—	—
2006年度	28個	1名	—	—	—	—
2011年度分 (2012年6月4日発行)	—	—	—	—	94個	1名
2012年度	—	—	—	—	137個	1名
2014年度	96個	1名	51個	1名	—	—
2015年度	68個	1名	99個	1名	—	—
2016年度	141個	1名	—	—	576個	6名
2017年度	346個	3名	129個	1名	968個	12名
2018年度	855個	7名	—	—	1,462個	22名
2018年度分 (2019年6月3日発行)	—	—	—	—	602個	5名
2019年度	2,785個	7名	—	—	6,050個	30名

(注) 1. 執行役員のうち、取締役を兼務している者の保有状況は、取締役の欄に記載しています。
2. 監査役が保有している新株予約権は、当人が取締役又は執行役員在任中に付与されたもので、監査役在任中に付与されたものではありません。
3. 2019年度末日における新株予約権の目的となる株式の総数(退任者の保有分を含む)は2,762,700株です。

2. 2019年度中に交付した新株予約権の状況

Ⅱ 事業報告記載事項の分析

〈株式報酬型ストックオプションとしての新株予約権〉

発行決議の日	2019年5月17日
新株予約権の数	1,425個
交付された者の人数及び交付個数	当社執行役員(注) 8名 1,291個 当社理事(注) 1名 134個
目的となる株式の種類及び数	普通株式 142,500株
発行価額	無償
権利行使時の1株当たり払込金額（行使価額）	1円
権利行使期間	2019年6月4日から2048年6月4日まで
その他の新株予約権の行使の条件	a. 新株予約権者は、上記の権利行使期間内において、2020年6月5日又は当社の取締役、執行役員及び理事のいずれの地位も喪失した日の翌日の、いずれか早い日から新株予約権を行使することができる。 b. 新株予約権者は、当社の取締役、執行役員及び理事のいずれの地位も喪失した日の翌日から起算して10年が経過した場合には、以後、新株予約権を行使することができないものとする。 c. 新株予約権者が新株予約権を放棄した場合には、かかる新株予約権を行使することができないものとする。

(注) 2018年度中の退任者を含めています。また、2019年3月末付けで理事制度を廃止しています。

〈株価条件付株式報酬型ストックオプションとしての新株予約権〉

発行決議の日	2019年6月21日
新株予約権の数	8,835個
交付された者の人数及び交付個数	当社取締役 7名 2,785個 当社執行役員 30名 6,050個
目的となる株式の種類及び数	普通株式 883,500株
発行価額	無償
権利行使時の1株当たり払込金額（行使価額）	1円
権利行使期間	2022年7月9日から2049年7月8日まで
その他の新株予約権の行使の条件	a. 新株予約権者は、新株予約権の割当日から3年間の当社株式成長率（評価期間中の当社株主総利回り（Total Shareholder Return、TSR）を、評価期間中の東証株価指数（TOPIX）の成長率で除して算出する）に応じて、割り当てられた新株予約権の権利行使可能数を行使することができる。(注) b. 新株予約権者は、当社の取締役及び執行役員のいずれの地位も喪失した日の翌日から起算して10年が経過した場合には、以後、新株予約権を行使することができないものとする。 c. 新株予約権者が新株予約権を放棄した場合には、かかる新株予約権を行使することができないものとする。

(注) 株価条件の詳細は以下のとおり。
新株予約権の割当日から3年間を業績評価期間とし、評価期間中の当社株式成長率（評価期間中の当社の株主総利回り（TSR）を、評価期間中の東証株価指数（TOPIX）の成長率で除して算出する）に応じて、次のとおり権利行使可能数を変動させる。
(1) 権利行使可能となる新株予約権の数は、以下算定式で定める数とする。ただし、新株予約権1個未満の数は四捨五入するものとする。
・新株予約権の当初割当数 × 権利確定割合
※当初割当数は、2019年4月1日時点の役位をもって算定する。
(2) 新株予約権の権利確定割合は、評価期間中の当社株式成長率に応じて、以下のとおり変動する。
ただし、1%未満の数は四捨五入するものとする。
・当社株式成長率が125%以上の場合：100%

— 130 —

- 当社株式成長率が75％以上125％未満の場合：
  40％＋{当社株式成長率(％)－75(％)}×1.2（1％未満四捨五入）
- 当社株式成長率が75％未満の場合：40％

(3) 当社株式成長率は以下のとおりである。
[当社株式成長率]＝当社TSR÷TOPIX成長率
評価期間中の当社TSR＝(A＋B)÷C、評価期間中のTOPIX成長率＝D÷Eとする。
A：権利行使期間開始日の属する月の直前3か月の各日の東京証券取引所における当社普通株式の終値平均値
B：新株予約権の割当日以後、権利行使期間開始日までの間における当社普通株式1株当たりの配当金の総額
C：新株予約権割当日の属する月の直前3か月の各日の東京証券取引所における当社普通株式の終値平均値
D：権利行使期間開始日の属する月の直前3か月の各日の東京証券取引所におけるTOPIXの終値平均値
E：新株予約権割当日の属する月の直前3か月の各日の東京証券取引所におけるTOPIXの終値平均値
※A、C、D及びEは、取引が成立しない日を除く。

＜九州電力＞　ユーロ円建取得条項付転換社債型新株予約権付社債について記載する例

3 会社の新株予約権に関する事項

当社は、2017年3月30日付で、ユーロ円建取得条項付転換社債型新株予約権付社債を発行しております。

ユーロ円建取得条項付転換社債型新株予約権付社債の概要

名称	2022年満期ユーロ円建取得条項付転換社債型新株予約権付社債
社債の総額	750億円
新株予約権の数	7,500個
新株予約権の目的となる株式の種類	普通株式
新株予約権の目的となる株式の数	本社債の額面金額の総額を転換価額で除した数とする。
新株予約権の行使時の払込金額	本新株予約権と引換えに金銭の払込みは要しない。
転換価額	1,416.4円
新株予約権の行使期間	2017年4月13日から2022年3月17日まで
社債の残高	750億円

(注) 2020年満期ユーロ円建取得条項付転換社債型新株予約権付社債については、2020年3月31日付で全額償還しております。

＜野村ホールディングス＞　その他の重要事項で、譲渡制限株式ユニット（RSU）の付与について記載する例

Ⅲ 新株予約権等に関する事項

1. 当事業年度末日現在の新株予約権等の状況

新株予約権の名称	割当日	新株予約権の数	新株予約権の目的となる普通株式の数	新株予約権の行使期間	新株予約権の行使価額（1株当たり）
第46回	2012.6.5	1,153個	115,300株	2015.4.20～2020.4.19	1円
第47回	2012.6.5	3,720個	372,000株	2016.4.20～2021.4.19	1円
第48回	2012.6.5	5,268個	526,800株	2017.4.20～2022.4.19	1円
第49回	2012.6.5	398個	39,800株	2015.10.20～2021.4.19	1円
第50回	2012.6.5	397個	39,700株	2016.10.20～2022.4.19	1円
第53回	2013.6.5	937個	93,700株	2015.4.20～2020.4.19	1円

II 事業報告記載事項の分析

第54回	2013.6.5	4,563個	456,300株	2016.4.20～2021.4.19	1円
第55回	2013.11.19	26,782個	2,678,200株	2015.11.19～2020.11.18	821円
第56回	2014.6.5	1,892個	189,200株	2015.4.20～2020.4.19	1円
第57回	2014.6.5	6,524個	652,400株	2016.4.20～2021.4.19	1円
第58回	2014.6.5	10,145個	1,014,500株	2017.4.20～2022.4.19	1円
第60回	2014.6.5	3,754個	375,400株	2016.3.31～2021.3.30	1円
第61回	2014.6.5	13,746個	1,374,600株	2017.3.31～2022.3.30	1円
第62回	2014.11.18	26,737個	2,673,700株	2016.11.18～2021.11.17	738円
第63回	2015.6.5	5,461個	546,100株	2016.4.20～2021.4.19	1円
第64回	2015.6.5	9,282個	928,200株	2017.4.20～2022.4.19	1円
第65回	2015.6.5	14,975個	1,497,500株	2018.4.20～2023.4.19	1円
第68回	2015.11.18	25,688個	2,568,800株	2017.11.18～2022.11.17	802円
第69回	2016.6.7	10,341個	1,034,100株	2017.4.20～2022.4.19	1円
第70回	2016.6.7	15,522個	1,552,200株	2018.4.20～2023.4.19	1円
第71回	2016.6.7	20,283個	2,028,300株	2019.4.20～2024.4.19	1円
第72回	2016.6.7	2,592個	259,200株	2016.10.30～2021.10.29	1円
第73回	2016.6.7	1,054個	105,400株	2017.4.30～2022.4.29	1円
第74回	2016.11.11	25,354個	2,535,400株	2018.11.11～2023.11.10	593円
第75回	2017.6.9	11,886個	1,188,600株	2018.4.20～2023.4.19	1円
第76回	2017.6.9	14,569個	1,456,900株	2019.4.20～2024.4.19	1円
第77回	2017.6.9	42,580個	4,258,000株	2020.4.20～2025.4.19	1円
第78回	2017.6.9	8,118個	811,800株	2021.4.20～2026.4.19	1円
第79回	2017.6.9	8,099個	809,900株	2022.4.20～2027.4.19	1円
第80回	2017.6.9	1,362個	136,200株	2023.4.20～2028.4.19	1円
第81回	2017.6.9	1,362個	136,200株	2024.4.20～2029.4.19	1円
第82回	2017.6.9	2,767個	276,700株	2017.10.30～2022.10.29	1円
第83回	2017.6.9	639個	63,900株	2018.4.30～2023.4.29	1円
第84回	2017.11.17	24,889個	2,488,900株	2019.11.17～2024.11.16	684円
第85回	2018.11.20	25,079個	2,507,900株	2020.11.20～2025.11.19	573円

(注) 1. 各新株予約権は、すべて現金報酬に代わるストック・オプションとして、金銭による払込みを要しない形で発行しています。
2. 各新株予約権の譲渡には取締役会の承認を要します。
3. 各新株予約権の一部行使はできません。また、権利行使制限期間中に退職等により役員または使用人の地位を失った場合は、原則として権利を失います。
4. 新株予約権の数および新株予約権の目的となる普通株式の数は当事業年度末日現在の数であります。
5. 第1回ないし第45回、第51回、第52回、第59回、第66回および第67回新株予約権は、権利行使、権利失効および行使期間の終了等により、すべて消滅いたしました。

2．当事業年度の末日に当社役員が保有する新株予約権等の状況

取締役および執行役（社外取締役を除く）					
新株予約権の名称	新株予約権の数	保有人数	新株予約権の名称	新株予約権の数	保有人数
第47回	17個	1人	第65回	574個	3人
第48回	76個	2人	第69回	451個	3人
第54回	49個	1人	第70回	938個	5人
第58回	264個	2人	第71回	1,130個	6人
第60回	95個	2人	第75回	889個	5人
第61回	414個	3人	第76回	887個	5人
第63回	69個	1人	第77回	1,099個	7人
第64回	206個	2人			

(注) 1. 新株予約権の数は当事業年度末日現在の数であります。
2. 社外取締役に対してはストック・オプションを付与しておりません。

3．その他の重要な事項

2020年5月8日、当社は譲渡制限株式ユニット（以下「RSU」）を当社および当社の子会社の取締役、執行役および使用人等に付与することといたしました。現時点での付与予定数は、以下のとおり見積もっています。付与予定数およびその他の詳細な条件につきましては、2020年5月下旬開催の当社経営会議において決定の上、公表します。

付与されるRSUの総数	75,000,000個 （75,000,000株相当）

＜オリエンタルランド＞ 地震リスクへの対応を企図した地震リスク対応型ファイナンスを発行している旨を記載する例

新株予約権等の状況

1. 当社役員が保有している職務執行の対価として交付された新株予約権の状況
   該当事項はありません。
2. 当事業年度中に職務執行の対価として従業員等に交付した新株予約権の状況
   該当事項はありません。
3. その他新株予約権等の状況
   当社は地震リスクへの対応を企図した地震リスク対応型ファイナンスを発行しており、その内容は次のとおりです。

決議年月日	2019年2月25日
新株予約権の数(個)	3,000
新株予約権のうち自己新株予約権の数(個)	―
新株予約権の目的となる株式の種類	普通株式
新株予約権の目的となる株式の数(株)	本新株予約権1個の行使につき金5,000万円をその時有効な行使価額で除して得られる最大整数
新株予約権の行使時の払込金額(円)	(注)1
新株予約権の行使期間	自 2019年3月13日 至 2079年3月13日
新株予約権の行使により株式を発行する場合の株式の発行価格及び資本組入額(円)	(注)2
新株予約権の行使の条件	(注)3
新株予約権の譲渡に関する事項	譲渡による本新株予約権の取得については、当社取締役会の決議による当社の承認を要するものとします。
組織再編成行為に伴う新株予約権の交付に関する事項	(注)4

※ 当事業年度の末日（2020年3月31日）における内容を記載しております。

(注) 1.
本新株予約権の行使に際して出資されるローン債権の当社普通株式1株当たりの価額は、当初12,210円といたします。ただし、2019年3月13日以降、行使価額は、次の各項に定める場合に応じ、それぞれ次に定める日の直前の取引日の株式会社東京証券取引所における当社普通株式の普通取引の終値に修正されます。なお、行使価額の下限等は、（注）5．イ ⅲ）のとおりであります。

イ 「新株予約権の行使の条件」のロ ⅰ）：当該事由が生じた日
ロ 「新株予約権の行使の条件」のロ ⅱ）：当該事由が生じた日の15営業日後の日

2.
イ 本新株予約権の行使により株式を交付する場合の株式1株の発行価格：（注）1に準じた額
ロ 本新株予約権の行使により株式を発行する場合における増加する資本金及び資本準備金に関する事項
　ⅰ）資本金の額：会社計算規則第17条第1項に従い算出される資本金等増加限度額の2分の1の額
　ⅱ）資本準備金の額：ⅰ）の資本金等増加限度額からⅰ）に定める増加する資本金の額を減じた額

3.
イ 本新株予約権の一部行使はできないものとします。
ロ 前項にかかわらず、行使期間において、以下に定めるⅰ）又はⅱ）に掲げる事由が生じ、かつ、当社が本新株予約権の新株予約権者に対して行使制限を解除する旨を書面で通知した場合において、当該事由が生じた日から75営業日後の日までの間に限り、本新株予約権を行使することができるも

Ⅱ　事業報告記載事項の分析

のとします。
　ⅰ）次のいずれかの事由
　a）当社又は割当先について、支払の停止又は破産手続開始その他これに類似する法的整理手続開始の申立があったとき
　b）当社又は割当先が、解散の決議を行い又は解散命令を受けたとき
　c）当社又は割当先が、事業を廃止したとき
　d）当社又は割当先が、手形交換所の取引停止処分又は株式会社全銀電子債権ネットワークによる取引停止処分若しくは他の電子債権記録機関によるこれと同等の措置を受けたとき
　e）支配権等変更事由が発生したとき
　f）割当先が、ローンの原資調達のために締結しているローン契約（以下、投資家ローン契約）の債権者に対して有する預金債権その他の債権について仮差押え等が行われたとき
　ⅱ）次のいずれかの事由
　a）組織再編事由が発生したとき
　b）当社が割当先に対する債務の全部又は一部の履行を遅滞したとき
　c）軽微な点を除き、ローン契約上に規定された表明及び保証の一つでも真実でないことが判明したとき
　d）上のb）及びc）並びに軽微な点を除き、当社のローン契約上の義務違反が発生し、かかる違反が5営業日以上にわたって解消しないとき
　e）当社が発行する社債について期限の利益を喪失したとき
　f）当社がローン契約に基づく債務以外の債務について期限の利益を喪失したとき、又は第三者が負担する債務に対して当社が行った保証債務につき、履行義務が発生したにもかかわらずその履行ができないとき
　g）割当先がその債務について期限の利益を喪失したとき、又は第三者が負担する債務に対して割当先が行った保証債務につき、履行義務が発生したにもかかわらずその履行ができないとき
　h）気象庁が公表する「地震・火山月報（防災編）」において、マグニチュード7.9以上かつその震央がローン契約で定められた地震対象地域に属する地震が発生したことが確認されたとき
　i）当社又は割当先について、特定調停の申立があったとき
　j）当社の発行する普通株式について、株式会社東京証券取引所により整理銘柄指定がなされたとき又は上場廃止となったとき
　k）割当先が、投資家ローン契約の債権者に対する債務の全部又は一部の履行を遅滞したとき、投資家ローン契約に基づき割当先が行う表明及び保証が一つでも真実でないことが判明したとき並びにその他割当先の投資家ローン契約上の義務違反が発生し、かかる違反が5営業日以上にわたって解消しないとき
　l）ローン契約第18条第9号の表明が真実でないことが判明し、又はローン契約第19条第2項第8号若しくは第9号に違反することにより、ローン契約上の取引を継続することが不適切であると認められるとき
　m）投資家ローン契約第20条第10号の表明が真実でないことが判明し、又は第21条第2項第10号若しくは第11号に違反することにより、投資家ローン契約上の取引を継続することが不適切であると認められるとき
ハ　本新株予約権者がその時々において行使できる本新株予約権の個数は、当該時点において自らが保有しているローン債権の額を5,000万円で除して得られる数を上限とする。
ニ　次のⅰ）及びⅱ）の要件の全てを満たした場合は、本新株予約権者は本新株予約権を全て行使することができなくなるものとし、この場合、本新株予約権は全て消滅するものとする。
　ⅰ）ローン契約に基づく貸付人の貸付義務が全て消滅したこと
　ⅱ）ローン契約に基づく貸付の実行がなされなかったこと、又は貸付の実行がなされた場合において、ローン債権の全てが弁済その他により消滅したこと

　4．
　当社が組織再編行為により消滅又は他の会社の完全子会社となる等の場合は、当該組織再編行為の効力発生日の直前において残存する本新株予約権の新株予約権者に対して、当該新株予約権者の有する本新株予約権に代えて、再編対象会社の新株予約権を交付します。

　5．
イ　当該ローンは、行使価額修正条項付新株予約権付社債券等であります。
　なお、当該行使価額修正条項付新株予約権付社債券等の特質は以下のとおりであります。
　ⅰ）本新株予約権の行使により交付される当社普通株式数は、行使価額の修正にともなって変動する仕組みとなっているため、株価が下落した場合には、交付される株式数が増加することがあります。
　ⅱ）行使価額の修正の基準及び修正の頻度
　　行使価額は、株式会社東京証券取引所における以下の日の直前の取引日の終値に修正されます。
　　　「新株予約権の行使の条件」のロ　ⅰ）：当該事由が生じた日
　　　「新株予約権の行使の条件」のロ　ⅱ）：当該事由が生じた日の15営業日後の日

ⅲ) 行使価額の下限等
　　　本新株予約権の下限行使価額は、3,375円です。ただし、当社普通株式の株式分割等が行われる場合等により、当社の発行済普通株式数に変更を生じる場合又は変更を生じる可能性がある場合は、次に定める算式により下限行使価額を調整します。

$$調整後下限行使価額 = 調整前下限行使価額 \times \frac{既発行株式数 + \frac{交付株式数 \times 1株当たりの払込金額}{時　価}}{既発行株式数 + 交付株式数}$$

ⅳ) 本新株予約権には、当社の決定により本新株予約権の全部又は一部の取得を可能とする条項は設けられておりません。
ⅴ) 本新株予約権の行使に際して出資される財産は、ローン債権の全部又は一部です。
ⅵ) 当社は2024年3月13日以降、当社の選択により、本新株予約権と実質的に一体であるローン債権の全部又は一部につき期限前弁済を行うことが可能です。

ロ　権利の行使に関する事項についての所有者との間の取り決めの内容
　　当社は、割当先との間で、本新株予約権の割当契約において、以下の合意を行っています。
　　本新株予約権を行使しようとする日を含む暦月において、当該行使により取得することとなる当社普通株式数が割当日における当社の普通株式数の10％を超えることとなる場合には、次に掲げる場合を除き、当該10％を超える部分に係る本新株予約権の行使を行うことができません。
　　ⅰ) 当社の普通株式が上場廃止となる合併、株式交換及び株式移転等が行われることが公表されたときから、なされたとき又はなされないことが公表されたときまでの間
　　ⅱ) 当社に対して公開買付けの公告がなされたときから、当該公開買付けが終了したとき又は中止されることが公表されたときまでの間
　　ⅲ) 株式会社東京証券取引所において当社の普通株式が監理銘柄又は整理銘柄に指定されたときから当該指定が解除されるまでの間
　　ⅳ) 本新株予約権の行使価額が2019年2月25日の株式会社東京証券取引所の売買立会における当社普通株式の終値以上の場合
　　ⅴ) 新株予約権等の行使期間の最終2ヶ月間

ハ　当社の株券の売買に関する事項についての所有者との間の取り決めはありません。
ニ　当社の株券の貸借に関する事項についての所有者と会社の特別利害関係者等との間の取り決めはありません。

… Ⅱ　事業報告記載事項の分析

5　会社役員に関する事項

　会社役員（取締役，会計参与，監査役，執行役。会社法施行規則2条3項4号）に関する事項については，氏名（会計参与にあっては氏名または名称），地位および担当のほか，重要な兼職の状況（会計参与を除く），監査役・監査等委員・監査委員が財務・会計に関する相当程度の知見を有しているときはその事実，辞任または解任の場合の所定の事項や報酬等に関する事項などが定められている（同規則121条）ほか，社外役員を設けている場合にはさらに詳細な事項を記載しなければならない（同規則124条1項）。

(1)　会社役員の氏名等

　取締役および監査役（監査等委員会設置会社については取締役，指名委員会等設置会社については取締役および執行役）の氏名，地位および担当は，「重要な兼職の状況」（会社法施行規則121条8号）とともに，その事業年度における経営および責任の所在を明らかにすることを目的とした基本的な記載事項である。

㋐　会社役員の氏名・地位および担当・兼職状況等

　会社役員の氏名または名称，地位および担当，重要な兼職状況等については一覧表形式で記載され，「他の法人等の代表者その他これに類するものであるときは，その重要な事実」，「重要な兼職の状況」については一覧表に「他の法人等の代表状況」等として記載するのが一般的である。
　2020年6月総会の調査対象会社385社における役員一覧表の見出しとその記載区分の主なものは次のとおりである。
　①　「地位」「氏名」「担当および重要な兼職の状況」の3区分 ……………… 218社（56.6％）
　②　「地位」「氏名」「担当」「重要な兼職の状況」の4区分 ……………………… 52社（13.5％）
　③　「地位および担当」「氏名」「重要な兼職の状況」の3区分 ………………… 44社（11.4％）
　④　「地位および担当」「氏名」「重要な兼職の状況」「その他」の4区分 ……… 26社（ 6.8％）

㋑　社外役員の注記等

　社外役員に関する事項を事業報告に記載しなくてはならないことから，社外役員を選任している場合には，少なくとも社外役員である旨の記載が必要になる。
　2020年6月総会の調査対象会社385社では，社外取締役である旨の記載をしている会社は385社（100％）であった。そのうち，役員一覧表中に社外取締役である旨を注記している会社は106社（27.5％），欄外に社外取締役である旨を注記した会社は327社（84.9％）であった（重複集計）。
　また，社外監査役である旨の記載をしている会社は284社（監査役設置会社284社に対し100％）であった。そのうち，役員一覧表中に社外監査役である旨の注記をしている会社は

71社（同25.0％），欄外に社外監査役である旨を注記した会社は244社（同85.9％）であった。

次に，独立役員とは，「一般株主と実質的に利益相反が生じるおそれのない社外取締役または社外監査役」を指し，各証券取引所の要請により上場各社に確保が義務づけられ，「事業報告の『会社役員に関する事項』の一覧表中や欄外の記載において，独立役員に指定されている社外役員を明示する」よう努めるものとされている。6月総会の調査対象会社385社について，独立役員に関する記載の状況を見ると，独立役員である旨を記載している会社は381社（99.0％）であった。また，独立役員の内訳としては，社外取締役のみを独立役員に指定する会社が103社（26.8％），社外監査役のみを独立役員に指定する会社はなく，社外取締役および社外監査役を独立役員に指定する会社が278社（72.2％）であった。

(ウ)　役員の異動等

地位および担当（会社法施行規則121条2号），重要な兼職状況（同条8号）について，事業報告の開示対象となる範囲は，対象役員について，「直前の定時株主総会の終結の日の翌日以降に在任していた者に限る」とされ（同条1号），対象期間については「事業年度の初日から末日まで」となる。また，辞任した会社役員または解任された会社役員について一定の事項を追加で記載することとされている（同条7号）。以上のほか，事業年度終了後の役員の異動や担当業務の変更について注記または別記する会社も多く見られる。

(エ)　監査役・監査等委員・監査委員の会計に関する知見

2020年6月総会の調査対象会社385社のうち，監査役（監査等委員・監査委員）の財務および会計に関する相当程度の知見について注記している会社は347社（90.1％）であった。

具体的に記載された主な事項を見ると，次のとおりである（重複集計）。

① 公認会計士 ･･･ 182社
② 財務・経理部門等の実務経験者 ････････････････････････････････ 163社
③ 金融機関出身者 ･･･ 71社
④ 税理士 ･･･ 54社
⑤ 他社経営者 ･･･ 35社
⑥ 弁護士 ･･･ 20社
⑦ 大学教授 ･･･ 17社

その他，大蔵省，財務省，金融庁，国税庁，会計検査院，公正取引委員会委員，検事などの経歴に基づき，財務および会計に関する相当程度の知見ありとして記載している会社が見られた。

また，任意的な記載として，弁護士につき法務の知見を有している旨の記載をした会社も見られた。

(オ)　責任限定契約

会社役員（取締役または監査役に限る）との間で責任限定契約を締結している場合はその内

容の概要（会社法施行規則121条3号）について記載が求められるが，責任限定契約の内容の概要について記載した会社は375社（97.4％）であった。

なお，責任限定契約については，平成26年会社法改正に伴って「社外役員」から「非業務執行役員等」に締結範囲が広がったため，「社外役員等に関する特則」（同規則124条）から「会社役員に関する事項」（同規則121条）に根拠条文が移設されている。このため，責任限定契約は「会社役員に関する事項」として記載することが考えられるが，締結対象者が社外役員であれば，従来どおり「社外役員に関する事項」として記載することも考えられる。

(カ) 常勤の監査等委員・監査委員

事業年度の末日において監査等委員会設置会社である場合は「常勤の監査等委員の選定の有無およびその理由」を記載し，事業年度の末日において指名委員会等設置会社である場合は「常勤の監査委員の選定の有無およびその理由」を記載することを要する（会社法施行規則121条10号）。

＜りそなホールディングス＞　役員構成（性別ごとの人数）および女性役員の比率を記載する例

2　会社役員（取締役及び執行役）に関する事項

（1）　会社役員の状況

取締役及び執行役総数23名のうち、男性は19名、女性は4名であり、女性の比率は17％であります。

取締役（年度末現在）

氏　名	担　当	重要な兼職
東　　和浩		株式会社りそな銀行　取締役会長兼代表取締役社長兼執行役員
岩永省一		株式会社りそな銀行　執行役員
福岡　聡		
南　昌宏		株式会社りそな銀行　執行役員
磯野　薫	監査委員	株式会社関西みらいフィナンシャルグループ　取締役
＊佐貫葉子	監査委員長	弁護士（NS綜合法律事務所　所長） 株式会社メディパルホールディングス　社外監査役
＊浦野光人	報酬委員長	HOYA株式会社　社外取締役 株式会社日立物流　社外取締役
		株式会社松井オフィス　代表取締役社長

5　会社役員に関する事項

氏名		重要な兼職
＊松井　忠三	指名委員長 報酬委員	株式会社アダストリア　社外取締役 株式会社ネクステージ　社外取締役 フェスタリアホールディングス株式会社　社外取締役 株式会社エヌ・シー・エヌ　社外取締役
＊佐藤　英彦	指名委員 監査委員	弁護士（ひびき法律事務所） 株式会社ぐるなび　社外取締役
＊馬場　千晴	監査委員	東北電力株式会社　社外取締役 株式会社ミライト・ホールディングス　社外取締役
＊岩田　喜美枝	指名委員 報酬委員	東京都　監査委員 住友商事株式会社　社外取締役 味の素株式会社　社外取締役

(注) 1. ＊は会社法第2条第15号に定める社外取締役であります。
    2. 当社は常勤の監査委員に磯野薫を選定しております。常勤の監査委員は、重要な会議への出席、執行部門からの定期的な業務報告聴取等を通じて、日常的に情報収集を行い、それらの情報を監査委員全員と共有することで監査の実効性を確保しております。
    3. 佐貫葉子氏の戸籍上の氏名は、板澤葉子であります。

執行役 (年度末現在)

氏名	地位及び担当	重要な兼職
＊東　和浩	社長 コーポレートガバナンス事務局担当	前頁記載のとおり
＊岩永　省一	グループ戦略部担当	前頁記載のとおり
＊福岡　聡	財務部担当	
南　昌宏	オムニチャネル戦略部担当 兼コーポレートガバナンス事務局副担当	前頁記載のとおり
池田　一義	グループ戦略部 （埼玉りそな銀行経営管理）担当	株式会社埼玉りそな銀行　代表取締役社長
鳥居　高行	決済事業部担当	株式会社りそな銀行　専務執行役員
新屋　和代	人材サービス部担当	株式会社りそな銀行　常務執行役員 株式会社埼玉りそな銀行　執行役員
広川　正則	内部監査部担当	株式会社りそな銀行　執行役員
吉崎　智雄	デジタル化推進部担当 兼業務サポート部担当 兼ファシリティ管理部担当	株式会社りそな銀行　執行役員 株式会社埼玉りそな銀行　執行役員
野口　幹夫	ＩＴ企画部担当	株式会社りそな銀行　執行役員
石田　茂樹	リスク統括部担当 兼信用リスク統括部担当	株式会社りそな銀行　執行役員
及川　久彦	コンプライアンス統括部担当	株式会社りそな銀行　執行役員
秋山　浩一	グループ戦略部（統合推進）担当	
品田　一子	コーポレートコミュニケーション部担当	
田原　英樹	市場企画部担当	株式会社りそな銀行　執行役員

氏　名	地　位	その他
中　原　　　元	グループ戦略部副担当	

(注) 1. ＊は代表執行役であります。
　　 2. 東和浩、岩永省一、福岡聡及び南昌宏は取締役を兼務しております。

当年度中の取締役及び執行役の異動

氏　名	地　位	その他
南　　昌　宏	取　締　役	2019年6月21日就任
岩　田　喜美枝	社外取締役	2019年6月21日就任
有　馬　利　男	社外取締役	2019年6月21日任期満了による退任

(ご参考)
4月1日付の会社役員の状況は、次のとおりであります。
なお、取締役及び執行役総数25名のうち、男性は20名、女性は5名であり、女性の比率は20%であります。

取締役 (2020年4月1日現在)

氏　名	担　当	重要な兼職
東　　和　浩		株式会社りそな銀行　取締役会長
南　　昌　宏		株式会社りそな銀行　取締役
磯　野　　　薫	監査委員	株式会社関西みらいフィナンシャルグループ　取締役
＊佐　貫　葉　子	監査委員長	弁護士（NS綜合法律事務所　所長） 株式会社メディパルホールディングス　社外監査役
＊浦　野　光　人	報酬委員長	HOYA株式会社　社外取締役 株式会社日立物流　社外取締役
＊松　井　忠　三	指名委員長 報酬委員	株式会社松井オフィス　代表取締役社長 株式会社アダストリア　社外取締役 株式会社ネクステージ　社外取締役 フェスタリアホールディングス株式会社　社外取締役 株式会社エヌ・シー・エヌ　社外取締役
＊佐　藤　英　彦	指名委員 監査委員	弁護士（ひびき法律事務所） 株式会社ぐるなび　社外取締役
＊馬　場　千　晴	監査委員	東北電力株式会社　社外取締役 株式会社ミライト・ホールディングス　社外取締役
＊岩　田　喜美枝	指名委員 報酬委員	東京都　監査委員 住友商事株式会社　社外取締役 味の素株式会社　社外取締役

(注) 1. ＊は会社法第2条第15号に定める社外取締役であります。
　　 2. 当社は常勤の監査委員に磯野薫を選定しております。常勤の監査委員は、重要な会議への出席、執行部門からの定期的な業務報告聴取等を通じて、日常的に情報収集を行い、それらの情報を監査委員全員と共有することで監査の実効性を確保しております。
　　 3. 佐貫葉子氏の戸籍上の氏名は、板澤葉子であります。

執行役 (2020年4月1日現在)

5　会社役員に関する事項

氏　名	地位及び担当	重要な兼職
＊南　昌宏	社　　　長 事業戦略・デジタルトランスフォーメーション担当統括	前頁記載のとおり
岩永　省一	グループ戦略部 （りそな銀行経営管理）担当	株式会社りそな銀行　代表取締役社長
福岡　聡	グループ戦略部 （埼玉りそな銀行経営管理）担当	株式会社埼玉りそな銀行　代表取締役社長
鳥居　高行	決済事業部担当	株式会社りそな銀行　専務執行役員
新屋　和代	人材サービス部担当	株式会社りそな銀行　常務執行役員 株式会社埼玉りそな銀行　執行役員
有明　三樹子	コーポレートガバナンス事務局担当	株式会社りそな銀行　常務執行役員
広川　正則	内部監査部担当	株式会社りそな銀行　執行役員
寺畑　貴史	デジタル化推進部担当 兼業務サポート部担当 兼ファシリティ管理部担当 兼グループ戦略部（業務プロセス改革）担当	株式会社りそな銀行　常務執行役員 株式会社埼玉りそな銀行　執行役員
野口　幹夫	ＩＴ企画部担当 兼オムニチャネル戦略部担当 兼グループ戦略部（システム改革）担当	株式会社りそな銀行　常務執行役員
石田　茂樹	リスク統括部担当 兼信用リスク統括部担当	株式会社りそな銀行　執行役員
及川　久彦	コンプライアンス統括部担当	株式会社りそな銀行　執行役員
品田　一子	コーポレートコミュニケーション部担当	
田原　英樹	市場企画部担当	株式会社りそな銀行　執行役員
中原　元	グループ戦略部担当	株式会社りそな銀行　執行役員
南　和利	グループ戦略部（法人・融資業務改革）担当	株式会社りそな銀行　執行役員
太田　成信	財務部担当	
篠藤　愼一	コンプライアンス統括部副担当	株式会社りそな銀行　執行役員

(注)　1．＊は代表執行役であります。
　　　2．南昌宏は取締役を兼務しております。
　　　3．有明三樹子の戸籍上の氏名は、吉田三樹子であります。

＜リゾートトラスト＞　常勤の監査等委員を置いている旨を記載する例

3．会社役員に関する事項
（1）取締役の氏名等

地　位	氏　名	担　当
代表取締役ファウンダー	伊藤　與朗	グループＣＥＯ（グループ最高経営責任者）

Ⅱ　事業報告記載事項の分析

代表取締役会長	伊藤　勝康	ＣＥＯ（最高経営責任者）
代表取締役社長	伏見　有貴	ＣＯＯ（最高執行責任者）
専務取締役	井内　克之	業務部門管掌兼ＣＣＯ（コンプライアンス総責任者）
専務取締役	新谷　敦之	会員制本部長
専務取締役	内山　敏彦	料理飲料部門管掌
常務取締役	髙木　直	会員制本部副本部長兼大阪支社長
常務取締役	花田　慎一郎	開発部門管掌
取　締　役	荻野　重利	ホテル＆リゾート本部長兼東日本事業部長
取　締　役	古川　哲也	メディカル本部長
取　締　役	野中　ともよ	
取　締　役	寺澤　朝子	
取締役（監査等委員）	美濃羽　英伸	
取締役（監査等委員）	谷口　嘉孝	
取締役（監査等委員）	相羽　洋一	
取締役（監査等委員）	赤堀　聰	
取締役（監査等委員）	中谷　敏久	

（注）
1. 取締役のうち野中ともよ氏、寺澤朝子氏、谷口嘉孝氏、相羽洋一氏、赤堀聰氏及び中谷敏久氏は、会社法第2条第15号の社外取締役であります。
2. 情報収集その他監査の実効性を高め、監査・監督機能を強化するために、常勤の監査等委員として美濃羽英伸氏及び谷口嘉孝氏を選定しております。
3. 伊藤正昭氏は、2019年6月27日付で取締役副社長を退任しました。
4. 常務取締役　花田慎一郎氏は、2019年6月27日付で開発部門副管掌を解かれ、開発部門管掌を委嘱されました。
5. 取締役　荻野重利氏は、2020年1月1日付で東日本事業部長を委嘱されました。
6. 川口眞弘氏は、2019年6月27日付で取締役を退任し、2019年6月28日付で執行役員に就任しました。
7. 岡田好生氏は、2019年6月27日付で取締役（監査等委員）を退任しました。
8. 美濃羽英伸氏は、2019年6月27日付で執行役員を解かれ、取締役（監査等委員）に就任しました。
9. 監査等委員　相羽洋一氏は、弁護士の資格を有しており、企業法務に精通し、企業経営を統治する相当程度の知見を有するものであります。
10. 監査等委員　赤堀聰氏は、税理士の資格を有しており、財務及び会計に関する相当程度の知見を有するものであります。
11. 監査等委員　中谷敏久氏は、公認会計士及び税理士の資格を有しており、財務及び会計に関する相当程度の知見を有するものであります。
12. 当社は、取締役　野中ともよ氏、寺澤朝子氏、取締役（監査等委員）　谷口嘉孝氏、相羽洋一氏、赤堀聰氏及び中谷敏久氏を、㈱東京証券取引所及び㈱名古屋証券取引所の定めに基づく独立役員として指定し、両取引所に届け出ております。
13. 取締役　荻野重利氏は、2020年4月1日付で東日本事業部長の委嘱を解かれました。

(2) 重要な兼職の状況

区　分	氏　名	兼職先	兼職の内容	摘　要
取締役	伊藤　與朗	㈱宝塚コーポレーション	代表取締役社長	不動産賃貸業
	伏見　有貴	㈱東京ミッドタウンメディスン	代表取締役	医療施設経営のコンサルティング
		㈱シニアライフカンパニー	代表取締役	有料老人ホーム及び高齢者向け住宅施設の運営
		㈱ＣＩＣＳ	代表取締役会長	医療機器・研究用機器の開発、製造、販売
		㈱ハイメディック	代表取締役社長	メディカルクラブの開発及び運営
		トラストガーデン㈱	代表取締役社長	介護サービス事業
	井内　克之	ジャストファイナンス㈱	代表取締役	金銭の貸付及び金銭貸借の媒介
		アール・エフ・エス㈱	代表取締役	経理、総務等の事務請負
		㈱ハイメディック	監査役	メディカルクラブの開発及び運営
		㈱アドバンスト・メディカル・ケア	監査役	医療及び医療経営・人事に対するコンサルティング
		㈱iMedical	監査役	医療関連システム開発及び支援業務
		㈱セントメディカル・アソシエイツ	監査役	遠隔医療に関する診断システム開発、設計及び販売
	荻野　重利	RESORTTRUST HAWAII, LLC	代　表　者	ホテルの経営
	古川　哲也	㈱ハイメディック	代表取締役	メディカルクラブの開発及び運営
		㈱進興メディカルサポート	代表取締役	医療及び医療経営・人事に対するコンサルティング

		㈱アドバンスト・メディカル・ケア	代表取締役	医療及び医療経営・人事に対するコンサルティング
		㈱セントメディカル・アソシエイツ	代表取締役会長CEO	遠隔医療に関する診断システム開発、設計及び販売
		㈱iMedical	代表取締役会長CEO	医療関連システム開発及び支援業務
		㈱日本スイス・パーフェクション	代表取締役社長	化粧品又は化粧用具の輸入、販売及び販売代理業
		㈱CICS	代表取締役社長	医療機器・研究用機器の開発、製造、販売
取締役（監査等委員）	寺澤 朝子	中部大学	教授	
	相羽 洋一	しるべ総合法律事務所	代表パートナー	
			弁護士	
	赤堀 聰	赤堀聰税理士事務所	所長	
			税理士	
	中谷 敏久	監査法人マーキュリー	代表社員	
			公認会計士	

（注）1. 取締役 伊藤勝康氏は、2019年6月26日付でリゾートトラストゴルフ事業㈱の代表取締役社長を退任しております。
2. 取締役 伏見有貴氏は、2019年9月2日付で㈱シニアライフカンパニーの代表取締役に就任しております。
3. 取締役 古川哲也氏は、2019年6月12日付で㈱CICSの代表取締役社長に就任しております。

(3) 取締役の報酬等の額

区分	支給人員	支給額	摘要
取締役（監査等委員を除く） （ ）内 社外取締役	14名 (2名)	723百万円 (12百万円)	2015年6月26日開催の定時株主総会において年額1,200百万円以内と決議いただいております。
取締役（監査等委員） （ ）内 社外取締役	6名 (4名)	40百万円 (29百万円)	2015年6月26日開催の定時株主総会において年額50百万円以内と決議いただいております。
合計	20名	764百万円	

（注）1. 上記の金額には当事業年度の役員退職慰労引当金及び役員退職慰労金として費用処理した127百万円（取締役（社外取締役及び監査等委員を除く）12名）は含まれておりません。
2. 2019年6月27日開催の第46回定時株主総会における決議に基づき、役員退職慰労金を下記のとおり支給しております。
退任 2名 159百万円
なお、役員退職慰労金の支払いに当たりましては、代表取締役3名及び独立社外取締役4名（うち1名は委員長）にて構成される報酬諮問委員会の審議の結果、相当である旨決議されております。また、この金額には当事業年度及び過年度の事業報告において開示した役員退職慰労引当金の繰入額を含んでおります。

＜HOYA＞ 常勤の監査等委員を置いていない旨を記載する例

会社役員に関する事項

① 取締役および執行役の状況　　　　　　　　　　　　　　　2020年3月31日現在

氏名	当社における地位および担当	重要な兼職の状況
内永 ゆか子	取締役 監査委員会委員長 指名委員 報酬委員	特定非営利活動法人ｼﾞｬﾊﾟﾝ・ｳｲﾒﾝｽﾞ・ｲﾉﾍﾞｰﾃｨﾌﾞ・ﾈｯﾄﾜｰｸ　理事長 イオン株式会社　社外取締役 帝人株式会社　社外取締役
浦野 光人	取締役 指名委員会委員長 報酬委員 監査委員	株式会社りそなホールディングス　社外取締役 株式会社日立物流　社外取締役
髙須 武男	取締役 報酬委員会委員長 指名委員 監査委員	株式会社ベルパーク　社外取締役 株式会社KADOKAWA　社外取締役
海堀 周造	取締役 指名委員 報酬委員 監査委員	エーザイ株式会社　社外取締役

Ⅱ　事業報告記載事項の分析

吉原　寛章	取　　締　　役 指　名　委　員 報　酬　委　員 監　査　委　員	株式会社村田製作所　社外取締役 株式会社日立製作所　社外取締役	

(注) 1. 取締役内永ゆか子、浦野光人、髙須武男、海堀周造および吉原寛章の各氏は、会社法第2条第15号に定める社外取締役であります。
　　 2. 当社の監査委員各氏は、いずれも長年にわたり経営に携わってこられた方々であり、財務および会計に関する相当程度の知見を有しておられます。特に吉原取締役は国際的な会計事務所で財務および会計の専門家として長い経験をお持ちです。
　　 3. 当社では、監査委員をサポートする監査委員会事務局を置き、さらにその下に監査部門を置き、スタッフを配置しております。監査委員会事務局を通して、監査部門からの定期的な報告を受けること、情報収集に努めることなどを通じて、十分に監査委員としての職責を果たせるものと考えておりますので、常勤の監査委員を置いておりません。

氏名	当社における地位および担当	重要な兼職の状況
鈴木　洋	取締役兼代表執行役 最高経営責任者（CEO）	キオクシアホールディングス株式会社　社外取締役
廣岡　亮	代　　表　　執　　行　　役 最高財務責任者（CFO）	
池田　英一郎	執　　　行　　　役 技術担当（CTO）	
オーガスティン・イー	執　　　行　　　役 チーフリーガルオフィサー（CLO） 兼企画・総務責任者	

② 独立役員について

　　当社は、内永ゆか子、浦野光人、髙須武男、海堀周造および吉原寛章の各氏を、東京証券取引所の定めに基づく独立役員として指定し、同取引所に届け出ております。

③ 社外取締役に関する事項
　(1) 社外取締役の他の法人における重要な兼職の状況については、前記「①取締役および執行役の状況」のとおりであり、各重要な兼職先と当社との間に重要な取引関係はありません。

　(2) 当事業年度における取締役会および各委員会への出席状況（出席回数／開催回数）

氏　　名	取締役会	指名委員会	報酬委員会	監査委員会
内永　ゆか子	10／10（100％）	8／8（100％）	5／5（100％）	9／9（100％）
浦野　光人	9／10（90％）	7／8（87.5％）	5／5（100％）	8／9（88.9％）
髙須　武男	10／10（100％）	8／8（100％）	5／5（100％）	9／9（100％）
海堀　周造	10／10（100％）	8／8（100％）	5／5（100％）	9／9（100％）
吉原　寛章	10／10（100％）	8／8（100％）	5／5（100％）	9／9（100％）

　(3) 当事業年度における取締役会および各委員会での主な活動状況

氏名	主な活動状況
内永　ゆか子	経営者として培われた豊富な知識と経験から、議案審議等に有用な発言を積極的に行っております。また、社外取締役として客観的かつ公正な立場から必要な発言を適宜行い、経営の監督機能を果たしております。特に同氏は当社における多様性確保について積極的に助言ならびに社員への啓蒙支援を行い、またIT分野での経験に基づき、業務の効率化を含めた当社IT環境整備についての積極的な意見を述べてまいりました。さらに監査委員会委員長として、財務諸表の検証、内部統制システムの監視ならびに業務や財産の監査について、委員会としての決定に向け議案審議を主導いたしました。
浦野　光人	経営者として培われた豊富な知識と経験から、議案審議等に有用な発言を積極的に行っております。また、社外取締役として客観的かつ公正な立場から必要な発言を適宜行い、経営の監督機能を果たしております。特に同氏はコーポレートガバナンスの観点からの助言、新製品開発や新規事業のビジネスモデルについて積極的な意見を述べてまいりました。さらに指名委員会委員長として、取締役及び執行役候補の選任について委員会としての決定に向け議案審議を主導いたしました。また社外取締役のみの会議（エグゼクティブセッション）において筆頭独立社外取締役として審議を主導し、その内容に基づき代表執行役に助言いたしました。
髙須　武男	経営者として培われた豊富な知識と経験から、議案審議等に有用な発言を積極的に行っております。また、社外取締役として客観的かつ公正な立場から必要な発言を適宜行い、経営の監督機能を果たしております。特に同氏は取締役会の役割ならびに執行側の監督に関して積極的な意見を述べ、執行側の中期戦略について質問をしてまいりました。さらに報酬委員会委員長として取締役の報酬体系や執行役のインセンティブを高める報酬体系、公平、適正

	な業績評価について、委員会としての決定に向け議案審議を主導いたしました。
海堀 周造	経営者として培われた豊富な知識と経験から、議案審議等に有用な発言を積極的に行っております。また、社外取締役として客観的かつ公正な立場から必要な発言を適宜行い、経営の監督機能を果たしております。特に同氏は各事業の業界におけるポジショニングの観点から積極的に質問をし、またコンプライアンスや取り組むべきESGについても多くの助言を行ってまいりました。また、指名、報酬、監査の各委員会においても積極的に意見を述べ、委員会での活発な審議に貢献をしてまいりました。
吉原 寛章	財務・会計の専門家としての豊富な知識と経験ならびに会計事務所の経営者としての経験から、議案審議等に有用な発言を積極的に行っております。また、社外取締役として客観的かつ公正な立場から必要な発言を適宜行い、経営の監督機能を果たしております。特に同氏はグローバルな視点からM&A事案における対象会社の評価や市場の状況について多くの助言を行い、またリスク管理についても積極的に意見を述べてまいりました。また指名、報酬、監査の各委員会においても積極的に意見を述べ、委員会での活発な審議に貢献をしてまいりました。

(4) 責任限定契約の内容の概要
　当社は、各社外取締役との間で、今後その者が負うことがある会社法第423条第1項の責任について、金1,000万円と会社法第425条第1項で定める額とのいずれか高い額を限度とする旨の契約を締結しております。

＜カルビー＞　執行役員を表記する例

Ⅲ．会社役員に関する事項

(1) 取締役及び監査役の氏名等

(2020年3月31日現在)

地位	氏名	担当及び重要な兼職の状況
代表取締役社長	伊藤　秀二	CEO
代表取締役副社長	江原　信	
専務取締役	菊地　耕一	CFO
取締役	茂木友三郎	キッコーマン㈱ 取締役名誉会長取締役会議長 東武鉄道㈱ 社外監査役 ㈱フジ・メディア・ホールディングス社外監査役 ㈱オリエンタルランド社外取締役
取締役	高原　豪久	ユニ・チャーム㈱代表取締役社長執行役員
取締役	福島　敦子	国立大学法人島根大学経営協議会委員 ヒューリック㈱社外取締役 名古屋鉄道㈱社外取締役
取締役	宮内　義彦	オリックス㈱シニア・チェアマン ラクスル㈱社外取締役
取締役	アン・ツェ	ペプシコ・グレーターチャイナ　シニアバイスプレジデント ＆ ゼネラルマネージャー
常勤監査役	出村　泰三	
監査役	石田　正	
監査役	大江　修子	TMI総合法律事務所パートナー

(注) 1. 茂木友三郎氏、高原豪久氏、福島敦子氏、宮内義彦氏、及びアン・ツェ氏は、社外取締役であります。
　　 2. 出村泰三氏、石田正氏及び大江修子氏は、社外監査役であります。
　　 3. 取締役茂木友三郎氏、高原豪久氏、福島敦子氏、宮内義彦氏、及び監査役出村泰三氏、石田正氏、大江修子氏は、東京証券取引所の定めに基づく独立役員であります。
　　 4. 監査役出村泰三氏は証券アナリストとして食品業界を中心に専門知識及び見識を有しており、財務及びIRに関する相当程度の知見を有するものであります。同石田正氏は公認会計士の資格を有しており、財務及び会計に関する相当程度の知見を有するものであります。同大江修子氏は弁護士の資格を有しており、法務に関する相当程度の知見を有するものであります。
　　 5. 当事業年度中の会社役員の異動は次のとおりであります。
　　　　①当事業年度中に就任した取締役
　　　　　2019年6月19日開催の第70回定時株主総会において、江原信氏、菊地耕一氏、及びアン・ツェ氏が取締役に選任され、就任いたしました。
　　　　②当事業年度中に退任した取締役
　　　　　社外取締役ウェイウェイ・ヤオ氏は2019年6月19日開催の第70回定時株主総会終結の時をもって退任いたしました。なお、同氏の在任期間中における重要な兼職の状況は、ペプシコ・アジア・パシフィック　シニアバイスプレジデント＆ビジネスユニット　ゼネラル　マネージャーであります。
　　 6. 当社では、監督機能と業務執行機能を分離し、役割と権限を明確化して、意思決定のスピードアップを図るために執行役員制度を導入しております。
　　　　2020年4月1日現在の執行役員は以下のとおりであります（取締役兼務者を除く）。

役名	氏名	職名
常務執行役員	井本　朗	生産カンパニー　プレジデント 生産本部、技術本部、ＳＣＭ本部、 カルビーロジスティクス㈱、カルビー・イートーク㈱ 担当

Ⅱ　事業報告記載事項の分析

常務執行役員	田崎　一也	セールス&マーケティングカンパニー　プレジデント 東日本営業本部、西日本営業本部、広域事業本部、マーケティング本部 ㈱カルナック、㈱ソシオ工房　担当 兼　営業本部　本部長 兼　ＣＶＳ事業本部　本部長 兼　ダイレクトカスタマーマーケティング事業部　事業部長
常務執行役員	中村　一浩	研究開発本部　担当 兼　カルビーポテト㈱代表取締役社長
常務執行役員	武田　雅子	CHRO（Chief Human Resource Officer） 兼　人事総務本部　本部長
常務執行役員	笙　啓英	海外カンパニー　プレジデント 兼　中国総代表
執行役員	中野　真衣	品質保証本部　本部長
執行役員	石垣　薫	CRO（Chief Risk Officer）兼　法務・リスク統括本部　本部長
執行役員	見目　泰彦	新規事業本部　本部長
執行役員	岡藤由美子	ＩＲ本部　本部長　兼　サスティナビリティ推進室　室長
執行役員	江口　聡	経営企画本部　本部長
執行役員	早川　知佐	財務経理本部　本部長
執行役員	小室　滋春	情報システム本部　本部長
執行役員	遠藤英三郎	研究開発本部　本部長
執行役員	松本　知之	マーケティング本部　本部長
執行役員	酒井　広	生産本部　本部長
執行役員	小泉　貴紀	海外カンパニー　CBO（Chief Branding Officer）
執行役員	小林　徹也	海外カンパニー　アジア・大洋州総代表
執行役員	森岡貞一郎	海外カンパニー　インドネシア代表　兼　Calbee-Wings Food CEO
執行役員	後藤　綾子	セールス&マーケティングカンパニー　東日本営業本部　本部長
執行役員	石辺　秀規	セールス&マーケティングカンパニー　西日本営業本部　本部長
執行役員	安藤　國行	セールス&マーケティングカンパニー　広域事業本部　本部長
執行役員	大野　憲一	技術本部　本部長
執行役員	松元　久志	生産カンパニー　ＳＣＭ本部　本部長 兼　カルビーロジスティクス㈱代表取締役社長

＜コーセー＞　戸籍上の氏名を注記する例

(3)　会社役員の状況
　①　取締役及び監査役の状況（2020年3月31日現在）

地　位	氏　名	担当及び重要な兼職の状況
代表取締役社長	小林　一俊	株式会社アルビオン取締役
専務取締役	小林　孝雄	コーセーコスメポート株式会社代表取締役社長
専務取締役	熊田　篤男	コーセー化粧品販売株式会社代表取締役社長
常務取締役	小林　正典	マーケティング本部長
常務取締役	澁澤　宏一	リスクマネジメント担当　及び　社長室・経営企画部・総務部・法務部・情報統括部・国内連結関係会社担当 コーセー化粧品販売株式会社監査役 コーセーコスメポート株式会社監査役 株式会社アルビオン取締役
取締役	小林　勇介	株式会社アルビオン常務取締役 ALBION Cosmetics (America), Inc. President
取締役	柳井　陸仁	欧米事業部長　及び　欧米エリア関係会社担当 Tarte, Inc. Director (Chairman) KOSE America, Inc. Director
取締役	戸井川　岩夫	日比谷Ｔ＆Ｙ法律事務所弁護士 日本農薬株式会社社外取締役
取締役	菊間　千乃	弁護士法人松尾綜合法律事務所弁護士
取締役	湯浅　紀佳	三浦法律事務所パートナー弁護士
常勤監査役	鈴木　一弘	

常勤監査役	松 本　　　昇	
監　査　役	岩　渕　信　夫	公認会計士岩渕信夫事務所公認会計士 株式会社ビジネスブレイン太田昭和社外取締役監査等委員（常勤） 株式会社ウイルプラスホールディングス社外監査役
監　査　役	深　山　　　徹	深山法律事務所弁護士

（注）1．取締役戸井川岩夫、菊間千乃、及び湯浅紀佳の各氏は、社外取締役であります。
　　　2．監査役岩渕信夫、及び深山徹の両氏は、社外監査役であります。
　　　3．監査役岩渕信夫氏は、公認会計士として財務及び会計に関する相当程度の知見を有しております。
　　　4．当社は、戸井川岩夫、菊間千乃、湯浅紀佳、岩渕信夫、及び深山徹の各氏を株式会社東京証券取引所の定めに基づく独立役員として指定し、同取引所に届け出ております。
　　　5．菊間千乃氏の戸籍上の氏名は吉田千乃であります。
　　　6．湯浅紀佳氏の戸籍上の氏名は國井紀佳であります。
　　　7．2019年6月27日開催の第77回定時株主総会終結の時をもって、荒金久美氏は監査役を辞任いたしました。
　　　8．当社は、執行役員制度を導入しております。当事業年度末現在の各執行役員の氏名及び主な担当は次のとおりであります。

<後　略>

＜ＳＭＣ＞　事業年度中に辞任した監査役を表記する例

3　会社役員に関する事項

❶ 取締役及び監査役の氏名等

氏　名	地位及び担当並びに重要な兼職の状況		
髙　田　芳　行	取 締 役 名 誉 会 長		
丸　山　勝　德	代 表 取 締 役 社 長	（指名・報酬委員会委員）	
髙　田　芳　樹	代 表 取 締 役 副 社 長	営業本部長 （指名・報酬委員会委員）	SMCアメリカ取締役会長
小　杉　清　次	取 締 役 専 務 執 行 役 員	技術本部長	
佐　竹　正　彦	取 締 役 専 務 執 行 役 員	製造本部長	
磯　江　敏　夫	取 締 役 執 行 役 員	総務部長	
太　田　昌　宏	取 締 役 執 行 役 員	経理部長	
薄　井　郁　二	取 締 役 相 談 役		
海　津　政　信	社 外 取 締 役	（指名・報酬委員会委員長）	野村證券株式会社金融経済研究所 シニア・リサーチ・フェロー兼アドバイザー
香　川　利　春	社 外 取 締 役	（指名・報酬委員会委員）	
森　山　尚　人	常 勤 監 査 役		
東　葭　　　新	社 外 監 査 役		公認会計士（公認会計士東葭新事務所代表） 日本調剤株式会社　社外取締役（監査等委員）
内　川　治　哉	社 外 監 査 役		弁護士（弁護士法人御堂筋法律事務所パートナー） 株式会社アプラスフィナンシャル　社外取締役

（注）1．海津政信、香川利春、東葭　新、内川治哉の各氏は、一般株主の利益保護のため株式会社東京証券取引所が上場会社に対して確保することを義務づけている、独立役員です。
　　　2．監査役東葭　新氏は公認会計士・税理士であり、財務及び会計に関する相当程度の知見を有しています。
　　　3．当事業年度中に辞任した監査役（2019年6月27日付）

氏　名	辞任時の地位及び担当
藤　野　英　三	常 勤 監 査 役

　　　4．2019年6月27日開催の第60期定時株主総会終結の時をもって、大橋栄次氏は任期満了により取締役を退任し、藤野英三氏は監査役を辞任し、小川良明、鈴江辰男の両氏は任期満了により社外監査役を退任しました。また同定時株主総会において、新たに磯江敏夫、太田昌宏の両氏が取締役に、森山尚人、東葭 新、内川治哉の各氏が監査役にそれぞれ選任され、就任し

Ⅱ　事業報告記載事項の分析

ました。
5. 当事業年度中の取締役の役職の異動
　（2019年7月1日付）

氏　名	新役職名	旧役職名
薄井　郁二	取締役相談役	取締役専務執行役員　管理本部長

　（2019年9月26日付）

氏　名	新役職名	旧役職名
髙田　芳行	取締役名誉会長	代表取締役会長
髙田　芳樹	代表取締役副社長　営業本部長	取締役専務執行役員　営業本部長

<積水化学工業>　決算期後の取締役の担当の異動について記載する例

6 取締役および監査役の氏名等

（1）取締役および監査役の状況

氏　名	地　位	担当および重要な兼職の状況
髙下　貞二	代表取締役会長	
加藤　敬太	代表取締役社長 社長執行役員	
平居　義幸	取締役 常務執行役員	環境・ライフラインカンパニープレジデント
竹友　博幸	取締役 常務執行役員	法務部担当、人事部長
神吉　利幸	取締役 常務執行役員	住宅カンパニープレジデント
清水　郁輔	取締役 常務執行役員	高機能プラスチックスカンパニープレジデント 積水フーラー株式会社取締役
加瀬　豊	社外取締役	双日株式会社顧問 株式会社ジェイ エイ シー リクルートメント社外取締役
大枝　宏之	社外取締役	株式会社日清製粉グループ本社特別顧問 株式会社荏原製作所社外取締役 株式会社製粉会館取締役社長 公益財団法人一橋大学後援会理事長
石倉　洋子	社外取締役	株式会社資生堂社外取締役
長沼　守俊	常勤監査役	積水樹脂株式会社社外監査役
濱部　祐一	常勤監査役	積水化成品工業株式会社社外監査役 アルメタックス株式会社社外監査役
小澤　徹夫	社外監査役	東京富士法律事務所代表パートナー　弁護士
鈴木　和幸	社外監査役	電気通信大学大学院情報理工学研究科特任教授
清水　涼子	社外監査役	関西大学大学院会計研究科専任教授

（注）1. 取締役加瀬 豊、大枝宏之、石倉洋子の3氏は、会社法第2条第15号に定める社外取締役です。
　　　2. 監査役小澤徹夫、鈴木和幸、清水涼子の3氏は、会社法第2条第16号に定める社外監査役です。
　　　3. 監査役清水涼子氏は、公認会計士の資格を有しており、財務および会計に関する相当程度の知見を有しています。

4. 取締役加瀬 豊、大枝宏之、石倉洋子の3氏および監査役小澤徹夫、鈴木和幸、清水涼子の3氏を東京証券取引所の定めに基づく独立役員として指定し、同取引所に届け出ています。
5. 2019年6月20日開催の第97回定時株主総会において、新たに神吉利幸、清水郁輔、石倉洋子の3氏が取締役に、また、清水涼子氏が監査役にそれぞれ選任され、就任しました。
6. 2019年6月20日開催の第97回定時株主総会終結の時をもって、取締役久保 肇、上ノ山智史、関口俊一、石塚邦雄の4氏および監査役西 育良氏はそれぞれ退任しました。
7. 2020年4月1日、監査役清水涼子氏の兼職先は、関西大学大学院会計研究科・商学部専任教授となっています。
8. 当事業年度中の取締役の担当の異動は次のとおりです。

氏　名	異動後の担当等	異動前の担当等	異動年月日
髙下 貞二	代表取締役会長	代表取締役社長 社長執行役員	2020年3月1日
加藤 敬太	代表取締役社長 社長執行役員	代表取締役専務執行役員 ESG経営推進部担当、経営戦略部長	2020年3月1日
	代表取締役専務執行役員 ESG経営推進部担当、経営戦略部長兼新事業開発部長	代表取締役専務執行役員 ESG経営推進部担当、経営戦略部長兼新事業開発部長	2020年1月1日
	代表取締役専務執行役員 ESG経営推進部担当、経営戦略部長兼新事業開発部長	代表取締役専務執行役員 ESG経営推進部担当、経営戦略部長	2019年7月1日
神吉 利幸	取締役常務執行役員 住宅カンパニープレジデント	取締役常務執行役員 住宅カンパニープレジデント兼住宅営業統括部長兼まちづくり事業推進部長	2020年1月1日

9. 2020年4月1日、次のとおり取締役の担当の異動を行いました。

氏　名	異動後の担当および重要な兼職の状況
平居 義幸	取締役専務執行役員　環境・ライフラインカンパニープレジデント
神吉 利幸	取締役専務執行役員　住宅カンパニープレジデント

＜後　略＞

＜富士通＞　その他会社役員に関する重要な事項として，「指名委員会・報酬委員会」，「独立役員会議」を記載する例

(3) 会社役員の状況

①取締役および監査役の氏名等（2020年3月31日現在）

地　位	役　位	氏　名	担　当	社外役員	独立役員
代表取締役	社　長	時田　隆仁	CDXO、リスク・コンプライアンス委員会委員長		
代表取締役	副社長	古田　英範	CTO、CIO		
代表取締役	副社長	安井　三也	CISO、CRCO		
取締役	会　長	田中　達也	指名委員会委員、報酬委員会委員		
取締役	シニアアドバイザー	山本　正巳			
取締役	－	小島　和人			
取締役	－	横田　淳	指名委員会委員長、報酬委員会委員	○	○
取締役	－	向井　千秋	指名委員会委員、報酬委員会委員長	○	○
取締役	－	阿部　敦	取締役会議長	○	○
取締役	－	古城　佳子	指名委員会委員、報酬委員会委員	○	○
常勤監査役	－	近藤　芳樹			
常勤監査役	－	広瀬　陽一			
監査役	－	山室　惠		○	○

Ⅱ 事業報告記載事項の分析

監査役	－	三谷　紘		○	○
監査役	－	初川　浩司		○	○

(注) 当社の独立性基準(詳細については「第120回定時株主総会のご案内」6頁をご参照ください。)に基づき、独立性を判断しております。
(注) 取締役シニアアドバイザー　山本　正巳氏は、JFEホールディングス株式会社および株式会社みずほフィナンシャルグループの社外取締役を兼任しております。
(注) 常勤監査役　広瀬　陽一氏は、当社の財務経理本部長を務めるなど財務・経理部門における長年の経験があり、財務および会計に関する相当程度の知見を有しております。また、同氏は株式会社富士通ゼネラルの社外監査役を兼任しております。
　　監査役　三谷　紘氏は、検事、公正取引委員会の委員などを歴任し、経済事案を数多く取り扱った経験があるため、財務および会計に関する相当程度の知見を有しております。
　　監査役　初川　浩司氏は、公認会計士としてグローバル企業の豊富な監査経験があり、財務および会計に関する相当程度の知見を有しております。
(注) 代表取締役副社長　安井　三也氏は、2020年3月31日付で、代表取締役副社長を辞任しました。
(注) 取締役会長　田中　達也氏は、2020年3月31日付で、取締役会長を辞任しました。
(注) 社外役員の重要な兼職の状況は、15頁の「⑤社外役員の兼任の状況、主な活動状況等」に記載しております。
(注) CDXOは最高DX責任者、CTOは最高技術責任者、CIOは最高情報責任者、CISOは最高情報セキュリティ責任者、CRCOは最高リスク・コンプライアンス責任者を指します。

②責任限定契約の概要
　　当社と非業務執行取締役および監査役は、会社法第423条第1項の損害賠償責任を限定する契約を締結しております。当該契約に基づく損害賠償責任の限度額は、法令に定める最低責任限度額としております。なお、当該責任限定が認められるのは、当該非業務執行取締役または監査役が責任の原因となった職務の遂行について善意で、かつ重大な過失がないときに限られます。
　　(注) 非業務執行取締役は、社外取締役ならびに取締役会長　田中　達也氏、取締役シニアアドバイザー　山本　正巳氏および取締役　小島　和人氏です。

　　　　　　　　　　　　　　　　＜中　略＞

⑥その他会社役員に関する重要な事項
　●指名委員会・報酬委員会
　　当社は、役員選任プロセスの透明性・客観性の確保と、役員報酬決定プロセスの透明性・客観性、役員報酬体系・水準の妥当性の確保などを目的として、取締役会の諮問機関である指名委員会、報酬委員会を設置しております。
　　指名委員会は、当社の「コーポレートガバナンス基本方針」(注)に定めた「コーポレートガバナンス体制の枠組み」と「役員の選解任手続きと方針」に基づき、役員候補者について審議し、取締役会に答申しております。また、報酬委員会は、当社の「コーポレートガバナンス基本方針」に定めた「役員報酬の決定手続きと方針」に基づき、基本報酬の水準と、業績連動報酬の算定方法を取締役会に答申することとしております。
　　なお、2020年3月31日時点における指名委員会・報酬委員会の委員は以下のとおりです。
　　〈指名委員会〉　委員長　　横田　淳氏
　　　　　　　　　　委員　　　向井　千秋氏、古城　佳子氏、田中　達也氏
　　〈報酬委員会〉　委員長　　向井　千秋氏
　　　　　　　　　　委員　　　横田　淳氏、古城　佳子氏、田中　達也氏
　　なお、2019年7月の上記委員の選任後から当期末までに、指名委員会を2回、報酬委員会を3回開催し、指名委員会においては社長を含む代表取締役の選定案および取締役候補者の選任案等、報酬委員会においては役員報酬、賞与等について検討し、それぞれ取締役会に答申しました。
　　(注) 当社の「コーポレートガバナンス基本方針」全文は、インターネット上の当社ウェブサイト(https://pr.fujitsu.com/jp/ir/governance/governancereport-b-jp.pdf)に掲載しております。
　　(注) 指名委員会および報酬委員会の委員を務める田中　達也氏は、2020年3月31日付で取締役会長を辞任したことに伴い、同日付で当該委員も退任しております。

　●独立役員会議
　　当社は、独立役員の活用を促すコーポレートガバナンス・コードの要請に応えつつ、取締役会において中長期の会社の方向性に関する議論を活発化するためには、業務の執行と一定の距離を置く独立役員が恒常的に当社事業への理解を深めることのできる仕組みが不可欠と考え、独立役員会議を設置しております。独立役員会議では、中長期の当社の方向性の議論を行うとともに、独立役員の情報共有と意見交換を踏まえた各独立役員の意見形成を図ります。
　　当期においては、独立役員会議を8回開催し、経営方針や人材育成、当社および当社グループの業容などについて、情報共有と意見交換を行い、各独立役員の知見に基づき、取締役会に助言を行いました。

<住友金属鉱山> 代表取締役に「＊」，社外取締役に「☆」，社外監査役に「★」，独立役員に「※」を付している例

4 役員に関する事項

(1) 取締役および監査役の氏名等（2020年3月31日現在）

	地 位	氏 名	重要な兼職の状況
＊	取締役会長	中 里 佳 明	一般社団法人日本メタル経済研究所代表理事会長
＊	取締役社長	野 崎 明	
	取 締 役	浅 井 宏 行	
	取 締 役	朝 日 弘	Sociedad Minera Cerro Verde S.A.A., Director
	取 締 役	松 本 伸 弘	PT Vale Indonesia Tbk, Commissioner
☆※	取 締 役	泰 松 齊	
☆※	取 締 役	中 野 和 久	
☆※	取 締 役	石 井 妙 子	太田・石井法律事務所弁護士 日本電気株式会社社外監査役 株式会社DTS社外監査役 株式会社ふるさとサービス社外監査役
	常任監査役(常勤)	猪 野 和 志	
	監 査 役(常勤)	中 山 靖 之	
★※	監 査 役	近 藤 純 一	前澤化成工業株式会社社外監査役
★※	監 査 役	山 田 雄 一	山田雄一公認会計士事務所公認会計士 株式会社日本政策金融公庫社外監査役 株式会社クボタ社外監査役（2020年3月19日就任）

（注）1．＊印は，代表取締役です。
2．☆印は，会社法第2条第15号に定める社外取締役です。
3．★印は，会社法第2条第16号に定める社外監査役です。
4．※印は，株式会社東京証券取引所の規定に基づき，一般株主と利益相反の生じるおそれがない独立役員として届け出ている役員です。
5．監査役山田雄一氏は，公認会計士の資格を有しており，財務および会計に関する相当程度の知見を有しています。
6．社外取締役および社外監査役のその他の重要な兼職先と当社との間に特別の関係はありません。
7．社外監査役山田雄一氏は，当社の特定関係事業者（メインバンク）である株式会社三井住友銀行の使用人の三親等以内の親族です。

(2) 執行役員の氏名等（2020年3月31日現在）

当社では，執行役員が業務執行にあたる執行役員制度をとっています。執行役員の氏名、地位および担当は、以下のとおりです。

	地 位	氏 名	担 当
＊	社 長	野 崎 明	
＊	専務執行役員	浅 井 宏 行	経営企画部長、人事部・法務部担当
	常務執行役員	森 本 雅 裕	経理部長、秘書室・監査部・資材部・情報システム部担当
＊	常務執行役員	朝 日 弘	資源事業本部長
	常務執行役員	井 手 上 敦	技術本部長
	執行役員	安 川 修 一	CSR部長、総務部・人材開発部・広報IR部担当
	執行役員	水 野 文 雄	工務本部長
	執行役員	貝 掛 敦	安全環境部長、品質保証部担当
＊	執行役員	松 本 伸 弘	金属事業本部長
	執行役員	大 下 文 一	機能性材料事業本部長
	執行役員	阿 部 功	電池材料事業本部長
	執行役員	肥 後 亨	金属事業本部副本部長、大阪支社担当
	執行役員	金 山 貴 博	別子事業所長

Ⅱ 事業報告記載事項の分析

執行役員	佐藤 涼一	資源事業本部副本部長
執行役員	滝澤 和紀	電池材料事業本部副本部長
執行役員	吉田 浩	金属事業本部副本部長
執行役員	谷 勝	資源事業本部副本部長
執行役員	大久保 仁史	工務本部副本部長
執行役員	坂本 孝司	電池材料事業本部副本部長
執行役員	小笠原 修一	技術本部副本部長

(注) ＊印の各氏は、取締役を兼務しています。

＜ジーエス・ユアサ コーポレーション＞ ご参考で、中核事業子会社の役員の一覧を表記している例

3．会社役員の状況
(1) 取締役および監査役の状況（2020年3月31日現在）

氏　名	当社における地位および担当	重要な兼職の状況
村尾　修	※取締役社長、最高経営責任者（ＣＥＯ）	㈱ＧＳユアサ取締役社長
西田　啓	※取締役副社長	㈱ＧＳユアサ取締役副社長
中川 敏幸	専務取締役、最高財務責任者（ＣＦＯ）、コーポレート室長	㈱ＧＳユアサ専務取締役
倉垣 雅英	常務取締役	㈱ＧＳユアサ常務取締役 三菱ロジスネクスト㈱社外監査役
古川 明男	取締役	㈱ＧＳユアサ取締役
大谷 郁夫	取締役	
松永 隆善	取締役	
大原 克哉	監査役（常勤）	㈱ＧＳユアサ監査役 ㈱ジーエス・ユアサ バッテリー監査役 ㈱ＧＳユアサ エナジー監査役
山田 秀明	監査役（常勤）	㈱ＧＳユアサ監査役 ㈱リチウムエナジー ジャパン監査役 ㈱ブルーエナジー監査役 ㈱ジーエス・ユアサ フィールディングス監査役
村上 真之	監査役（常勤）	㈱ＧＳユアサ監査役 ㈱ジーエス・ユアサ テクノロジー監査役 ㈱ジーエス・ユアサ アカウンティングサービス監査役
藤井　司	監査役	辰野・尾崎・藤井法律事務所 弁護士

(注) 1．※印は、当社における代表取締役であります。
 2．2019年6月27日開催の定時株主総会終結の時をもって、監査役　落合伸二氏が辞任により退任いたしました。
 3．2019年6月27日開催の定時株主総会および取締役会において、村尾　修氏が取締役社長に、西田　啓氏が取締役副社長に、中川敏幸氏が専務取締役に、倉垣雅英氏が常務取締役に、古川明男、大谷郁夫、松永隆善の各氏が取締役に、それぞれ選任および選定され、就任いたしました。
 4．2019年6月27日開催の定時株主総会において、新たに、村上真之氏が監査役に選任され、就任いたしました。
 5．取締役　大谷郁夫および取締役　松永隆善の両氏は会社法第2条第15号に定める社外取締役であります。
 6．監査役　大原克哉および監査役　藤井　司の両氏は、会社法第2条第16号に定める社外監査役であります。
 7．監査役　大原克哉氏は、金融機関における銀行業務および総合的なコンサルティング業における業務の経験から、また、監査役　藤井　司氏は弁護士の業務を通じて、それぞれ財務および会

5 会社役員に関する事項

計に関する相当程度の知見を有しております。
8．取締役 大谷郁夫、取締役 松永隆善、監査役 藤井 司の各氏を、東京証券取引所の定めに基づく独立役員として指定し、同取引所に届け出ております。
9．当事業年度において、次のとおり取締役および監査役の地位および重要な兼職の異動がありました。

氏 名	異 動 内 容	異動年月日
山田 秀明	㈱ジーエス・ユアサ フィールディングス監査役に就任	2019年6月21日
	㈱ジーエス・ユアサ テクノロジー監査役を退任	2019年6月26日
村上 真之	㈱ＧＳユアサ監査役に就任	2019年6月26日
	㈱ジーエス・ユアサ テクノロジー監査役に就任	2019年6月26日
	㈱ジーエス・ユアサ アカウンティングサービス監査役に就任	2019年6月26日

（ご参考）
中核事業子会社である㈱ＧＳユアサの2020年3月31日現在の取締役および監査役の状況は次のとおりであります。

氏　　　名	地 位 お よ び 担 当
村尾　　修	※㈱ＧＳユアサ取締役社長、内部監査担当
西田　　啓	※㈱ＧＳユアサ取締役副社長、経営戦略・自動車電池事業担当
中川　敏幸	㈱ＧＳユアサ専務取締役、広報・ＩＲ・理財・ＣＳＲ・調達担当
倉垣　雅英	㈱ＧＳユアサ常務取締役、内部統制・人事・総務・リスク管理・情報システム担当
沢田　　勝	㈱ＧＳユアサ常務取締役、産業電池電源事業担当
奥山　良一	㈱ＧＳユアサ取締役、リチウムイオン電池事業担当
吉田　浩明	㈱ＧＳユアサ取締役、研究開発・知財担当
山口　義彰	㈱ＧＳユアサ取締役、品質・環境担当
古川　明男	㈱ＧＳユアサ取締役、自動車電池事業副担当（海外）
中川　正也	㈱ＧＳユアサ取締役、安全衛生担当、自動車電池事業副担当（国内）
大原　克哉	㈱ＧＳユアサ監査役（常勤）
山田　秀明	㈱ＧＳユアサ監査役（常勤）
村上　真之	㈱ＧＳユアサ監査役（常勤）
桑名　康夫	㈱ＧＳユアサ監査役

（注）※印は、㈱ＧＳユアサにおける代表取締役であります。

＜日東電工＞　ご参考で，取締役会の実効性に関する評価の結果の概要を記載する例

3．会社役員に関する事項

（1）取締役および監査役（2020年3月31日現在）

氏　名	役職（地位）	担当・重要な兼職等
髙﨑　秀雄	代表取締役　取締役社長　CEO、COO 内部統制委員長	経営全般管掌
梅原　俊志	代表取締役　専務執行役員　CTO 全社技術部門長 情報セキュリティ委員長	情報機能材料事業、メディカル事業、メンブレン事業、人事・教育、北米・南米、韓国エリア経営管掌 全社技術担当

— 153 —

Ⅱ　事業報告記載事項の分析

氏名	役職	担当・重要な兼職等
武内　徹	取締役　専務執行役員　CFO J-SOX委員長、適時開示委員長	コンプライアンス、EMEA（ヨーロッパ、中東、アフリカ）エリア経営管掌 経理・財務担当
富所　伸広	取締役　常務執行役員	基盤機能材料事業、東アジアエリア経営管掌
三木　陽介	取締役　上席執行役員　副CTO ICT事業部門長 兼　全社技術部門副部門長・新規事業本部長	トランスポーテーション事業、 南アジア・オセアニア、インドエリア経営管掌 ICT事業、全社技術（新規技術）担当
古瀬　洋一郎	社外取締役	エバンストン株式会社（代表取締役） ペルミラ・アドバイザーズ株式会社（会長） GLP PTE. Ltd（顧問）
八丁地　隆	社外取締役	丸紅株式会社（社外監査役） コニカミノルタ株式会社（社外取締役）
福田　民郎	社外取締役	京都工芸繊維大学名誉教授
神崎　正巳	常勤監査役	
德安　晋	常勤監査役	
寺西　正司	社外監査役	株式会社三菱UFJ銀行（名誉顧問）
豊田　正和	社外監査役	財団法人日本エネルギー経済研究所（理事長） キヤノン電子株式会社（社外取締役） 日産自動車株式会社（社外取締役）
白木　三秀	社外監査役	早稲田大学政治経済学術院（教授）

※ＣＥＯ：グループ最高経営責任者　ＣＯＯ：グループ最高経営執行責任者　ＣＴＯ：グループ最高技術責任者
　ＣＦＯ：グループ最高財務責任者

(注) 1. 常勤監査役德安晋氏は、長年にわたり当社経理・財務等を中心とした管理部門の要職や当社海外現地法人代表取締役を歴任し、財務および会計に関する相当程度の知見を有するものであります。
　　 2. 社外監査役寺西正司氏は、MBA（経営学修士）を取得するとともに、金融機関において長年にわたり経営に携わり、財務および会計に関する相当程度の知見を有するものであります。
　　 3. 当社は、社外取締役および社外監査役全員を東京証券取引所の定めに基づく独立役員として指定し、同取引所に届け出ております。
　　 4. 当社と、社外取締役および社外監査役の重要な兼職先との間には特別の関係はありません。
　　 5. 2019年6月21日開催の第154回定時株主総会終結の時をもって、丸山泉資氏は常勤監査役を辞任しました。

＜中　略＞

▶（ご参考）執行役員の状況

当社は執行役員制度を採用しており、2020年4月1日現在の執行役員の体制は次のとおりです。

氏　名	役職（地位）	担当・重要な兼職等
髙﨑　秀雄	代表取締役　取締役社長　CEO、COO 内部統制委員長	経営全般管掌
表　利彦	専務執行役員　技師長	特命事項担当
吉本　道雄	専務執行役員　法務総務統括部長　輸出管理センター長	法務・総務、輸出管理担当
梅原　俊志	代表取締役　専務執行役員　CTO 全社技術部門長　情報セキュリティ委員長	情報機能材料事業、メディカル事業、メンブレン事業、 人事・教育、北米・南米、韓国エリア経営管掌 全社技術担当
武内　徹	取締役　専務執行役員　CFO J-SOX委員長、適時開示委員長	コンプライアンス、EMEA（ヨーロッパ、中東、アフリカ）エリア経営管掌 経理・財務担当
中平　泰史	常務執行役員　品質・環境・安全統括部長　環境安全委員長	品質・環境・安全担当
飯塚　幸宏	常務執行役員　北・南米エリア長　Nitto, Inc. 代表取締役	北米・南米エリア経営担当
富所　伸広	取締役　常務執行役員	基盤機能材料事業、東アジアエリア経営管掌
大脇　泰人	上席執行役員　CIO、CPO	IT、調達、ロジスティック、業務改革担当
Sam Strijckmans	上席執行役員 EMEA（ヨーロッパ、中東、アフリカ）エリア長 経理財務統括部副統括部長　Nitto EMEA NV 代表取締役	EMEA（ヨーロッパ、中東、アフリカ）エリア経営、 グローバル財務・監査担当
山下　潤	上席執行役員 南アジア・オセアニアエリア長　インドエリア長 Nitto Denko (Singapore) Pte. Ltd. 取締役	南アジア・オセアニア、インドエリア経営担当
髙柳　敏彦	上席執行役員　営業統括部門長・東京支店長	営業統括・営業支援担当
土本　一喜	上席執行役員　副CTO 全社技術部門副部門長	全社技術（製造技術・プロセス技術）担当
三木　陽介	取締役　上席執行役員　副CTO ICT事業部門長　兼　全社技術部門副部門長	トランスポーテーション事業、 南アジア・オセアニア、インドエリア経営管掌 ICT事業、全社技術（新規技術）担当
福原　浩志	執行役員　人財統括部長	人事・教育、事業所経営担当
藤岡　誠二	執行役員　メディカル事業部長	メディカル事業担当
右近　敦嗣	執行役員　日昌株式会社　代表取締役	事業会社経営担当
李　培源	執行役員 韓国エリア長　Korea Nitto Optical Co., Ltd. 代表理事社長	韓国エリア経営、情報機能材料事業担当

5 会社役員に関する事項

伊勢山 恭弘	執行役員 経理財務統括部長	経理・財務担当
佐藤 紀夫	執行役員 基盤機能材料事業部門長	基盤機能材料事業担当
城 勝義	執行役員 東アジアエリア長 Nitto Denko (China) Investment Co.,Ltd. 董事長・総経理	東アジアエリア経営担当
大須賀 達也	執行役員 サステナビリティ統括部長 CSR委員長	コンプライアンス担当
Mehrdad Tabrizi	執行役員 Nitto, Inc. 取締役	北米・南米エリア経営担当
赤木 達哉	執行役員 情報機能材料事業部門長	情報機能材料事業担当
明間 健二郎	執行役員 未来戦略統括部長	経営企画、広報、IR担当

※CEO:グループ最高経営責任者　COO:グループ最高経営執行責任者　CTO:グループ最高技術責任者
　CIO:グループ最高情報責任者　CFO:グループ最高財務責任者　CPO:グループ最高調達責任者

▶(ご参考) 当社取締役会の実効性に関する評価の結果の概要について

2020年3月31日

当社取締役会の実効性に関する評価の結果の概要について

当社は、東京証券取引所が定める「コーポレートガバナンス・コード」に基づき、取締役会の実効性に関する分析・評価を実施しました。この度、2019年度の分析・評価が完了しましたので、その概要を下記のとおりお知らせいたします。

1. 分析・評価の方法
　当社取締役会は、本年度より第三者機関の助言を得ながら、次の方法で評価・分析を行いました。
　①第三者機関の助言を得て、実効性評価アンケート表を作成。
　②12月度取締役会で、実効性評価の趣旨を事務局より説明。
　取締役および監査役に対してアンケート表を配布。
　③1月中旬にアンケート表を回収。
　④事務局が、第三者機関の分析と照らし合わせながら、アンケート結果や自由コメントを取りまとめ、実効性評価アンケート報告書を作成。取締役および監査役に報告書を配布。
　⑤2月度取締役会で、取締役および監査役が報告書を基に取締役会の実効性について討議。
　⑥事務局が、討議結果を取りまとめた資料を作成。取締役および監査役に資料を配布。
　⑦3月度取締役会で、討議内容を確認し、取締役会の実効性評価の内容を検討したうえで、適時開示文書を決議。

2. 実効性評価アンケート項目
　・取締役会の構成　　　　　3問
　・取締役会の審議内容　　 12問
　・取締役会の審議方法　　　8問
　・リスク管理　　　　　　　3問(※)
　・役員のトレーニング　　　2問(※)
　・株主との対話　　　　　　2問(※)
　・役員個人の取組み　　　　7問(※)
　・その他　　　　　　　　　2問
　・総括　　　　　　　　　　1問
　　　　　　　　　　　計40問
　(※) 4項目は、アンケート内容を充実させるため、昨年度より追加したもの

3. 分析・評価結果の概要
　ⅰ) 総論
　　取締役会の実効性は確保されているものと評価いたしました。
　ⅱ) 分析・評価
　　実効性評価アンケートは5段階評価で、全取締役および全監査役がアンケートに回答しました。結果、多くの質問において、「適切」または「おおむね適切」との回答がなされました (全アンケート質問の77%に相当)。特に、取締役会では、社外取締役、社外監査役も含め、自由闊達な議論が行われ、審議事項や時間についても、おおむね適切な運用がなされていたことを確認しました。また、昨年度の実効性評価において討議した議論すべき中長期的な経営テーマについては、海外エリア経営責任者からの経営報告の充実や意思決定規程の改定等を通じて改善に取り組んだことを確認しました。
　　一方、今年度に認識した課題については、さらに改善の取組みを進めていくことを確認しました。具体的には、取締役会の構成メンバーの多様性を確保するため適切な候補者の育成・探索をすること、リスクマネジメント体制に関する議論を充実させること、任意の委員会である経営・指名・報酬諮問委員会などを通じた透明性や公平性の向上を図ること、株主対話を進めるため株主対応の結果報告の内容を充実させること、世の中の流れや株主の要望を意識した事務局運営を行うことなどです。

4. 今後の対応
　当社取締役会は、上記の分析・評価の結果を踏まえ、取締役会全体の実効性を更に高めて行くための継続的な取組みを行ってまいります。

以　上

＜ソニー＞　「当社のコーポレートガバナンスの状況」の見出しで、各機関等の主な役割・責務や取締役会・各委員会の実効性評価について記載する例

4．会社役員の状況

(1) 当社のコーポレートガバナンスの状況

コーポレートガバナンスに関する基本的な考え方
当社は、中長期的な企業価値の向上をめざした経営を推進するための基盤としてコーポレートガバナンスが極めて

重要なものであるとの考えのもと、コーポレートガバナンス体制の構築とそのさらなる強化に取り組んでいます。

具体的には、次の二つを実施することで、効果的なグループ経営の実現に継続的に取り組んでいます。

(a) 執行側から独立した社外取締役が相当数を占める取締役会が、指名、監査及び報酬の各委員会を活用しながら、経営に対する実効性の高い監督を行い、健全かつ透明性のある経営の仕組みを構築・維持する。
(b) 取締役会がグループ経営に関する基本方針その他重要事項について決定するとともに、執行役を含む上級役員（ソニーグループの経営において重要な役割を担う者）に対して、それぞれの責任範囲を明確にしたうえで業務執行に関する決定権限を大幅に委譲することにより迅速な意思決定を可能にする。

上記に照らして、当社は、会社法上の「指名委員会等設置会社」を経営の機関設計として採用するとともに、業務執行の監督機関である取締役会の執行側からの独立性の確保、取締役会での活発な議論を可能にするための適正な規模の維持、各委員会のより適切な機能の発揮などに関する独自の制度上の工夫を追加しています。

ソニー独自の工夫

ガバナンス強化のため、法令に定められた要件に加え、以下の事項を取締役会規定に盛り込み、制度化しています。

- 取締役会議長及び各委員会議長の社外取締役からの選定
- 社外取締役の再選回数の制限（原則として再選回数5回まで）
- 利益相反の排除や独立性確保に関する取締役の資格要件の制定
- 指名委員会の1名以上は執行役兼務の取締役とすること
- 報酬委員へのCEO（最高経営責任者）、COO（最高業務執行責任者）、CFO（最高財務責任者）及びこれに準ずる地位を兼務する取締役の就任禁止
- 取締役の員数を10名以上20名以下とすること

経営機構の概要

当社は、法定機関として、株主総会で選任された取締役からなる取締役会、取締役会に選定された取締役からなる指名・監査・報酬の各委員会、及び取締役会で選任された執行役を設置しています。なお、当社では、ソニーグループの経営全体を統括するCEO、及びソニーグループの経営において重要かつ広範な本社機能を所管する者を執行役としています。また、CEOを含む執行役及びソニーグループの経営において重要な役割を担う者を上級役員としています。なお、当社の経営陣につき、経営における役割や責任の大きさに応じて専務、常務、執行役員等の職位を付与しています。

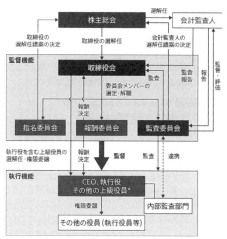

＊上級役員：執行役及びソニーグループの経営において重要な役割を担う者

各機関の主な役割・責務

取締役会(2019年度の開催状況：9回)
- ソニーグループの経営の基本方針等の決定
- 当社の経営陣から独立した立場でのソニーグループの業務執行の監督
- 各委員会メンバーの選定・解職
- 執行役を含む上級役員の選解任
- 代表執行役の選定・解職

取締役会の構成に関する方針
当社は、取締役会による経営に対する実効性の高い監督を実現するために、取締役会の相当割合を、法令及び取締役会規定に定める資格要件を満たす社外取締役が構成するよう、指名委員会において取締役会の構成に関する検討を重ねています。そのうえで、指名委員会において、各人のこれまでの経験、実績、各領域での専門性、国際性といった個人の資質や取締役として確保できる時間の有無、当社からの独立性に加え、取締役会における多様性の確保、取締役会の適正規模、取締役会に必要な知識・経験・能力などを総合的に判断し、ソニーグループの企業価値向上をめざした経営を推進するという目的に照らして適任と考えられる候補者を選定しています。

指名委員会(2019年度の開催状況：5回)
- 取締役の選解任議案の決定
- CEOが策定する、CEO及び指名委員会が指定するその他の役員の後継者計画の評価

指名委員会の構成に関する方針
当社の指名委員会は取締役3名以上で構成され、その過半数は社外取締役とし、かつ1名以上は執行役を兼務する取締役とするとともに、委員会議長は社外取締役から選定されることとしています。なお、指名委員の選定及び解職は、指名委員会の継続性にも配慮して行っています。

さらに、当社においては、一部の社外取締役が指名委員と報酬委員を兼任するなど、指名委員会及び報酬委員会の連携を図り、後継者計画の対象となるCEO及び指名委員会が指定するその他の役員の評価を共有することによって、当該評価対象者の選解任の適否の判断及び報酬の決定を実効的かつ効率的に行う体制を整備しております。

監査委員会（2019年度の開催状況：6回）
- 取締役・執行役の職務執行の監査
- 会計監査人の監督

監査委員会の構成に関する方針

当社の監査委員会は、以下の要件を全て満たす取締役3名以上で構成され、その過半数は社外取締役とするとともに、委員会議長は社外取締役から選定されることとしています。

また、監査委員は、適切な経験・能力及び必要な財務・会計・法務に関する知識を有する者より選定するとともに、原則として指名委員及び報酬委員を兼ねることはできないものとしています。なお、監査委員の選定及び解職は、監査委員会の継続性にも配慮して行っています。

1. 当社又は当社子会社の業務執行取締役、執行役、会計参与、支配人又はその他の使用人でないこと。
2. 当社に適用される米国証券関連諸法令に定める"Independence"要件又はこれに相当する要件を充足すること。

また、監査委員のうち少なくとも1名は、当社に適用される米国証券関連諸法令に定める"Audit Committee Financial Expert"要件又はこれに相当する要件を充足しなければならないとし、当該要件を充足するか否かは取締役会が判断しています。

報酬委員会（2019年度の開催状況：5回）
- 取締役、上級役員及びその他の役員の個人別報酬の方針の決定
- 報酬方針にもとづく取締役及び上級役員の個人別報酬の額及び内容の決定

報酬委員会の構成に関する方針

当社の報酬委員会は取締役3名以上で構成され、その過半数は社外取締役とするとともに、委員会議長は社外取締役から選定されることとしています。また、CEO、COO及びCFOならびにこれに準ずる地位を兼務する取締役は報酬委員となることができないものとしています。なお、報酬委員の選定及び解職は、報酬委員会の継続性にも配慮して行っています。

上級役員
- 取締役会が定める職務分掌にしたがったソニーグループの業務執行の決定及び実行

上級役員の選解任方針・手続

当社では、CEOを含む執行役及びソニーグループの経営において重要な役割を担う者を「上級役員」としています。取締役会は、CEOを含む上級役員の選解任及び担当領域の設定に関する権限を有しており、それらの権限を必要に応じて随時行使するものとしています。CEOを含む

上級役員の選任にあたって、取締役会は、指名委員会が策定するCEOに求められる要件やCEO以外の上級役員候補が当社の業務執行において期待される役割等に照らして望ましい資質や経験、実績を有しているかの議論、検討を行ったうえで、適任と考えられる者を選任しています。

また、CEOを含む上級役員の任期は1年としており、その再任にあたっても直近の実績も踏まえて同様の議論、検討を行います。なお、任期途中であっても、取締役会や指名委員会において必要と認める場合、その職務継続の適否について検討を開始し、不適格と認めた場合には、随時、交代、解任を行います。

取締役会からの権限委譲

取締役会は、グループ経営に関する基本方針その他経営上特に重要な事項について決定するとともに、ソニーグループの経営に関する迅速な意思決定を可能にすべく、CEOを含む上級役員の担当領域を設定したうえで、CEOに対して、業務執行に関する決定及び実行にかかる権限を大幅に委譲しています。CEOはさらに、当該権限の一部を他の上級役員に対して委譲しています。

その他の役員（当社においては執行役員等が相当）
- 取締役会及び上級役員が決定する基本方針にもとづく、ビジネスユニット、本社機能、研究開発などの特定領域における担当業務の実行

取締役会・各委員会の実効性評価

実効性評価に関する当社の考え方

当社は、ソニーグループの企業価値向上をめざした経営を推進すべく、継続的に取締役会及び各委員会の機能及び実効性の向上に取り組むことが重要であると考えています。この取り組みの一環として、当社は、原則として年に1回以上、かかる実効性評価を実施しています。

直近の実効性評価

取締役会は、前回の実効性評価の結果を踏まえた対応が適切になされていることを確認したうえで、主に2019年度の活動を対象とした実効性評価を2020年2月から4月にかけて実施しました。なお、今回の実効性評価についても、前回と同様に、評価自体の透明性や客観性を確保することと専門的な視点からのアドバイスを得ることを目的として、国内外のコーポレートガバナンスに高い知見を持つ外部専門家による第三者評価も取得したうえで、実施しました。

評価プロセス

まず、取締役会において、前回の実効性評価を踏まえた対応状況及び今回の実効性評価の進め方について審議・確認しました。

そのうえで、外部専門家による第三者評価を実施しました。その評価手法は以下のとおりです。
- 取締役会議事録等の資料の閲覧及取締役会への陪席
- 取締役会・各委員会の開催・運営実務等に関する各事務局との確認
- 取締役会の構成、運営、取締役自身のコミットメント、各委員会の活動、実効性評価の手法そのもの等に関する

Ⅱ　事業報告記載事項の分析

　　　　　　　　　　　全取締役に対するアンケートの実施
　　　　　　　　● 取締役会議長、新任取締役、CEOを兼務する取締役その
　　　　　　　　　他一部の取締役に対するインタビューの実施
　　　　　　　　● 日本及び欧米のグローバル企業との比較等
　　　　　　　その後、取締役会が、当該外部専門家より第三者評価の
　　　　　　　結果についての報告を受け、その内容を分析・審議し、
　　　　　　　取締役会・各委員会の実効性確保の状況を確認しました。

　　　　　　　評価結果の概要
　　　　　　　外部専門家による第三者評価の結果として、取締役会は、
　　　　　　　取締役の自己評価、日本・欧米のグローバル企業との比較
　　　　　　　等の諸点から、高く評価されるべき構成及び運営がなされ
　　　　　　　ている旨の報告を受けました。取締役会としては、その報告
　　　　　　　内容を踏まえて実効性確保の状況について分析・審議した
　　　　　　　結果、2020年4月時点において取締役会及び各委員会の
　　　　　　　実効性は十分に確保されていることを改めて確認しました。
　　　　　　　なお、当該外部専門家から、取締役会・各委員会の実効性を
　　　　　　　さらに高めるために、他社事例も踏まえて検討対象となり
　　　　　　　得る選択肢として、昨今の経営環境の変化に応じた任意
　　　　　　　委員会の設置可能性、監査委員会と内部監査部門の関係
　　　　　　　の強化、高度化した報酬制度及び取締役の経験・専門領域
　　　　　　　に関する開示の一層の拡充、取締役会の開催方法の検討等
　　　　　　　に関する案が例示されました。

　　　　　　　今後の取り組み
　　　　　　　当社は、ソニーグループの企業価値向上をめざした経営を
　　　　　　　さらに推進すべく、今回の取締役会及び各委員会の実効性
　　　　　　　評価の結果、ならびにかかるプロセスの中で各取締役から
　　　　　　　提示された多様な意見や外部専門家から提示された視点
　　　　　　　等を踏まえて、継続的に取締役会及び各委員会の機能向上
　　　　　　　に取り組んでいきます。

　　　　　　　（ご参考）
　　　　　　　コーポレートガバナンス報告書
　　　　　　　　https://www.sony.co.jp/SonyInfo/IR/library/governance.html
　　　　　　　サステナビリティレポート（コーポレートガバナンス）
　　　　　　　　https://www.sony.co.jp/SonyInfo/csr_report/governance/

（2）取締役及び執行役の状況

■ 取締役

氏　名	担当及び重要な兼職等の状況
吉田 憲一郎	■ 指名委員
十時 裕樹	―
*隅 修三	■ 取締役会議長　■ 指名委員会議長 東京海上日動火災保険㈱ 相談役、　㈱豊田自動織機 社外取締役
Tim Schaaff （ティム・シャーフ）	■ 情報セキュリティ担当 Intertrust Technologies Corporation チーフ・プロダクト・オフィサー
*松永 和夫	■ 取締役会副議長　■ 監査委員会議長 三菱ふそうトラック・バス㈱ 代表取締役会長、　高砂熱学工業㈱ 社外取締役、 橋本総業ホールディングス㈱ 社外取締役
*宮田 孝一	■ 指名委員　■ 報酬委員 ㈱三井住友銀行 取締役会長、　㈱三越伊勢丹ホールディングス 社外監査役
*John V. Roos （ジョン・ルース）	■ 指名委員 Salesforce.com, inc. 社外取締役、　The Roos Group, LLC CEO、 Geodesic Capital ファウンディング・パートナー

＊桜井 恵理子	■ 報酬委員会議長 ダウ・東レ㈱ 代表取締役会長・CEO、 ㈱三井住友フィナンシャルグループ 社外取締役	
＊皆川 邦仁	■ 監査委員 参天製薬㈱ 社外取締役	
＊岡 俊子	■ 監査委員 ㈱岡&カンパニー 代表取締役、 ㈱ハピネット 社外取締役、三菱商事㈱ 社外取締役、日立金属㈱ 社外取締役	
＊秋山 咲恵	■ 監査委員 ㈱サキコーポレーション ファウンダー、 日本郵政㈱ 社外取締役、 オリックス㈱ 社外取締役	
＊Wendy Becker （ウェンディ・ベッカー）	■ 報酬委員 Great Portland Estates plc 社外取締役 報酬委員会議長、 Logitech International S.A. 社外取締役 取締役会議長 指名委員会議長	
＊畑中 好彦	■ 指名委員 アステラス製薬㈱ 代表取締役会長	

(注1) ＊は会社法第2条第15号に定める社外取締役であり、全員を東京証券取引所が定める独立役員として届け出ています。
(注2) 監査委員 皆川邦仁氏は財務及び監査に関する幅広い実務経験を、監査委員 岡俊子氏は会計事務所や社外取締役・監査役のキャリアを通じて企業経営及び会計に関する幅広い見識をそれぞれ有しており、両氏とも財務及び会計に関する相当程度の知見を有しています。
なお、当社はニューヨーク証券取引所に上場しているため、監査委員全員について一定の独立性が求められることもあり、常勤の監査委員を選定していませんが、監査委員会の職務執行を補佐する者を置くとともに、内部監査、その他社内関係部署及び会計監査人と連携し、監査活動の充実に努めています。

■ 執行役

役位	氏名	主な担当
代表執行役 社長	＊吉田 憲一郎	CEO
代表執行役 専務	＊十時 裕樹	CFO
執行役 専務	勝本 徹	R&D担当、メディカル事業担当
執行役 常務	神戸 司郎	法務、コンプライアンス、広報、CSR、渉外、品質、環境、情報セキュリティ、プライバシー担当
執行役 常務	安部 和志	人事、総務担当

(注1) ＊は取締役を兼務する者です。
(注2) 当年度末後の2020年6月1日付で次の執行役の役位につき異動がある予定です。

異動後の役位	氏名	主な担当
代表執行役 会長 兼 社長	吉田 憲一郎	CEO
代表執行役 副社長	十時 裕樹	CFO
執行役 副社長	勝本 徹	R&D担当、メディカル事業担当
執行役 専務	神戸 司郎	法務、コンプライアンス、広報、サステナビリティ、渉外、品質、情報セキュリティ、プライバシー担当
執行役 専務	安部 和志	人事、総務担当

(注3) 当年度末後の2020年6月1日付で就任予定の執行役は次のとおりです。

役位	氏名	主な担当
代表執行役 副会長	石塚 茂樹	エレクトロニクス・プロダクツ&ソリューション事業担当、ストレージメディア事業担当

(3) 責任限定契約の概要

当社の定款規定にもとづき、社外取締役を含む非業務執行取締役全員との間で締結している責任限定契約の概要は、次のとおりです。

- 非業務執行取締役は、責任限定契約締結後、会社法第423条第1項により当社に対し損害賠償義務を負う場合において、その職務を行うにつき善意であり、かつ重大な過失がなかったときは、3,000万円又は会社法第425条第1項各号の金額の合計額のいずれか高い額を限度として損害賠償責任を負担するものとする。
- 非業務執行取締役の任期満了時において、再度当社の非業務執行取締役に選任され就任したときは、責任限定契約は何らの意思表示を要せず当然に再任後も効力を有するものとする。

＜アステラス製薬＞ 「コーポレートガバナンスに関する基本的な考え方と体制」を独立した見出しで記載する例

2．コーポレートガバナンスに関する基本的な考え方と体制

1. 基本的な考え方
当社は、先端・信頼の医薬で、世界の人々の健康に貢献することを存在意義とし、企業価値の持続的向上のため、全てのステークホルダーから選ばれ、信頼されることを目指しています。この経営理念を踏まえ、下記の観点から、コーポレートガバナンスの実効性を確保・強化するよう努めます。

1) 経営の透明性・妥当性・機動性の確保
2) 株主に対する受託者責任と説明責任の履行及び全てのステークホルダーとの適切な協働

なお、当社がコーポレートガバナンスの実効性を確保・強化するにあたり、遵守すべき基本的な考え方及び基本方針を明示するものとして、「コーポレートガバナンス・ガイドライン」を定め、以下の当社ウェブサイトで公開しています。
https://www.astellas.com/jp/ja/about/governance

2. 当社のコーポレートガバナンス体制の概要

当社のコーポレートガバナンス体制の概要は以下のとおりです。
- 監査等委員会設置会社を選択し、取締役会及び監査等委員会はそれぞれ過半数を社外取締役で構成します。
- 取締役会は、経営の基本方針・経営戦略等を決定し、業務執行の監督機能を果たします。
- 業務執行に関わる体制として、重要事項の協議を行うエグゼクティブ・コミッティを設置するとともに、業務執行の責任を担うトップマネジメント（取締役社長並びに経営戦略・財務担当、経営管理・コンプライアンス担当、メディカル担当及び販売統括担当の総称）を選任します。上記会議体及びトップマネジメントの業務執行の責任と権限の所在は決裁権限規程を制定して明確にします。
- 取締役会の諮問機関として、過半数を社外取締役で構成する指名委員会及び報酬委員会を設置します。

（2020年4月1日現在）

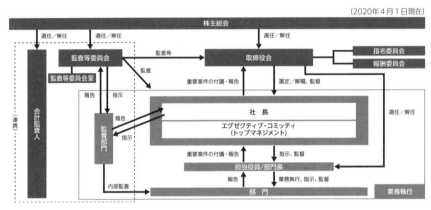

＜当該体制を選択する理由＞
取締役会の業務執行決定権限の相当な部分を業務執行取締役に委譲することが可能となる監査等委員会設置会社を選択することにより、取締役会における経営戦略等の議論を一層充実させるとともに、取締役会の監督機能のさらなる強化を図っています。また、取締役の選任等・報酬等に関わる事項などコーポレートガバナンスに関わる重要な事項については、社外取締役が過半数を占める取締役会において議論し、決定することが適当であると考えています。

3. 取締役/取締役会

取締役は株主総会において選任され、監査等委員でない取締役の任期は1年、監査等委員である取締役の任期は2年としています。取締役会は、原則として毎月1回開催し、議長は取締役会長が務めています。

取締役会は、経営の基本方針、経営戦略等を決定し、業務執行の監督機能を果たすことで、経営の透明性及び妥当性を確保しています。また、取締役会は、その決議によって重要な業務執行の決定の相当部分を業務執行取締役に委任するとともに、決裁権限規程を制定してトップマネジメント等の業務執行の責任と権限を明確にし、経営の機動性を確保しています。

取締役会は、専門性・経験等の観点から、その多様性とバランスを考慮の上、機動性が確保できる適正な規模の取締役数で構成します。なお、取締役会は、より広い見地からの意思決定と客観的な業務執行の監督を行うため、その過半数を社外取締役で構成しています。2020年3月31日時点において、取締役会は12名（男性9名／女性3名）で構成され、その過半数である7名は独立性の高い社外取締役です。

取締役会全体の実効性を一層向上させていくため、各取締役の自己評価等の方法により、毎年、取締役会全体の実効性について取締役会としての分析・評価を行い、その結果の概要を開示しています。

4. 監査等委員会

監査等委員会は、原則として毎月1回開催しています。
監査等委員会は、監査等委員会の監査等に関する意見を形成するための唯一の協議機関かつ決議機関であり、必要に応じて取締役又は取締役会に対し監査等委員会の意見を表明します。

監査等委員会は、全ての監査等委員である取締役をもって構成し、監査等委員会の委員長は監査等委員会の決議により定めています。なお、監査等委員会は、監査体制の独立性及び中立性を一層高めるため、その過半

数を社外取締役で構成しています。また、監査等委員には、適切な経験・能力及び必要な財務・会計・法務に関する知識を有する者を選任し、特に、最低1名は財務・会計に関する十分な知見を有している者としています。2020年3月31日時点において、監査等委員会は5名（男性3名/女性2名）で構成され、その過半数である3名は独立性の高い社外取締役です。

なお、2020年4月1日から、監査等委員会の職務を補助する監査等委員会室を新たに設置し、所属員として専任のスタッフを増員の上配置しています。監査等委員会室の所属員は、監査等委員でない取締役から独立し、監査等委員会の指揮命令の下に職務を遂行すること、またその異動・評価等は監査等委員会の事前の同意を必要とすることを取締役会で定めることによって、監査等委員会室の所属員の他の業務執行部門からの独立性と同所属員に対する監査等委員会の指示の実効性を確保しています。

5. 指名委員会/報酬委員会

当社は、役員人事及び報酬制度における審議プロセスの透明性と客観性を高めるため、取締役会の諮問機関として指名委員会及び報酬委員会を設置しています。指名委員会及び報酬委員会は、取締役会が選任する委員で構成され、その委員の過半数は社外取締役とし、委員長は社外取締役が務めています。

＜指名委員会の役割＞
　取締役及びトップマネジメント等の選任・解任等に関する事項について協議し、その結果を取締役会へ具申します。

＜報酬委員会の役割＞
　取締役及びトップマネジメント等の報酬、賞与その他の職務執行の対価として受ける財産上の利益に関する事項（監査等委員である取締役の個別の報酬を除く）について協議し、その結果を取締役会へ具申します。

3．役員に関する事項

（1）取締役の氏名等

地　位	氏　名	諮問委員会	担当及び重要な兼職の状況
代表取締役会長	畑中 好彦	指名委員会 委員 報酬委員会 委員	ソニー株式会社 社外取締役（2019年6月就任）
代表取締役社長	安川 健司		
代表取締役副社長	岡村 直樹		経営戦略・財務担当
社外取締役	関山　護	指名委員会 委員長 報酬委員会 委員長	株式会社ADワークスグループ 社外取締役・監査等委員（2020年4月就任）
社外取締役	山上 圭子	指名委員会 委員 報酬委員会 委員	東京靖和綜合法律事務所 客員弁護士 デンヨー株式会社 社外監査役（2019年6月就任）
社外取締役	河邊 博史	指名委員会 委員 報酬委員会 委員	慶應義塾大学 名誉教授 公益財団法人 医療研修推進財団 理事長
社外取締役	石塚 達郎	指名委員会 委員 報酬委員会 委員	日立建機株式会社 取締役（2019年6月退任） 株式会社日立製作所 アドバイザー K&Oエナジーグループ株式会社 社外取締役（2020年3月就任）
取締役 （常勤監査等委員）	藤澤 友一		
取締役 （常勤監査等委員）	酒井 弘子		
社外取締役 （監査等委員）	植松 則行		植松公認会計士事務所 所長 有限会社エス・ユー・コンサルタント 代表取締役社長 株式会社鎌倉新書 社外取締役・監査等委員 LINE株式会社 社外監査役
社外取締役 （監査等委員）	佐々木 宏夫		早稲田大学大学院会計研究科 教授
社外取締役 （監査等委員）	渋村 晴子		本間合同法律事務所 パートナー弁護士 ニチレキ株式会社 社外監査役（2019年6月退任） ニチレキ株式会社 社外取締役（2019年6月就任） 株式会社タムラ製作所 社外取締役

(注) 1. 取締役の関山護氏、山上圭子氏、河邊博史氏、石塚達郎氏、植松則行氏、佐々木宏夫氏、渋村晴子氏は、社外取締役であり、株式会社東京証券取引所に対し、独立役員として届け出ています。
　　 2. 上記に記載の兼職先と当社との間に重要な取引関係はありません。
　　 3. 重要な兼職の状況に記載の年月は、当期中及びその後に異動があった年月です。
　　 4. 監査等委員に関する特記事項は次のとおりです。
　　　 植松則行氏は、長年、公認会計士及びコンサルタントとしてM&Aに関わるコンサルティング等の業務に従事し、現在は、植松公認会計士事務所 所長、有限会社エス・ユー・コンサルタント 代表取締役社長を務める傍ら、早稲田大学大学院経営管理研究科で教鞭をとるなど、財務及び会計に関する相当程度の知見を有しています。
　　 5. 藤澤友一氏、酒井弘子氏は、常勤の監査等委員です。社内事情に精通した者が、重要な会議への出席、業務執行部門からの業務報告の聴取、内部監査部門等との密接な連携により得た情報を監査等委員全員で共有することを通じて監査等委員会の活動の実効性を高めるため、常勤の監査等委員を選定しています。
　　 6. 相澤好治氏は、当期中に取締役を退任いたしました。（2019年6月18日退任）
　　 7. 金森仁氏は、当期中に取締役（監査等委員）を辞任いたしました。（2019年6月18日辞任）
　　 8. 当期における取締役の担当の異動は次のとおりです。

氏　名	異動前		異動後		異動日
	地　位	担　当	地　位	担　当	
岡村 直樹	代表取締役副社長	経営戦略担当	代表取締役副社長	経営戦略・財務担当	2019年10月25日

Ⅱ　事業報告記載事項の分析

(2) 会社役員の報酬等

　会社役員の報酬等については，当該事業年度に対応する報酬等（会社法施行規則121条4号）と当該事業年度に対応しない報酬等（同条5号）に区分し，それぞれについて，取締役，会計参与，監査役または執行役ごとに報酬等の総額および員数を開示するか，会社役員の全部について報酬等の額を個別開示するか，または役職ごとの総額開示と個別開示を併用するかを選択して記載する。また，前年以前の事業報告に記載した報酬等についての重複開示は不要である。

　各役員の報酬等の額またはその算定方法に係る決定に関する方針を定めている場合は当該方針の決定方法およびその方針の内容の概要を記載する（同条6号。ただし，指名委員会等設置会社以外は記載を省略することができる）。また，社外役員が存する場合は，社外役員の報酬等は区分して開示する（同規則124条1項5号・6号）。

　会社役員の「報酬等」は，会社法において「報酬，賞与その他の職務執行の対価として株式会社から受ける財産上の利益」とされているため（会社法361条），役員賞与，役員退職慰労金やストック・オプションも「報酬等」に含まれることになる。また，当該事業年度に対応する報酬等としての記載対象は，役員賞与については，当該事業年度中に給付されたものではなく，当該事業年度に係る賞与として定められたものであり，退職慰労金については，当該事業年度に対応する退職慰労金相当額（引当金計上額）である。また，ストック・オプションについては，当該事業年度の職務執行の対価に相当する部分（費用計上した部分）となる。

　有価証券報告書には，役職別種類別の報酬等の総額の開示が求められることとなったが，事業報告では，種類別の開示までは求められていない。種類別の報酬等について記載した会社は295社（76.6％）であり，そのうち一覧表で記載した会社は137社，種類別の報酬等を注記した会社は158社であった。

　なお，使用人兼務取締役の使用人分の給与・賞与は役員の報酬等には該当しないため記載対象とはならず，使用人分の給与・賞与が「会社役員に関する重要な事項」に該当する場合にのみ別途開示することになる（会社法施行規則121条11号）。

(ア) 役員報酬の記載区分

　2020年6月総会の調査対象会社385社の役員報酬の記載状況を見ると，全社が会社役員の報酬等の総額を記載しており，役員報酬一覧の主な記載区分は次のとおりであった。
　① 取締役・監査役・社外取締役・社外監査役の4区分
　　　　　　　　　　　　　　　　　　　　　　　　　189社（監査役会設置会社284社に対し66.5％）
　② 取締役・監査役の2区分，社外役員の報酬は社外役員に関する事項の一つ
　　として記載　　　　　　　　　　　　　　　　　　　　　　　　　　29社（同10.2％）
　③ 取締役・監査役の2区分，社外役員の報酬は役員報酬一覧に注記　　　　32社（同11.3％）
　④ 取締役・監査役・社外取締役の3区分　　　　　　　　　　　　　　　　34社（同12.0％）

⑤　取締役・社外取締役・監査等委員・社外取締役の４区分
　　　………………………………………………… 40社（監査等委員会設置会社69社に対し58.0％）
　⑥　取締役・監査等委員・社外取締役の３区分 ………………………………… 16社（同23.2％）
　⑦　取締役・社外取締役・執行役の３区分 ⋯⋯ 32社（指名委員会等設置会社32社に対し100％）
　社外役員の報酬については，会社役員の報酬等の総額とは別に，当該事業年度に対応する報酬等（会社法施行規則124条１項５号）と当該事業年度に対応しない報酬等（同項６号）に区分して記載するほか，社外役員が当該株式会社の親会社等または当該親会社等の子会社等（当該株式会社に親会社等がない場合は当該会社の子会社）から当該事業年度において役員としての報酬等を受けているときは当該報酬等の総額を記載する（同項７号）。また，社外役員の報酬等の総額は，「社外役員に関する事項」の箇所で別途記載するよりも，役員報酬の一覧の部分で記載するのが一般的であり，社外取締役と社外監査役の報酬等の総額に分けて記載する必要はないが，①のように区分して記載する会社が多数である。

　また，「報酬等の決定方針の決定方法および方針の内容」を記載した会社は188社（48.8％。このうち，指名委員会等設置会社は32社）であった。

⑷　種類別の報酬の内訳の記載等

　役員報酬の記載について，報酬の種類ごとの内訳を記載することは求められていないが，報酬の種類ごとの内訳を注記等により記載することが少なくない。その記載内容を見ると次のとおりである（重複集計）。
　①　役員賞与について記載する例 ……………………………………………………………… 195社
　②　株式報酬について記載する例 ……………………………………………………………… 231社
　③　役員退職慰労金について記載する例 ………………………………………………………… 19社

　また，役員賞与（業績連動報酬等を含む）の支給を廃止した旨を記載している会社，役員退職慰労金の打切り支給決議等に基づく役員退職慰労金の支給額について等記載している会社が散見される。

⑸　社外役員の報酬等の記載

　社外役員については，会社役員の報酬等の総額とは別に，当該事業年度に対応する報酬等（会社法施行規則124条５号）と当該事業年度に対応しない報酬等（同条６号）に区分して記載するほか，社外役員が当該株式会社の親会社等または当該親会社等の子会社等（親会社等がない場合は当該株式会社の子会社）から当該事業年度において役員としての報酬等を受けているときは当該報酬等の総額を記載する（同条７号）。その際，社外取締役と社外監査役の区分開示までは求められていない。

　社外役員の報酬等の総額は，前記のとおり，「社外役員に関する事項」の箇所で別途記載するよりも，役員報酬の一覧の部分で記載する事例が多くなっている。

Ⅱ 事業報告記載事項の分析

<三井不動産> 取締役・監査役の2区分で表記する例

(2) 取締役および監査役の報酬等の額

区　　分	人　数	報酬等の額
取締役	15名	1,150百万円
監査役	6名	141百万円

(注) 1. 上記報酬等の額には、第108回定時株主総会において決議予定の取締役賞与428百万円および当事業年度に係る取締役に対するストックオプションに関する報酬等の額82百万円を含めております。
2. 上記報酬等の額のうち、社外役員9名（社外取締役6名、社外監査役3名）に支払った報酬等の総額は96百万円であります。
3. 上記人数および報酬等の額には、2019年6月27日開催の第107回定時株主総会終結の時をもって退任した取締役3名（うち社外取締役2名）および監査役1名を含んでおります。

<日本特殊陶業> 取締役・監査役・社外取締役・社外監査役の4区分で表記する例

(3) 当事業年度に係る取締役及び監査役に対する報酬等の額

役　員　区　分	報酬等の総額 （百万円）	報酬等の種類別の総額（百万円）			対象となる役員の員数 （人）
		基本報酬	賞与	株式報酬	
取締役 （社外取締役を除く）	476	334	90	52	8
監査役 （社外監査役を除く）	50	50	－	－	3
社外取締役	42	42	－	－	4
社外監査役	28	28	－	－	2

(注) 1. 第117回定時株主総会の決議により次のように取締役報酬の限度額が定められております。
　　　報酬の総額（賞与総額を除く）　　月額　　60百万円以内
　　　賞与総額　　　　　　　　　　　　年額　　1億80百万円以内
　　　また別枠で、第117回定時株主総会の決議により当社取締役及び執行役員を対象として第118期から第121期までの4事業年度に対して限度額1,000百万円の業績連動型株式報酬を設定しております。
2. 第106回定時株主総会の決議により次のように監査役報酬の限度額が定められております。
　　　報酬の総額（賞与総額を除く）　　月額　　10百万円以内
　　　賞与総額　　　　　　　　　　　　年額　　10百万円以内
3. 上記には2019年5月2日に逝去により退任した社外取締役1名並びに第119回定時株主総会終結の時をもって退任した1名の取締役及び1名の監査役に対する報酬を含んでおります。
4. 上記の「賞与」及び「株式報酬」は、当事業年度中に費用計上した額であります。

<カシオ計算機> 期中に監査等委員会設置会社へ移行したため、取締役・社外取締役、監査等委員・社外取締役、監査役・社外監査役の区分で表記する例

(2) 取締役及び監査役の報酬等の総額

区分	支給人員（名）	支給額（百万円）
取締役（監査等委員を除く）（うち社外取締役）	9 (3)	131 (13)
取締役（監査等委員）（うち社外取締役）	3 (2)	26 (15)
監査役（うち社外監査役）	3 (2)	7 (4)
合計	15	165

(注) 1. 記載金額は百万円未満を切り捨てて表示しております。
2. 上記には、2019年6月27日開催の第63回定時株主総会終結の時をもって退任した取締役4名（うち社外取締役2名）、監査役3名（うち社外監査役2名）を含んでおります。このうち、退任監査役2名（うち社外監査役1名）につきましては、同株主総会終結の時をもって監査役を退任した後、新たに取締役（監査等委員）に就任したため、支給額と支給人員については、監査役在任期間分は監査役に、取締役（監査等委員）在任期間分は取締役（監査等委員）に含めて記載しております。なお、当社は、2019年6月27日に監査役会設置会社から監査等委員会設置会社に移行しております。
3. 取締役の支給額には、使用人兼務取締役の使用人分給与は含まれておりません。
4. 支給額合計には、当事業年度の役員賞与引当金繰入額14百万円（取締役（監査等委員及び社外取締役を除く）4名に対し14百万円）及び

譲渡制限付株式報酬に係る費用計上額28百万円（取締役（監査等委員及び社外取締役を除く）4名に対し28百万円）が含まれております。
5. 取締役（監査等委員を除く）の報酬限度額は、2019年6月27日開催の第63回定時株主総会において年額4億円以内（うち社外取締役分年額3千万円以内）（ただし、使用人兼務取締役の使用人分給与は含まない。）と決議いただいております。また、上記年額報酬の枠内で、同株主総会において、取締役（監査等委員及び社外取締役除く）に対して、譲渡制限付株式報酬額として年額1億円以内（ただし、年80,000株を上限とする）と決議いただいております。
6. 取締役（監査等委員）の報酬限度額は、2019年6月27日開催の第63回定時株主総会において年額7千万円以内と決議いただいております。
7. 監査役の報酬限度額は、2007年6月28日開催の第51回定時株主総会において年額7千万円以内（ただし、役員退職慰労引当金繰入額は含まない。）と決議いただいております。
8. 上記金額のほか、第63回定時株主総会の決議に基づき、故 代表取締役 樫尾和雄氏に対して特別功労金2億円を贈呈しております。
9. 支給人員につきましては、延べ人数を記載しておりますが、実際の支給対象者は13名（うち社外取締役5名、社外監査役1名）であります。

(3) 役員の報酬等の決定に関する方針

当社の役員報酬は、企業の持続的な成長に向け、市場競争力のある報酬水準と、健全な企業家精神の発揮に資するインセンティブとすることを基本方針としており、原則的には役位に関わらず同じ方針としています。

報酬体系は、固定報酬（月俸）と業績連動報酬（賞与及び株式報酬）で構成していますが、業績連動報酬をより重視し、固定報酬60％・業績連動報酬40％を原則としています。

また、業績連動報酬は、賞与（短期業績インセンティブ）と株式報酬（中長期業績インセンティブ）にて構成しています。

業績連動報酬のうち、賞与の設定については、該当する期の売上高と営業利益を主な指標としております。この理由は、業績伸長を図るための経営努力の結果を、最もよく反映する指標であると考えるためです。具体的には、売上高と営業利益の目標達成度及び実績額等を基礎に、事業実態等の定性的要素も加味し決定しております。

株式報酬については、当社の企業価値の持続的な向上を図るインセンティブを与えるとともに、株主の皆様との一層の価値共有を進めることを目的とし、譲渡制限付株式報酬を当期より導入しております。

なお、社外取締役及び監査等委員である取締役の報酬は、固定の月額報酬のみで構成しています。

＜エーザイ＞　報酬体系の決定プロセスを図示している例

(7) 取締役および執行役の報酬等

①報酬等の決定

取締役および執行役の報酬等については報酬委員会で決定しています。当社の報酬委員会は、委員長を含む3名全員が社外取締役であり、客観的な視点と透明性を重視しています。

報酬委員会は、当社の取締役および執行役の個人別の報酬等の内容を決定する権限を有しており、主に①取締役および執行役の個人別の報酬等の内容に係る決定に関する方針、②取締役および執行役の個人別の報酬等の内容、③執行役の業績連動型報酬の決定に係る全社業績目標および各執行役の個人別業績目標の達成度にもとづき評価の決定を行っています。

②報酬等の決定に関する基本方針

報酬委員会は、取締役および執行役が受ける個人別の報酬等の基本方針について、報酬委員会運用規則で以下のとおり定めています。

取締役および執行役が受ける個人別の報酬等の基本方針
❶ グローバルに優秀な人材を当社の経営陣として確保することができる報酬内容とする。
❷ 株主および従業員に対する説明責任を果たしうる公正かつ合理性の高い報酬内容とする。
❸ 経営の監督機能を担う取締役と業務執行を担う執行役の報酬等は、別体系とする。
❹ 取締役の報酬等は、取締役が、その職務である経営の監督機能を十分に発揮するのに相応しい報酬内容とする。
❺ 執行役の報酬等は、執行役が、その職務である業務執行に対し強く動機付けられ、大きな貢献を生み出せる報酬内容とする。
❻ 取締役と執行役を兼任する者の報酬等は、執行役の報酬等のみとする。

❼ 執行役と使用人を兼任する者の報酬等は、執行役の報酬等のみとする。

③報酬体系の決定プロセス

　報酬委員会では、取締役および執行役の報酬等に関する諸課題を検討するとともに、報酬等の水準を毎年確認し、次年度の報酬体系を決定しています。

　なお、報酬等に関する諸課題の検討および報酬等の水準の調査、検討において、報酬委員会は、外部専門機関のデータ等を積極的に取り入れ、活用しています。

④取締役の報酬体系

取締役の報酬等 ── 基本報酬	・基本報酬は定額制としています。 ・取締役会の議長、各委員会の委員長には、当該職務に対する報酬が加算されています。 ・社内取締役には、常勤の取締役としての業務に対する報酬が加算されています。

　取締役の報酬等は、定額の基本報酬のみとなっています。取締役の職務は経営の監督であり、その監督機能を十分に発揮できる、取締役として相応しい内容とするため、業績連動型報酬を組み込まずに定額とし、その水準は、産業界の中上位水準を志向して設定しています。

⑤執行役の報酬体系

　優秀な人材を当社の経営陣として確保することができる報酬内容とすること、および執行役が業務執行に対し強く動機付けられ、大きな貢献を生み出せる報酬内容とすること、これらの基本方針に則り、報酬委員会では国や地域による報酬水準や報酬等の仕組みの違いを認識して、執行役の報酬等を決定しています。

　執行役の報酬等は、以下の図に示すとおり、基本報酬、賞与および株式報酬で構成しています。執行役の報酬等の水準は、産業界の中上位水準を志向して設定しています。

執行役の報酬等	基本報酬	・基本報酬は役位別の定額制としています。
	賞与	・賞与は、全社業績目標および各執行役の個人別業績目標達成度により、役位別の賞与基礎額の0〜225%の範囲で支給することとしています。
	株式報酬	・株式報酬は、全社業績目標達成度により、役位別の基本交付株数の0〜150%の範囲で給付することとしています。

　執行役の報酬等は、基本報酬、賞与および株式報酬の割合を6：3：1とし、総報酬における業績連動型報酬比率は40%となっています。

固定報酬	業績連動型報酬	
基本報酬（60%）	賞与（30%）	株式報酬（10%）

　なお、海外子会社出身の執行役、および高度な専門性や資格等を有する執行役の報酬等については、報酬決定のプロセスは同様であるものの、現地の報酬の仕組みや報酬水準、職務の専門性の違いを考慮し、個別に審議を行い決定しています。特に、海外子会社出身の執行役の業績連動型報酬においては、株式報酬制度は採用せず、中長期インセンティブ制度を取り入れた設計としています。

執行役への株式報酬制度

株式報酬制度の仕組み（概念図）

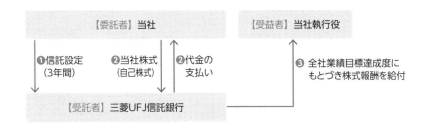

　当社の株式報酬制度は、信託を通じ、全社業績目標達成度に応じて執行役に株式報酬を毎年給付する中長期インセンティブプランです。
　当社執行役が株主の皆様と同じ視点で利益意識を共有し、中長期的な視野で業績や株価を意識した業務執行を動機付ける内容としています。
　執行役に給付される株式報酬は、毎年の全社業績に応じて増減します。また、中長期的には、株価が変動することにより報酬としての実質的な価値が変動します。この仕組みを継続することで、株主の皆様と同じ視点に立って企業価値を向上させようという執行役のモチベーションの向上につながるものと考えています。
　なお、社内規程により、執行役は当社株式を在任中および退任後1年経過するまで売却することはできません。

業績連動型報酬の決定プロセス

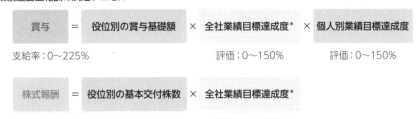

*連結売上収益、連結営業利益、連結当期利益(親会社帰属分)、連結ROE

　報酬委員会は執行役の業績評価および業績連動型報酬（賞与、株式報酬）の個人別の支給額・交付株数を審議し、決定します。執行役の賞与および株式報酬は全社業績目標および各執行役の業績目標の達成度に応じて、それぞれ上記の計算式により算出されます。
　全社業績目標達成度は、連結売上収益、連結営業利益、連結当期利益（親会社帰属分）および連結ROEを評価し決定します。事業年度ごとに、各項目の達成度にもとづき報酬委員会が全社業績目標の達成度を0〜150%の範囲で評価します。
　この4つの評価指標を採用した理由は、年度の事業計画の達成に向けて数値目標として公表し、株主の皆様と共有している経営指標であること、また、連結ROEについては、持続的な株主価値の創造に関わる重要な指標と捉えていることです。報酬委員会では、これらの4指標が業務執行を評価する上で適切であると考えています。
　個人別業績目標達成度は、各執行役の個人別業績目標の達成度にもとづき、代表執行役CEOから提案される個人別評価を報酬委員会が審査の上、承認しています。なお、個人別業績目標は、各執行役が具体的な業績目標を掲げて優先度に応じて配点ウエイトを定め、代表執行役CEOとの協議のもとに設定し、報酬委員会がその妥当性を審議の上、承認しています。
　その結果、執行役の賞与は賞与基礎額を100%とすると0〜225%の範囲で支給され、株式報酬は基本交付株数を100%とすると0〜150%の範囲で給付されることとなります。

業績により変動する執行役賞与

　全社業績目標達成度は、連結売上収益、連結営業利益、連結当期利益、連結ROEの各達成度により0%〜150%の範囲で評価します。個人業績目標の達成度は、0%〜150%の範囲で評価を決定します。その結果、執行役の賞与は0%〜225%の範囲で支給されます。

　2018年度の全社業績目標達成度は、各評価指標の達成度にもとづき、107%に決定しました。2018年度の全社業績の目標、実績および達成度は下表のとおりです。

	目　標	実　績	達成度	全社業績目標達成度
連結売上収益	6,320億円	6,428億円	102%	107%
連結営業利益	860億円	862億円	100%	
連結当期利益	575億円	634億円	110%	
連結ROE	9.5%	10.4%	109%	

　執行役の賞与は、総報酬の30%を基本賞与とし、これに全社業績目標達成度と個人別業績目標達成度を乗じて決定します。2018年度の全社業績目標達成度は107%であり、個人別業績目標達成度の平均値は107%でしたので、2018年度の執行役の賞与の平均支給率は基本賞与の115%となりました。

```
                        全社業績目標達成度   個人別業績目標達成度
2018年度執行役賞与＝基本賞与×    107%      ×     107%
            ＝基本賞与×115%
```

　下グラフは、過去5年間の全社業績目標達成度にもとづく賞与支給率と執行役の賞与支給率（平均値）であり、全社業績目標の達成度に応じたメリハリのある支給結果となっています。

業績により変動する執行役賞与

年度	全社業績目標達成度にもとづく賞与支給率	執行役の賞与支給率（平均値）
2014	79%	84%
2015	120%	130%
2016	94%	85%
2017	130%	137%
2018	107%	115%

⑥取締役および執行役の報酬等の総額

　取締役および執行役の2019年度（2019年4月1日から2020年3月31日まで）における報酬等の総額は以下のとおりです。

2019年度の役員の報酬等の総額

基本報酬		業績連動型報酬				合　計 (百万円)
		賞与		株式報酬		
対象人員 (名)	金額 (百万円)	対象人員 (名)	金額 (百万円)	対象人員 (名)	費用計上額 (百万円)	

取締役(社内)	4	113	—	—	—	—	113
取締役(社外)	7	92	—	—	—	—	92
執行役	28	763	28	468	28	147	1,378
合計	39	968	28	468	28	147	1,583

(注) 1 取締役と執行役の兼務者の報酬等は、執行役の報酬等のみとしているため、取締役兼代表執行役CEOの報酬等は、執行役に含まれています。
2 基本報酬には、対象となる役員に対して、各役員の2019年度の在任期間に応じて支払った基本報酬の合計額を記載しています。
3 執行役の賞与は、2019年4月から2020年3月を対象期間とし、対象となる執行役に対して2020年7月に支給する予定の未払賞与の総額、および2018年4月から2019年3月を対象期間とし、対象となる執行役に対して2019年7月に支給した賞与の総額と、2018年度の事業報告において開示した賞与引当額との差額の合計額を記載しています。
4 執行役の株式報酬は、2019年4月から2020年3月を対象期間とし、対象となる執行役に対して2020年7月に交付する予定の未払株式報酬の総額、および2018年4月から2019年3月を対象期間とし2019年7月に交付した株式報酬等の総額と、2018年度の事業報告において開示した株式報酬引当額との差額の合計額を記載しています。なお、執行役の株式報酬は、対象となる執行役に交付した、および交付する予定の当社普通株式の総数に、信託が保有する当社株式の単価を乗じた額をもとに記載しています。
5 ストックオプションに関しては、2013年6月の株式報酬体系への移行後、新たな付与を廃止しており、2015年度以降に会計処理上必要な費用計上額がなく、表中に記載していません。

⑦役員ごとの連結報酬等(1億円以上)

2019年度において連結報酬等が1億円以上である役員は、以下の6名であり、それぞれ以下のとおりです。

代表執行役CEO	内藤 晴夫	157百万円
常務執行役	エドワード・スチュワート・ギリー	108百万円
常務執行役	ガリー・ヘンドラー	137百万円
執行役	リン・クレイマー	176百万円
執行役	サジ・プロシダ	155百万円*
執行役	ヤンホイ・フェン	110百万円

・ガリー・ヘンドラーはエーザイ・ヨーロッパ・リミテッド(英国)より、リン・クレイマー、サジ・プロシダはエーザイ・インク(米国)より、ヤンホイ・フェンは衛材(中国)薬業有限公司より、それぞれ報酬を受けており、その総額を記載しています。
＊サジ・プロシダは2019年12月31日付で執行役を退任しており、エーザイ・インク(米国)より、別途退職関連給付369百万円を受けています。

<　帝　　　人＞　報酬構成比率および指標等を記載する例

(3) 取締役及び監査役の報酬等の額
　1) 役員の報酬等の額またはその算定方法の決定に関する方針
　　①報酬制度の基本方針
　　　・中長期的な業績の向上と企業価値の増大への貢献意識を高めるものであること
　　　・会社業績との連動性が高く、かつ透明性・客観性が高いものであること
　　　・株主との利益意識の共有や株主重視の経営意識を高めることを主眼としたものであること
　　　・優秀な経営人財を確保するに足る報酬水準を維持すること

　　②報酬水準
　　　・社内取締役及び社外取締役の役員報酬水準については、国内の大手企業が参加する報酬調査結果をベースとして、毎年、役位ごとに総報酬の基準額の妥当性を検証の上、決定しています。

　　③役員の報酬等の構成
　　　・社内取締役の報酬は、短期の業績達成及び中長期の企業価値の向上を意識付けるため、定額報酬である基本報酬と、変動報酬である業績連動報酬(短期インセンティブ報酬)及び株式報酬型ス

トックオプション（中長期インセンティブ報酬）で構成されています。
・社外取締役及び監査役の報酬は、会社業績には連動しない定額報酬のみとしています。

④報酬構成比率
社内取締役については、以下のとおりの報酬構成比率となっています。

定額報酬	変動報酬		総報酬額
基本報酬	業績連動報酬	株式報酬型ストックオプション	
65%	25%	10%	100%

（注1）業績連動報酬及び株式報酬型ストックオプションにかかる目標達成度等が100%とした場合の比率です。
（注2）2020年度より、報酬構成比率を基本報酬60%、業績連動報酬25%、株式報酬型ストックオプション15%へと変更いたしました。

⑤社内取締役の各報酬要素の概要
（a）基本報酬
各取締役の役位に応じて支給額を決定し、定額報酬として支給します。
（b）業績連動報酬
業績連動報酬支給率は、連結当期利益ROEの達成度並びに連結EBITDA及び連結営業利益ROICの対予算達成度並びに取締役個人の業績評価に基づき変動します。
（c）株式報酬型ストックオプション
当社のストックオプションは、権利行使価額が1円（本人が支払う額が1株に対して1円）となる株式報酬型ストックオプション制度に基づいて設計されています。ストックオプション割当数は、連結当期利益ROEの達成度並びに連結EBITDA対予算達成度に基づき変動します。また、割り当てられたストックオプションは取締役退任後から5年の期間内において権利行使可能とする条件を定めています。

⑥変動報酬に対する評価指標及び当該指標を選択した理由
中期経営計画2017-2019「ALWAYS EVOLVING」で経営指標として掲げた、収益性指標としての「連結当期利益ROE」、成長性指標としての「連結EBITDA」、投入資源に対する収益効率性指標である「連結営業利益ROIC」の3指標を、評価指標とすることで、各取締役に対し、重点経営指標の改善を動機づけています。

2) 役員の報酬等に関する株主総会の決議
当社取締役の報酬等の額は、年額700百万円以内とし、その内訳は（1）年俸部分630百万円と、（2）株式報酬ストックオプション公正価値部分70百万円とすることを2006年6月23日開催第140回定時株主総会及び2015年6月24日開催第149回定時株主総会で決議しています。
当社監査役の報酬限度額は、月額12百万円とすることを1999年6月25日開催第133回定時株主総会で決議しています。

3) 当事業年度に係る取締役及び監査役の報酬等
(単位：人、百万円)

区分	社内取締役	社外取締役	取締役合計	社内監査役	社外監査役	監査役合計
人数	6	5	11	3	3	6
報酬額	349	66	415	69	36	105

（注1）社内取締役とは、社外取締役以外の取締役であり、社内監査役とは、社外監査役以外の監査役です。
（注2）使用人兼務取締役はおりません。
（注3）上記報酬額には、2019年6月20日に開催された第153回定時株主総会で選任された社内取締役5名に支給予定の業績連動報酬見込額65百万円を含んでいます。また、上記報酬額には、社内取締役に付与した株式報酬型ストックオプションのうち、当事業年度の職務執行分に対応する部分の金額18百万円（ストックオプションの割当数×割当時の株式公正価値）を含んでいます。社外取締役に対する業績連動報酬、及びストックオプションの付与はありません。

4) 役員報酬の決定方法
CEOの報酬についてはアドバイザリー・ボードにおいて、また、CEO以外の取締役の報酬については報酬諮問委員会において審議された後に取締役会に提案され、取締役会で提案を充分に考慮して決議します。
監査役の報酬等については、監査役の協議により決定しています。

<ダイキン工業> 役員報酬の算定方針・決定方法を詳細に記載し、報酬諮問委員会の関与についても記載する例

(2) 役員の報酬等

① 役員の報酬等の総額

区　分	支給人員	報酬等の額（百万円）
取　締　役	12名	1,186
監　査　役	5名	99
計	17名	1,285

(注) 1．上記には、当事業年度中に計上した役員賞与引当金繰入額と、当社の社外取締役を除く取締役に対しストックオプションとして付与いたしました新株予約権に係る当事業年度中の費用計上額を含んでおります。
　　 2．上記には、第115期定時株主総会の終結の時をもって退任した取締役2名の在任中の報酬額および第116期定時株主総会の終結の時をもって退任した監査役1名の在任中の報酬額を含んでおります。

② 社外役員の報酬等の総額

	支給人員	報酬等の額（百万円）
社 外 役 員 の 報 酬 等 の 総 額	5名	78

③ 役員報酬の算定方針・決定方法

　当社の役員報酬体系は、経営方針に従い株主のみなさまの期待に応えるよう役員が継続的かつ中長期的な業績向上へのモチベーションを高め、当社企業グループの全体の価値の増大に資することを狙いとして構築しております。社外取締役を除く取締役の報酬は「固定報酬」と短期の全社業績および部門業績を反映する「業績連動報酬」と、中長期的業績が反映できる「株式報酬型ストックオプション」で構成しております。なお、社外取締役および監査役については「固定報酬」のみとしております。

　報酬水準は、日本の一部上場企業の300社弱が活用している役員報酬調査の専門の外部機関が実施する調査データの中から国内大手製造業の報酬データを分析・比較し決定しております。具体的には、「売上高伸び率」「売上高営業利益率」「自己資本利益率（ROE）」の3指標を基本指標として選択し、中長期的な企業価値向上とも関連づけて比較企業群の中での当社の業績位置と報酬水準の相対位置を検証し決定しております。

　当社の業績連動報酬は業績連動比率を比較している国内大手製造業より高めにし、役員の十分なインセンティブを確保しております。

　全社業績に連動する評価指標は、当社の数値経営管理の全社数値目標、指標の相互の関連性・シンプルさ、他社動向等から判断し、「売上高」「売上高営業利益率」「営業利益額」の3指標を業績連動指標として選択しております。「売上高」「売上高営業利益率」については単年度の予算達成度、「営業利益額」は中長期の経営計画と連動させた伸び率から算出しております。会長・社長の業績連動報酬には全社の業績連動指標から導かれる業績連動係数を用いております。会長・社長を除く取締役の業績連動報酬は、全社の業績連動指標から導かれる業績連動係数に、日々の業務遂行の目標となる、担当部門の「売上高」「営業利益」の単年度予算達成度と個々人の短期・中長期の重点課題の取り組み状況を加味し、決定しております。

　当社は「取締役報酬の方針」について、報酬諮問委員会の審議、答申を踏まえ、取締役会の決議により定めております。

　取締役および監査役の報酬等の額については、第111期定時株主総会（2014年6月27日）の決議によって決定した取締役全員および監査役全員それぞれの報酬総額の最高限度額内（取締役は年額13億円以内、うち社外取締役60百万円以内、監査役は年額1億90百万円以内）において、報酬諮問委員会の答申をもとに、取締役については取締役会の決議、監査役については監査役の協議によってそれぞれ決定しております。なお報酬諮問委員会は、取締役会長を除く、社外取締役3名、社内取締役1名、人事担当執行役員1名の計5名で構成され、社外取締役が委員長を務めております。

<リクルートホールディングス> 短期・長期インセンティブに係る業績連動指標および目標等を表記する例

(2) 取締役及び監査役の報酬等

① 報酬等の額又はその算定方法に係る決定に関する方針

ア．役員報酬の基本方針
　当社の役員報酬制度は、以下を基本方針としています。
　　ⅰ．グローバルに優秀な経営人材を確保できる報酬水準とする
　　ⅱ．役員を目標達成に動機づける、業績連動性の高い報酬制度とする
　　ⅲ．中長期の企業価値と連動する報酬とする
　　ⅳ．報酬の決定プロセスは、客観的で透明性の高いものとする

イ．報酬水準
　外部のデータベースサービスをもとに、国内外の同業種・同規模企業の役員報酬水準をベンチマークとして設定しています。

ウ．報酬構成
　以下の4つの種類の報酬により構成されます。

		業績連動指標	支給方法の概要
固定報酬 （金銭報酬）		なし	基準額（注2）を金銭により支給。
短期インセンティブ （金銭報酬） （注1）		単年度の連結業績	基準額（注2）に業績連動指標を反映した金額を金銭により支給。
長期インセンティブ （株式報酬）	BIP信託	単年度の連結業績	基準額（注2）に業績連動指標を反映した金額相当の当社株式を、市場から買付けて信託口座に保管し、退任時に交付。
	ストックオプション	なし	基準額（注2）に相当するストックオプションを割当。取締役会が定める一定の期間が経過した後、ストックオプションを行使することにより、当社株式を割当日の当社株式の終値で取得できる（株価上昇時のみ利益が実現）。

（注1）短期インセンティブには、上記以外に、個人業績評価を反映します。
（注2）上記の「基準額」は、報酬の種類ごとに、個々の役員が担う役割に応じて決定します。

　なお、当社は、SBU統括会社のCEOを当社執行役員としており、上記の報酬構成を適用したうえで長期インセンティブ（株式報酬）を高い比率で設定することで、長期的な業績向上と企業価値増大への貢献意識を高めることを目指しています。
　また、当社は、グローバルに優秀な経営人材を確保するために、雇用慣習や法令が大きく異なるマーケットの基準に合わせて採用した人材である場合に、上記と異なる報酬構成を適用することがあります。

エ．ガバナンス
　役員の報酬等の妥当性や透明性を高めるために、取締役会の諮問機関として、独立社外取締役を委員長とし、かつ構成員の過半を社外委員とする評価委員会及び報酬委員会を設置しています。役員の個別報酬額については、株主総会において承認された報酬枠の範囲内で、取締役については評価委員会及び報酬委員会の答申を踏まえて取締役会にて、監査役については監査役の協議に基づき決定しています。役員報酬等に関する株主総会の決議年月日及び当該決議の内容は以下のとおりです。

ⅰ．取締役等

報酬の種類		決議年月日	対象者	金額等	決議時の員数
固定報酬		2019年6月19日	取締役	年額合計14億円以内（うち社外取締役 年額合計1億円以内）	7名（うち社外取締役2名）
短期インセンティブ					
長期インセンティブ	BIP信託	2018年6月19日	取締役、執行役員及び専門役員	年額合計25億円以内（うち社外取締役 年額合計2億円以内） 年間2,221,800株以内（うち社外取締役 年間合計177,600株以内）	取締役6名（うち社外取締役2名）、取締役を兼務しない執行役員8名、専門役員0名
	ストックオプション	2019年6月19日	取締役（社外取締役を除く）	年額合計7億円以内 年間9,000個以内（注）	5名

（注）ストックオプション1個当たりが目的とする株式の数は100株としています。

ⅱ．監査役

報酬の種類	決議年月日	対象者	金額	決議時の員数

| 基本報酬 | 2017年6月20日 | 監査役 | 月額合計1,000万円以内 | 4名 |

なお、社外からの客観的視点及び役員報酬制度に関する専門的知見を導入するため、外部の報酬コンサルタントを起用し、その支援を受け、外部データ、経済環境、業界動向及び経営状況等を考慮し、報酬水準及び報酬制度等について検討することとしています。

また、当社は、役員の在任期間中に職務や社内規程等への重大な違反があった場合には、長期インセンティブ報酬の全部、又は一部の支給を制限あるいは返還を請求するクローバック条項を設定しています。

オ．役員の報酬等の額又はその算定方法の決定に関する方針の決定権限を有する者及び委員会等の手続の概要

役員の個別報酬額については、評価委員会及び報酬委員会の答申を踏まえ、取締役については取締役会にて、監査役については監査役の協議に基づき、株主総会決議の範囲内で決定します。また、役員報酬の決定に関する方針及び報酬制度の内容についても、評価委員会及び報酬委員会で審議の上で、取締役会にて決定します。なお、代表取締役社長兼CEO以外の取締役の個別報酬額については、取締役会における再一任の決議を受け代表取締役社長兼CEOが決定しますが、評価委員会及び報酬委員会がその内容を確認することで、客観性・透明性を担保しています。

カ．当事業年度の報酬等の額の決定過程における取締役会及び委員会等の活動内容

当事業年度に開催した取締役会のうち、役員報酬に係る事項については2回の協議をしました。評価委員会及び報酬委員会については2回開催しており、いずれの回も同委員会の構成員全員が出席し、審議しました。主な審議及び決議事項は、以下のとおりです。
・役員の報酬水準
・取締役個々人の評価・報酬

② 取締役及び監査役の報酬等の額

ア　2020年3月期における役員区分ごとの報酬等の総額、報酬等の種類別の総額及び対象となる役員の員数

役員区分	報酬等の総額（百万円）	報酬等の種類別の総額（百万円）					対象となる役員の員数（人）
		固定報酬（金銭報酬）	短期インセンティブ（金銭報酬）	長期インセンティブ（株式報酬）		退職慰労引当金等	
				BIP信託	ストックオプション		
取締役（社外取締役を除く）	1,334	237	240	672	183	－	5
監査役（社外監査役を除く）	79	79	－	－	－	－	2
社外取締役	46	46	－	－	－	－	2
社外監査役	28	28	－	－	－	－	2

（注）上記の報酬等の額は、IFRSに基づき算定した数値を記載しています。

イ　2020年3月期に支給した業績連動報酬に係る指標の目標及び実績

2020年3月期に支給した短期インセンティブ（金銭報酬）及びBIP信託の仕組みを用いて権利付与した長期インセンティブ（株式報酬）に係る指標の目標及び実績は以下のとおりです。

		業績連動指標	目標	実績
短期インセンティブ（注1）		2019年3月期のEBITDA（注2）	2,850億円	2,932億円
長期インセンティブ	BIP信託	2019年3月期のEBITDA（注2）	2,850億円	2,932億円
		2017年3月期から2019年3月期の3年間における調整後EPS（注3）の年平均成長率	1桁後半	15.5%

（注1）短期インセンティブには、上記以外に、個人業績評価を反映します。
（注2）EBITDA：営業利益＋減価償却費及び償却費±その他の営業収益・費用
（注3）調整後EPS：調整後当期利益（注4）／（期末発行済株式総数－期末自己株式数）
（注4）調整後当期利益：親会社の所有者に帰属する当期利益 ± 調整項目（注5）（非支配持分帰属分を除く）± 調整項目の一部に係る税金相当額
（注5）調整項目：企業結合に伴い生じた無形資産の償却額 ± 非経常的な損益

＜エイチ・ツー・オー リテイリング＞　役員報酬制度について詳細に記載する例

(2) 取締役の報酬等

① 役員報酬制度の概要

当社の業務執行取締役及び執行役員(以下「業務執行取締役等」といいます)の報酬等は、短期及び中長期的な業績向上に対するインセンティブを高めるため、月例の基本報酬と単年度の業績等を反映した年次賞与及び株価に連動する株式関連報酬を組み合わせた報酬体系としており、社外取締役及び監査等委員である取締役(以下「非業務執行取締役」といいます)については、月例の基本報酬のみとしておりましたが、2019年度から始まる新中期計画の策定を機に、以下の方針を基に新たな株式報酬制度を導入し、併せて対象者の見直しを行いました。

・当社グループの持続的成長と中長期的な企業価値向上に資するものであること
・業務を執行する取締役・執行役員の中期計画の目標達成の動機付けとなること
・当社グループのミッション達成と持続的成長の実現に適う人材の確保につながること
・株主との意識の共有や株主重視の意識を高めるものであること

取締役等の報酬につきましては、指名・報酬諮問委員会の検討を経て、取締役会が株主総会に提出する議案の内容及び個人別の報酬額を定めるものとします。ただし、監査等委員である取締役の個人別の報酬額は、監査等委員である取締役の協議によって定めるものとします。

指名・報酬諮問委員会は、当社の取締役等の個人別の報酬額についての審議においては、業種を考慮し、適切な比較対象となる他社の報酬の水準、及び当社における他の役職員の報酬の水準等も考慮するものとします。

各報酬及び対象者は次のとおりとし、業務執行取締役等の報酬構成は、月例の基本報酬約50％、年次賞与及び株式報酬約50％を目安といたします。

＜基本報酬＞
月例の基本報酬については、それぞれの職責、役位に応じた報酬設定とし、業務執行取締役等については、連結営業利益額のステージに応じた報酬テーブルを基礎にし、毎年4月に前年度の評価に応じて改定します。なお、非業務執行取締役については、それぞれの役割に応じて設定した報酬を支給します。

＜賞与＞
1事業年度の連結業績に応じた報酬とし、主に連結営業利益の達成度合いと連動し、親会社株主に帰属する当期純利益等を勘案し、役位、評価に応じて決定いたします。なお、毎年、株主総会において承認を得るものといたします。また、連結営業利益、親会社株主に帰属する当期純利益は単年度業績の目標指標であるため、業績連動報酬の指標として選択しております。

＜株式報酬型ストックオプション＞
次の2種類の株式報酬型ストックオプションとします。
・勤続条件付株式報酬型ストックオプション
　新株予約権の割当て対象者が、当社及び当社子会社の取締役(監査等委員を含む)、監査役、執行役員等役員のいずれの地位をも喪失(ただし、任期満了による退任その他当社が認める正当な理由がある場合に限る)後より行使できる新株予約権を、業務執行取締役等及び非業務執行取締役に対して、役位に応じて毎年付与します。
・業績連動条件付株式報酬型ストックオプション
　中期計画に掲げる経営指標その他の当社取締役会が予め定める指標(連結売上高、各段階利益、ROE、ROIC等)について、中期計画の最終年度の当該指標の達成度に応じて、割当てられた新株予約権の0～100％の範囲で権利行使可能な個数を確定し、当社及び当社子会社の取締役(監査等委員を含む)、監査役、執行役員等役員のいずれの地位をも喪失(ただし、任期満了による退任その他当社が認める正当な理由がある場合に限る)後より行使できる新株予約権を、業務執行取締役等に対して、役位に応じて毎年付与します。

　2019年7月割当て分の業績連動指標は以下のとおりとし、中期計画の最終年度である2021年度の結果により判定します。また、連結経常利益は中期計画の利益目標指標の1つであり、また連結ROICは資本効率性の指標であることから、この2指標

を業績連動報酬の指標として選択しております。

2019年度～2021年度の業績連動基準

指　標	2021年度目標数値	ウエイト
①連結経常利益	250億円	50%
②連結ROIC	4.0%	50%

なお、株主総会決議に基づく報酬額限度額は、次のとおりであります。
1）基本報酬の総額は、第97期定時株主総会（2016年6月22日開催）において、監査等委員である取締役を除く取締役は年額3億円以内（うち、社外取締役分は5,000万円以内）、監査等委員である取締役は年額9,000万円以内と決議いただいております。
2）賞与は、株主総会において毎回決議しております。
3）株式報酬型ストックオプションは、第100期定時株主総会（2019年6月20日開催）において、上記1）の年額報酬額とは別枠で、以下のとおり決議いただいております。
・監査等委員である取締役を除く取締役に対する報酬額の総額
　年額1億2,900万円以内（うち社外取締役分は900万円以内）と決議いただいております。そのうち、勤続条件付株式報酬型ストックオプションは年額9,300万円以内（うち社外取締役分は900万円以内）、業績連動条件付株式報酬型ストックオプションは年額3,600万円以内です。
・監査等委員である取締役に対する報酬額の総額
　年額2,250万円以内と決議いただいております。

② 当期に係る取締役の報酬等の額

区　分	支給人員（名）	報酬等の総額（百万円）	報酬等の種類別の総額（百万円）			
			基本報酬	株式報酬型ストックオプション		賞与
				勤続	業績連動	
取締役（監査等委員である取締役を除く）（うち社外取締役）	6 (1)	167 (4)	120 (4)	19 ―	7 ―	19 ―
監査等委員である取締役（うち社外取締役）	4 (3)	57 (29)	53 (27)	3 (2)	― ―	― ―
合　計（うち社外取締役）	10 (4)	225 (34)	174 (31)	23 (2)	7 ―	19 ―

注．上記の報酬等の額のうち賞与については、第101期定時株主総会において決議予定分を記載しております。

＜広島銀行＞　業績連動型報酬の報酬枠（利益変動）について記載する例

(2) 会社役員に対する報酬等

（単位：百万円）

区分	支給人数	報酬等
取締役	11人	437
監査役	6人	82
計	17人	519

（注）1．上記には、2019年6月26日開催の第108期定時株主総会終結の時をもって退任した取締役1名及び監査役1名に対する報酬等の額を含んでおります。
2．取締役（社外取締役を除く）に対する報酬等は、確定金額報酬、業績連動型報酬及び株式報酬としております。社外取締役に対する報酬等は、確定金額報酬としております。
　　a．取締役に対する確定金額報酬の報酬限度額は月額30百万円としております。
　　　（1990年6月28日第79期定時株主総会決議）

Ⅱ　事業報告記載事項の分析

　　b．取締役（社外取締役を除く）に対する業績連動型報酬の報酬額は親会社株主に帰属する当期純利益を基準としており、報酬枠は次のとおりとしております。
　　　（2015年6月25日第104期定時株主総会決議）

親会社株主に帰属する当期純利益	報酬枠
330億円超	120百万円
300億円超　～　330億円以下	110百万円
270億円超　～　300億円以下	100百万円
240億円超　～　270億円以下	90百万円
210億円超　～　240億円以下	80百万円
180億円超　～　210億円以下	70百万円
150億円超　～　180億円以下	60百万円
120億円超　～　150億円以下	50百万円
90億円超　～　120億円以下	40百万円
60億円超　～　90億円以下	30百万円
30億円超　～　60億円以下	20百万円
30億円以下	―

　　c．当行は、2017年6月28日開催の第106期定時株主総会において、取締役（社外取締役を除く）及び執行役員を対象に株式報酬制度「役員報酬ＢＩＰ信託」を導入しております。信託に拠出する信託金の上限金額は、3事業年度ごとに合計900百万円であります。
3．監査役に対する報酬は、全て確定金額報酬としており報酬限度額は月額7百万円としております。
　（2010年6月29日第99期定時株主総会決議）
4．上記の取締役の報酬等には、当事業年度に係る業績連動型報酬90百万円及び取締役に対する役員報酬ＢＩＰ信託に係る株式給付引当金繰入額98百万円を含んでおります。

＜ＳＣＳＫ＞　社外取締役の報酬について，親会社や兄弟会社からの支給はない旨を注記する例

4-2　当事業年度に係る役員の報酬等の総額

区　分	人　数	報酬等の額
取締役（監査等委員を除く） （うち社外取締役）	11名 （1名）	258百万円 （12百万円）
取締役（監査等委員） （うち社外取締役）	4名 （3名）	53百万円 （36百万円）
合　計	15名	311百万円

　（注）　1．取締役の報酬限度額は、2016年6月28日開催の定時株主総会決議において、1事業年度につき、取締役（監査等委員及び社外取締役を除く）は960百万円、社外取締役（監査等委員を除く）は40百万円、監査等委員である取締役は150百万円と決議されております。
　　　　　2．社外取締役のいずれも、親会社等又は当社を除く当該親会社等の子会社等からの役員報酬等はありません。

＜丸　　紅＞　報酬等の決定方針の決定方法および方針の内容を記載する例

取締役及び監査役の報酬等の額

(1)　取締役及び監査役の報酬等の決定方針等
　　取締役及び監査役の報酬につきましては、株主総会の決議により、取締役全員及び監査役全員のそれぞれの報酬総額の限度額が決定されます。取締役の報酬については、社外役員が過半数のメンバーで構成されるガバナンス・報酬委員会にて報酬決定方針や報酬水準の妥当性を審議、取締役会に答申し、報酬額は取締役会の決議を経て決定します。監査役の報酬額は、監査役の協議により決定します。
①取締役の報酬等
＜取締役（社内）＞
　社外取締役を除く取締役の報酬等は、以下の構成です。

報酬等の種類	報酬等の内容	固定/変動	給付の形式
①基本報酬	・各取締役の役位に応じた基本報酬を支給	固定	
	・前事業年度における連結業績に連動した報酬を支給		80%相当額：

― 178 ―

5　会社役員に関する事項

②業績連動報酬	・基本報酬に乗率を掛けたものが業績連動報酬 ・前事業年度の連結純利益の50％と基礎営業キャッシュ・フローの50％の和が1,000億円未満の場合は0とし、1,000億円以上の場合は業績に応じて比例的に（50億円毎に約2％ずつ）増加する乗率を基本報酬に乗じた金額	変動	現金報酬 20％相当額： 株式報酬型ストックオプション
③加算給	・取締役加算給 ※代表権を持つ取締役には、取締役加算給に加えて代表加算給も支給	固定	現金報酬
④個人評価給	・定量面・定性面の個人評価を反映	変動	
⑤時価総額条件付株式報酬型ストックオプション	・基本報酬の10％分をベースに最大1.5倍相当額を基本報酬に加える形で、割当から3年後を権利行使開始日とし、3年後の時点において当社時価総額が割当日時点の当社時価総額を上回り、かつ当社時価総額条件成長率が東証株価指数成長率以上となった場合にのみ行使可能となる時価総額条件付の株式報酬型ストックオプションを割り当て	変動	株式報酬型 ストックオプション

＜参考：「連結純利益50％と基礎営業キャッシュ・フロー50％の和」と業績連動報酬の相関関係＞

＜参考：報酬支給割合イメージ＞

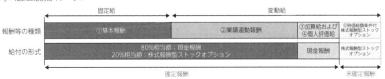

　2019年度からは中期経営戦略「Global crossvalue platform 2021」（以下、GC2021という）の経営目標と報酬制度のアライメントの強化を目的として、業績連動報酬を算定する指標に、連結純利益（親会社の所有者に帰属する当期利益）に加えて、基礎営業キャッシュ・フローを新たに加えました。
　「GC2021」の経営目標については本冊子35頁の「当社グループが対処すべき課題」をご参照願います。
　また、株価変動のメリットとリスクを株主の皆様と共有し、株価上昇及び企業価値向上への貢献意欲を従来以上に高めるため、基本報酬と業績連動報酬の合計額の20％相当額を現金報酬ではなく株式報酬型ストックオプションとして支給しております。
　さらに、将来的な時価総額向上へのインセンティブを高めるため、時価総額条件付の株式報酬型ストックオプションを、2019年度より新たに導入しました。
＜社外取締役＞
　業務執行から独立した立場である社外取締役の報酬につきましては、固定額の基本報酬のみで構成され、業績連動報酬はありません。
②監査役の報酬等
　業務執行から独立した立場である監査役の報酬につきましては、固定額の基本報酬のみで構成され、業績連動報酬はありません。

(2) 当事業年度に係る取締役及び監査役の報酬等の額

区　　分	支給人数	報酬等の額
取　締　役	11人	864百万円
監　査　役	6人	133百万円
合　　計	17人（うち社外7人）	997百万円（うち社外106百万円）

(注) 1. 金額は、百万円未満を四捨五入しております。
　　 2. 株主総会決議による役員報酬限度額は、「取締役分年額1,100百万円（うち社外取締役分60百万円）、そのうち取締役（社外取締役を除く）に対するストックオプションとしての新株予約権に関する報酬等の額年額220百万円」（2016年6月24日開催の第92回定時株主総会決議）及び「監査役分月額12百万円」（2012年6月22日開催の第88回定時株主総会決議）であります。
　　 3. 上記報酬等の額には、当事業年度においてストックオプションとして取締役（社外取締役を除く）7名に付与した新株予約権に関する報酬のうち、当事業年度において会計上の費用として計上された178百万円を含んでおります。
　　 4. 当社は、2007年6月22日開催の第83回定時株主総会終結の時をもって退職慰労金制度を廃止し、退職慰労金を制度廃止に伴い打切り支給する旨決議しております。当社は、当該決議に基づき、当該打切り支給額の支給を、取締役及び監査役に対し、取締役については、取締役又は執行役員を退任するいずれか遅い時、監査役については、監査役を退任する時に退職慰労金を支給することとしております。打切り支給対象の取締役及び監査役の中で、当事業年度において役員が受けた退職慰労金は、取締役1名に対し13百万円であります。

＜ＴＯＴＯ＞ 報酬等の決定に関する方針について記載する例

3．取締役及び監査役の報酬等
(1) 取締役及び監査役の報酬等の決定に関する方針
　　　取締役及び監査役の報酬については、株主総会の決議により、取締役及び社外取締役並びに監査役ごとの報酬限度額を決定しています。
　① 取締役の報酬は、固定報酬である基本報酬に加えて、業績向上に対する意欲や士気を向上させ、かつ株主の皆様との価値の共有を目指すことを目的に、連結営業利益の0.8％を上限として業績に応じて決定する賞与と、当社の企業価値の持続的な向上を図るインセンティブを与えると共に、株主の皆様との一層の価値共有を進めることを目

― 179 ―

Ⅱ 事業報告記載事項の分析

　　　　的とした譲渡制限付株式報酬からなる業績連動報酬にて構成しています。この設計により、取締役に単年度のみならず中長期的な視点での経営を動機付けています。
　　　　また、報酬の妥当性・客観性確保に資するため報酬諮問委員会を設置し、取締役会は報酬体系及び配分バランスが、定款、株主総会決議事項及び取締役報酬基本方針に沿ったものであることを報酬諮問委員会を通じて確認したうえで、報酬を決定しています。
　　　　なお、業務執行から独立した立場である社外取締役には固定報酬のみとしています。
　　② 監査役の報酬は、それぞれの監査役の職務と責任に応じた報酬額を監査役の協議により決定しています。
　　　　なお、経営の監査機能を十分に機能させるため監査役には固定報酬のみとしています。

(2) 取締役及び監査役の報酬等の総額区分

	人員	基本報酬	賞与	譲渡制限付株式報酬	合計
	名	百万円	百万円	百万円	百万円
取　締　役	14	402	220	109	732
(うち社外取締役)	(3)	(36)			(36)
監　査　役	6	85			85
(うち社外監査役)	(4)	(24)			(24)
合　　　計	20	488	220	109	818

(注) 株主総会の決議による報酬総額は、下記のとおりです。(2011年6月29日第145期定時株主総会決議、2018年6月26日第152期定時株主総会決議)

	固定報酬	業績連動報酬	
	基本報酬	賞与	譲渡制限付株式報酬
取　締　役	年額5億円以内 (うち社外取締役分5,000万円以内)	前事業年度の 連結営業利益の0.8％以内	年額2億円以内 かつ100,000株以内
監　査　役	年額1億5,000万円以内	—	

(3) 報酬等の総額が1億円以上である役員の報酬等の種類別の額
当期における報酬等の総額が1億円以上の役員は以下のとおりです。

	基本報酬	賞与	譲渡制限付株式報酬	合計
	百万円	百万円	百万円	百万円
代表取締役　張本　邦雄	63	40	16	120
代表取締役　喜多村　円	63	40	16	120

＜安藤・間＞　業績連動型株式報酬制度の概要を記載している例

4. 当事業年度における取締役および監査役の報酬等の額

区分	現金報酬		株式報酬	
	支給人数	報酬等の総額	対象人数	費用計上額
取　締　役 (うち社外取締役)	13名 (3名)	205,455千円 (30,024千円)	6名	7,836千円
監　査　役 (うち社外監査役)	5名 (2名)	50,808千円 (16,800千円)		
合　　　計 (うち社外役員)	18名 (5名)	256,263千円 (46,824千円)	6名	7,836千円

(注) 1. 取締役の現金報酬の総額には、使用人兼取締役の使用人分給与を含んでおりません。
2. 取締役および監査役の現金報酬の人数、金額には、2019年6月27日開催の当社2019年3月期定時株主総会終結の時をもって退任しました取締役4名（うち社外取締役0名）および監査役1名を含んでおります。
3. 株式報酬は、2016年6月29日開催の当社2016年3月期定時株主総会にて承認された、取締役等に対する業績連動型株式報酬制度による報酬で、株式交付等の対象となる取締役6名分の当事業年度の費用計上した金額を記載しております。
4. 当事業年度の株式報酬について、執行役員も含めた対象者全員分の費用計上総額は22,771千円、付与したポイント総数は38,500ポイント（1ポイントは、当社株式1株に相当）となっております。
5. 現金報酬限度額は、2014年6月27日開催の当社2014年3月期定時株主総会において、取締役について月額25,000千円以内（ただし、使用人分給与は含まない）、2003年6月27日開催の第73回定時株主総会において、監査役について月額5,000千円以内と決議しております。
6. 業績連動型株式報酬制度の概要
本制度は、当社の中長期的な業績の向上と企業価値の増大への貢献意識を高めることを目的とし、制度の対象者の役位および業績目標の達成度等に応じて、信託により取得した当社株式およびその換価処分金相当額の金銭を交付および給付するものであります。

当社株式等の交付等の対象者	当社の取締役および執行役員（社外取締役および国内非居住者を除く）
当社が拠出する金銭の上限	2020年3月末日で終了する事業年度から2022年3月末日で終了する事業年度までの3事業年度を対象として、合計250,000千円
取締役等が取得する当社株式数の上限および当社株式の取得方法	上限となる株数は、3事業年度で合計54万株（1事業年度あたり18万株） 株式市場から取得

業績達成条件の内容	毎事業年度の会社業績（売上高、営業利益、当期純利益）の目標値に対する達成度に応じて変動
取締役等に対する当社株式等の交付等の時期	退任時

(3) 社外役員に関する事項

社外役員がいる場合は，前出(2)で触れた社外役員の報酬等の総額の記載を含め，別途記載事項が定められている（会社法施行規則124条1項）。

(ア) 兼任状況・親族関係

社外役員については，①他の会社の業務執行者を兼任している場合，②他の会社の社外役員を兼任している場合について，それぞれその重要なものを記載することが必要である（会社法施行規則124条1項1号・2号）。また，会社と当該他の会社との関係（重要でないものを除く）を記載する必要がある。

また，③会社またはその特定関係事業者（親会社等，親会社等の子会社等（当該会社を除く）および関連会社あるいは当該会社の子会社・関連会社，主要な取引先）の業務執行者等との親族関係について重要なものが記載対象となる（同項3号）。

以上について，会社と当該他の会社との関係や親族関係の具体的な記載状況は，次のとおりである（重複集計）。

① 他社業務執行者との兼任状況につき，当該他の会社との関係を記載した会社
（「該当なし」等の記載を含む）……………………………………………………… 345社
・上記のうち，兼任先との具体的な取引関係等を記載した事例＝119社
② 他社社外役員との兼任状況につき，当該他の会社との関係を記載した会社
（「該当なし」等の記載を含む）……………………………………………………… 320社
・上記のうち，兼任先との具体的な取引関係等を記載した事例＝86社
③ 会社またはその特定関係事業者の業務執行者等との親族関係（「該当なし」等
の記載を含む）………………………………………………………………………… 27社
・上記のうち，兼任先との具体的な取引関係等を記載した事例－2社

(イ) 主な活動状況・不正行為等に対する対応等

社外役員については，上記の兼任状況，親族関係といった独立性に関する記載とは別に，社外役員としての機能が十分発揮されているかを判断するために，主な活動状況について開示が求められる。

主な活動状況については，取締役会（社外監査役や監査等委員，監査委員については，監査役会や監査等委員会，監査委員会への出席状況等を含む。以下「取締役会等」という）への出席の状況・発言の状況が含まれる（会社法施行規則124条1項4号イ・ロ）。

取締役会等への出席状況については，何回中何回出席したかということを回数で示すのが

最も明確であるが、社外役員の個別の出欠状況まで明らかにする必要はなく、社外役員の取締役会等への参加状況を明らかにすることで足りるとされる（相澤哲編著『立案担当者による新会社法関係法務省令の解説』別冊・商事法務300号〔2006〕50頁）。したがって、具体的な出席回数を記載せず「おおむね」といった相対的な記載によることも可能と解される。

発言状況については、個々の発言内容や発言回数までは記載しなくても、社外役員として求められている役割をどのように果たしているかが明らかになる記載であればよいとされている（相澤・前掲50頁）。具体的には、「審議に必要な発言を適宜行っております」との記載や、当該社外役員の専門分野の観点からの発言をした旨を明記し、その役割がより明確になるように記載するのが一般的である。

また、会社における不当な業務執行・不正な業務執行があった場合は、その発生の予防のために行った行為や当該事実の発生後の対応についての記載が求められる（同規則124条1項4号ニ）。

このほか、同規則124条1項各号の記載内容に対して社外役員の意見があるときはその意見の内容（同項8号）について記載が求められる。

さらに、事業年度末日に社外取締役を置かない一定の会社について、「社外取締役を置くことが相当でない理由」を事業報告に記載することが求められている（同規則124条2項）。

2020年6月総会の調査対象会社385社の記載状況を見ると、出席状況については、385社中379社（98.4％）が「○回中○回出席」のように開催回数と出席回数を記載しているが、これに加えて出席率も記載している会社が116社（379社に対し30.6％）あった。また、開催回数の表示がなく単に「すべて」とした会社が4社あった（重複集計）。発言状況については、「○○としての専門的見地から」等といったより具体的な表現で記載する会社が多い。

会社の不当な業務執行等に関する対応等について記載した会社は11社（2.9％）であった。

＜日本化薬＞　社外役員の兼職先との取引について、売上高に占める比率と一定金額未満である旨を記載する例

5. 社外役員に関する事項

(1) 重要な兼職先である法人等と当社との関係

当社は、社外取締役太田　洋氏の兼職先である株式会社リコーとの間に事務機器に関する取引（42百万円以下）があります。また、同氏の所属する西村あさひ法律事務所との間に法律事務に関する取引（4百万円以下）があります。また、社外監査役山下敏彦氏の兼職先であった明治安田生命保険相互会社との間に、継続的に金銭の借入などの取引があります。なお、当社の2020年3月31日現在の借入金残高のうち、同社の占める割合は2％程度です。

社外取締役および社外監査役のその他の兼職先との間には、開示すべき関係はありません。

(2) 主な活動状況

氏　名	地位	取締役会出席状況	監査役会出席状況	活動状況
太田　洋	社外取締役	14回／14回（100％）	－	主に、弁護士として企業法務に精通し、企業統治にも十分な見識を有し、また、当社監査役を務めて当社内部にも通暁しており、取締役会において適宜質問、意見を述べています。

藤島 安之	社外取締役	14回／14回 (100%)	－	元総合商社の経営者としての豊富な経営・知見に基づき、取締役会において適宜質問、意見を述べています。
東 勝次	社外監査役	13回／14回 (92%)	11回／12回 (91%)	主に、公認会計士としての専門的見地から、取締役会において適宜質問、意見を述べています。監査役会においては、監査結果についての意見交換、監査に関する重要事項の協議等を行っています。
尾崎 安央	社外監査役	13回／14回 (92%)	11回／12回 (91%)	主に、大学法学部の教授としての豊富な経験、専門知識、知見に基づき、取締役会において適宜質問、意見を述べています。監査役会においては、監査結果についての意見交換、監査に関する重要事項の協議等を行っています。
山下 敏彦	社外監査役	14回／14回 (100%)	12回／12回 (100%)	生命保険会社の経営者として培われた専門知識・経験と高い見識に基づき、取締役会において適宜質問、意見を述べています。監査役会においては監査結果についての意見交換、監査に関する重要事項の協議等を行っています。

(注) 1. 社外監査役はこのほか、経営トップおよび社外取締役との意見交換会に適宜参加しております。
2. 社外監査役は事業場往査や内部統制部門との情報交換会に適宜参加しており、また会社の決算概要説明、会計監査人の監査レビューの結果報告を適宜受けております。

＜オムロン＞ 社外役員の兼職先との取引について，連結売上高に占める比率を記載する例

4 当社の取締役および監査役に関する事項

[1] 取締役および監査役の氏名等

地 位	氏 名		担当および重要な兼職の状況等
取締役会長	立石 文雄		取締役会議長 社長指名諮問委員会委員
代表取締役	山田 義仁		社長 CEO
代表取締役	宮田 喜一郎		執行役員専務 CTO 兼 技術・知財本部長 兼 イノベーション推進本部長 人事諮問委員会委員
取 締 役	日戸 興史		執行役員専務 CFO 兼 グローバル戦略本部長 報酬諮問委員会委員
取 締 役	安藤 聡		人事諮問委員会副委員長 社長指名諮問委員会副委員長 報酬諮問委員会副委員長
社外取締役	小林 栄三	社外役員 独立役員	人事諮問委員会委員長 社長指名諮問委員会委員長 コーポレート・ガバナンス委員会委員長 報酬諮問委員会委員 伊藤忠商事株式会社 特別理事（2020年3月退任） 日本航空株式会社 社外取締役 株式会社日本取引所グループ 社外取締役 日本ベンチャーキャピタル株式会社 社外取締役 公益財団法人伊藤忠記念財団 理事長
社外取締役	西川 久仁子	社外役員 独立役員	報酬諮問委員会委員長 コーポレート・ガバナンス委員会副委員長 人事諮問委員会委員 社長指名諮問委員会委員 株式会社ファーストスター・ヘルスケア 代表取締役社長 株式会社FRONTEOヘルスケア 代表取締役社長（2019年9月退任） AIGジャパン・ホールディングス株式会社 社外監査役

Ⅱ 事業報告記載事項の分析

地　位	氏　名		担当および重要な兼職の状況等
社外取締役	上 釜 健 宏	社外役員 独立役員	人事諮問委員会委員 社長指名諮問委員会委員 報酬諮問委員会委員 コーポレート・ガバナンス委員会委員 TDK株式会社 ミッションエグゼクティブ ヤマハ発動機株式会社 社外取締役 ソフトバンク株式会社 社外取締役

地　位	氏　名		重要な兼職の状況等
常勤監査役	近 藤 喜一郎		
常勤監査役	吉 川 　 浄		
社外監査役	内 山 英 世	社外役員 独立役員	コーポレート・ガバナンス委員会委員 朝日税理士法人 顧問 公認会計士 SOMPOホールディングス株式会社 社外取締役（2019年6月社外監査役退任） エーザイ株式会社 社外取締役
社外監査役	國 廣 　 正	社外役員 独立役員	コーポレート・ガバナンス委員会委員 国広総合法律事務所 パートナー弁護士 三菱商事株式会社 社外監査役 LINE株式会社 社外取締役 東京海上日動火災保険株式会社 社外取締役

(注) 1. 社外取締役小林栄三氏、西川久仁子氏および上釜健宏氏、社外監査役内山英世氏および國廣正氏は、株式会社東京証券取引所に対し、独立役員として届け出ています。なお、「社外役員の独立性に関する当社の考え方」に関しては、18ページをご参照ください。
2. 小林栄三氏は、伊藤忠商事株式会社の特別理事（2020年3月退任）であり、当社グループと同社グループとの間には製品の販売等の取引関係がありますが、その取引額の割合は当社グループおよび同社グループの連結売上高の1％未満です。また同氏は、日本ベンチャーキャピタル株式会社の社外取締役を兼任しており、当社は同社発行済株式の総数の1.21％を保有しています。
3. 上釜健宏氏は、TDK株式会社のミッションエグゼクティブであり、当社グループと同社グループとの間には製品の販売等の取引関係がありますが、その取引額の割合は当社グループおよび同社グループの連結売上高の1％未満です。同氏は、ヤマハ発動機株式会社の社外取締役を兼任しており、当社グループと同社グループとの間には製品の販売等の取引関係がありますが、その取引額の割合は当社グループおよび同社グループの連結売上高の1％未満です。同氏は、ソフトバンク株式会社の社外取締役を兼任しており、当社グループと同社グループとの間には製品の業務委託等の取引関係がありますが、その取引額の割合は当社グループおよび同社グループの連結売上高の1％未満です。
4. 内山英世氏は、SOMPOホールディングス株式会社の社外取締役を兼任しており、当社グループと同社グループとの間には保険の取引関係がありますが、その取引額の割合は当社グループおよび同社グループの連結売上高の1％未満です。
5. 國廣正氏は、東京海上日動火災保険株式会社の社外取締役を兼任しており、当社グループと同社グループとの間には保険の取引関係がありますが、その取引額の割合は当社グループおよび同社グループの連結売上高の1％未満です。
6. その他の社外役員の重要な兼職先と当社との間に記載すべき特別な関係はありません。
7. 小林栄三氏は、2020年3月31日付けで、伊藤忠商事株式会社の特別理事を退任し、4月1日付けで、同社の名誉理事に就任しています。
8. 常勤監査役近藤喜一郎氏は、金融機関での勤務経験があり、財務および会計に関する相当程度の知見を有しています。
9. 内山英世氏は、公認会計士として監査法人での長年の勤務経験があり、財務および会計に関する相当程度の知見を有しています。
10. 当期中の監査役の異動はつぎの通りです。
　　[就任] 2019年6月18日開催の第82期定時株主総会において、新たに吉川浄氏は監査役に選任され、就任いたしました。
　　[退任] 2019年6月18日開催の第82期定時株主総会の終結の時をもって、川島時夫氏は監査役を任期満了により退任いたしました。

<中　略>

[3] 社外役員に関する事項

① 社外役員の重要な兼職の状況および当社と兼職先との関係

「[1]取締役および監査役の氏名等」（40ページおよび41ページ）に記載の通りです。

② 当期における主な活動状況

区　分	氏　名	主 な 活 動 状 況
社外取締役	小 林 栄 三	当期開催の取締役会13回すべてに出席し、グローバルに事業を展開する総合商社の経営者としての経験、見識から、特にポートフォリオマネジメント（経営資源配分）、資本効率向上の観点で監督機能を発揮しています。また、人事諮問委員会、社長指名諮問委員会、コーポレート・ガバナンス委員会の委員長および報酬諮問委員会の委員を務めています。
	西 川 久仁子	当期開催の取締役会13回すべてに出席し、医療人材派遣企業の経営を経て起業した経営者としての経験、見識から、特に人財活用、情報システムの観点で監督機能を発揮しています。また、報酬諮問委員会の委員長、コーポレート・ガバナンス委員会の副委員長および人事諮問委員会、社長指名諮問委員会の委員を務めています。
	上 釜 健 宏	当期開催の取締役会13回すべてに出席し、グローバルに事業を展開する電子部品企業の経営者としての経験、見識から、特に技術経営、品質の観点で監督機能を発揮しています。また、人事諮問委員会、社長指名諮問委員会、報酬諮問委員会、コーポレート・ガバナンス委員会の委員を務めています。
社外監査役	内 山 英 世	当期開催の取締役会13回すべてに、また監査役会13回すべてに出席し、公認会計士と

		しての専門的見地から特に財務、会計の観点で、取締役会の意思決定の適法性および妥当性を確保するために必要な発言を適宜行っています。監査役会で定めた監査方針、監査計画に従い、社長CEOとの定期意見交換、取締役、執行役員等への定期ヒアリング、会計監査人との定期情報交換、国内および海外子会社への往査などを行っています。また、コーポレート・ガバナンス委員会の委員を務めています。
	國廣　正	当期開催の取締役会13回すべてに、また監査役会13回すべてに出席し、弁護士としての専門的見地から特に内部統制、リスク管理の観点で、取締役会の意思決定の適法性および妥当性を確保するために必要な発言を適宜行っています。監査役会で定めた監査方針、監査計画に従い、社長CEOとの定期意見交換、取締役、執行役員等への定期ヒアリング、海外子会社への往査などを行うとともに、リスク管理、危機管理について専門的な見地で幅広い範囲から発言を行っています。また、コーポレート・ガバナンス委員会の委員を務めています。

③ 責任限定契約の内容の概要

　当社は、社外取締役および社外監査役がその期待される役割を十分に発揮できるように、定款に社外取締役および社外監査役との責任限定契約に関する定めを設けています。当該定款の定めに基づき、当社は、社外取締役および社外監査役の全員と、会社法第423条第1項の責任について、その職務を行うにつき善意でありかつ重大な過失がなかったときは、1,000万円または会社法第425条第1項に定める最低責任限度額のいずれか高い額を限度とする旨の責任限定契約を締結しています。

＜ロート製薬＞　社外役員の兼職先との関係について，特別の利害関係はない旨を記載する例

(4) 社外役員に関する事項
❶ 社外役員の重要な兼職先と当社との関係
　社外取締役松永真理氏は、松永真理事務所の代表であり、㈱ブレインズネットワーク、ＭＳ＆ＡＤインシュアランスグループホールディングス㈱およびセイコーエプソン㈱の社外取締役であります。なお、当社と各兼職先との間には、特別の利害関係はありません。
　社外取締役鳥井信吾氏は、サントリーホールディングス㈱代表取締役副会長、ビームサントリー社取締役、象印マホービン㈱社外取締役および大阪商工会議所副会頭であります。なお、当社と各兼職先との間には、特別の利害関係はありません。
　社外取締役入山章栄氏は、早稲田大学ビジネススクールの教授であり、㈱マクロミル社外取締役であります。なお、当社と各兼職先との間には、特別の利害関係はありません。
　社外監査役藤巻光雄氏は、藤巻法律会計事務所の代表であります。なお、当社と藤巻法律会計事務所との間には、特別の利害関係はありません。
　社外監査役天野勝介氏は、弁護士法人北浜法律事務所の社員弁護士であり、㈱青山キャピタルおよびTOYO TIRE㈱の社外監査役であります。なお、当社と各兼職先との間には、特別の利害関係はありません。

❷ 当事業年度における主な活動状況

区　　分	氏　名	主　な　活　動　状　況
社外取締役	松永真理	当期開催の取締役会8回のすべてに出席し、主に現代社会の文化や生活に関する幅広い見識に基づき適宜適切な発言を行うとともに、当社従業員のダイバーシティの意識向上に関しても、有益な助言を行っております。
	鳥井信吾	当期開催の取締役会8回のうち7回に出席し、主に企業経営者としての長年に渡る豊富な経験と幅広い見識に基づき適宜適切な発言を行うとともに、当社の経営に企業経営者としての見地から有益な助言を行っております。
	入山章栄	2019年6月27日就任以来の取締役会7回のすべてに出席し、主に最先端の経営に関わる幅広い見識に基づき適宜適切な発言を行うとともに、当社の新たな事業領域の発展と企業価値の向上に非常に有益な助言を行っております。
社外監査役	藤巻光雄	当期開催の取締役会8回のすべてに出席し、また、当期開催の監査役会19回のすべてに出席し、主に公認会計士および税理士としての専門的見地から適宜適切な発言を行っております。
	天野勝介	当期開催の取締役会8回のうち7回に出席し、また、当期開催の監査役会19回のすべてに出席し、主に弁護士としての専門的見地から当社のコンプライアンス体制の構築・維持について適宜適切な発言を行っております。

Ⅱ 事業報告記載事項の分析

＜日本精工＞　社外役員の兼職先との取引について，開示すべき関係はない旨を記載する例

〔4〕社外取締役に関する事項

①重要な兼職先と当社の関係

　　各社外取締役の重要な兼職先は、本報告書49ページ記載の「〔1〕取締役の氏名等」の「担当及び重要な兼職の状況」に記載のとおりです。各氏は、本招集ご通知15ページ記載の当社の定める「社外取締役の独立性に関する基準」を満たしています。

　　なお、当社と各社外取締役の重要な兼職先との間に開示すべき関係はありません。

②社外取締役の主な活動状況と役割

氏　名	取締役会及び担当委員会への出席状況	主な活動状況と役割
池田輝彦	取締役会　100％（10回／10回） 監査委員会100％（15回／15回） 報酬委員会100％（ 5回／ 5回）	企業経営に関する幅広い経験と高い見識に基づき、取締役会においてはコンプライアンスをはじめ、コーポレートガバナンスの観点から企業価値向上に向け適切な発言を行っています。 また、報酬委員会委員長として同委員会の議事運営を主導し、適宜取締役会への報告を行っているほか、監査委員会においては積極的に発言を行い、委員としての役割を果たしています。
馬田　一	取締役会　　90％（ 9回／10回） 指名委員会100％（ 8回／ 8回）	企業経営に関する幅広い経験と高い見識に基づき、取締役会においてはコンプライアンスをはじめ、コーポレートガバナンスの観点から企業価値向上に向け適切な発言を行っています。 また、指名委員会委員長として同委員会の議事運営を主導し、適宜取締役会への報告を行っています。
望月明美	取締役会　100％（10回／10回） 監査委員会100％（15回／15回）	公認会計士としての幅広い経験と専門的見地から、取締役会においてはコンプライアンスをはじめ、コーポレートガバナンスの観点から企業価値向上に向け適切な発言を行っています。 また、監査委員会委員長として同委員会の議事運営を主導し、適宜取締役会への報告を行っています。
岩本敏男	取締役会　100％（ 7回／ 7回） 報酬委員会100％（ 4回／ 4回）	企業経営に関する幅広い経験と高い見識に基づき、取締役会においてはコンプライアンスをはじめ、コーポレートガバナンスの観点から企業価値向上に向け適切な発言を行っています。 また、報酬委員会においては積極的に発言を行い、委員としての役割を果たしています。
藤田能孝	取締役会　100％（ 7回／ 7回） 指名委員会100％（ 7回／ 7回）	企業経営に関する幅広い経験と高い見識に基づき、取締役会においてはコンプライアンスをはじめ、コーポレートガバナンスの観点から企業価値向上に向け適切な発言を行っています。 また、指名委員会においては積極的に発言を行い、委員としての役割を果たしています。

（注）取締役会、委員会への出席状況は2019年度（2019年4月1日～2020年3月31日）中に開催された取締役会、委員会への出席状況を表しています。2019年6月25日（第158期定時株主総会の会日）付で、岩本敏男氏は取締役及び報酬委員会委員に、藤田能孝氏は取締役及び指名委員会委員にそれぞれ就任したため、出席対象となる取締役会、委員会の回数が他の取締役と異なっています。

＜四国電力＞　特定関係事業者の業務執行者との親族関係を記載する例

(2) 会社役員の状況

① 取締役の氏名等

氏　名	地位および担当
佐伯勇人	取締役会長
長井啓介	取締役社長　社長執行役員
真鍋信彦	取締役　副社長執行役員　火力本部長
横井郁夫	取締役　副社長執行役員　送配電カンパニー社長
山田研二	取締役　副社長執行役員　原子力本部長，土木建築部担当
白井久司	取締役　常務執行役員　事業開発室長，経理部・資材部・情報システム部担当
西崎明文	取締役　常務執行役員　総務部・立地環境部・人事労務部・総合研修所・総合健康開発センター・東京支社担当
小林　功	取締役　常務執行役員　総合企画室長，再生可能エネルギー部・広報部担当
山﨑達成	取締役　常務執行役員　営業推進本部長

5　会社役員に関する事項

新井　裕史	取締役監査等委員（常勤）監査等委員会委員長
川原　　央	取締役監査等委員（常勤）
森田　浩治	取締役監査等委員
井原　理代	取締役監査等委員
竹内　克之	取締役監査等委員
香川　亮平	取締役監査等委員

(注) 1. 2019年6月26日付で執行役員制度を見直し，新たに社長執行役員および副社長執行役員を設けました。
2. 取締役会長，取締役社長　社長執行役員および取締役　副社長執行役員は，いずれも代表取締役であります。
3. 取締役会長　千葉昭，取締役副社長　玉川宏一，常務取締役　守家祥司および取締役監査等委員　松本真治は，いずれも2019年6月26日に任期満了により退任いたしました。また，取締役　副社長執行役員　横井郁夫は，2020年3月31日に辞任いたしました。
4. 取締役監査等委員　森田浩治，同　井原理代，同　竹内克之および同　香川亮平は，いずれも会社法第2条第15号に定める社外取締役であります。
5. 取締役監査等委員　森田浩治，同　井原理代，同　竹内克之および同　香川亮平は，いずれも株式会社東京証券取引所が定める独立役員であります。
6. 取締役監査等委員　井原理代は，当社の特定関係事業者（株式会社四電工）の常務取締役の三親等の親族であります。
7. 当社は，会社法第427条第1項および定款の規定により，社外取締役との間で，同法第423条第1項の責任を法令の定める限度額に限定する旨の契約を締結しております。
8. 取締役監査等委員　新井裕史は，約40年にわたって当社の経理業務に携わり，この間，経理部長，経理部担当役員を歴任しており，財務および会計に関する相当程度の知見を有しております。
9. 重要会議への出席，業務執行部門からの情報収集および内部監査部門等との連係を日常的に行うことを通じて，監査の実効性をより高めるために，取締役監査等委員　新井裕史および同　川原央を常勤の監査等委員に選定しております。

② 取締役の重要な兼職の状況

氏　名	兼職先および兼職の内容
佐伯　勇人	四国経済連合会　会長
長井　啓介	四国生産性本部　会長
横井　郁夫	四国電力送配電株式会社　取締役社長
白井　久司	株式会社ＳＴＮet　取締役 株式会社四電工　取締役
西崎　明文	四電エンジニアリング株式会社　取締役 四電ビジネス株式会社　取締役
小林　　功	坂出ＬＮＧ株式会社　取締役
山崎　達成	四国計測工業株式会社　取締役 四電ビジネス株式会社　取締役
新井　裕史	株式会社ＳＴＮet　監査役 四電エンジニアリング株式会社　監査役
川原　　央	四国計測工業株式会社　監査役 坂出ＬＮＧ株式会社　監査役 四電ビジネス株式会社　監査役 株式会社四電工　監査役
森田　浩治	株式会社伊予銀行　相談役
井原　理代	株式会社百十四銀行　取締役 監査等委員
竹内　克之	旭食品株式会社　相談役
香川　亮平	株式会社百十四銀行　取締役 専務執行役員 兼ＣＣＯ

(注) 1. 当社は，社外取締役の兼職先のうち，株式会社伊予銀行，株式会社百十四銀行および旭食品株式会社との間に電力供給の取引がありますが，その年間取引額は，いずれも当社の2019年度連結売上高の1％未満であります。また，当社は，株式会社伊予銀行および株式会社百十四銀行との間に，資金の借入等の取引があります。その他の社外取締役の兼職先と当社との間には，特別の関係はありません。
2. 取締役監査等委員　川原央は，2020年4月1日付で，四国電力送配電株式会社の監査役に就任いたしました。

<中　略>

Ⅱ　事業報告記載事項の分析

④　社外取締役の主な活動状況
　2019年度の取締役会および監査等委員会への出席状況は次のとおりであり，各社外取締役は，独立した客観的な立場から適宜発言を行っております。

氏　　名	出　席　状　況
森田　浩治	当年度開催の取締役会11回，監査等委員会18回のすべてに出席いたしました。
井原　理代	当年度開催の取締役会11回のうち10回に，監査等委員会18回のうち16回に出席いたしました。
竹内　克之	当年度開催の取締役会11回，監査等委員会18回のすべてに出席いたしました。
香川　亮平	2019年6月26日就任以来開催の取締役会9回のうち8回に，監査等委員会14回のすべてに出席いたしました。

＜日本郵政＞　在任期間について表記している例

2 社外役員の主な活動状況

氏　名	在任期間	取締役会等への出席状況	取締役会等における発言その他の活動状況
三村　明夫	6年9か月	当年度取締役会17回開催のうち17回に出席　当年度指名委員会4回開催のうち4回に出席	企業経営者としての経験に基づき、経営的見地から当社の経営課題等につき必要な発言を行っております。
八木　柾	6年9か月	当年度取締役会17回開催のうち17回に出席　当年度監査委員会28回開催のうち28回に出席　当年度報酬委員会8回開催のうち8回に出席	大手通信社における経験及び見識に基づき、当社の経営課題等につき必要な発言を行っております。
石原　邦夫	4年9か月	当年度取締役会17回開催のうち17回に出席　当年度指名委員会4回開催のうち4回に出席　就任後における当年度報酬委員会2回開催のうち2回に出席	企業経営者としての経験に基づき、経営的見地から当社の経営課題等につき必要な発言を行っております。
チャールズ・ディトマース・レイク二世	3年9か月	当年度取締役会17回開催のうち17回に出席	企業経営者としての経験に基づき、経営的見地から当社の経営課題等につき必要な発言を行っております。
広野　道子	3年9か月	当年度取締役会17回開催のうち17回に出席	企業経営者としての経験に基づき、経営的見地から当社の経営課題等につき必要な発言を行っております。
岡本　毅	1年9か月	当年度取締役会17回開催のうち16回に出席　就任後における当年度指名委員会1回開催のうち1回に出席　当年度報酬委員会8回開催のうち8回に出席	企業経営者としての経験に基づき、経営的見地から当社の経営課題等につき必要な発言を行っております。
		当年度取締役会17回開催の	企業経営者としての経験に基づき、

肥塚見春	1年9か月	うち16回に出席 当年度監査委員会28回開催のうち26回に出席	経営的見地から当社の経営課題等につき必要な発言を行っております。
青沼隆之	9か月	就任後における当年度取締役会14回開催のうち14回に出席 就任後における当年度監査委員会23回開催のうち23回に出席	法曹界における知識及び経験に基づき、当社の経営課題等につき必要な発言を行っております。
秋山咲恵	9か月	就任後における当年度取締役会14回開催のうち14回に出席 就任後における当年度監査委員会23回開催のうち23回に出席	企業経営者としての経験に基づき、経営的見地から当社の経営課題等につき必要な発言を行っております。

(注) 1. 在任期間は、2020年3月31日現在の在任期間を記載しております。
   2. 在任期間は、1か月に満たない期間を切り捨てて表示しております。
   3. かんぽ生命保険商品に関して顧客の意向に沿わず不利益を生じさせた可能性のある契約乗換等に係る事案が判明し、当社及び日本郵便株式会社は総務大臣及び金融庁より、株式会社かんぽ生命保険は金融庁より、2019年12月に保険業法等に基づく行政処分を受けました。各社外役員は、日頃から取締役会等においてグループガバナンスや内部統制の重要性及び法令遵守の視点に立った提言を行うとともに、当該事案の判明後においては、徹底した調査及び再発防止を指示するなど、その職責を果たしております。

＜ＴＤＫ＞ 指名諮問委員会・報酬諮問委員会の出席状況について記載する例

4 会社役員に関する事項

(1) 取締役及び監査役の氏名等

地位	氏名	担当及び重要な兼職の状況
代表取締役（社長）	石黒成直	・加湿器対策本部長
代表取締役 （常務執行役員）	山西哲司	・Global Chief Compliance Officer ・経理・財務本部長
取締役（会長）	澄田誠	・イノテック株式会社取締役会長
取締役（専務執行役員）	逢坂清治	・戦略本部長
社外取締役	吉田和正	・オンキヨー株式会社社外取締役 ・ＣＹＢＥＲＤＹＮＥ株式会社社外取締役 ・株式会社豆蔵ホールディングス社外取締役 ・フリービット株式会社社外取締役
社外取締役	石村和彦	・ＡＧＣ株式会社取締役 ・株式会社ＩＨＩ社外取締役 ・野村ホールディングス株式会社社外取締役
社外取締役	八木和則	・株式会社横河ブリッジホールディングス社外監査役 ・双日株式会社社外監査役
常勤監査役	桃塚高和	
常勤監査役	末木悟	
社外監査役	石井純	
社外監査役	ダグラス・Ｋ・フリーマン	・フリーマン国際法律事務所代表
社外監査役	千葉通子	・千葉公認会計士事務所代表 ・カシオ計算機株式会社社外取締役監査等委員 ・ＤＩＣ株式会社社外監査役

(注) 1. 取締役吉田和正、石村和彦及び八木和則の3氏は、会社法第2条第15号に定める社外取締役であり、株式会社東京証券取引所の有価証券上場規程第436条の2に定める独立役員であります。
   2. 監査役石井純、ダグラス・Ｋ・フリーマン及び千葉通子の3氏は、会社法第2条第16号に定める社外監査役であり、株式会社東京証券取引所の有価証券上場規程第436条の2に定める独立役員であります。

Ⅱ　事業報告記載事項の分析

3．当事業年度末後、地位並びに担当及び重要な兼職の状況が次のとおり変更となっております。

変更年月日	地位	氏名	担当及び重要な兼職の状況
2020年4月1日	代表取締役 （専務執行役員）	山西哲司	・Global Chief Compliance Officer ・経理・財務本部長
2020年4月1日	社外取締役	石村和彦	・ＡＧＣ株式会社取締役 ・株式会社ＩＨＩ社外取締役 ・野村ホールディングス株式会社社外取締役 ・国立研究開発法人産業技術総合研究所理事長

4．社外役員の重要な兼職先と当社との間で、取引関係のあるものは、次のとおりであります。
・社外取締役石村和彦氏が取締役を務めるＡＧＣ株式会社と当社との間には取引関係がありますが、両者にとって取引金額は僅少（当社グループの連結売上高に占めるＡＧＣグループに対する売上比率は1％未満、2020年3月期実績）であり、重要な取引関係ではありません。
・社外取締役石村和彦氏が社外取締役を務める株式会社ＩＨＩと当社との間には取引関係がありますが、両者にとって取引金額は僅少（当社グループの連結売上高に占めるＩＨＩグループに対する売上比率は1％未満、2020年3月期実績）であり、重要な取引関係ではありません。
・社外取締役石村和彦氏が理事長を務める国立研究開発法人産業技術総合研究所（以下「産総研」）と当社との間には研究委託等の関係がありますが、両者にとって取引金額は僅少（当社グループからの委託研究費等の支払額が産総研の年間収入額に占める比率は1％未満、2020年3月期実績）であり、重要な取引関係ではありません。
・社外監査役八木和則氏が社外監査役を務める双日株式会社と当社との間には取引関係がありますが、両者にとって取引金額は僅少（双日グループの連結売上高に占める当社グループに対する売上比率は1％未満、2020年3月期実績）であり、重要な取引関係ではありません。
・社外監査役千葉通子氏が社外取締役監査等委員を務めるカシオ計算機株式会社と当社との間には取引関係がありますが、両者にとって取引金額は僅少（当社グループの連結売上高に占めるカシオ計算機グループに対する売上比率は1％未満、2020年3月期実績）であり、重要な取引関係ではありません。

5．監査役桃塚高和及び千葉通子の両氏は、次のとおり財務及び会計に関する相当程度の知見を有しております。
・常勤監査役桃塚高和氏は、当社の経理・財務に関する業務に長年にわたり従事した経験があり、財務及び会計に関する相当程度の知見を有しております。
・社外監査役千葉通子氏は、公認会計士の資格を有しており、財務及び会計に関する相当程度の知見を有しております。

6．当社と各社外取締役及び各監査役は、会社法第427条第1項の規定に基づき、同法第423条第1項の損害賠償責任を限定する契約を締結しております。当該契約に基づく損害賠償責任の限度額は、同法第425条第1項に定める最低責任限度額としております。

<中　略>

（3）社外役員に関する事項

① 重要な兼職の状況及び当社と当該他の法人等との関係

40ページから41ページの「(1) 取締役及び監査役の氏名等」に記載のとおりであります。

② 当事業年度における主な活動状況

氏名 （地位）	取締役会等への 出席状況	取締役会等における発言 及びその他の活動状況
吉田和正 （社外取締役）	取締役会：13回中13回 指名諮問委員会：10回中10回 報酬諮問委員会：8回中8回	エレクトロニクス産業における企業経営やグローバルビジネス及びコンシューマビジネスに関する豊富な経験と知識に基づき、経営全般にわたり、積極的かつ活発に発言を行っております。 また、同氏は、報酬諮問委員会の委員長を務めており、役員に関する報酬決定プロセスの透明性判断及び報酬の妥当性判断に際し、重要な役割を果たしております。 さらに、同氏は、指名諮問委員会の委員を務めております。
石村和彦 （社外取締役）	取締役会：13回中13回 指名諮問委員会：10回中10回 報酬諮問委員会：8回中8回	素材メーカーにおける企業経営やグローバルビジネスに関する豊富な経験と知識に基づき、経営全般にわたり、積極的かつ活発に発言を行っております。 また、同氏は、指名諮問委員会の委員を務めており、役員選任の妥当性判断及び決定プロセスの透明性判断に際し、重要な役割を果たしております。 さらに、同氏は、報酬諮問委員会の委員を務めております。
八木和則 （社外取締役）	取締役会：13回中13回 指名諮問委員会：10回中10回 報酬諮問委員会：8回中8回	同氏は、取締役会議長を務めております。 企業経営及びエレクトロニクス分野に関する豊富な経験や、財務及び会計に関する専門的見地から、経営全般にわたり、積極的かつ活発に発言を行っております。 また、同氏は、指名諮問委員会の委員長を務めており、役員選任の妥当性判断及び決定プロセスの透明性判断に際し、重要な役割を果たしております。 さらに、同氏は、報酬諮問委員会の委員を務めております。
石井　純 （社外監査役）	監査役会：10回中10回 取締役会：10回中10回 （2019年6月就任後）	グループガバナンス、リスクマネジメント等に関する豊富な経験と知識に基づき、積極的かつ活発に発言を行っております。
ダグラス・Ｋ・ フリーマン （社外監査役）	監査役会：10回中10回 取締役会：10回中10回 （2019年6月就任後）	弁護士としての法令に関する専門知識及び国際企業法務に関する豊富な経験に基づき、積極的かつ活発に発言を行っております。

| 千葉 通子
(社外監査役) | 監査役会：10回中9回
取締役会：10回中9回
（2019年6月就任後） | 公認会計士としての財務及び会計に関する専門知識並びに監査に関する豊富な経験に基づき、積極的かつ活発に発言を行っております。 |

＜ジェイテクト＞　取締役会の前に開催している社外取締役・監査役連絡会について注記する例

3．社外役員に関する事項

❶ 重要な兼職先と当社との関係

（イ）取締役内山田竹志氏の兼務先の内、トヨタ自動車株式会社は当社の大株主であり、同社と当社との間には重要な取引関係があります。
　　　三井物産株式会社と当社との間には、特別な関係はありません。
　　　豊田合成株式会社は、当社の株主であり、当社は原材料の一部を同社から購入しております。
　　　株式会社東海理化電機製作所と当社との間には仕入・販売の取引関係があります。
（ロ）監査役吉田享司氏の兼務先である吉田公認会計士事務所及び京阪神ビルディング株式会社と当社との間には、特別な関係はありません。
（ハ）監査役若林宏之氏の兼務先である株式会社デンソーは当社の大株主であり、同社と当社との間には仕入・販売の取引関係があります。
（ニ）監査役櫻井由美子氏の兼務先である櫻井由美子公認会計士事務所、株式会社東祥、株式会社プロトコーポレーション及び株式会社アイケイと当社との間には、特別な関係はありません。

❷ 当期における主な活動状況

区　分	氏　名	主な活動状況
取　締　役	宮　谷　孝　夫	当期開催の取締役会に15回中15回出席し、経営者としての知見に基づき議案事項等に必要な発言を適宜行っております。
取　締　役	岡　本　　巖	当期開催の取締役会に15回中15回出席し、国内外における産業・経済活動に関する知見に基づき議案事項等に必要な発言を適宜行っております。
取　締　役	内山田　竹　志	当期開催の取締役会に13回中12回出席し、経営者としての知見に基づき議案事項等に必要な発言を適宜行っております。
監　査　役	吉　田　享　司	当期開催の取締役会に15回中15回、監査役会に15回中15回出席し、公認会計士としての専門的な知見に基づき議案事項等に必要な発言を適宜行っております。
監　査　役	若　林　宏　之	当期開催の取締役会に15回中13回、監査役会に15回中12回出席し、経営者としての知見に基づき議案事項等に必要な発言を適宜行っております。
監　査　役	櫻　井　由美子	当社監査役就任後の取締役会に13回中13回、監査役会に11回中11回出席し、公認会計士としての専門的な知見に基づき議案事項等に必要な発言を適宜行っております。

（注）　当社では、社外取締役・社外監査役に対して、取締役会前に開催している社外取締役・監査役連絡会や、事前の資料配布及び審議事項に関する意見聴取により、取締役会での決議・報告事項に積極的に関与できる環境を整えております。
　　　　また、監査役会了承の上、社外取締役に監査役会へのオブザーバー出席の機会を提供し、社内情報の共有化を促進する環境を整えております。

❸ 責任限定契約の内容の概要

　　当社は、定款において取締役(業務執行取締役等であるものを除く。)及び監査役の責任限定契約に関する規定を設けております。
　　当該定款に基づき当社が社外取締役及び社外監査役の全員と締結した責任限定契約の概要は次のとおりであります。
社外取締役及び社外監査役の責任限定契約
　　社外取締役及び社外監査役は、本契約締結後、会社法第423条第1項の責任について、その職務を行うにつき善意でありかつ重大な過失がなかったときは、会社法第425条第1項に定める額を限度として損害賠償責任を負担するものとする。

＜日揮ホールディングス＞　監査役と会計監査人の連携状況について記載する例

(3)社外役員に関する事項
　① 当事業年度における主な活動状況
　　取締役会および監査役会への出席状況および発言状況

Ⅱ　事業報告記載事項の分析

地位	氏名	取締役会	監査役会	発言状況
取締役	遠藤　茂	15回／15回（出席率100%）	―	外交官として培った経験・知見に基づき、中長期的な企業価値の向上等の観点から、議案審議および経営の監督等に必要な発言を適宜行っております。
取締役	松島　正之	14回／15回（出席率93.3%）	―	金融界および企業経営に関する経験・知見に基づき、中長期的な企業価値の向上等の観点から、議案審議および経営の監督等に必要な発言を適宜行っております。
取締役	植田　和男	11回／12回（出席率91.6%）	―	マクロ経済学の専門家としての経験・知見に基づき、中長期的な企業価値の向上等の観点から、議案審議および経営の監督等に必要な発言を適宜行っております。
監査役	森　雅夫	15回／15回（出席率100%）	26回／26回（出席率100%）	経営工学の専門家としての経験・知見に基づき、良質なコーポレート・ガバナンスの確保等の観点から、議案審議および監査等に必要な発言を適宜行っております。
監査役	大野　功一	15回／15回（出席率100%）	26回／26回（出席率100%）	会計学の専門家としての経験・知見に基づき、良質なコーポレート・ガバナンスの確保等の観点から、議案審議および監査等に必要な発言を適宜行っております。
監査役	高松　則雄	15回／15回（出席率100%）	26回／26回（出席率100%）	企業経営に関する経験・知見に基づき、良質なコーポレート・ガバナンスの確保等の観点から、議案審議および監査等に必要な発言を適宜行っております。

　②　監査役と会計監査人の連携状況
　　　監査役会は、当該事業年度の監査計画に基づき、会計監査人と会合を持ち、四半期毎に決算監査に係る報告を受け、質疑応答を行うとともに、適宜会計監査に係る課題について意見交換、協議等を行っております。また、会計監査人の往査に同行し、会社の内部統制の整備・運用状況について意見交換を行い認識の共有を図っております。
　③　独立役員
　　　当社は、取締役遠藤茂氏、松島正之氏、植田和男氏および監査役森雅夫氏、大野功一氏、高松則雄氏の6名を東京証券取引所の定めに基づく独立役員として指定し、同取引所に届け出ております。
　④　責任限定契約の内容の概要
　　　取締役遠藤茂氏、松島正之氏、植田和男氏および監査役森雅夫氏、大野功一氏、高松則雄氏は、当社と会社法第423条第1項の損害賠償責任を限定する契約を締結しており、当該契約に基づく損害賠償責任の限度額は、法令の定める最低責任限度額であります。

＜エヌ・ティ・ティ・データ＞　取締役会の実効性評価の結果の概要を記載する例

④社外役員に関する事項
　(a) 社外役員の重要な兼職等の状況
　　社外取締役及び社外監査役の他の法人における重要な兼職の状況については、前記「(5)①取締役及び監査役の氏名等」のとおりであり、各重要な兼職先と当社との間に重要な取引関係はありません。
　(b) 当事業年度における主な活動状況

区分	氏名	取締役会出席回数（出席率）	監査役会出席回数（出席率）	主な活動状況
社外取締役	岡本　行夫	13回／13回（100%）	―（―）	当社の業務執行者から独立した立場で、議案の審議に必要な発言を行っています。特に、国際情勢に精通する専門家としての幅広い知識と見識に基づき発言を行っています。
社外取締役	平野　英治	13回／13回（100%）	―（―）	当社の業務執行者から独立した立場で、議案の審議に必要な発言を行っています。特に、金融分野における豊富な経験、財務・国際金融に関する幅広い知見に基づき発言を行っています。
社外取締役	藤井　眞理子	10回／10回（100%）	―（―）	当社の業務執行者から独立した立場で、議案の審議に必要な発言を行っています。特に、行政実務及び経済学に関する研究や外交を通じて培った、高い見識と豊富な経験に基づき発言を行っています。
社外監査役	山口　徹朗	13回／13回（100%）	15回／15回（100%）	当社の業務執行者から独立した立場で、法令及び定款遵守に係る見地等から発言を行っています。特に、海外を含むNTTグループにおける企業経営の豊富な実績に基づく幅広い視点と経験を活かした発言を行っています。
社外監査役	小畑　哲哉	13回／13回（100%）	15回／15回（100%）	当社の業務執行者から独立した立場で、法令及び定款遵守に係る見地等から発言を行っています。特に、NTTグループにおける企業経営の豊富な実績に加えて、財務部門・総務部門での経験に基づく発言を行っています。
社外監査役	桜田　桂	13回／13回（100%）	15回／15回（100%）	当社の業務執行者から独立した立場で、法令及び定款遵守に係る見地等から発言を行っています。特に、長年にわたる会計検査院における職務経験を通して得られた、財務・会計及び業務執行の監査における豊富な経験と幅広い知見に基づき発言を行っています。

佐藤 りえ子	13回/13回 (100%)	15回/15回 (100%)	当社の業務執行者から独立した立場及び弁護士としての専門的な立場で、法令及び定款遵守に係る見地等から発言を行っています。

(注1) 社外取締役　藤井眞理子氏については、2019年6月就任以降の主な活動状況を記載しています。
(注2) 社外取締役　岡本行夫氏は、2020年4月24日に逝去され退任いたしました。

(c) 当事業年度に係る社外役員の報酬等の総額

	支給人数	報酬等の額
社外役員の報酬等の総額	7名	135百万円

(注)　上記は、「③(b)当事業年度に係る取締役及び監査役の報酬等の総額」に含まれています。

(6) 取締役会全体の実効性評価

　取締役会は、会社経営・グループ経営に係る重要事項等を決定し、四半期ごとの職務執行状況報告において取締役の執行状況の監督を実施しています。
　加えて、取締役会の機能を向上させ、ひいては企業価値を高めることを目的として、取締役会の実効性につき、2016年度から自己評価・分析を実施しています。具体的には、全取締役・監査役へのアンケートを実施し、外部機関からの集計結果の報告を踏まえ、分析・議論・評価を行っています。評価結果については取締役会へ報告し、取締役会は内容の検証と更なる改善に向けた方針等について議論しています。
　2019年度も前事業年度同様、自己評価・分析を行いました。

	当年度の対応に関する効果測定結果	次年度に向けた主な対応
2017年度	取締役会における経営戦略に関する議論の比重を高めるなどの対応については、取締役会の付議基準の見直しや議論を行う場の設定等、改善が実施されているとの一定の評価を得た。	● 経営戦略・計画等の策定段階における議論強化 ● 取締役会の付議基準に該当しない場合においても、案件の重要性やリスクに応じて、取締役会報告事項とするよう見直し ● 投資家意見について、取締役会へのより詳細な情報提供の要望を踏まえ、報告内容の更なる充実化
2018年度	経営戦略に関する議論の更なる深化・強化及び投資家意見に関する報告内容の更なる充実については、評価スコアが向上し、改善が実施されているとの一定の評価を得た。	● 経営戦略に関する議論の更なる深化・強化（継続） ● 技術の最新動向及び当社事業等の更なる知識獲得に向けた情報・機会の充実 ● 社外取締役と監査役とのコミュニケーション機会の更なる充実
2019年度	社外取締役と監査役とのコミュニケーション機会の充実については、評価スコアが向上し、改善がされているとの一定の評価を得た。	● 戦略・リスクマネジメントの議論にかける比重を拡大 ● 当社経営に大きな影響を与える事項のモニタリングを強化

＜大和ハウス工業＞　取締役会の実効性評価の結果の概要を記載する例

(5) 取締役会の実効性評価の結果の概要

　当社では、持続的な成長と中長期的な企業価値向上のために制定した「コーポレートガバナンスガイドライン」に基づき、2015年より毎年、取締役会の実効性評価を実施しております。
　当社取締役会は、アンケート方式での取締役による自己評価、監査役会、取締役会による評価により、取締役会全体の分析・評価を行っており、2019年におきましては、外部機関の協力を得てアンケートを実施し、回答方法は外部機関に直接回答することで匿名性を確保いたしました。外部機関からの集計結果の報告を踏まえたうえで、取締役会の構成、意思決定プロセス、業績管理等の取締役会の運営状況、社外取締役へのサポート状況、取締役の職務執行状況等を確認した結果、当社取締役会の実効性は十分確保されているものと評価いたしました。
　一方、取締役会の構成については、更なる事業の発展のため、知識・経験・専門性、ジェンダー、国際性等、バランスの取れた構成にする必要性を改めて再認識いたしました。
　また、更なるガバナンス強化に向け、リスク管理体制の再構築等の課題についても、改めて共有いたしました。
　今後も、取締役会の実効性と経営システムの向上に努めてまいります。

＜日本ユニシス＞　ご参考で、社外取締役のメッセージを記載する例

（ご参考）社外取締役メッセージ（日本ユニシスグループ統合報告書2019より引用）

Ⅱ　事業報告記載事項の分析

川田取締役メッセージ
独立社外取締役である私が、指名・報酬委員会の委員長を務めています

（写真）

　私はこれまで6年間、当社において独立社外取締役として尽力してまいりましたが、この間、当社のガバナンス体制は着実に強化され、充実してきていると思います。

　2019年6月に私が指名・報酬委員会の委員長に就任したこともその一例です。以前より同委員会の委員を務めていましたが、2018年度の当社における取締役会の実効性評価や金融機関が実施したガバナンスサーベイにおいて、いずれも概ね高評価であったなか、独立社外取締役が指名・報酬委員会の委員長に就任することが望ましいとの課題が抽出されたことを受け、委員長に指名されたものです。このような改善が、取締役会で議論され速やかに実施されることは非常に良いことと考えています。委員長として私は、次世代の経営陣幹部の選任にあたり、プロセスの透明性確保を図りつつ、さまざまな会社の社外役員を務めた経験をもとに候補者の見極めを行うことで、その役割を全うしていきたいと考えています。経営陣幹部のサクセッション・プランの一環として、2019年度より当社執行役員と社外取締役との意見交換会を開始し、face to faceで経営などについて大いに議論していく所存です。

　また、当社グループのリスクマネジメントも引き続き注視していく所存です。当業界においては、不採算案件の発生が経営に重大な影響を与えるリスクの一つです。過去においては、特に景況感が悪化した場合に、過度なリスクテイクによりダメージが発生した例もあることから、このような観点も踏まえつつモニタリングしていきます。また、コンプライアンスに関するリスクは、業界慣行などから社内では気づきにくいものがあります。これまでの他業界での経験も踏まえ、外部からの厳しい目が必要との考えで注視していきます。社外取締役としてガバナンスを効かせるためには、業務執行組織とのリスクに関する情報共有が欠かせませんが、当社では重要な情報が迅速に社外取締役に伝達されており、こうした点も高く評価しています。

　最後に、当社グループには社内外で大きく取り上げられていないながらも、社員による地域社会への貢献やさまざまな表彰の受賞など、素晴らしい実績がいくつもあります。これらを社外の目から社員の皆さんにお伝えすることで、社員の皆さんにあらためて当社グループの良い点を認識してもらうことも大切です。私はこれからも、社外取締役は株主のみならず社員のためにもなるべきとの気持ちで取り組んでいきたいと思っています。

薗田取締役メッセージ
コーポレート・ガバナンスの強化のためには、超長期のシナリオプランニングが必要な時代に

（写真）

　社外取締役として5年目を迎えますが、大きな変化を感じています。取締役会での議論もさらに活発になり、リスクへの感度も高まり、積極的にイノベーションやダイバーシティが推進されています。当社グループの持続的な成長と中長期的な企業価値の創出のためには、ステークホルダーを尊重しながら、イノベーションを促す企業文化・風土の醸成に向け、取締役会による一層のリーダーシップ発揮が重要と考えています。

　サステナビリティに関しては、取締役会でのESG・SDGs分野における議論も増えてきました。当社グループは、早くからエネルギー関連サービスに取り組むなど、日本企業のなかでも先進的に事業を通じてSDGsを推進しています。今後はさらに、2050年の超長期の脱炭素ビジョンの策定などTCFDに関する対応も急がれるところですが、すでにシナリオプランニングを試験的に行い、複数の異なる不確実性（リスク）への対応とともに、それをビジネス機会として捉え、長期的なデジタルイノベーションにつなげつつあります。

　また、企業価値創造と持続的な成長のためには、経営リーダーを含む人財育成や社内の多様性確保のためのダイバーシティの推進も欠かせません。当社グループでは、風土改革の一環としてこれらにも注力しています。

　人財育成については、さまざまなプログラムが組まれており、私も経営リーダー育成プログラムの講師を担当しました。未来洞察に長け、グローバルな問題解決に向けた大きな構想を描ける人財の育成が、これからの企業価値創造のカギとなるとの想いを念頭に講義しました。ダイバーシティ推進では、これをマテリアリティの一つとして位置づけ、女性活用に積極的に取り組んでおり、その成果は着実に現れてきていると感じています。

　当社グループが「社会課題を解決する企業」として持続的に成長できるよう、これらの課題について取締役会などにおいて積極的な提言や議論を重ねていくことで、社外取締役として尽力していきたいと考えています。

佐藤取締役メッセージ
達成すべきビジョンを共に目指し、異なる視点を持って尽力していきます

（写真）

　当社の社外取締役に就任して、今年で3年目を迎えました。海外の識者からは「日本企業の最大の課題は変われないことだ」とよく言われますが、「この会社は本気で変わろうとしている」と日々、強く感じています。

　1つ目は、取締役会での議論が活発になったことです。取締役・監査役全員がディスカッションに参加し、投資案件だけではなく、ビジョン、サステナビリティ、サクセッション・プラン、リスク管理などについて深い議論を交わせるようになりました。2つ目は、社員のビジネ

スへの取り組みが「受身型」から「提案型」へ変わってきたことです。お客様のニーズに応えるだけではなく、それを超えるような提案をすることによって、数多くの新規ビジネスが生まれつつあります。3つ目は、女性が経営に参画できる機会が増えたことです。社外取締役、社外監査役に加え、業務執行役員や海外子会社のCEOにも女性が登用されています。4つ目は、指名・報酬委員会の委員長に独立社外取締役が就任したことです。これにより、さらに当社のガバナンスが高まったと思います。

2019年は、中期経営計画「Foresight in sight 2020」の施行から2年目にあたります。私たちが達成すべきビジョンと注力領域は明確に示されています。そのなかで、当社の最も大きなチャレンジは「変革のスピードを速めること」と「収益性を高めること」だと感じています。

こうしたなか、社外取締役の重要な役割の一つは、社内の経営会議では気づかないような異なる視点を提供することです。取締役会では、大手グローバル企業でのマネジメント経験や経営コンサルティング経験を活かし、グローバル・スタンダードの視点、俯瞰的な視点、ステークホルダーの視点などを積極的に伝えていきたいと思っています。

当社グループには世界に誇るべき優れた技術があり、優秀な社員がいます。この可能性にあふれた会社の企業価値をさらに向上させていくために、社外取締役として一層の尽力をしていく所存です。

6　会計監査人に関する事項

　会計監査人に関する基本的な開示事項としては，まず，①会計監査人の氏名または名称（会社法施行規則126条1号），②その事業年度に係る会計監査人の報酬等の額および当該報酬等について監査役会等が同意した理由（同条2号），③非監査業務の対価を支払っている場合はその内容（同条3号），④会計監査人の解任または不再任の決定の方針（同条4号）がある。

　このうち，②については，連結計算書類作成会社に該当する場合，さらに⑤会計監査人である監査法人（または公認会計士）に会社および子会社が支払うべき金銭その他の財産上の利益の合計額の記載（同条8号イ），⑥子会社の監査を他の監査法人等が行っているときはその事実（同条8号ロ）についても記載することが必要である。

　このほか，⑦責任限定契約を締結している場合はその内容の概要（同条7号），⑧会計監査人が業務停止処分を受け，または過去2年間に受けたことがある場合の業務停止処分等に関する事項（同条5号・6号），⑨事業年度中に辞任または解任された会計監査人がいるときはその理由，これに対する意見等（同条9号）について該当するものを記載しなければならない。

(1)　報酬等の額の記載

　会計監査人への報酬等の額に関する記載状況を見ると，報酬等の内容を「当社の報酬等の額」，「当社および子会社が支払うべき金銭その他の財産上の利益の合計額」等と2区分に分けて記載する事例が圧倒的に多くなっている。

(2)　非監査業務の内容の記載

　非監査業務については303社（78.7％）が記載しており，その内容は次のとおりである（重複集計）。
　① コンフォートレター作成業務 ……………………………………………………………… 71社
　② 国際会計基準（IFRS） ……………………………………………………………………… 27社
　③ 内部統制 ……………………………………………………………………………………… 17社
　④ 財務デューデリジェンス業務 ……………………………………………………………… 9社
　⑤ 英文財務諸表の作成業務 …………………………………………………………………… 8社
　⑥ 該当事項なし ………………………………………………………………………………… 37社
　その他，海外での税務申告のための本邦発生経費に係る証明業務，子会社海外拠点のガバナンス強化支援業務，リファード業務，グループ統合マネジメントサイクル構築支援業務，特許権使用料に関する証明業務，情報開示に関する助言・指導，CSRに関するコンサルティング業務，再生可能エネルギーの固定価格買取制度に伴う確認業務，自己資本比率規制への対応に関する助言業務等，社内研修の講師業務，ストック・オプションの発行に関する助言

業務，新収益認識基準の導入支援業務等に対する対価などの記載も見られた。

(3) 解任・不再任の方針

会計監査人の解任・不再任の方針については，当該方針がない場合はない旨を記載することとされている。このため，全社が解任・不再任の方針を記載することになる。

(4) 子会社の監査法人に関する記載

子会社の監査を他の監査法人等が行っている場合にはその事実を記載することとなる。具体的な記載としては，子会社名を特定して当該事実を記載する事例が比較的多いようである。

(5) 責任限定契約に関する記載

会計監査人との間に責任限定契約については，該当ない旨を記載する事例が多く，実際に責任限定契約を締結している事例は少ないようである。

(6) 業務停止処分に関する記載

業務停止処分について記載する事例は通常ほとんどない。

＜京浜急行電鉄＞　ウェブ開示している例

```
Ⅴ　会計監査人の状況

1．会計監査人の名称
2．責任限定契約の内容の概要
3．当事業年度に係る会計監査人の報酬等の額
4．非監査業務の内容
5．会計監査人の解任または不再任の決定の方針
   上記1から5は、法令および当社定款第15条の規定に基づき、当社ウェブサイト
   (https://www.keikyu.co.jp) に掲載しております。
```

＜双　　日＞　監査役および監査役会による会計監査人の評価を記載する例

```
会計監査人に関する事項
 (1) 会計監査人の名称
     有限責任 あずさ監査法人

 (2) 当事業年度に係る会計監査人の報酬等の額
```

	支払額

Ⅱ　事業報告記載事項の分析

当社の当事業年度に係る報酬等の額	
公認会計士法第2条第1項の業務に係る報酬等の額	420百万円
公認会計士法第2条第1項の業務以外の業務に係る報酬等の額	41百万円
合計	461百万円
当社及び子会社が会計監査人に支払うべき金銭 その他の財産上の利益の合計額	821百万円

(注) 1. 監査役会は、会計監査人の監査計画の内容、会計監査の職務遂行状況及び報酬見積りの算出根拠などが適切であるかどうかについて必要な検証を行った結果、会計監査人の報酬等につき、会社法第399条第1項の同意を行っております。
　　　2. 当社と会計監査人との間の監査契約において会社法に基づく監査と金融商品取引法に基づく監査の額を区分しておらず、実質的にも区分できないため、上記金額には金融商品取引法に基づく監査の報酬等を含めております。
　　　3. 当社の重要な子会社のうち、双日米国会社、双日欧州会社、双日アジア会社は、有限責任 あずさ監査法人以外の公認会計士又は監査法人(外国におけるこれらの資格に相当する資格を有する者を含む。)の監査(会社法又は金融商品取引法(これらの法律に相当する外国の法令を含む。)の規定によるものに限る。)を受けております。
　　　4. 百万円未満は切り捨てて表示しております。

(3) 非監査業務の内容
　　当社は、会計監査人に対して、公認会計士法第2条第1項の業務以外の業務(非監査業務)であるIFRSに関するアドバイザリー業務などを委託しております。

(4) 会計監査人の選定の方針及び理由
　　当社は、監査役会が定めた会計監査人評価基準に照らし、品質管理、独立性、監査の実施体制、報酬見積額などを総合的に勘案して、会計監査人を選定しております。

(5) 会計監査人の解任又は不再任の決定の方針
　　監査役会は、会計監査人が会社法第340条第1項各号に定める項目に該当すると認められる場合には、監査役全員の同意に基づき、会計監査人を解任します。
　　また、監査役会は、会計監査人の職務遂行状況等を総合的に判断し、会計監査人が適正な監査を遂行することが困難であると認められる場合には、監査役会での決議により、株主総会に提出する会計監査人の解任又は不再任に関する議案の内容を決定する方針です。

(6) 監査役及び監査役会による会計監査人の評価
　　監査役及び監査役会は、監査役会が定めた会計監査人評価基準に照らし、会計監査人との面談などを通じ、品質管理、外部機関による検査結果、監査チームの独立性・専門性・メンバー構成、監査報酬、監査の有効性・効率性、監査役とのコミュニケーション、グループ監査などの観点から、会計監査人を評価しております。

＜エーザイ＞　高品質な会計監査を可能とするための対応を記載する例

Ⅳ. 会計監査人の状況

1 会計監査人の名称

有限責任監査法人トーマツ（継続監査期間：29年間）
　当社の会計監査業務を執行した公認会計士は、以下の3名であり、その補助者は公認会計士13名、その他23名です。

氏　名	役　職	当社の監査年数
武井　雄次	指定有限責任社員、業務執行社員	4年
杉本健太郎	指定有限責任社員、業務執行社員	6年
吉崎　肇	指定有限責任社員、業務執行社員	2年

2 会計監査人の報酬等の額

(単位：百万円)

	前期			当期		
	当社	連結子会社	合計	当社	連結子会社	合計
会計監査人の報酬等の額	148	37	185	169	33	201
①公認会計士法第2条第1項の監査業務に係る報酬等*	148	35	183	168	33	200
②公認会計士法第2条第1項の業務以外の業務（非監査業務）に係る報酬等	—	2	2	1	—	1

*金融商品取引法上の監査の報酬等が含まれています。

また、当社の重要な子会社（119頁をご参照ください）のうち、海外子会社は一部を除き、当社の会計監査人と同一のネットワークであるデロイト トーマツ グループに属する監査法人による監査を受けています。デロイト トーマツ グループによる監査業務および非監査業務に対しては、当社グループとして以下のとおりの報酬等を支払っています（上記の「会計監査人の報酬等の額」を除く）。

(単位：百万円)

	前期			当期		
	当社	連結子会社	合計	当社	連結子会社	合計
会計監査人と同一のネットワークに属する者に対する報酬等の額	236	479	715	163	480	644
①監査業務に係る報酬等	—	356	356	—	345	345
②非監査業務に係る報酬等	236	122	358	163	136	299

3 監査委員会が会計監査人の報酬等の額について同意した理由

監査委員会が選定した監査委員会委員3名が会計監査人から監査計画の説明を受け、内容を確認した上で、会計監査人の監査計画（監査に必要な工数含む）を確定させています。執行部門がその監査計画にもとづき、監査委員会委員同席のもと会計監査人と工数単価の折衝を行い、監査報酬案が算定されます。

監査委員会は、上記プロセスおよび内容の相当性に加え、過去からの監査報酬額の推移、および他社の監査報酬の状況等を総合的に検討した上で、会計監査人の報酬等の額は妥当と判断し同意しています。

4 会計監査人の解任又は不再任の決定の方針

監査委員会では「会計監査人の解任又は不再任の決定の方針」を監査委員会の規程類と位置付け、毎年見直しています。2019年4月の監査委員会においては、以下のとおり決議しています。

当社監査委員会は、会計監査の適正性および信頼性を確保するため、会計監査人が独立の立場を保持し、適正な監査を実施しているかを監視し、検証しております。監視・検証の内容は、会計監査人の監査計画の内容、監査報酬等の額、監査実施者の適格性、監査契約の内容の適正性、「会計監査人の職務の遂行が適正に行われていることを確保するための体制」（会社計算規則第131条各号が定める事項）に関する会計監査人からの通知、および監査の実績等であります。また、監督官庁から監査業務停止処分を受ける等、会計監査人の職務の遂行に支障を来たすおそれが生じた場合には、会計監査人から適時に報告を受けることとしています。

監査委員会の監視・検証の結果、会計監査人が会社法第337条第3項第1号に該当することが合理的に予想される場合または第340条第1項各号に定める事項に該当すると認められる場合、監査委員会は監査委員全員の合意に基づき、会計監査人を解任いたします。

この場合、監査委員会が選定した監査委員は、解任後最初に招集される株主総会にて、会計監査人を解任した旨と解任の理由を報告いたします。

また、監査委員会は、会計監査人の監査の品質、有効性および効率性等について上述の監視・検証を通じて評価し、再任または不再任の検討を毎年実施いたします。会計監査人の不再任に関する株主総会の議案の内容を決定した場合、監査委員会が選定した監査委員は、株主総会にてその議案について必要な説明をいたします。

会計監査人の解任または不再任に伴い、新たに会計監査人の選任が必要となった場合には、対象の監査法人が会社法第337条第3項各号および第340条第1項各号に該当しないことを確認の後、会社計算規則第131条各号が定める事項に関する状況、グローバル企業の監査実績および監査報酬等について、複数の監査法人を監査委員会が評価して候補を決定し、株主総会に提案いたします。

5 監査委員会による会計監査人の評価

監査委員会では、監査法人の評価と担当する公認会計士の評価を別の視点で行っています。監査法人の評価では、組織を評価する視点から整備・運用されている様々な内部統制を確認するとともに、行政等が実施する監査法人の評価結果を入手しています。

一方、公認会計士の評価では、担当する業務執行社員について「監査委員会の会計監査人に係る監査活動」（64頁をご参照ください）を通して独立性や専門性を監査委員会で確認しています。

6 高品質な会計監査を可能とするための対応

監査委員会は、監査契約を締結する前に、会計監査人の監査計画を毎年受領し、会計監査人の監査内容の相当性と監査時間の十分な確保について確認しています。また、会計監査人がCEOを含む執行役へのインタビューを実施できるよう留意しています。

監査委員会は、会計監査人から四半期毎の決算レビュー報告を受領する以外に、日本公認会計士協会の「監査基準委員会報告書260」にもとづき、業務執行社員とのミーティングを年4回実施しています。監査委員会を補助する組織である経営監査部は、業務執行社員の補助者であるマネージャークラスとのミーティングを2ヵ月に1回程度実施しています。内部監査を担当するコーポレートIA部は、会計監査人と適切に情報共有しており、その結果を監査委員会に報告しています。

万一、会計監査人が不正等を発見した場合は、直ちに監査委員会に報告され、報告を受けた監査委員会は遅滞なく取締役会に報告し、取締役会が執行部門に対応を指示する体制が確立されています。

7 会計監査人の業務停止処分に関する事項

該当事項はありません。

8 会計監査人との責任限定契約に関する事項

当社と会計監査人に関する責任限定契約は、定款上認めていません。

＜石油資源開発＞　責任限定契約について，該当事項はない旨を記載する例

(4) 会計監査人の状況
① 名　　称　　　EY新日本有限責任監査法人

② 報酬等の額

当年度に係る会計監査人の報酬等の額	71百万円
当社及び子会社が会計監査人に支払うべき金銭その他の財産上の利益の合計額	99百万円

(注) 1. 当社の国内子会社につきましてもEY新日本有限責任監査法人が会計監査人となっております。なお、当社の重要な子会社のうち、Japan Canada Oil Sands Ltd.、Japex (U.S.) Corp.、JAPEX UK E&P Ltd.、JAPEX Montney Ltd. は、当社の会計監査人以外の公認会計士または監査法人の監査を受けております。
2. 当社と会計監査人との間の監査契約において、会社法に基づく監査と金融商品取引法に基づく監査の監査報酬等の額を明確に区分しておらず、実質的にも区分できませんので、当年度に係る報酬等の額にはこれらの合計額を記載しております。
3. 当社監査役会は、社内関係部署及び会計監査人より必要な資料の入手、報告を受けた上で、会計監査人の監査計画の内容、会計監査の職務遂行状況、報酬見積の算定根拠が適切であるかについて確認し、審議した結果、会計監査人の報酬等の額は妥当であると判断したため、会社法第399条第1項の同意を行っております。

③ 非監査業務の内容
　「収益認識に関する会計基準」に関する助言業務を委託しております。

④ 会計監査人の解任または不再任の決定の方針
　当社監査役会は、会計監査人が会社法等の法令に違反した場合、職務を怠った場合、その他会計監査人としてふさわしくない行為があったと判断される場合等、その必要があると判断した場合は、会計監査人の解任または不再任に関する議案の内容を決定し、当社取締役会は、当該決定に基づき、当該議案を株主総会に提出いたします。
　また、会計監査人が会社法第340条第1項各号に定める項目に該当すると認められる場合は、監査役全員の同意に基づき、会計監査人を解任いたします。この場合、監査役会が選定した監査役は、解任後最初に招集される株主総会において、会計監査人を解任した旨及びその理由を報告いたします。

⑤ 責任限定契約の内容の概要
　該当する事項はありません。

＜明治ホールディングス＞　責任限定契約の内容の概要を記載する例

(4) 会計監査人の状況
① 名称　　　EY新日本有限責任監査法人
② 報酬等の額

区　分	監査証明業務に基づく報酬（百万円）	非監査業務に基づく報酬（百万円）
当　　社	81	6
連結子会社	160	3
合　　計	241	10

(注) 1. 当社と会計監査人との間の監査契約において、会社法に基づく監査と金融商品取引法に基づく監査の監査報酬等の額を明確に区分しておらず、実質的にも区分できませんので、当社における監査証明業務に基づく報酬にはこれらの合計額を記載しております。
2. 監査役会は、会計監査人の前事業年度の監査実績および報酬等支払額を確認、検証するとともに、当事業年度における監査計画の内容、報酬等の額の見積り算定根拠等を検討した結果、会計監査人の報酬等の額として妥当であると判断し、会社法第399条第1項の同意を行っております。

③ 非監査業務の内容
　当社の英文統合報告書作成および経理業務に関するアドバイザリー業務ならびに連結子会社の経理業務に関するアドバイザリー業務に対し、対価を支払っております。

④ 会計監査人の解任または不再任の決定の方針
　監査役会は、会計監査人が会社法第340条第1項各号のいずれかに該当すると認められる場合は、監査役全員の同意に基づき会計監査人を解任いたします。この場合、監査役会が選定した監査役は、解任後最初に招集される株主総会におきまして、会計監査人を解任した旨と解任の理由を報告いたします。
　また、上記の場合のほか、会計監査人が職務を適正に執行することが困難であると認められる場合は、監査役会の決議により、株主総会に提出する会計監査人の解任または不再任に関する議

Ⅱ　事業報告記載事項の分析

案の内容を決定いたします。
⑤　責任限定契約の内容の概要
　当社と会計監査人EY新日本有限責任監査法人は、会社法第427条第1項の規定に基づき、同法第423条第1項の損害賠償責任を限定する契約を締結しており、当該契約に基づく損害賠償責任の限度額は、法令に規定する額であります。

＜日立物流＞　子会社の会計監査人の状況を別見出しで記載する例

5. 会計監査人の状況

(1) 会計監査人の名称
EY新日本有限責任監査法人

(2) 当事業年度に係る会計監査人の報酬等の額

区　分	支払額
当事業年度に係る会計監査人としての報酬等	135百万円
当社及び当社子会社が支払うべき金銭その他の財産上の利益の合計額	188百万円

(注) 1. 当社と会計監査人との間の監査契約において、会社法に基づく監査と金融商品取引法に基づく監査の監査報酬の額を区分しておらず、また、実質的にも区分できないため、報酬等の金額にはこれらの合計額を記載しております。
　　　2. 当社監査委員会は、会計監査人の監査計画、監査の実施状況及び報酬見積の算出根拠等の妥当性や適切性を確認し、監査時間及び報酬額等を精査した結果、報酬額等は相当、妥当であることを確認しており、会計監査人の報酬等につき、会社法第399条第1項の同意を行っております。

(3) 対価を支払っている非監査業務の内容
　当社は会計監査人に対して、合意された手続業務を委託し対価を支払っております。

(4) 子会社の監査の状況
　当社の重要な子会社（「1. 企業集団の現況に関する事項 (7) 重要な親会社及び子会社の状況 ②重要な子会社の状況」に記載しています。）のうち、海外子会社は、当社の会計監査人以外の公認会計士又は監査法人（外国におけるこれらの資格に相当する資格を有する者を含む）による監査（会社法又は金融商品取引法〔これらの法律に相当する外国法令を含む〕の規定によるものに限る）を受けております。

(5) 会計監査人の解任又は不再任の決定の方針
　監査委員会は、会計監査人が会社法第340条第1項各号に定める事由に該当すると認められ、速やかに解任する必要があると判断した場合、監査委員の全員の同意によって会計監査人を解任します。この場合、監査委員会が選定した監査委員は、解任後最初に招集される株主総会において、会計監査人を解任した旨及びその理由を報告します。
　上記の場合のほか、会計監査人が職務を適切に遂行することが困難と認められるなど、会計監査人を変更すべきと判断される場合には、監査委員会は、株主総会に提出する会計監査人の解任又は不再任に関する議案の内容を決定します。

＜NTTドコモ＞　報酬等に同意した理由を独立した見出しで記載する例

■会計監査人の状況

(1) 会計監査人の名称
　　有限責任 あずさ監査法人

(2) 当期に係る会計監査人の報酬等の額

内　　容	金　　額
当期に係る会計監査人の報酬等の額	680百万円
当社及び当社子会社が支払うべき金銭その他の財産上の利益の合計額	867百万円

6 会計監査人に関する事項

(注) 当社と会計監査人との間の監査契約においては、会社法に基づく監査及び金融商品取引法に基づく監査等に対する報酬の額等を区分していないこと、また、実質的にも区分できないことから、上記「当期に係る会計監査人の報酬等の額」の金額はこれらの合計額を記載しています。

(3) 会計監査人の報酬等の額の同意理由
　監査役会は、会計監査人の会計監査計画の監査時間や人員配置などの内容、前年度の監査実績の検証と評価、会計監査人の監査の遂行状況の相当性、報酬見積りの算出根拠等について検討を行った結果、会計監査人の報酬額について同意致しました。

(4) 会計監査人の解任又は不再任の決定の方針
　当社では、会計監査人が会社法第340条第1項各号に定める項目に該当すると認められる場合、監査役会が監査役全員の同意により解任します。
　上記のほか、会計監査人の適正な監査の遂行が困難であると認められる場合、監査役会は、株主総会に提出する会計監査人の解任又は不再任に関する議案の内容を決定します。

＜エヌ・ティ・ティ・データ＞　非監査業務として「監査・保証実務委員会実務指針第86号に基づく内部統制の整備状況の検証業務」、「IT委員会実務指針第7号に基づく保証報告書作成業務」を記載する例

会計監査人の状況

1. 当社の会計監査人の名称
　有限責任　あずさ監査法人

2. 当社の当該事業年度に係る会計監査人の報酬等の額
　公認会計士法(1948年法律第103号)第2条第1項の業務に係る報酬等の額

　　　　　　　　　　　　　　　　　　　　　　　　　　375百万円

(注1) 当社と会計監査人との間の監査契約において、会社法上の監査に対する報酬等の額と金融商品取引法上の監査に対する報酬等の額等を区分しておらず、実質的にも区分できないため、上記の金額はこれらの合計額を記載しています。
(注2) 監査役会は、会計監査人の監査計画の内容、会計監査の職務遂行状況及び報酬見積もりの算出根拠等を確認し、検討した結果、会計監査人の報酬等につき、会社法第399条第1項の同意を行っています。

3. 当社及び当社子会社が支払うべき金銭その他の財産上の利益の合計額
　当社及び当社の子会社が会計監査人に支払うべき報酬等の合計額

　　　　　　　　　　　　　　　　　　　　　　　　　　615百万円

(注) 上記の他、当社の重要な子会社のうち、NTT Data International L.L.C.、NTT DATA EMEA LTD.、EVERIS PARTICIPACIONES, S.L.U.、NTT DATA ASIA PACIFIC PTE. LTD.、恩梯梯数据(中国)投資有限公司、itelligence AG及びNTT DATA EUROPE GmbH & CO. KGは、KPMGメンバーファームによる監査を受けています。

4. 非監査業務の内容
　当社は、会計監査人に対して、公認会計士法第2条第1項の業務以外の業務(非監査業務)として、監査・保証実務委員会実務指針第86号(受託業務に係る内部統制の保証報告書)に基づく内部統制の整備状況の検証業務、IT委員会実務指針第7号(受託業務のセキュリティ、可用性、処理のインテグリティ、機密保持及びプライバシーに係る内部統制の保証報告書)に基づく保証報告書作成業務等を委託しています。

5. 会計監査人の解任又は不再任の決定の方針
　当社では、会計監査人が会社法第340条第1項各号に定める項目に該当すると認められる場合、監査役会は、監査役全員の同意により解任します。
　上記の他、会計監査人の適正な監査の遂行が困難であると認められる場合、監査役会は、株主総会に提出する会計監査人の解任又は不再任に関する議案の内容を決定し、取締役会は、当該決定に基づき、当該議案を株主総会に提案します。

Ⅱ　事業報告記載事項の分析

＜ファンケル＞　非監査業務として，「コンフォートレター作成業務等」について記載する例

4　会計監査人の状況

(1) 名称　　　EY新日本有限責任監査法人

(2) 報酬等の額

	支払額
当事業年度に係る会計監査人の報酬等の額	62百万円
当社および子会社が会計監査人に支払うべき金銭その他の財産上の利益の合計額	89百万円

(注) 1. 当社と会計監査人との間の監査契約において、会社法に基づく監査と金融商品取引法に基づく監査の監査報酬等の額を明確に区分しておらず、実質的にも区分できませんので、当事業年度に係る報酬等の額にはこれらの合計額を記載しております。
2. 監査役会は、会計監査人の監査計画の内容、会計監査の職務遂行状況および報酬見積りの算出根拠などが適切かどうかについて検討した結果、会計監査人の報酬等の額について同意しております。
3. 当社の重要な子会社のうち、在外子会社につきましては、当社の会計監査人以外の監査法人の監査を受けております。

(3) 非監査業務の内容

当社は会計監査人に対して、公認会計士法第2条第1項の監査証明業務以外に、社債発行に係るコンフォートレター作成業務等についての対価を支払っております。

＜後　略＞

＜キッコーマン＞　非監査業務として，「国際財務報告基準（IFRS）検討に関する助言等」について記載する例

5　会計監査人の状況

(1) 会計監査人の名称　　　EY新日本有限責任監査法人

(2) 報酬等の額

	報酬等の額 百万円
当期に係る会計監査人としての報酬等の額	136
当社及び子会社が会計監査人に支払うべき金銭その他の財産上の利益の合計額	207

(注) 1. 「1 (6) 重要な子会社の状況」に記載の子会社のうち、法定監査の必要な在外子会社は、当社の会計監査人以外の監査法人（又は公認会計士）の監査を受けております。
2. 当社と会計監査人との間の監査契約において、会社法に基づく監査と金融商品取引法に基づく監査の監査報酬等の額を明確に区分しておらず、かつ実質的にも区分できませんので、当期に係る会計監査人としての報酬等の額にはこれらの合計額を記載しております。
3. 監査役会は、会計監査人の前期の職務遂行状況を評価した上で、会計監査人の当期の監査計画の内容及び報酬見積りの算出根拠の相当性について必要な検証を行い、会計監査人の報酬等の額について同意の判断をいたしました。

(3) 非監査業務の内容

当社は、会計監査人に対して、公認会計士法第2条第1項の業務以外の業務である、国際財務報告基準（IFRS）検討に関する助言等について対価を支払っております。

＜後　略＞

7 業務の適正を確保するための体制

　大会社は，取締役会で「取締役の職務の執行が法令および定款に適合することを確保するための体制その他株式会社の業務ならびに当該株式会社およびその子会社から成る企業集団の業務の適正を確保するために必要なものとして法務省令で定める体制の整備」（以下「業務の適正を確保するための体制の整備」という）について定めなければならない（会社法362条4項6号）。なお，子会社に関する事項が「当該株式会社およびその子会社から成る企業集団の業務の適正を確保するための体制」として会社法本体に「格上げ」され，これに伴い，施行規則において子会社に関する事項が詳細に規律されることとなった（会社法施行規則100条1項5号イ～ニ）。

　そして，事業報告においては，業務の適正を確保するための体制の整備を定めている場合にはその決定または決議の内容の概要および当該体制の運用状況の概要を記載することが求められている（同規則118条2号）。

　次に，金融商品取引法で財務報告に係る内部統制報告制度の適用があること，および，東京証券取引所の有価証券上場規程において「反社会的勢力排除に向けた体制整備に関する内容」についてコーポレート・ガバナンス報告書で開示するよう明記されていることから，これらの事項を「業務の適正を確保するための体制」の中に追加し，任意的に記載することが考えられる。

　2020年6月総会の調査対象会社385社のうち，「財務報告の信頼性を確保するための体制の整備」について記載した会社は273社（70.9％。このうち，独立した項目で記載した会社は83社），「反社会的勢力排除に向けた体制整備に関する内容」について記載した会社は275社（71.4％。このうち，独立した項目で記載した会社は68社）であった。

＜三越伊勢丹ホールディングス＞　ウェブ開示する例

＜お知らせ＞
● 次の事項につきましては、法令および当社定款第16条に基づき、当社ホームページ（ https://www.imhds.co.jp ）に掲載しておりますので、株主総会招集ご通知添付書類には記載しておりません。
①事業報告の「会社の新株予約権等に関する事項」「業務の適正を確保するための体制の整備に関する事項」、②連結計算書類の「連結株主資本等変動計算書」「連結注記表」、③計算書類の「株主資本等変動計算書」「個別注記表」
なお、本招集ご通知添付書類および上記ホームページ掲載書類は、監査役が監査報告を、会計監査人が会計監査報告をそれぞれ作成するに際して監査をした書類であります。

＜森永乳業＞　各項目に対応する形で運用状況を記載している例

会社の体制および方針

(1) 業務の適正を確保するための体制および当該体制の運用状況

　当社は、当社を含む森永乳業グループ（以下、「当社グループ」といいます。）の業務の適正と効率化を確保するため、「内部統制システム構築に関する基本方針」（以下、「内部統制基本方針」といいます。）を定めるとともに、内部統制委員会および各種部会等を設置し、適宜、諸規定の見直しと必要な

Ⅱ　事業報告記載事項の分析

指示を行っています。
　その概要および運用状況は以下のとおりです。

❶ 取締役および使用人の職務の執行が法令および定款に適合することを確保するための体制
　当社は、当社グループの取締役および使用人が職務を執行するにあたり、法令・定款、社規社則、社会倫理および行動規範を遵守し適正に職務を遂行するために、「内部統制基本方針」に基づいて、コンプライアンス部会を設置しコンプライアンス意識の定着に努めるとともに、内部監査部門において運用状況を監査します。また、内部通報制度「森乳ヘルプライン」の相談窓口に、情報受領者と社外弁護士を配置し、法令等違反行為の未然防止ならびに把握と対処に迅速かつ適正に対応します。
［運用状況］
　当社は、当期においてもコンプライアンス部会を四半期ごとに開催し、コンプライアンス活動推進のための指示および確認を行うとともに、引き続きコンプライアンスおよびリスクマネジメントに関する研修を実施しました。また、内部通報制度は、「内部通報制度運用規程」に沿い「森乳ヘルプライン」を適切に運営して情報収集を行い、法令等違反行為の防止に努めました。なお、内部監査部門は各組織の監査にあたり、コンプライアンスの運用状況を確認しました。

❷ 財務報告の信頼性を確保するための体制
　当社は、当社グループの財務報告の信頼性を確保するために、財務報告部会を設置して、財務計算に関する書類その他情報を収集し、適正な管理を行います。
［運用状況］
　当社は、内部監査部門が金融商品取引法における内部統制の評価を実施しております。
　また、財務報告部会は、内部監査部門による評価に基づいて業務プロセスの整備・運用状況を確認し、内部統制委員会に報告しております。なお、財務報告に係る内部統制の対象範囲および監査対象とする業務プロセスの見直しを継続して行っています。
　また、当社は、当社グループ内に統一した財務会計システムの構築を進めるとともに、グループ各社から月次経営概況を報告させております。

❸ 当社の取締役の職務の執行に係る情報の保存および管理に関する体制ならびに子会社の取締役等からその職務の執行に係る情報の当社への報告に関する体制
　当社は、取締役の職務の執行に係る文書および関連する情報については、文書等の保存管理規程を定め、各所管部門において所定の期間、適切に保存および管理し、取締役は、必要に応じて、これらの文書等を閲覧できるものとします。また、当社は、子会社の取締役等にその職務の執行に係る重要情報を当社に定期的に報告することを義務付ける体制を整備します。
［運用状況］
　当社は、情報セキュリティ部会の充実をはかり、お客さまの個人情報の管理体制を再構築するとともに、当期に健康食品の通販事業においてISO27001認証を取得し、情報の保存および管理についてさらなる強化を行っております。また、「情報セキュリティ方針書」他の規程の適切な運用をはかるとともに、情報ツールの取扱いについて周知徹底させております。
　なお、子会社等における重要情報が的確に報告されるよう、「国内関係会社管理規程」および「海外関係会社管理規程」を定め、当社グループの重要な情報を適切に集約して管理する体制を整えております。

❹ 損失の危険の管理に関する規程その他の体制
　当社は、リスク管理部会を設置して、想定される個々のリスクを洗い出し、リスクの現実化を未然に防止するための手続・機構を整え、また、不測の事態が発生した場合には、危機管理に関する規程に従って迅速に対応して損害の発生と拡大を防止するよう努めます。
［運用状況］
　当社は、リスク管理部会において、当社グループ全体におけるリスク対策を実施するとともに、期中に新たなリスクの洗出しを行い、リスクマネジメントを継続して推進しました。また、グループ各社に対しても個別のリスク管理を継続して進めさせました。
　大規模災害等に備え事業継続が可能となる体制の整備を進めるとともに、備蓄品の適切な配備と定期的な更新を行っております。
　新型コロナウイルス感染症については、対策本部を設置して、国内外の情勢ならびに海外拠点を含むグループ会社および取引先の状況等の把握に努めるとともに、事業継続に必要な指示と各種対応を行っております。
　また、そのような事象に備え、「緊急問題処理基準」その他マニュアルにより緊急事態への対応を役職員に周知徹底させております。

❺ 当社の取締役および子会社の取締役等の職務の執行が効率的に行われることを確保するための体制
　当社グループは、取締役等が職務執行を行うにあたって必要な執行の基準、責任者および執行手続の詳細を定め、相互の協議、情報の共有化、指示・要請の円滑な伝達をはかり、職務執行が効率的に行われるよう努めます。グループ各社に関する事項については、当社の関連部署が統括し、必要に応じて指

導監督します。
［運用状況］
　当社は、職務執行に関して決裁権限を明示した権限基準に基づいて権限移譲を進めるとともに、その他の社内規程を整備して、職務執行の効率化をはかっております。取締役会は、原則当社において月1回、子会社では3か月に1回開催するほか、必要に応じて随時開催するとともに、当社においては、経営会議を設置し、適時適切な経営判断に資することとしております。なお、社外役員には、取締役会付議事項を事前に説明するなど、適宜情報提供を行い、職務執行の効率化をはかっております。
　関係会社においては、取締役会の実効性を高める取組みを進めるとともに、取締役会議事録等を提出させ、当社において一元管理を行っております。

❻ 反社会的勢力に対する基本体制
　当社グループは、取引を含め、反社会的勢力との一切の関係を遮断するとともに、不当な要求を拒絶するための体制を整備し、外部専門機関と緊密な連携をとりながら、毅然とした経営姿勢を貫き、組織的かつ法的に対応します。
［運用状況］
　当社グループは、反社会的勢力との一切の関係を遮断し、不当な要求を拒絶する方針であることを社員教育その他で周知させております。また、関係機関との連携を保つとともに、当社が行う契約には暴力団排除条項を含めております。

❼ 監査役の職務を補助すべき使用人に対する指示の実効性を確保するための体制
　当社は、監査役がその職務を補助すべき使用人の設置を求めた場合の当該使用人に関する事項を定め、もって監査役の使用人への指示の実効性を確保します。
［運用状況］
　当社は、監査役の職務を補助するため複数の使用人を設置しております。使用人の任命手続は常勤監査役の同意を要し、その役割は「業務分掌規程」に明示するなど、取締役からの独立性をはかり、監査役の使用人に対する指示の実効性を確保しております。

❽ 監査役または監査役会への報告に関する体制
　当社グループの役職員は、当社グループに対して著しい損害を及ぼすおそれのある事実を発見したときは、直ちに、当社の監査役または監査役会に報告するものとします。また、当社は、監査役監査の実効性を確保するため、監査役または監査役会が適時適切に情報収集することができるよう社内規程を定め、報告体制の充実をはかります。
［運用状況］
　当社は、経営会議に監査役の出席を求めるとともに、稟議書制度や「緊急問題処理基準」「国内関係会社管理規程」および「海外関係会社管理規程」等を設け、重要事項が監査役に報告される体制を整えております。監査役は、全部門に対して必要な情報収集を行うほか、内部監査部門から定期的に報告を受け、会計監査人とは情報の交換を行っております。また、内部監査部門および会計監査人とは「三様監査情報交換会」を定期的に開催し、情報の共有化をはかっております。

❾ 監査役または監査役会に報告した者を保護するための体制
　当社は、前項の報告をした者に対し、当該報告をしたことを理由として不利な取扱いを行うことを禁止するとともに、当該報告をした者の匿名性を確保し、報告内容については厳重な情報管理体制を整備します。
［運用状況］
　当社は、監査役または監査役会に報告した者の保護および報告内容の情報管理体制について「内部統制基本方針」に基づき内部通報制度や情報セキュリティの整備、運用をはかるとともに、役職員に対して広く周知に努めております。

❿ その他、監査役の監査が実効的に行われることを確保するための体制
　当社は、監査役が当社グループ各社に説明を求め、または外部専門機関への調査相談等の依頼を求めたときなどの場合には、速やかに対処できるよう、社内体制の充実をはかります。
　また、当社は、監査役が取締役会ほかの重要な会議に出席して、業務執行に関する事項の説明を受け、意見交換を行える体制を整えます。なお、監査に必要な情報については、適切に保存および管理を行い、会計監査人や内部監査部門からの情報とあわせて、監査役の求めに応じて提供できる体制を整えます。
［運用状況］
　当社は、監査役の求めに応じ業務執行に関する事項の説明を適切に行うことができるよう、当社グループの体制を整え、被監査部門には監査に協力させております。
　また、当社グループは、監査役が必要とする情報を適宜提供できるよう、「情報セキュリティ方針書」他の社内規程によって適切に情報の保存および管理をしております。
　なお、監査役が法的な観点からの検討が実効的に行われるよう、執行から分離独立した弁護士に相談できる体制を整備しております。

Ⅱ 事業報告記載事項の分析

＜京セラ＞　内部統制の基本方針および整備の状況について記載する例

会社の体制及び方針

　当社は取締役会において、次のとおり、コーポレート・ガバナンス及び内部統制の基本方針を決議しております。

京セラグループ　コーポレート・ガバナンス及び内部統制の基本方針

　京セラグループは、「敬天愛人」を社是とし、「全従業員の物心両面の幸福を追求すると同時に、人類、社会の進歩発展に貢献すること」を経営理念に掲げている。
　京セラグループは、公平、公正を貫き、良心に基づき、勇気をもって事に当たる。そして、透明性の高いコーポレート・ガバナンス及び内部統制を実現する。
　取締役会は、社是及び経営理念をもとにコーポレート・ガバナンス及び内部統制の基本方針を次のとおり定める。
　この基本方針は、会社法第362条第5項及び第4項第6号並びに会社法施行規則第100条第1項及び第3項に基づき、当社の取締役の職務の執行が法令及び定款に適合することを確保するための体制、また当社及び京セラグループの業務の適正を確保するための体制の整備に関する方針を示したものである。

Ⅰ．コーポレート・ガバナンス
　1．コーポレート・ガバナンスの方針
　　　取締役会は、京セラグループのコーポレート・ガバナンスを「業務を執行する取締役に健全かつ公明正大に企業を経営させる仕組み」と定義する。
　　　コーポレート・ガバナンスの目的は、経営の健全性及び透明性を維持するとともに、公正かつ効率的な経営を遂行し、京セラグループの経営理念を実現することにある。
　　　取締役会は、京セラグループの経営の根幹をなす企業哲学「京セラフィロソフィ」（注）を、取締役及びグループ内で働く従業員に浸透させ、健全な企業風土を構築していく。取締役会は、「京セラフィロソフィ」の実践を通じ、コーポレート・ガバナンスを確立する。
　　(注)　「京セラフィロソフィ」は、当社の創業者が自ら培ってきた経営や人生の考え方をまとめた企業哲学であり、人生哲学である。「京セラフィロソフィ」には、「人間として何が正しいか」を物事の根本的な判断基準として、経営の基本的な考え方から日々の仕事の進め方に及ぶ広範な内容を含んでいる。

　2．コーポレート・ガバナンス体制
　　　取締役会は、前記1．の方針のもと、京セラグループの中核会社である当社のコーポレート・ガバナンス体制を下記のとおり定め、取締役の職務の執行が法令及び定款に適合することを確保する。また、取締役会は、適宜コーポレート・ガバナンス体制のあるべき姿を求め、この体制を進歩発展させるものとする。
　　(1) コーポレート・ガバナンスの機関
　　　　取締役会は、コーポレート・ガバナンスの機関として、株主総会で承認された定款の規定に従い、監査役及び監査役会を設置する。また、監査役及び監査役会の監査の実効性を確保するため、取締役は次の事項を遵守する。
　　　　① 監査役の職務を補助する従業員に関する事項
　　　　　（当該従業員の取締役からの独立性に関する事項及び監査役の当該従業員に対する指示の実効性の確保に関する事項を含む。）
　　　　　　代表取締役は、監査役の要求に応じ、監査役及び監査役会の職務を補助するための従業員を、監査役と事前協議のうえ人選し配置する。また、当該従業員は当社の就業規則に従うが、監査役及び監査役会の職務に係る当該従業員への指揮命令権は

各監査役に属するものとし、代表取締役は当該指揮命令権を不当に制限しない。また、当該従業員の異動、処遇(査定を含む)、懲戒等の人事事項については監査役と事前協議のうえ実施するものとする。

② 取締役及び従業員その他の関係者が監査役に報告をするための体制
（報告をした者が当該報告をしたことを理由として不利な取扱いを受けないことを確保するための体制を含む。）

各取締役は、法令、定款違反またはその可能性のある事実を発見した場合並びに京セラグループに著しい損害を及ぼす可能性のある事実を発見した場合には、直ちに監査役会に報告するものとする。また、各取締役は、監査役会規則に基づく監査役または監査役会からの報告の要求については、その要求に応える。

代表取締役は、内部監査部門から監査役へ定期的に内部監査の状況を報告させるほか、監査役から特定の部門に関する業務執行状況の報告を要求された場合は、当該部門から監査役へ直接報告させる。また、代表取締役は、京セラグループの役員及び従業員、取引先をはじめとした全ての関係者が監査役会に直接通報できるよう、監査役会が設ける「京セラ監査役会通報制度」を維持する。

代表取締役は、監査役会に報告した者に対し当該報告をしたことを理由として懲戒や異動など不利な取扱いを行わない。

③ 監査役の職務の執行について生ずる費用または債務の処理に係る方針に関する事項
代表取締役は、監査役会規則に基づく監査役からの費用請求に対しては、その支払いに応じるものとする。

④ その他監査役の監査が実効的に行われることを確保するための体制
代表取締役は、監査役の監査が実効的に行われることを確保する体制として監査役から次の要求がある場合は、その要求に応える。
a．重要な会議への出席
b．重要な会議の議事録、重要な稟議書、重要な契約書等の閲覧
c．代表取締役との経営全般に関する意見交換等の会合

(2) 京セラフィロソフィ教育
代表取締役は、「京セラフィロソフィ」を京セラグループに浸透させるため、自らを含め、京セラグループの取締役及び従業員を対象とした「京セラフィロソフィ教育」を適宜実施する。

Ⅱ．内部統制

1．内部統制の方針

取締役会は、京セラグループの内部統制を「業務を執行する取締役が、経営理念の実現に向けて、経営方針及びマスタープランを公正に達成するため、組織内に構築する仕組み」と定義する。

取締役会は、「京セラフィロソフィ」の実践を通じ、内部統制を確立する。

2．内部統制体制

取締役会は、前記１．の方針のもと、代表取締役に次の体制を整備させる。また、取締役会は、適宜内部統制体制のあるべき姿を求め、この体制を進歩発展させるものとする。

(1) 取締役の職務の執行に係る情報の管理及び保存
代表取締役は、適時適切に情報を開示する体制として「京セラディスクロージャー委員会」を設置するとともに、取締役の職務執行に係る情報を法令及び社内規定に従い、適切に保存する。

(2) 京セラグループにおける損失の危険の管理に関する規程その他の体制、並びに京セラグループの全従業員及び子会社の取締役の職務の執行が法令及び定款に適合することを確保するための体制

　代表取締役は、京セラグループのリスク管理体制として、リスク管理部門を設置する。また、必要に応じ、諸活動を行う体制を構築する。

　代表取締役は、京セラグループの内部通報制度として「社員相談室」を設け、従業員が、法令、定款及びその他の社内規定に違反する行為や違反する可能性のある行為について報告することのできる体制を構築する。社員相談室は、受領した報告について、公益通報者保護法に沿って取扱い、適宜必要な対応をとるものとする。また、必要に応じ、諸活動を行う体制を構築する。

(3) 取締役の職務の執行が効率的に行われることを確保するための体制

　代表取締役は、執行役員制度により権限の委譲と責任体制の明確化を図り、有効かつ効率的に業務を行う。また、業務執行状況を、執行役員から取締役会等へ報告させ、効率的に行われていることを確認できる体制を維持する。

(4) その他京セラグループにおける業務の適正を確保するための体制

　前記(1)から(3)に加え、京セラグループの業務の適正を確保し、京セラグループを効率的に運営するための体制として、代表取締役は、京セラグループ経営委員会を設置する。同委員会は、京セラグループの重要事項を審議し、または報告を受ける。また、代表取締役は、京セラグループ各社が業務を適正かつ効率的に執行できるようサポートする部門及び京セラグループの業務の適正性を定期的に監査する内部監査部門を設置する。

以　上

　当社におけるコーポレート・ガバナンス及び内部統制に関する整備の状況は次のとおりであります。
① 2000年6月に「京セラ行動指針」を制定。
② コンプライアンスの強化及び徹底のため、2000年9月に「リスク管理室」を設置。
③ 2001年1月に「京セラ経営委員会」を設置(2002年8月に「京セラグループ経営委員会」に改称)。
④ 2003年4月に「京セラディスクロージャー委員会」を設置。
⑤ 内部通報制度として、2003年4月に「社員相談室」を設置。
⑥ 経営の効率性を高めるため、2003年6月に執行役員制度を導入。
⑦ 当社及び連結子会社の業務を定期的に監査し、当社の取締役及び監査役に監査結果の報告を行う内部監査部門として、2005年5月に「グローバル監査部」を設置(2010年4月にリスク管理室を統合し、「グローバル統括監査部」に組織変更)。
⑧ 2013年5月に「全社フィロソフィ委員会」を設置。
⑨ リスクマネジメント体制再構築のため、グローバル統括監査部から総務統轄本部(現 総務人事本部)にリスク管理機能を移し、2014年1月に「リスク管理部」(※)を設置。
⑩ 2016年6月に「京セラグループリスクマネジメント基本方針」を制定。
⑪ 2018年6月に「京セラグループ内部監査委員会」を設置、「京セラグループ内部監査委員会規程」を制定。
⑫ 2018年10月に「グローバルコンプライアンス推進部」を設置。
⑬ 2018年12月に過半数を社外取締役で構成する「指名報酬委員会」を設置。

※2020年4月にリスク管理部をグローバルコンプライアンス推進部へ統合。

【コーポレート・ガバナンス及び内部統制体制の運用状況の概要】

当社のコーポレート・ガバナンス及び内部統制体制は、次のとおり適切に運用が行われております。

- 監査役会は当期8回開催し、昨年7月に決議した監査方針・計画に基づき計画的に監査を実施いたしました。また、代表取締役との経営全般に関する定期的な意見交換会を開催いたしました。監査役の職務を補助する従業員の独立性は、基本方針に従い十分に確保されています。監査役に係る費用は監査役会規則に基づく監査計画に沿って年間計画で計上されています。
- 内部監査部門であるグローバル統括監査部から監査役への監査報告を当期14回実施しました。監査役からの業務執行状況の報告要求に応じ、監査役が必要とする情報が提供されており、監査役への報告は適切に行われています。
- 京セラ監査役会通報制度は、通報者の個人情報は機密として管理され、通報者は通報によって不利益を被ることがない体制となっています。
- 「京セラディスクロージャー委員会」は、当期4回開催し、適時適切に情報を開示しており、審査結果については当委員会の委員長より代表取締役に報告がなされています。また、取締役会議事録、京セラグループ経営委員会議事録、稟議書等、取締役の職務の執行に係る情報は法令及び社内規定に従い、適切に保存されています。
- 取締役会は、社外取締役3名を含む16名で構成されており、当期は13回開催し、京セラグループの重要事項の決定、業務執行状況の監督を行いました。また、執行役員制度により有効かつ効率的に業務を行う運用がなされております。
- 「京セラグループ経営委員会」は、当期24回開催し、京セラグループの重要事項を審議し、または報告を受けました。また、各間接部門は、京セラグループ各社が業務を適正かつ効率的に執行できるようサポートを行いました。
- 「全社フィロソフィ委員会」は、当期2回開催しました。当委員会ではフィロソフィ教育方針を策定し、国内においては現場重視のフィロソフィ浸透活動を展開し、海外においても地域の実情や事業形態に応じた教育活動を展開しています。
- リスク管理部は、京セラグループ内で発生した重大な事案が代表取締役に報告される連絡体制を構築しています。また、2016年6月に制定した「京セラグループリスクマネジメント基本方針」に従ってリスクマネジメント体制を整備し、リスク管理担当者へのリスクマネジメント教育を実施しました。
- 当社及び京セラグループ各社において「社員相談室」を設け、通報案件について適切に対処しています。
- グローバル統括監査部により法令監査を実施したほか、独占禁止法等、各法令の所管部門による遵法教育を実施しています。
- 「京セラグループ内部監査委員会」は、当期1回開催しました。京セラグループ各社の監査結果、課題の報告及び当期監査方針の共有を行い、京セラグループの内部統制の水準向上及び各社の内部監査活動の連携強化を図りました。
- グローバルコンプライアンス推進部は、京セラグループのコンプライアンスに関する基本方針及び規程に基づいて、京セラグループ各社や各部門との連絡会議を行い、法令遵守に関する情報の収集・共有を図りました。
- 「指名報酬委員会」は当期3回開催し、取締役会の諮問に応じ、取締役及び執行役員の指名並びに取締役の報酬等に関して審議・答申を行いました。

Ⅱ 事業報告記載事項の分析

<東洋水産> 経営の基本方針を記載する例

■ **取締役の職務の執行が法令及び定款に適合することを確保するための体制その他業務の適正を確保する体制**

当社は取締役会において、内部統制システム構築に関し次のとおり決議しております。

(1) 経営の基本方針

当社及び当社の子会社から成る企業集団(以下「当社グループ」という。)は、「Smiles for All.すべては、笑顔のために。」という企業スローガンの下で「食を通じて社会に貢献する」「安全で安心な食品とサービスを提供する」ことを当社グループ全体の責務として果たすことにより、消費者や取引先の皆様から支持され、信頼される企業グループとなることで、企業価値の最大化を図り、社会、株主、従業員等すべてのステークホルダーの皆様にとっての利益増大を目指す。

<以下略>

<ＪＳＲ> 当社の上場子会社グループの内部統制システム構築の方針を記載する例

(8) 当社の上場子会社グループの内部統制システム構築の方針

当社の上場子会社グループ(当社の上場子会社を会社法上の親会社とする企業集団をいう。)の内部統制システム構築の方針については以下の通りとする。

① 上場子会社グループとしての独立性を尊重するため、上記(3)「当社グループの取締役の職務の執行が効率的に行われることを確保するための体制」に記載の事項については上場子会社グループには適用せず、上場子会社グループの内部統制システム構築の方針を尊重する。
② ただし、上場子会社グループを含む当社グループ全体としての業務の適正を確保するため、以下の対応を行う。
　1) 上場子会社グループの重要な意思決定は上場子会社の取締役会または経営会議等の決定機関にて行い、当社の取締役会または経営会議等の決定機関による事前承認は不要とする。
　2) 上場子会社は、その取締役会および経営会議の議事録を添付資料とともに当社の各グループ企業担当執行役員および監査役に送付する。
　3) 当社の各グループ企業担当執行役員は、当該議事録を閲覧し所定の基準に従いその内容を当社取締役会および経営会議に報告する。これにより、当社は、その取締役会および経営会議において上場子会社グループの業務の適正が確保されていることを確認する。
　4) 「JSRグループ経営推進要綱」に基づき、当社の各グループ企業担当執行役員が、上場子会社グループの経営についての監督および助言を行い、安全統括部門、環境推進部門、経理部門、財務部門、総務部門、法務部門、CSR部門等の当社の管理部門が上場子会社への支援体制をとる。
　5) 当社の内部監査部門は、上場子会社グループの、金融商品取引法に基づく財務報告の信頼性を確保するための内部統制体制の実効性、および業務の適正を確保するための内部統制システムの実効性につき監査する。
　6) 当社監査役は、上記2)記載の議事録を閲覧し、取締役会および経営会議において上記3)による報告を聴取し、上場子会社グループにおいて業務の適正が確保されていることを確認する。
　7) 今後、上場子会社グループの独立性を尊重しつつ、当社グループとしての統一性と実効性のある内部統制システムの構築に努める。

<三井金属鉱業> ご参考で「コーポレートガバナンス」の状況および行動基準を記載する例

| ご参考 | **コーポレートガバナンス** |

当社では、コーポレートガバナンスとは、株主、お客様、従業員、地域社会等のステークホルダーの立場を踏まえた上で、透明・公正かつ迅速・果断な意思決定を行うための仕組みであるとの認識の

下、当社の経営理念である「創造と前進を旨とし 価値ある商品によって社会に貢献し 社業の永続的発展成長を期す」を実現するために、経営上の組織体制や仕組みを整備し、必要な施策を講じていくことであり、経営上の最も重要な課題のひとつとみなしております。

具体的には、「すべてのステークホルダーへの貢献」を目的とし、次の事項に留意した施策を当社グループ全体として実施しております。
・株主各位に対しては、業績に応じた適正な配当、適切な情報開示
・お客様に対しては、価値ある商品の供給
・地域社会との関係では、共生・共栄
・従業員に対しては、働きがいのある労働環境と労働条件の実現

また、公正かつ価値ある企業活動を可能とするための制度上の裏付けとして、次の施策等を実施しております。
・倫理規定を含む各種内部規則の制定
・社外取締役・社外監査役の選任
・各種内部監査制度や内部通報制度の導入

取締役と業務執行

取締役は、取締役会（毎月1回定時開催のほか随時開催）において経営上の重要な事項を審議するとともに、職務の執行を監督しております。適切かつ効率的に監督機能を果たすために、取締役会は事業に精通した取締役に社外取締役を加えた構成としております。また、取締役会の議長は、互選により選出しております。

業務執行については、執行役員制度を導入しております。上級の執行役員をメンバーとする執行最高会議（毎月2回定時開催のほか随時開催）において業務執行に関する重要な事項を審議し、その結果に基づいて執行役員の指揮の下に業務を遂行しております。

取締役を兼務する執行役員の中で、代表取締役社長が三井金属グループの経営計画の立案、決定および推進における最高経営責任を担うとともに、三井金属グループの業務執行における最高業務執行責任を担っております。

なお、当社では、全社経営戦略を業務執行の現場に迅速に徹底させる、また、経営判断にあたっては業務の実情を熟知しておく必要があるとの考えから、代表取締役および業務執行取締役は、全社あるいは各事業部門・機能部門を担当する上級の執行役員を兼務しております。

監査役

当社は監査役制度を採用しております。

監査役は、当社での業務執行経験をもつ常勤監査役2名と、非常勤の社外監査役が2名であります。監査役は、監査役会で決定した監査計画に従い、取締役の職務の執行等を監査しております。

なお、常勤監査役2名のうち1名は、関係会社の取締役として経営に携わった経験と、人事・総務業務を長年担当しリスクマネジメントに関する相当程度の知見を有する者であります。また1名は、関係会社の取締役として経営に携わった経験と、経理・経営企画業務を長年担当し経理業務に関する相当程度の知見を有する者であります。

監査役会は、監査役全員で構成され、事業の特性を理解したうえで取締役の職務執行を監視することにより経営の健全性を確保しております。監査役会は1か月に1回以上の頻度で開催しております。また、監査役のスタッフとして監査役室を設け、室員5名（兼任）を置いております。

監査役は、会計監査人からは会計監査計画の説明、監査結果の報告を受けております。また、それ以外にも会計監査人と定期的に意見交換を行っており、緊密に連携を図っております。

会計監査人

当社は、有限責任 あずさ監査法人との間で監査契約を締結し、法律の規定に基づいた会計監査を受けております。当社の会計監査業務を執行した公認会計士は、同監査法人の指定有限責任社員であり、業務執行社員でもある公認会計士3名が執行しており、その会計監査業務に係る補助者は、公認会計士10名、その他7名であります。

内部監査委員会および監査部

当社は社外取締役を委員長とする取締役会直轄の内部監査委員会を組織し、監査部が実施する内部監査の方針・計画の承認および監査結果の評価を行い、監査結果については監査部を通じて取締役会に報告しております。

内部監査は、監査部員および内部監査委員会が指名した監査担当者が、当社の各事業部・事業所ならび

に国内・外の各関係会社を訪問し、経営環境、内部統制の整備状況、会計処理の状況等について監査を実施し、当社グループにおける財務処理の健全性維持・改善および業務の効率化を図っております。

当社のコーポレートガバナンス体制の模式図

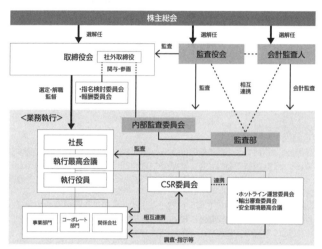

(注) 当社監査役と関係会社各社の監査役とは随時連携をとっております。

当社では、コーポレートガバナンスに関する基本的な考え方等を定めた「コーポレートガバナンス・ガイドライン」を制定しており、下記の当社ウェブサイトで公開しております。
https://www.mitsui-kinzoku.com/Portals/0/images/toushi/management/governance/cgguideline.pdf

取締役会の実効性評価

　前期は第三者による実効性評価を実施いたしましたが、当期は前期までの振り返りを兼ね、自己評価を実施いたしました。
　取締役会のモニタリング機能強化に向けた取り組み等、個別に更なる改善が必要な面はあるものの、前回に比べ、中期経営計画策定および個別重要案件への取締役会の関与についての評価は高くなっており、全体として、取締役会はコーポレートガバナンスの推進に貢献しているとの結果になりました。
　今後は、コーポレートガバナンス・コードを踏まえた、当社独自のガバナンス強化への取り組みがより一層求められているとの意見もあり、取締役会メンバーで共有いたしました。
　当社取締役会では、本実効性評価を踏まえ、課題について十分な検討を行い、引き続き取締役会の機能の強化に取り組みます。また次期以降の取締役会実効性評価の一環としてフォローしてまいります。

ご参考

行動規準

1. 三井金属グループの社会的使命
　　価値ある商品により、社会に貢献します。
2. 三井金属グループの一員としての自覚と社会的責任
　　三井金属グループの一員としての自覚、ふさわしい品位と責任を常にもって行動し、全てのステークホルダーとコミュニケーションをはかり、積極的に社会貢献活動を進めます。
3. コンプライアンスの実践
　　国内外の法規、ルールおよび社内規則を遵守し、かつ社会良識に基づいて行動します。
4. 公正な事業活動
　　自由かつ公正な競争に基づく適正な営業活動を行ないます。

また、政治、行政、取引先などとの健全かつ透明な関係を維持し、不正な行為に関与しません。
5.反社会的行為の排除
　　反社会的勢力および団体とは断固として対決し、関係遮断を徹底します。
6.積極的な情報開示と情報管理の徹底
　　企業情報を積極的かつ公正に開示するとともに、個人情報、顧客情報をはじめとする機密情報の保護と管理を徹底します。
7.地球環境への貢献
　　環境問題に取り組み、持続可能な社会の実現に貢献します。
8.働きやすい職場環境の確保
　　従業員の人権、人格、個性を尊重し、多様な人材が活躍できる、安全で働きやすい職場環境を確保します。
9.経営幹部の率先垂範
　　経営幹部は、この行動規準の実現が自らの役割であることを認識し、率先垂範のうえ、自ら責任をもって行動します。

＜サンドラッグ＞　ご参考で、コーポレート・ガバナンス体制図を掲載する例

(ご参考)
●コーポレート・ガバナンスに関する基本的な考え方
　当社グループには、『国民の「健康で豊かな暮らし」の実現をめざし、「毎日が明るく楽しい世の中創り」に貢献するために、「安心・信頼・便利の提供をする」』そして『自分達で今できる事からすぐ始め、世の中の一隅でも照らす事ができればと考え、顧客・社員・株主・ビジネスパートナー・コミュニティ・社会・地球環境すべてにとって最善の判断をし、こころ配りを忘れずに行動する』などの企業理念があります。
　株主をはじめとする全てのステークホルダーへの責務を自覚し、コーポレートガバナンス、コンプライアンス、リスク管理等を経営の重要課題として位置付け、公正・透明かつ誠実に中長期的視点での意思決定を行う経営体制を構築し、経営戦略・経営計画を適時・適切に開示いたします。
　そして、環境変化に適応し当社グループの存在意義を継続的に高め、当社グループの長期的に安定した持続的成長と企業価値向上に努めてまいります。

●コーポレート・ガバナンス体制（2020年3月31日現在）

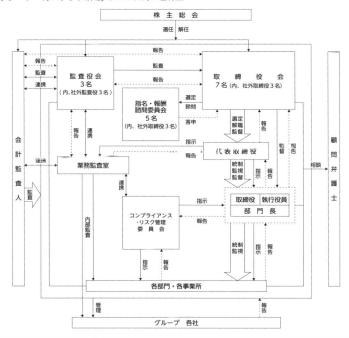

Ⅱ　事業報告記載事項の分析

<太陽誘電>　ご参考で，コーポレートガバナンスに関する基本的な考え方および体制について記載する例

ご参考　**コーポレートガバナンス**

1．コーポレートガバナンスに関する基本的な考え方

　当社グループは、経営理念である、「従業員の幸福」「地域社会への貢献」「株主に対する配当責任」の3原則の実践と、「お客様から信頼され、感動を与えるエクセレントカンパニーへ」というビジョンの実現に向け、グローバルな観点で社会性、公益性、公共性を全うし、事業を継続的に発展させていくことが企業の社会的責任であり、経営の使命と考えております。

　当社は、経営の透明性及び公正性を重視し、取締役会の監督のもと、適時適切な情報開示、コンプライアンスの徹底、迅速な意思決定と職務執行を行える体制と仕組みを構築するなど、コーポレートガバナンスの充実に努めております。

コーポレートガバナンス基本方針　https://www.yuden.co.jp/jp/ir/management/governance/

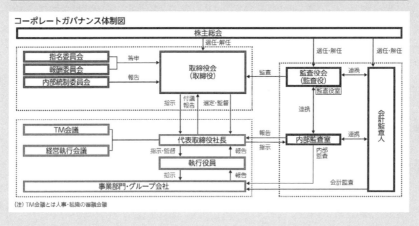

コーポレートガバナンス体制図

(注) TM会議とは人事・組織の審議会議

2．コーポレートガバナンス体制

　当社は監査役会設置会社であり、取締役会・監査役会・会計監査人の各機関を置いております。さらに当社は、社外取締役及び社外監査役全員を一般株主との間に利益相反が生じる恐れのない独立役員に指名し、監査役会や内部監査部門と密接に連携を図っていくガバナンス体制をとることで、監査役機能の有効活用、経営に対する監督機能の強化を図っております。

取締役会
(1) 取締役会の役割と責務
①取締役会は、株主からの受託者責任を果たし、会社や株主共同の利益を高めるため、株主、顧客、従業員、地域社会等、ステークホルダーの皆様に信頼され、感動を与えるエクセレントカンパニーとなる経営を目指します。
②取締役会は、長期的な視点を持ち、持続的な企業価値の向上を目的に、グループ全体の経営方針、経営戦略、経営計画、資本政策、内部統制に係る項目等の重要事項を十分に審議する時間を確保し決定します。
③取締役会は、経営を取り巻くリスク要因の管理体制を強化し、常に業務執行をモニタリングします。
(2) 取締役会の経営陣への委任
①取締役会の効率的な意思決定を確保するため、グループ経営の業務執行にかかわる政策案件については経営執行会議で、グループ全体の人事、組織、報酬制度等についてはTM(トップマネジメント)会議で事前審議し、取締役会から委譲された事項は当該両会議で決定します。
②当社は、経営の監督と業務執行する者の役割責任を一層明確にするため、執行役員を置きます。執行役員は、取締役会で決定された経営方針・戦略に基づいて、社長の監督指揮のもと、担当部署の執行責任者として機動的に業務を執行します。
(3) 取締役会の実効性
①取締役会は、会議の公平性の確保及び経営監督機能を強化するため、取締役会長を取締役会の議長とし、会長が不在の場合には、社長を取締役会の議長とします。
②取締役会は、毎年、取締役会の実効性について、取締役及び監査役による自己評価を行い、分析の結果を踏まえて今後の課題等を開示し、その対応に取り組んでおります。

取締役
①取締役会は、10名以内の取締役で構成し、うち1/3以上は独立社外取締役とします。
②事業年度における経営責任を明確にし、株主による信任の機会を増やすため、取締役の任期を1年としております。

— 216 —

③取締役会の構成を、性別・国籍を問わず多様性に富み、かつバランスの取れたものにするため、業務執行取締役候補者は、「役員等選解任基準」に基づき、人格識見に優れ、これまで担当した業務で実績を上げ、経営や事業に精通している者から選任しております。また、社外取締役候補者は、人柄、経験、専門性、「社外役員の独立性基準」等の条件を基に選任しております。
④取締役は、社外取締役を除き、監督と業務執行とを兼務する取締役兼執行役員であり、担当部署の業績及び監督業務について、重点的に取締役会へ報告を行っております。

監査役会・監査役

①当社は、監査役制度を採用しており、監査役会は原則毎月1回開催しております。
②監査役会は、5名以内の監査役で構成し、うち半数以上は独立社外監査役とします。なお、監査役には、適切な経験・能力及び財務・会計・法務に関する十分な知見を有する者を選任し、監査の実効性を確保しております。
③各監査役は、監査の実効性を高めるために、取締役会に出席しているほか、業務執行にかかわる会議やその他の社内の重要な会議にも分担して出席しております。また、監査役は、会計監査人及び内部監査部門とも定期的な会合をもち、会計監査への立会い、内部監査部門との合同監査等を行い、常に連携を取り合い、監査体制の強化を図っております。
④情報伝達やデータ管理等、実効性の高い監査業務を行うため専任スタッフを確保しております。

【取締役会の実効性評価の概要】

当社取締役会は、取締役会の効率性、実効性に関する評価の仕組みを構築し、その結果の概要について開示しております。

アンケート	評価の方法	アンケート形式による自己評価 選択肢方式による課題の掘り下げ(取締役会で議論が不足している事項の選択)及び取締役会の強み、弱みのアンケートを実施
	実施期間	2020年2月
	対象者	取締役・監査役(社外役員含む。)
	評価項目	①取締役会運営・取締役会構成　②経営戦略　③企業倫理とリスク管理・モニタリング・株主等との対話 ④指名委員会・報酬委員会　⑤情報提供

分析・検討
取締役・監査役によるアンケート結果を踏まえ、まず、業務執行役員、非業務執行役員別に分析・検討会を実施した上で、その結果に基づき取締役会で議論しました。
なお、過去4回は自社にて取締役会の実効性評価を実施してきましたが、客観性、透明性を向上させるため、今回は、外部機関を活用し、設問設計や分析・対応案等の助言を得ました。

評価結果
外部機関より、過去4回の取締役会実効性評価において、課題の抽出と対策の実行、取締役会の前に非業務執行役員のみの検討会を実施していること、取締役会において自由闊達な議論が展開されていること、社外役員に対し、情報格差の縮減に努めている等、肯定的に評価すべき点があるとの意見がありました。
なお、前期の課題であった、「重点施策に関する報告内容の改善」(重点施策に関し、リスク対応策の報告が不十分)については、全ての本部による四半期報告を実施しました。

実効性は相応に確保できている

さらなる実効性向上に向けて
当期の取締役会実効性評価において、以下の3つの課題が認識されました。取締役会としては、引き続きこれらの課題について計画的に取り組むことで、取締役会の実効性を向上させコーポレートガバナンスの一層の強化に努めていきます。
・「中期計画・長期経営戦略(10年後のあるべき姿)の議論」
・「人材育成・人材戦略についての議論」
・「リスクマップの見直し」

任意の諮問委員会

当社は、取締役及び執行役員の指名・報酬に係る取締役会の機能の独立性・客観性の強化と説明責任を果たすため、任意の指名委員会及び報酬委員会を設置しております。

(1)指名委員会

社長、社外取締役及び監査役1名で構成し、審議の客観性を確保するため、委員長は独立社外取締役が務めております。指名委員会は、「役員等選解任基準」に基づき、役員候補者の指名(再任を含む。)、社長を含む役員の解任議案、執行役員の役位の選定・解職議案、懲戒事項等を審議し、取締役会に答申しております。なお、監査役候補者の指名・解任については、事前に監査役会の同意を得ております。

〈活動状況〉

当期の指名委員会は、3回開催しました。主な活動内容は以下のとおりです。
・指名委員会委員長の選定
・代表取締役及び取締役会議長等の選定の審議
・株主総会の議長の代行順位の決定の審議
・「執行役員規則」の改定の審議
・役員候補者の指名(再任を含む。)の審議
・執行役員の選任の審議

Ⅱ　事業報告記載事項の分析

(2) 報酬委員会

社長、社外取締役及び監査役1名で構成し、審議の客観性を確保するため、委員長は独立社外取締役が務めております。報酬委員会は、取締役及び執行役員の報酬制度並びに報酬額について審議し、取締役会に答申しております。なお、当社の取締役(社外取締役を除く。)及び執行役員の報酬は、業績に連動したインセンティブを考慮した報酬体系とし、「基本報酬」、「業績連動賞与」、「株式報酬型ストックオプション」で構成しております。

〈活動状況〉

当期の報酬委員会は、1回開催しました。主な活動内容は以下のとおりです。
・報酬委員会委員長の選定
・執行役員の評価及び賞与の審議
・「役員ストックオプション規定」の改定の審議
・株式報酬(株式報酬型ストックオプション)の審議

(3) 任意の諮問委員会の構成

	全員数	社内取締役	社外取締役	監査役	委員長
指名委員会	5	1	3	1	独立社外取締役
報酬委員会	5	1	3	1	独立社外取締役

※第2号議案及び第3号議案が承認された場合

＜SUBARU＞　取締役会の実効性評価結果の概要を記載する例

(7) 取締役会の実効性評価結果の概要

当社取締役会は、「コーポレートガバナンスガイドライン」に則り、取締役会の実効性について分析・評価し、洗い出された課題に対する改善策を検討・実施しております。

当期につきましては、前期評価からの定点観測に加えて、前期評価で認識された課題に対する取り組みの確認を中心に下記のとおり分析・評価を行いました。

1．評価および分析の方法

(1) 実施時期　2020年2月
(2) 回答者　全取締役および全監査役(社外役員含む13名)
(3) 実施要領　第三者機関作成のアンケートによる自己評価方式
　　① 第三者機関が取締役および監査役に対し、無記名による自己評価アンケートを実施
　　② 第三者機関がアンケートを集計・分析
　　③ 第三者機関より受領した報告書を取締役会で検証・議論
(4) 質問事項　Ⅰ．取締役会の運営体制
　　　　　　　Ⅱ．取締役会の監督機能
　　　　　　　Ⅲ．株主との対話
　　　　　　　Ⅳ．前期評価における課題への取り組み

各質問に対する自己評価は4段階で行うとともに、当社取締役会の優れている点、および当社取締役会の実効性をさらに高めるために必要な点などについて、回答者自身の考えを自由に記入し、第三者機関に直接提出いたしました。

2．評価結果

委託した第三者機関からは、以下のように評価報告を受けました。
・前期までの評価の結果と同様、取締役会の運営面においては、自由闊達で健全な議論が、全社的な観点で行われていることが確認されました。
・前期評価において強みと確認できた点(議長のリーダーシップ、政策保有株式の対応、取締役会の規模)は、継続して高評価にあり、当社の取締役会の強みは継続できていることが確認できました。
・特に、下記項目において評価の伸長が見られました。
　「取締役会の運営」「取締役会に対する支援体制」「取締役会の監督機能」「取締役会のリスク管理体制」
・一方で、前期同様、中長期的経営戦略に関する議論については、一層の充実の必要性が確認されました。
　また、さらなる改善・機能向上が見込まれる点としては、情報セキュリティ体制およびサステナビリティ

への問題意識が強いことが確認されました。
・なお、今回の評価については、13名中5名が新任役員であり、各役員において評価基準が異なる可能性があるため、前期評価との単純比較には留意が必要であるとの指摘もあります。

【前期評価において認識した課題について】
当期は前期評価において認識した以下の課題に向けて取り組んでまいりました。
① リスク把握・管理体制の強化
　CRMO（最高リスク管理責任者）職を設置し、リスクマネジメントグループを統括するなどの体制強化に加え、取締役会における議論の機会をこれまで以上に充実させることなどにより、リスク把握・管理体制強化および定着化を図りました。
② 中長期的な経営戦略に関する議論の充実
　中期経営ビジョンの進捗状況の共有や議論など、取締役会における報告・議論の機会をこれまで以上に設けることで、中長期的な経営戦略に関する議論の活性化を図りました。
③ 後継者計画や育成の方針
　役員指名会議および取締役会において、CEOの後継者計画に関する議論を行い、CEOの後継者計画やＳＵＢＡＲＵグループのあるべきCEO像などを決議し、今後も継続的に議論を深めながら、実行していくこととしました。

3．今後の取り組み

第三者評価機関より受領した評価報告書を受けて、CEOの後継者計画や取締役会および役員指名会議、役員報酬会議を構成するメンバーなどについて、取締役会で検証・議論を行い、実行していくこととしました。

また、取締役会としては、今後も中長期的な企業価値向上と持続的な成長を図るべく、引き続き中長期的な経営戦略に関する議論を深めるとともに、情報セキュリティ体制やサステナビリティについて活発な議論も開始し、取締役会の実効性の維持・向上に取り組んでまいります。

（ご参考）取締役会の実効性評価 アンケート回答集計結果

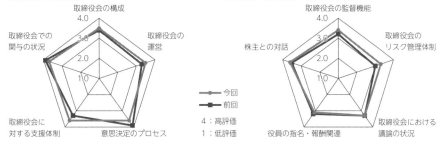

（ご参考）取締役会の実効性評価 アンケート質問項目

カテゴリー	診断項目			
Ⅰ．取締役会の運営体制				
① 取締役会の構成	取締役会の規模	取締役会の構成（社内外比）	取締役会の構成（多様性・専門性）	
② 取締役会の運営	開催頻度・時間・配分	議題の妥当性	資料の質・量	
	資料配布のタイミング	事前説明	説明・報告内容	
③ 意思決定プロセス	議事の採否	十分な議論		
④ 取締役会に対する支援体制	情報提供の環境・体制	社外役員への情報提供	社外役員のトレーニング	
	社内役員のトレーニング			
⑤ 取締役会での関与の状況	取り組み姿勢	全社的視点	相互尊重	
	多様な価値観	ステークホルダー視点		
Ⅱ．取締役会の監督機能				
① 取締役会の監督機能	報告体制	経営の監督		
② 取締役会のリスク管理体制	リスク管理体制	子会社管理体制	リスクの情報共有と対策	
	対応策の進捗管理体制	コンプライアンス意識の浸透		
③ 取締役会における議論の状況	経営戦略の議論	資本政策の議論	政策保有株式の議論	
	ガバナンス強化の議論	社会・環境問題への対応		
④ 役員の指名・報酬関連	役員指名会議・役員報酬会議の構成	後継者育成	インセンティブ報酬	
Ⅲ．株主との対話				
① 株主との対話	株主・投資家からの意見の共有	株主・投資家との対話の充実化		

Ⅱ　事業報告記載事項の分析

＜ジャフコ〔現　ジャフコ　グループ〕＞　取締役会の実効性評価について別見出しで記載する例

（4）コーポレート・ガバナンスの体制

①基本的な考え方

当社は、中長期的な企業価値の向上を図る観点から、以下をコーポレート・ガバナンスの基本的な考え方とし、その充実に継続的に取り組んでおります。
・ステークホルダーとの関係を尊重すること
・意思決定の透明性・公正性を確保すること
・適正な監督体制を構築すること
・効率的でスピード感を持った業務運営体制を構築すること

②基本方針

コーポレート・ガバナンスの具体的な取り組みをまとめた「コーポレート・ガバナンスに関する基本方針」を制定し、以下の当社ウェブサイトに掲載しています。
http://www.jafco.co.jp/corporate/governance/

③体制の概要

当社は、監査等委員会設置会社であり、取締役会及び監査等委員会が、重要な業務執行の決定及び取締役の業務執行の監査・監督を行っております。

（取締役会）

取締役会は、独立社外取締役4名、社内取締役3名の計7名で構成されており、独立社外取締役が過半数となっています。議長は取締役社長であります。

取締役会は、経営上の重要な意思決定と取締役の職務の執行の監督を行っております。独立社外取締役は、客観的・中立的な立場より経営の監督を行っております。

（監査等委員会）

監査等委員会は、独立社外取締役4名で構成されています。現在、委員長には常勤監査等委員が選定されています。監査等委員会は、取締役の職務の執行の監査及び監査報告の作成を行っております。

なお、社外取締役の独立性を保つため、当社は独自に「社外取締役の独立性に関する基準」を定めており、本基準を満たす独立社外取締役を選任しています。

（指名・報酬委員会）

指名・報酬委員会は、独立社外取締役である監査等委員4名及び取締役社長で構成されています。役員の指名・報酬に係る透明性、客観性を高める観点から、取締役、執行役員及びパートナーの指名・報酬に係る重要な事項の決定に

あたり、その内容をあらかじめ指名・報酬委員会にて審議します。取締役会は、その審議内容を踏まえたうえで当該指名・報酬について議論を行い、決定します。

(投資委員会)
投資案件の判断は、迅速な意思決定を行うため、取締役社長及びパートナーで構成される投資委員会にて行っております。
投資委員会には、監査等委員である取締役も随時参加しています。

④取締役会の実効性評価
2019年度の取締役会の実効性に関する評価結果の概要は以下のとおりです。

当社取締役会は、2015年度より実効性評価を年1回実施しております。今年度も取締役会の構成、運営、役割、責務等につき、全取締役を対象に、質問票によるアンケート及び常勤監査等委員によるヒアリングを行い、これをもとに取締役会において審議をいたしました。
取締役会の構成については、今年度は独立社外取締役が過半数となり、執行の監督機能を果たす為に適切な社内・社外のバランス、規模であると評価しています。また、過半数となったことを踏まえ、独立社外取締役への取締役会付議事項の事前説明の内容の充実に努めました。これにより、独立社外取締役間で論点の事前整理や明確化、相互の認識の共有が行われ、取締役会でのより実質的かつ効率的な審議につながりました。そのうえで、今後は取締役会として当社の目指す方向性に係る議論を更に踏み込んで行っていく必要があることを確認しました。
なお、昨年度において課題とした取締役会における報告や説明内容の改善、効率化については、今年度は限られた時間の中で効率的な報告がなされ、一定の改善がみられたと評価しています。

以上を踏まえた評価の結果、昨年と比較し、総じて取締役会の実効性が高まっていると評価しています。
抽出された課題については、継続して対応を検討していくとともに、今後も定期的な評価を実施し、取締役会の実効性の向上を図ってまいります。

(コーポレート・ガバナンス体制図)

Ⅱ 事業報告記載事項の分析

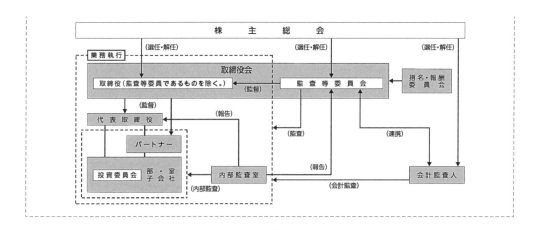

8　会社の支配に関する基本方針

「会社の支配に関する基本方針」は，株式会社の財務および事業の方針の決定を支配する者の在り方に関する基本方針を定めた場合に所要の事項の開示を求めるものであり，①基本方針の内容の概要（会社法施行規則118条3号イ）とともに，具体的な内容の概要として，②会社の財産の有効な活用，適切な企業集団の形成その他の基本方針の実現に資する特別な取組み（同ロ(1)），基本方針に照らして不適切な者によって会社の財務および事業の方針の決定が支配されることを防止するための取組み（同ロ(2)），③これら取組みが基本方針に沿うものであるかどうか（同ハ(1)），株主の共同の利益を損なうものでないかどうか（同ハ(2)），会社役員の地位の維持を目的とするものでないかどうか（同ハ(3)）についての取締役会の判断およびその判断に係る理由——が掲げられている。

本記載項目は，会社の支配に関する基本方針を定めた場合において記載が求められるものであり，すべての会社に記載が求められる事項ではない。また，いわゆる買収防衛策のみが開示事項とされているわけではない（相澤哲編著『立案担当者による新会社法関係法務省令の解説』別冊・商事法務300号〔2006〕55頁）。

2020年6月総会の調査対象会社385社の記載状況を見ると，見出しを設けて，当該基本方針について記載している会社は169社（43.9％）であり，そのうち該当事項はない（基本方針は定めていない）旨等の記載をした会社は53社（169社に対し31.4％），基本方針の内容の概要を記載している会社は116社（同68.6％）であった。

＜日本電気＞　ウェブ開示している例

> インターネット開示事項について
> 　本招集ご通知に際して提供すべき書類のうち、事業報告の「5.(1) 業務の適正を確保するための体制およびその体制の運用状況の概要」および「5.(2) 株式会社の支配に関する基本方針」、連結計算書類の「連結持分変動計算書」および「連結注記表」ならびに計算書類の「株主資本等変動計算書」および「個別注記表」につきましては、法令および定款第14条の規定に基づき、当社ホームページ（https://jpn.nec.com/ir）に掲載していますので、本招集ご通知の添付書類には記載していません。
> 　従いまして、本招集ご通知の添付書類に記載されている事業報告、連結計算書類および計算書類は、監査役および監査役会が監査報告を作成するに際して監査をした事業報告、連結計算書類および計算書類の一部であり、また、会計監査人が会計監査報告を作成するに際して監査をした連結計算書類および計算書類の一部です。
> 　なお、当社ホームページには、「連結包括利益計算書（未監査）」および「連結キャッシュ・フロー計算書（未監査）」をご参考として掲載しています。

＜中　略＞

5　会社の体制および方針
（1）業務の適正を確保するための体制およびその体制の運用状況の概要
　業務の適正を確保するための体制およびその体制の運用状況の概要については、当社ホームページ

Ⅱ　事業報告記載事項の分析

(https://jpn.nec.com/ir) に掲載しています。

（２）株式会社の支配に関する基本方針

株式会社の支配に関する基本方針については、当社ホームページ（https://jpn.nec.com/ir）に掲載しています。

＜神戸製鋼所＞　会社支配に関する基本方針を定めている例

⑷　当社の財務及び事業の方針の決定を支配する者の在り方に関する基本方針（「会社支配に関する基本方針」）

①　基本方針の内容

当社は、明治38年の創立から110年を超える歴史の中で、独自の事業領域を形成してまいりました。特に、当社の素材系事業や機械系事業は事業の裾野が非常に広く、これらの事業分野を構成する個別の事業の多様性を前提として初めて創出されるシナジーが存在いたします。また、これらの事業は、研究開発や生産現場で果敢な挑戦を続ける当社従業員をはじめ、当社との間で長年に亘り信頼関係を培ってきた輸送機やエネルギー・インフラ分野をはじめとする国内外の取引先ならびに顧客等の多様なステークホルダーによって支えられております。さらに、当社は、素材系事業における代替困難な素材や部材、機械系事業における省エネルギーや環境に配慮した製品等、当社独自の多彩な製品群を幅広い顧客に供給するとともに、電力事業においても極めて重要な社会的インフラである電力の供給という公共性の高いサービスを提供しており、社会的にも大きな責任を担っているものと考えております。当社は、こうした各事業間における技術の交流・融合によるシナジー効果や、独自・高付加価値製品の提供とこれにより構築されたステークホルダーとの信頼関係、社会的インフラ提供の責務と社会の皆様からの信頼こそが当社の企業価値の源泉であると考えております。

当社は、上場会社として、株式の自由な取引の中で、上記のような源泉から生み出される当社の企業価値、ひいては株主共同の利益の確保・向上に資する形であれば、支配権の異動を伴う当社株券等に対する大規模な買付行為であっても、当然是認されるべきであると考えておりますが、当社の財務および事業の方針の決定を支配する者は、このような当社の企業価値、ひいては株主共同の利益を向上させる上で必要不可欠な、当社の経営理念、当社を支えるステークホルダーとの信頼関係等の当社の企業価値を生み出す源泉を十分に理解し、その結果として当社の企業価値、ひいては株主共同の利益を確保し、向上させる者でなければならないと考えております。

したがって、当社は、当社株券等に対する大規模な買付行為を行ないまたは行なおうとする者に対しては、関連する法令の許容する範囲内において、適切な対応をとることにより、当社の企業価値および株主共同の利益の確保に努めなければならないと考えております。

②　当社の財産の有効な活用、適切な企業集団の形成その他の会社支配に関する基本方針の実現に資する特別な取組み

（ⅰ）経営戦略の展開による企業価値向上への取組み

当社は、2016年４月に「2016～2020年度グループ中期経営計画」を策定し、素材系事業・機械系事業・電力事業の３本柱による事業成長戦略を一層深化させ、盤石な事業体を確立させる新たな「中長期経営ビジョン『KOBELCO VISION"G＋"（ジープラス）』」への取組みをスタートさせ、その実現に取り組んでおります。

輸送機の軽量化やエネルギー・インフラ等の中長期的に伸張する成長分野に経営資源を集中し、当社グループ独自の付加価値をさらに高め、競争優位性を発揮していくことで、事業を拡大・発展させるとともに、社会への貢献を目指してまいります。

※「中長期経営ビジョン「KOBELCO VISION"G＋"」の内容の詳細は、当社ホームページ（https://www.kobelco.co.jp）プレスリリース欄 2016年4月5日付「2016～2020年度グループ中期経営計画について」をご覧ください。なお、「2016～2020年度グループ中期経営計画」の進捗状況を踏まえて見直しを実施し、2019年5月15日付で「中期経営計画ローリング」としてまとめ、公表いたしました。内容の詳細につきましては、当社ホームページ（https://www.kobelco.co.jp）プレスリリース欄「中期経営計画ローリング（2019～2020年度）について」をご覧ください。

（ⅱ）コーポレートガバナンス（企業統治）の強化による企業価値向上への取組み

当社は、継続的に企業価値を向上させるためには、コーポレートガバナンスの強化が必要であると考えております。

当社は、監査等委員会設置会社への移行、取締役会メンバーの見直し、独立社外取締役の全員を構成員とし、経営に関する客観的な意見の提供等を行なう場でもある独立社外取締役会議や、委員の過半数を社外取締役で構成する指名・報酬委員会の設置等の様々な取組みを通じて、コーポレートガバナンス体制の強化を図ってまいりました。

今後も、当社は、独立社外取締役会議において出された意見や、事業年度毎に各取締役に対して行なうアンケートおよびその結果に対する監査等委員会の評価に基づいて実施する取締役会実効性評価の結果等を踏まえながら、更なるコーポレートガバナンスの強化に向けて、継続的に検討を進めてまいります。

③　会社支配に関する基本方針に照らして不適切な者によって当社の財務及び事業の方針の決定が支配されることを防止するための取組み

当社は、当社株券等の大規模買付行為を行ないまたは行なおうとする者に対しては、当社の企業価値および株主共同の利益を確保する観点から、関係する法令に従い、株主の皆様が大規模な買付行為の是非を適切に判断するために必要かつ十分な情報の提供を求め、あわせて当社取締役会の意見等を開示するとともに、株主の皆様の検討のために必要な時間と情報の確保に努めるものといたします。

また、仮に大規模な買付行為に対する速やかな対抗措置を講じなければ、当社の企業価値および株主共同の利益が毀損されるおそれがあると合理的に判断されるときには、株主から経営を負託された当社取締役会の当然の責務として、関連する法令の許容する範囲内において、適宜、当該時点で最も適切と考えられる具

体的な措置の内容を速やかに決定し、実行することにより、当社の企業価値および株主共同の利益の確保に努めてまいります。

なお、上記②および③に記載の取組みは、上記①に記載の方針に従い、当社の企業価値および株主共同の利益に沿うものであり、当社の役員の地位の維持を目的とするものではありません。

＜静岡銀行＞　会社の支配に関する基本方針は定めていない旨を記載する例

2．財務および事業の方針の決定を支配する者の在り方に関する基本方針

当行では、会社法施行規則第118条に定める基本方針は策定しておりませんが、会社の財務および事業の方針の決定を支配することを目的とした当行株式等の大規模買付行為の対象とならないよう、平時から以下を基本とした経営を行っております。

（1）株主価値の向上
収益の増強や、配当政策などの適切な資本政策を通じ、株主価値の向上を図ります。
（2）コーポレートガバナンスの強化
取締役会をはじめとする経営の機関設計およびその運営状況に意を用い、適切な企業統治が行われる体制を維持・強化します。
（3）各ステークホルダーとの良好な関係維持
ＩＲ活動等を通じて市場での認知度や評価の向上を図るとともに、株主の皆さま、お客さま、従業員等の各ステークホルダーとの適切なコミュニケーションと良好な関係維持に努めます。

＜任天堂＞　買収防衛策は導入していない例

3．株式会社の支配に関する基本方針

当社の取締役会は、当社が公開会社としてその株式の自由な売買が認められている以上、当社株式の大量取得を目的とする買付けや買収提案が行われた場合にそれに応じるか否かは、最終的には株主の皆様の判断に委ねられるべきものと考えております。しかしながら、株式の買付けや買収提案の中には、その目的等から見て対象企業の企業価値・株主共同の利益を損なうおそれのあるものの存在も否定できないところであり、そのような買付けや買収提案は不適切なものであると考えております。

現在のところ、当社においては、株式の買付けや買収提案が行われた場合の具体的な取り組みはあらかじめ定めてはおりませんが、このような場合に備えた体制については既に整備しております。また、株主の皆様に対して善管注意義務を負う経営者の当然の責務として、株式の買付けや買収提案に際しては、慎重に当社の企業価値・株主共同の利益への影響を判断し、適切と考えられる措置を講じます。

具体的には、社外の専門家も起用して株式の買付けや買収提案の評価および買付者や買収提案者との交渉を行うほか、当社の企業価値・株主共同の利益を損なうと判断される株式の買付けや買収提案に対しては、具体的な対抗措置の要否および内容を決定し、実行する体制を整えます。

なお、いわゆる「買収防衛策」の導入につきましては、買収行為に係る法制度や判例、関係当局の見解等を踏まえ、今後も検討を継続してまいります。

Ⅱ　事業報告記載事項の分析

＜東洋製罐グループホールディングス＞　買収防衛策を導入している例

6 会社の支配に関する基本方針

(1) 基本方針の内容の概要

　　当社は、当社の財務及び事業の方針の決定を支配する者は、当社の企業価値の源泉を理解し、当社が企業価値ひいては株主共同の利益を継続的かつ安定的に確保し、向上していくことを可能とする者である必要があると考えております。

　　当社は、当社株式の大量買付がなされる場合であっても、当社の企業価値・株主共同の利益に資するものであれば、これを一概に否定するものではありません。また、株式会社の支配権の移転をともなう買付提案についての判断は、最終的には株主全体の意思に基づき行われるべきものと考えております。

　　しかしながら、株式の大量買付の中には、その目的等から見て企業価値・株主共同の利益に対する明白な侵害をもたらすもの等、対象会社の企業価値・株主共同の利益に資さないものも少なくありません。当社株式の大量買付を行う者が当社の企業価値の源泉を理解し、中長期的に確保し、向上させられる者でない場合には、当社の企業価値ひいては株主共同の利益は毀損されることになります。

　　当社は、このような当社の企業価値・株主共同の利益に資さない大量買付を行う者は、当社の財務及び事業の方針の決定を支配する者として不適切であり、このような者による大量買付に対しては、必要かつ相当な対抗措置を採ることにより、当社の企業価値ひいては株主共同の利益を確保する必要があると考えます。

(2) 基本方針実現のための取組みの具体的な内容の概要

(a) 基本方針の実現に資する特別な取組みの具体的な内容の概要

(中期経営計画等)

　　当社グループが2018年5月にスタートさせた2018年度から2020年度までの「東洋製罐グループ第五次中期経営計画」は最終年度を迎えます。本中期経営計画において、2018年度を「創業的出直し」の年として位置づけ、東洋製罐グループの成長戦略とその成長戦略を支える組織構造・企業風土改革、財務・資本政策を進め、持続的な成長を目指しております。

(コーポレート・ガバナンスの強化)

　　当社は、グループの経営思想である経営理念・信条・ビジョンのもと、企業活動を通じて社会に貢献しつつ、企業価値の向上を図り新たな発展と進化を続けるために、コーポレート・ガバナンスを充実させていくことが経営上の重要課題であると位置づけ、「コーポレート・ガバナンス基本方針」を策定し、これに継続的に取り組んでおります。

①持株会社体制

　　当社グループは、持株会社体制のもと、グループ全体の経営戦略および目標を明確に定め、グループ内の経営資源の最適配分を行うことにより、機動的かつ効率的な事業運営を推し進めております。これにより、グループ経営戦略の策定機能と業務執行機能を分離し、経営責任体制を明確化しております。

②社外役員の体制

　　当社は、当社における社外取締役および社外監査役を独立役員として認定する独立性に関する基準を明確にすることを目的として、「社外役員の独立性判断基準」を制定しております。

　　取締役会は、取締役12名で構成されており、そのうち独立性を有する社外取締役は5名であり、取締役会における社外取締役の人数は3分の1を超えております。また、取締役の経営責任を明確にし、経営環境の変化に迅速に対応できる経営体制を機動的に構築するために、取締役の任期を1年としております。

　　また、社外取締役および社外監査役は、代表取締役との意見交換を行う社外役員会議を原則毎月実施し、経営の透明性や客観性を高めるために忌憚のない意見交換を行うとともに、国内外のグループ会社を適宜視察するなど、積極的な活動を行っております。

　　これら独立した客観的な立場にある社外取締役や社外監査役により、取締役会において活発な議論が行われるとともに、経営陣のモニタリングが行われており、経営体制に対する監視機能が確保されています。

③業務執行の体制

　　当社においては、執行役員制度を導入することにより、経営の効率性・機動性を確保するとともに、経営の意思決定・監督機能と業務執行機能の明確化を図っております。経営の基本方針および諸施策を適切かつ迅速に確立し、経営活動を強力に推進するために、常勤取締役、機能統轄責任者、専務執行役員、常務執行役員および綜合研究所長により構成される「経営戦略会議」を月1回開催し、また、常勤取締役、機能統轄責任者、専

務執行役員、綜合研究所長および主要なグループ会社社長により構成される「経営執行会議」を原則として月2回開催しております。なお、「経営戦略会議」および「経営執行会議」には常勤監査役が出席し、適宜意見を述べております。また、当社は、取締役・執行役員がその役割と責務を適切に遂行するため、必要な知識の習得および継続的な更新を支援することを目的として、各種研修の機会を随時設けております。

これに加え、当社は、代表取締役、取締役候補者および監査役候補者の指名ならびに取締役および執行役員の報酬などにかかる取締役会の機能の客観性・適時性・透明性をより強化することを目的として、代表取締役2名および独立性を有する社外取締役5名から構成される任意の諮問機関である「ガバナンス委員会」を設けております。

④内部統制システムを運用するための体制

当社およびグループ各社は、内部統制システムを運用しております。当社では、法令を遵守した企業活動の徹底を図り経営の効率性を高めるため、同システムの整備・運用状況や法令等の遵守状況は、社長直轄の内部監査部門である監査室により定期的に実施される内部監査を通じて確認され、その結果に基づき適宜改善を図っております。

当社グループは、上記の施策等を通じて、コーポレート・ガバナンスの強化を図り、企業価値ひいては株主共同の利益の確保・向上を実現してまいります。

(b)基本方針に照らして不適切な者によって当社の財務及び事業の方針の決定が支配されることを防止するための取組みの具体的な内容の概要

(ⅰ)当社は、2018年5月15日開催の取締役会決議及び2018年6月27日開催の第105回定時株主総会決議に基づき当社株式の大量取得行為に関する対応策(買収防衛策)(以下「本プラン」といいます。)を更新しております。本プランの概要については、下記(ⅱ)のとおりです。

(ⅱ)本プランの概要

当社取締役会は、基本方針に定めるとおり、当社の企業価値ひいては株主共同の利益に資さない当社株券等の大量買付を行う者は、当社の財務及び事業の方針の決定を支配する者として不適切であると考えています。本プランは、こうした不適切な者によって当社の財務及び事業の方針の決定が支配されることを防止し、当社の企業価値・株主共同の利益に反する大量買付を抑止するとともに、大量買付が行われる際に、当社取締役会が株主の皆様に代替案を提案したり、あるいは株主の皆様がかかる大量買付に応じるべきか否かを判断するために必要な情報や時間を確保すること、株主の皆様のために交渉を行うこと等を可能とすることを目的としております。

本プランは、当社株券等の20％以上を買収しようとする者が現れた際に、買収者に事前の情報提供を求める等、上記の目的を実現するために必要な手続を定めております。

買収者は、本プランに係る手続に従い、当社取締役会において本プランを発動しない旨が決定された場合に、当該決定時以降に限り当社株券等の大量買付を行うことができるものとされています。

買収者が本プランに定められた手続に従わない場合や当社株券等の大量買付が当社の企業価値ひいては株主共同の利益を毀損するおそれがある場合で、本プラン所定の発動要件を満たす場合等には、当社は、買収者等による権利行使は原則として認められないとの行使条件及び当社が買収者等以外の者から当社株式と引換えに新株予約権を取得できる旨の取得条項が付された新株予約権に係る新株予約権無償割当て、又はその他の法令及び当社定款の下でとりうる合理的な施策を実施します。

本プランに従って新株予約権の無償割当てがなされ、その行使又は当社による取得に伴って買収者以外の株主の皆様に当社株式が交付された場合には、買収者の有する当社の議決権割合は、最大約50％まで希釈化される可能性があります。

当社は、本プランに従った新株予約権の無償割当ての実施、不実施又は取得等の判断については、取締役の恣意的判断を排するため、特別委員会規則に従い、当社経営陣から独立した当社社外取締役等のみから構成される特別委員会を設置し、その客観的な判断を経るものとしております。加えて、当社取締役会は、本プランに定めるところに従い、株主総会を招集し、株主の皆様の意思を確認いたします。

こうした手続の過程については、適宜株主の皆様に対して情報開示を行い、その透明性を確保することとしております。本プランの有効期間は、2018年6月27日開催の第105回定時株主総会終結後3年以内に終了する事業年度のうち最終のものに関する定時株主総会終結の時とされております。

Ⅱ 事業報告記載事項の分析

(3) 具体的取組みに対する当社取締役会の判断及びその理由

　当社の中期経営計画及びコーポレート・ガバナンスの強化等の各施策は、当社グループの企業価値ひいては株主共同の利益を継続的かつ持続的に向上させるための具体的方策として策定されたものであり、まさに当社の基本方針に沿うものです。

　また、本プランは、当社株式に対する買付等が行われた際に、当社の企業価値ひいては株主共同の利益を確保するための枠組みであり、当社の基本方針に沿うものです。

　さらに、本プランは、「企業価値・株主共同の利益の確保又は向上のための買収防衛策に関する指針」の定める三原則を充足していること、更新にあたり株主の皆様のご承認を得ていること、一定の場合には本プランの発動の是非等について株主意思確認総会において株主の皆様の意思を確認する仕組みが設けられていること、有効期間を約3年間とするいわゆるサンセット条項が付されていること、及び有効期間の満了前であっても、当社株主総会により本プランを廃止できるものとされていること等株主意思を重視するものとなっております。また、本プランの発動に関する合理的な客観的要件が設定されていること、本プランの発動に際しての実質的な判断は、経営陣からの独立性を有する社外取締役等のみから構成される特別委員会により行われること、特別委員会は当社の費用で専門家等の助言を受けることができるものとされていること、当社取締役の任期は1年とされていること等により、その公正性・客観性も担保されております。

　したがって、本プランは、当社の企業価値ひいては株主共同の利益に資するものであって、当社の会社役員の地位の維持を目的とするものではありません。

＜ＴＯＴＯ＞　買収防衛策は継続しない旨を記載する例

Ⅶ　会社の支配に関する基本方針

　当社は、会社法及び会社法施行規則に基づき、会社の支配に関する基本方針について取締役会において次のとおり決議いたしております。

1．当社の財務及び事業の方針の決定を支配する者の在り方に関する基本方針

　当社は、当社の財務及び事業の方針の決定を支配する者は、当社グループの事業特性、並びに当社の企業価値の源泉を十分理解し、当社の企業価値ひいては株主共同の利益を中長期的に確保し、向上させることができる者であることが必要と考えております。

　当社は、1917年の創立以来、一貫して「社会の発展への寄与」を理念とする経営を行ってまいりました。水まわりを中心とした豊かで快適な生活文化創造にあたっては、たゆまぬ研究開発と市場開拓を行い、必要な設備や人財育成に長期的投資を行うことによって、日本市場の中で、「環境配慮」を実現する節電・節水技術の開発、「清潔・快適」「ユニバーサルデザイン」を実現する素材開発、「安心・信頼」を実現するビフォア・アフターサービス体制等、総合的な事業活動による価値の創造と提供を図ってまいりました。現在では、日本市場で築いた事業モデルを活かし、米州・アジアをはじめとする世界の水まわり市場の積極開拓により、一層の価値向上を図る一方、日本の水まわり市場において確固たる地位を築いたことによる供給責任にも応えています。創立以来、長きにわたり、広く社会の発展に寄与し続けたことが、現在の当社の企業価値ひいては株主共同の利益につながっています。

　当社は、公開会社として、当社株式の自由な売買を認めることは当然のことであり、特定の者またはグループによる大量買付行為に応じて当社株式の売却を行うか否かの最終的な判断は、当社株式を保有する株主の皆様に委ねられるべきものと考えております。しかしながら、当該大量買付行為が、当社の企業価値ひいては株主共同の利益を著しく損なうと判断される場合には、必要かつ相当な手段を採ることによって当社の長期的な株主価値を確保することが必要であると考えております。

2．基本方針の実現に資する取組み

(1) 社是・企業理念及び中期経営計画

　当社グループは、社是「愛業至誠：良品と均質　奉仕と信用　協力と発展」とTOTOグループ企業理念「私たちTOTOグループは、社会の発展に貢献し、世界の人々から信頼される企業を目指します」に基づき、広く社会や地球環境にとって有益な存在であり続けることを目指して企業活動を推進しております。

　当社の企業価値の源泉は、①高品質な製品を提供し続けてきた高度な生産技術力、②ユニットバス・ウォシュレット等の新たな生活文化の創造に寄与する商品やネオレスト・ハイドロテクト等の環境配慮商品を創造してきた研究開発力、③お客様の多様な

ニーズにきめ細やかに対応できる高品質かつ豊富な商品群、④お客様に安心・安全・信頼の証として認知された企業ブランド、⑤取引先との良好かつ長期的なパートナーシップに基づく販売力、⑥前記①～⑤の維持・発展を担う従業員等にあります。

　当社の企業価値ひいては株主共同の利益を中長期的に確保・向上させるため、2017年10月に策定した、2018年度から始まる5ヵ年の中期経営計画「TOTO WILL2022」を推進しています。

　「TOTO WILL2022」では、コーポレート・ガバナンスを土台に、「グローバル住設事業」「新領域事業」の2つの事業軸と、「マーケティング革新」「デマンドチェーン革新」「マネジメントリソース革新」の3つの全社横断革新活動により、グローバル推進体制を強化していきます。

　これらの事業活動と「TOTOグローバル環境ビジョン」がより一体となり、更なる企業価値向上を目指します。

(2) **コーポレート・ガバナンスの強化**

　当社グループは、経営の客観性・透明性を高め、経営責任を明確にすることによって、ステークホルダーの皆様の満足を実現し、企業価値を永続的に向上させることが企業経営の要であると考えます。

　当社のコーポレート・ガバナンス体制につきましては、当社ウェブサイト（https://jp.toto.com/company/profile/governance/index.htm）に記載のとおりです。

3．基本方針に照らして不適切な者によって当社の財務及び事業の方針の決定が支配されることを防止するための取組み

　当社は、上記の基本方針のもと、2006年4月28日開催の取締役会において「当社株式の大量買付行為に関する対応方針（買収防衛策）」を導入いたしました。その後、直近では2016年6月29日開催の当社第150期定時株主総会の決議により更新（以下、更新後の買収防衛策を「本プラン」といいます）いたしましたが、本プランの有効期限である、2019年6月25日開催の第153期定時株主総会の終結の時をもって本対応方針を継続しないことを、2019年4月26日開催の取締役会において決議いたしました。

　なお、当社は本プラン廃止後も、当社株式の大量買付を行おうとする者に対しては、大量買付行為の是非を株主の皆様が適切に判断するために必要かつ十分な情報の提供を求め、あわせて当社取締役会の意見等を開示し、株主の皆様の検討のための時間と情報の確保に努める等、金融商品取引法、会社法及びその他関係法令に基づき、適切な措置を講じてまいります。

4．上記各取組みに対する当社取締役会の判断及びその理由

　上記2．及び3．に記載の取組みは株主共同の利益を確保し、向上させるための取組みであり、上記1．の基本方針に沿うものであります。これらの取組みは、株主共同の利益を損なうものではなく、また、当社の役員の地位の維持を目的としたものではありません。

＜ダイフク＞　買収防衛策を廃止した旨を記載する例

7．株式会社の支配に関する基本方針

　当社は、会社の財務および事業の方針の決定を支配する者のあり方に関する基本方針は、特に定めてはおりません。

　当社は、2006年6月開催の第90回定時株主総会において、株主の皆さまからご承認をいただき、「当社株式の大量取得行為に関する対応策（買収防衛策）」（以下、本プラン）を導入しました。その後、3年毎に本プランの更新について定時株主総会でご承認いただき、継続してまいりましたが、2018年6月開催の定時総会終結の時をもって、本プランを廃止しました。

　当社は本プラン廃止後も、当社の企業価値ひいては株主共同の利益の確保・向上に引き続き取り組み、一層の持続的成長を図ってまいります。

Ⅱ　事業報告記載事項の分析

9　剰余金の配当等の決定に関する方針

　剰余金の配当等を取締役会が定めることができる旨の定款の定め（会社法459条1項の規定による定款の定め）があるときは，その定款の定めにより取締役会に与えられた権限の行使に関する方針を事業報告に記載することが必要である（会社法施行規則126条10号）。その記載方法について法令上特段の制限はなく，全株懇モデルでは，「会社の体制および方針」の大項目の下に「業務の適正を確保するための体制の整備」，「会社の支配に関する方針」とともに「剰余金の配当等の決定に関する方針」を記載する方法を示す一方，同補足説明では，独立した項目とせず，「1．企業集団の現況に関する事項(4)対処すべき課題」の箇所に記載することも考えられるとしている。

　2020年6月総会の調査対象会社385社の記載状況を見ると，「剰余金の配当等の決定に関する方針」について見出しを設けて記載している会社は155社（40.3％）であった。

＜ANAホールディングス＞　「資本政策の基本的な方針」の見出しで株主還元策を記載する例

（5）資本政策の基本的な方針
　当社では、以下の3点を資本政策における基本方針としております。

①ＲＯＥ向上を通じた株主価値の向上

◆株主価値の持続的な向上を目指し、持続的な利益成長と資本効率（ＲＯＥ）の向上を追求します。
◆ＲＯＥの向上にあたっては、健全なバランスシートを維持しながら、「収益性（利益率）」と「資産効率（回転率）」の向上に重点を置きます。

②健全なバランスシートの維持～株主資本の水準～

◆拡大する事業機会を確実に捉えるため、以下の視点で必要となる株主資本の水準を維持します。
　・事業活動に伴うリスクと比較して十分であること。
　・継続的な設備投資を支えるために必要な格付の取得・維持に十分であること。

③株主還元策

◆当社は、株主の皆様に対する還元を経営の重要課題として認識しており、将来の事業展開に備えた航空機等の成長投資の原資を確保しつつ、財務の健全性を維持することを前提に、フリーキャッシュフローの水準等にも留意しながら、株主還元を充実させていきたいと考えております。

＜ファンケル＞　株主還元方針について表記する例

株主還元

2018年度より株主還元方針を変更し、業績動向に応じた利益配分かつ安定的な配当を実施しております。当事業年度の期末配当金につきましては、1株につき17円とさせていただきました。

中間配当金として1株につき17円をお支払いしておりますので、当事業年度の年間配当金は、前事業年度より4円増配し、34円とさせていただきました。

なお、2020年度の配当金につきましても、1株につき年間34円（中間・期末各17円）を予定しております。

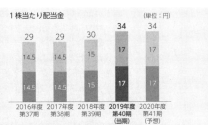

※当社は、2018年12月1日付で、当社普通株式1株につき2株の割合で株式分割を実施しております。このため、2016年度の期首に当該株式分割が行われたものと仮定して、1株たり配当金を算定しております。

＜中　略＞

5　剰余金の配当等の決定に関する方針

　当社は、取締役会の決議により剰余金の配当を行うことができる旨および毎年9月30日を基準日として中間配当を行うことができる旨を定款に定めております。また、中間配当と期末配当の年2回の剰余金の配当を行う方針です。

　当事業年度の期末配当金につきましては、1株につき17円とさせていただきました。中間配当金として1株につき17円をお支払いしておりますので、当事業年度の年間配当金は、前事業年度に対して4円増配の34円となりました。

　2020年度の配当金につきましては、中間、期末ともに1株につき17円、年間配当金34円を予定しております。

【株主還元方針】

配　当	連結配当性向40％程度およびDOE（純資産配当率）5％程度を目途に配当金額を決定
自己株式の取得	設備投資などの資金需要や株価の推移などを勘案し、資本効率の向上も目的として機動的に実施
自己株式の消却	発行済株式総数の概ね10％を超える自己株式は消却

（注）DOE(純資産配当率)＝配当金総額÷連結純資産

＜ダイフク＞　6期分の配当金の推移グラフを掲載する例

8．剰余金の配当等に関する事項

　当社は、株主の皆さまに対する利益還元を最重要課題と位置づけ、剰余金の配当につきましては、株主の皆さまへのさらなる利益還元を視野に入れて、連結当期純利益をベースとする業績連動による配当政策を取り入れるとともに、残余の剰余金につきましては内部留保金として、今後の成長に向けた投資資金に充てる方針であります。

　4カ年中期経営計画「Value Innovation 2020」では連結配当性向30％、成長投資による企業価値向上を目指しています。

　当期につきましては、中間配当として1株当たり30円を実施しており、期末配当として1株当たり45円とさせていただくことを2020年5月12日開催の取締役会で決議し、合計で年間配当として1株当たり75円(前期90円)とさせ

ていただくこととといたしました。

なお、剰余金の配当を機動的に実施できるようにするため、「会社法第459条第1項(剰余金の配当等を取締役会が決定する旨の定款の定め)に定める事項については、法令に別段の定めがある場合を除き、株主総会の決議によらず取締役会決議によって定めることができる」と定款に定めております。

第104期 期末配当金のお支払いについて

2020年5月12日開催の当社取締役会において、第104期(2019年4月1日から2020年3月31日まで)の期末配当金のお支払いについて、次のとおり決議いたしました。

当社は、2020年3月31日の最終の株主名簿に記録された株主または登録株式質権者に対し、次のとおり期末配当金をお支払いいたします。

1. 期末配当金　　　　　　1株につき金45円
2. 効力発生日並びに支払開始日　2020年6月29日(月曜日)

なお、期末配当金のお支払いに関する書類は、2020年6月26日にお届出ご住所あてに発送いたします。

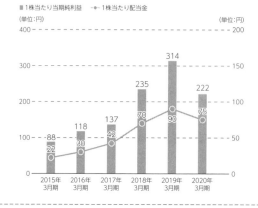

\<コニカミノルタ\>　1株当たりの配当金の推移と配当性向についてグラフを掲載する例

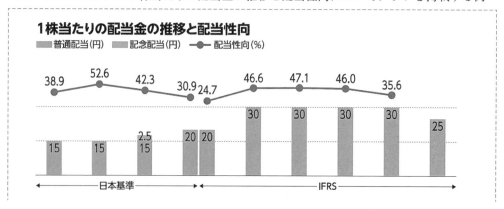

第108期	第109期	第110期	第111期	第112期	第113期	第114期	第115期	第116期
2011年度	2012年度	2013年度	2014年度	2015年度	2016年度	2017年度	2018年度	2019年度（当期）

(注) 第116期（2019年度）の配当性向については当期損失となったため、記載しておりません。

＜パナソニック＞　配当性向30％を目安とする旨を記載する例

(4) 剰余金の配当等の決定に関する方針

　当社は、創業以来一貫して、株主の皆様に対する利益還元を最も重要な政策のひとつと考えて経営にあたってまいりました。この基本的な考えのもと、配当については、株主の皆様からの投下資本に対するリターンとの見地から連結業績に応じた利益配分を基本とし、連結配当性向30％を目安に、安定的かつ継続的な配当に努めてまいります。また、自己株式取得については、戦略投資や財務状況を総合的に勘案しつつ、1株当たりの株主価値と資本収益性の向上を目的として機動的に実施することを基本としております。

　当年度は、この基本方針および財務体質の状況などを総合的に勘案し、2019年11月29日に実施した中間配当15円と期末配当15円を合わせ、1株当たりの年間配当を30円とさせていただきます。

　なお、当年度の自己株式取得については、単元未満株式の買取りなど軽微なものを除き実施しておりません。

＜アルフレッサ　ホールディングス＞　純資産配当率（DOE）2.3％以上を基本方針とする旨を記載する例

5．剰余金の配当等の決定に関する方針

　当社は、株主の皆様に対する利益の還元を重要政策のひとつと考えております。当期の配当につきましては、「19-21中期経営計画　さらなる成長への挑戦　〜健康とともに、地域とともに〜」で策定したとおり、連結業績を基準に、財務体質の強化や経営基盤の安定性および将来の事業展開等を総合的に考慮し、連結純資産配当率(DOE)2.3％以上を基本方針としております。

　これにより1株当たり期末配当金は合計25円と決定し、既にお支払した中間配当金25円と合わせて1株当たり年間50円といたしました。

＜SBIホールディングス＞　最低配当金額（10円）を明示する例

(2) 剰余金の配当等の決定に関する方針

　当社では、株主の皆さまへの利益還元の充実は、株主価値を高めることにつながる重要な経営施策の1つであると考え、連結業績等を総合的に勘案した上で、株主還元を決定することとしています。

　剰余金の配当について、当社は配当政策の基本方針として、年間配当金について最低配当金額として1株当たり10円の配当を実施することとし、持続的な成長のための適正な内部留保の水準、当面の業績見通し等も

Ⅱ　事業報告記載事項の分析

総合的に勘案し、さらなる利益還元が可能と判断した場合には、その都度引き上げることを目指しています。なお、配当金総額に自己株式取得を加えた総還元額の水準について、当面の間は親会社の所有者に帰属する当期利益の40％を下限として株主還元を実施することを謳っています。但し、キャッシュ・フローを伴わない営業投資有価証券の公正価値評価損益の総額が当社連結税引前利益に占める水準によっては、当社連結税引前利益より公正価値評価損益の総額を控除する等の調整を実施した上で還元額を決定することとしています。

　上記の基本方針と当連結会計年度の連結業績を踏まえ、当連結会計年度においては1株当たり20円の中間配当に加えて、1株当たりの期末普通配当金を前期よりも5円増配となる80円としました。この結果、当連結会計年度の年間配当金合計は1株当たり100円となります。

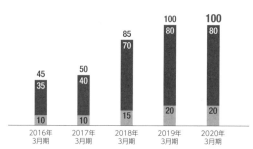

(注) 2019年3月期の1株当たりの期末配当金には、創立20周年記念配当5円が含まれています。

＜マルハニチロ＞　自己株式取得の方針についても記載する例

5　剰余金の配当等の決定に関する方針

　株主の皆様への適切な利益還元を経営の重要施策と位置付けております。経営体質の一層の強化を徹底して、財務面での充実を図りつつ、経営環境を見極めながら安定配当を継続的に実施していくことを基本方針としております。自己の株式の取得については、機動的な資本政策を遂行することが可能となるよう、剰余金の配当等の決定に関する方針と整合的な範囲において実施することとしております。

＜HOYA＞　政策保有株式に関する方針も記載する例

３．剰余金の配当等の決定に関する方針

当社はグローバルに事業を展開するとともに、事業ポートフォリオを時代・環境の変化に即した形に変えていくことで、HOYAグループの企業価値の最大化を目指しております。

資本政策につきましては、財務の健全性や資本効率など当社にとって最適な資本構成を追求しながら、会社の将来の成長のための内部留保の充実と、株主への利益還元との最適なバランスを考え実施していくことを基本としております。

また、株主の皆様からお預かりした資産を使ってどれだけ利益を上げたかという資本効率重視の経営はもとより、さらに一歩踏み込んで、会社が生み出す利益が株主の期待収益である資本コストをどれだけ上回ったかという、株主価値重視の経営（SVA＝Shareholder Value Added：株主付加価値）を推進し、企業価値の最大化を目指しています。

将来の成長のための内部留保については、成長分野における、シェア拡大、未開拓市場への参入、新技術の育成・獲得のための投資に資源を優先的に充当してまいります。既存事業の成長に加え、事業ポートフォリオのさらなる充実のためのM＆Aも積極的に可能性を追求してまいります。一方、安定収益事業と位置付けております「情報・通信」分野においては、競争力の源泉となる技術力のさらなる強化のための設備投資ならびに次世代技術・新製品の開発に向けた開発投資を継続してまいります。

株主還元につきましては、当期の業績と内部留保の水準、ならびに中長期的な資金需要および資本構成等を総合的に勘案し、余剰な資金については「配当」や「自己株式取得」等を通じ積極的に株主に還元することを基本としております。

配当金につきましては、既に実施済みの中間配当金１株当たり45円とあわせまして、年間配当金は１株当たり90円とさせていただきました。連結配当性向は29.7％となりました。

上記の方針により当社の株主総利回り（TSR）は185となりました。比較指標である配当込み東証株価指数のTSRは113でした。

これは2015年３月末の投資額を100として指数化し、株価変動と配当を考慮した投資パフォーマンスを示しています。

４．政策保有株式に関する方針

当社では安定株主対策のための株式の持ち合いは行わないことを当社コーポレートガバナンスガイドラインで定めております。なお、事業運営に有用として保有している他社株式については、保有意義が希薄化したものについては適宜売却等処分していく方針です。2019年度において保有している上場株式は４銘柄であり、そのうち２銘柄については保有意義が薄れたと取締役会で判断し、売却すべき銘柄と決定いたしました。

Ⅱ　事業報告記載事項の分析

10　その他株式会社（企業集団）に関する重要な事項

　全株懇モデルにおける事業報告の記載事項として項目は特に設けられていないが，事業報告の末尾に「その他株式会社に関する重要な事項」等の見出しを設け，何らかの記載をしている会社が見られた。これは，会社法施行規則120条に具体的に例示・列挙されている項目のほかに「その他会社の現況に関する重要な事項」（同条1項9号）があればこれを記載しなくてはならないことによる。

　2020年6月総会の調査対象会社385社のうち，「その他株式会社に関する重要な事項」等（「ご参考」を含む）を記載している会社は47社（12.2％）であり，そのうち，該当事項はない旨の記載をしている会社は11社で，具体的な記載をしている会社は36社である。

　具体的な記載事項としては，コーポレート・ガバナンスに関連して記載した会社や訴訟関連について記載した会社などが見られた。

＜三井松島ホールディングス＞　後発事象（他社の株式取得）について記載する例

> **4．決算期後に生じた企業集団の状況に関する重要な事実**
> 　当社は、2020年2月7日に株式譲渡契約を締結し、同年4月1日付で株式会社ケイエムテイの株式93.075％を取得いたしました。また、2020年3月6日に株式譲渡契約を締結し、同年4月1日付で三生電子株式会社の株式100％を取得いたしました。

＜トヨタ紡織＞　ご参考で，コーポレート・ガバナンスの基本方針等について記載する例

> ｜ご参考｜
> コーポレートガバナンスの基本的な考え方
> 　当社は、すべてのステークホルダーの方々に満足いただけるよう「よき企業市民として社会との調和ある成長を目指す」ことを基本理念の第一に掲げております。そのためには、経営の効率性と公平性・透明性の維持・向上が重要と考え、コーポレートガバナンスの充実をはかってまいります。
> 　具体的には、
> 　　1．株主の権利・平等性の確保、
> 　　2．株主以外のステークホルダーとの適切な協働、
> 　　3．適切な情報開示と透明性の確保、
> 　　4．取締役会の役割・責務の適切な遂行、
> 　　5．株主との建設的な対話、
> を進めてまいります。

10 その他株式会社（企業集団）に関する重要な事項

コーポレート・ガバナンス体制図（2020年4月1日現在）

<日清食品ホールディングス＞　コーポレート・ガバナンスの状況について記載する例

3 コーポレート・ガバナンスの状況

コーポレート・ガバナンスの基本的な考え方

　当社は、安全・安心な食品を提供し、株主、消費者、従業員、取引先、地域社会・住民等、すべてのステークホルダーの利益が最大化されるように事業を推進するとともに、コーポレート・ガバナンスの充実・強化を経営上の最重要課題の一つとして認識し、客観性と透明性の高い経営の実現に努めております。
　当社では、監査役設置会社を採用しており、独立・公正な立場から当社の業務執行を監視・監督する社外取締役、社外監査役を選任するとともに、迅速な業務執行体制の構築のために執行役員制度を導入しております。

コーポレート・ガバナンス体制図

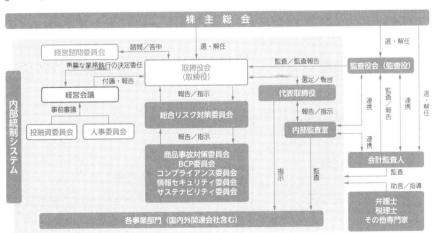

取締役会

　取締役会は、法令、定款及び取締役会規程にしたがい、経営上の重要事項について審議・決定を行う

Ⅱ　事業報告記載事項の分析

とともに、取締役の業務執行状況の報告を受け、その監督等を行っております。
　さらに、経営の監督と執行の適切な役割分担を図るため、執行役員制度を導入するとともに、経営会議を設置し、取締役会から権限委譲を受けた事項について、審議・決定を行っております。これにより、取締役会では、経営方針・経営計画などの経営全般に係る重要事項について、より集中して議論を行うことのできる環境を整えております。
　取締役会を構成する候補者の選任にあたっては、ガバナンス強化の観点から、取締役の過半数を社外取締役とすることで、経営の監督機能のさらなる強化を図っております。

（ご参考）社外取締役の役割

　社外取締役は、経営の方針や経営改善について、自らの知見に基づき、会社の持続的な成長を促し、中長期的な企業価値の向上を図るとの観点から助言を行うとともに、経営陣幹部の選解任その他の取締役会の重要な意思決定を通じ、経営の監督を行うことを、その主たる役割の一つとしております。
　そのため当社は、客観的な立場から、取締役会において経営の適法性と業務執行に対する意思決定の妥当性をチェックすることはもとより、取締役会等において企業価値を高める事業活動につながるアドバイス等が期待できる方を社外取締役として選任しております。

社外役員のサポート体制

　当社は、社外役員が活動しやすい環境を整備することが、経営陣に対して客観的な立場から実効性の高い監督を行うために重要と考えております。
　そのため、事前に議題となる資料を配付するとともに、必要に応じて取締役会の開催前に説明の機会を設けることで、当該案件への理解を促進し、取締役会における議論の活性化を図っております。
　また、新任の役員に対しては、当社の置かれる業界の動向や、当社グループの各事業の状況、今後の戦略等について、各分野の責任者による研修の機会を設け、当社事業への理解を深めております。さらに、役員向けの定期的な研修会やトレーニングの機会を随時提供することで、取締役会での審議の充実を図っております（46頁　ご参照）。
　加えて、独立社外取締役と監査役の会合「独立社外取締役・監査役連絡会」を適宜開催しており、独立社外取締役と監査役との情報共有と円滑な連携を促進しております（46頁　ご参照）。
　なお、総務部に取締役会事務局を設けるとともに、監査役会に直属する監査役室を設置し、社外役員の職務を補佐する従業員を配置しております。

経営諮問委員会

　2015年から、取締役会の監督機能を強化するとともに、経営の透明性・公平性を担保するため、独立社外取締役を委員長とし、独立役員が過半数を占める「経営諮問委員会」を設置しております。
　「経営諮問委員会」は、取締役会の諮問機関として、原則として年３回開催し、以下の議題について審議し、その結果を取締役会に答申することで、取締役会の審理や決議に寄与しております。

テーマ	審議内容の例（抜粋）	ご参考
1. 経営陣幹部の選解任 取締役候補者を含む経営陣幹部を選任又は解任する際の方針や基準について審議を行っております。また、その一連の手続きの方法に関する審議及び監督を行っております。	取締役候補者の選解任基準	20頁　ご参照
	取締役会の構成	経営の監督機能強化と意思決定の迅速化をより進めるため、2016年に社外取締役を1名増員する一方で、社内出身の取締役を6名減員しました。 これにより、取締役のうち過半数を社外取締役とする、現在の体制（47頁　ご参照）となりました。
2. 取締役の報酬 取締役に対する報酬の支給方針と、その決定プロセスの妥当性について、経営の透明性・公平性等の観点から審議及び監督を行っております。	報酬の支給方針及び報酬決定の手続き	50頁　ご参照
3. その他のコーポレート・ガバナンスに関する事項 上記のほか、当社のガバナンス体制の一層の向上を図るため、適宜、必要な議題を設定し、審議を行っております。	取締役会の運営に対する評価	45頁　ご参照
	最高経営責任者（CEO）の後継者の計画	後継者計画の監督や、CEOの後継者に求めるスキルセットの議論等を行っております。詳細は当社ウェブサイトに掲載しております「コーポレート・ガバナンス報告書」をご覧ください。 （当社ウェブサイト http://nissin.com/）
		当社の企業価値ひいては株主共同の利益の確保・向上の観点から、買収防衛策の有効

買収防衛策の廃止	期限（2019年3月期に関する当社の定時株主総会の終結時）が到来する前の、2017年12月に廃止しております。

　取締役会は、上記の事項について審理・決議するのに先立って、経営諮問委員会に諮問しなければならないとしております。また、取締役会は、経営諮問委員会の答申を尊重し、十分考慮して、これらの事項を審理・決議しております。

（ご参考）コーポレート・ガバナンスの向上に関する取り組み

取締役会の実効性についての分析と評価

　当社は、取締役会が担うべき役割を果たしているかを確認するとともに、その実効性を高めるため、毎年、取締役会の実効性評価を行うこととしております。
　当社では、各取締役・監査役から、取締役会の実効性に関してアンケート方式による自己評価を実施しております。なお、2019年度の取締役会実効性評価については、外部専門家を起用して評価を行うとの結論に至りました。2019年度に実施したアンケートの分析・評価の結果の概要は、以下のとおりです。

（1）評価プロセス
　以下のプロセスで評価を実施しました。
　①外部専門家の意見を受けて、経営諮問委員会にて実効性の評価方法について審議。取締役会にて評価方法を議論。
　②全取締役及び全監査役に無記名式によってアンケートを配付し、外部専門家が回答を集計・分析。
　③分析結果に基づき、経営諮問委員会で取締役会の実効性を評価するとともに、課題について審議し、その結果を取締役会へ報告。
　④取締役会において評価結果を共有するとともに、来年度に向けての課題を確認。

（2）アンケートの結果

結果の概要	取締役会に期待される監督機能と意思決定機能は、共に適切に機能しており、その実効性は確保されていることを確認しました。
評価が特に向上した項目	従来から、総じて高い評価となっておりますが、昨年との比較において、特に後継者計画の策定、取締役会の構成、サステナビリティを巡る課題に対する対応に関して、改善が進んでいることを確認しました。
昨年度の課題に対する評価と取り組み	2018年度の実効性評価では、「今まで以上に自由闊達で、建設的な議論や意見交換を尊ぶ気風の取締役会となるよう、より充実した議論を行うための工夫が必要」等の提案が示されました。 これに対し、当社の取締役会は以下の施策を実施しました。 ・特定のテーマに関する役員向けセミナーの実施や、議論の場を設ける ・取締役会の議題に関して、社外役員に追加の事前説明の機会を設ける この結果、2019年度に実施した自己評価の際には、改善が進んでいることを確認しました。
更なる実効性向上に向けた今後の課題	既に取り組みは行われているものの、取締役会の実効性をより高めるため、政策保有株式に関する開示の充実と、社外取締役と内部監査部門との連携の更なる強化について取り組んでいく必要性が示されました。

今後も継続的な改善を行うことで、取締役会の実効性のさらなる向上に取り組んでまいります。

取締役・監査役に対するトレーニングの方針

　当社は取締役・監査役に対し、第三者機関による研修の機会を提供し、その費用は会社負担としております。加えて、さらなる知識の習得・向上を図るため、以下の取り組みを行っております。

新任役員研修	各分野の責任者から、当社の置かれる業界の動向や、当社グループの各事業の状況、今後の戦略等について、説明を行っております。また、当社の主要な工場・研究所へ見学を行う機会等を設け、当社事業への理解を深めております。
役員向け研修会	必要に応じて外部講師を招聘し、経営上の重要テーマに関して、研修を受ける機会を設けております。 【2019年度に実施した研修会のテーマ】 ① ビジネスと人権に関するESGリスク ② D&I経営とアンコンシャスバイアス ③ ダイバーシティと両利きの経営　　④ コンプライアンス
独立社外取締役・監査役連絡会	社内外の役員が、情報交換を通じて必要な知識を習得する場として活用しております。 ※「独立社外取締役・監査役連絡会」については、次の項目をご参照ください。
役員昼食会	

独立社外取締役・監査役連絡会

　当社が持続的に成長を続け、中長期的な視点で企業価値を向上させるためには、自らが業務執行を

Ⅱ　事業報告記載事項の分析

行わない役員が、"経営上の優先課題"を認識したうえで職務に取り組むとともに、監督機能を十分に発揮するための環境を整備する必要があると考えております。
　そのため、当社は、独立社外取締役と監査役を構成員とする、「独立社外取締役・監査役連絡会」を2016年から適宜開催しております。この会議には、日々の監査で様々な現場の情報を得ることのできる常勤監査役が参加しております。これにより、独立役員が当社の経営課題への見識を深める場として、より活発な議論を行うことを図っております。また、より充実した議論を行うべく、必要に応じて執行役員等に出席を要請し、業務に関する意見交換を行っております。
　これにより、独立社外取締役と監査役との間で、情報交換や認識の共有を図っております。

構成員 （2020年3月31日時点）	独立社外取締役：水野正人、中川有紀子 監　査　役　：澤井政彦（常勤）、亀井温裕（常勤）、向井千杉
2019年度のテーマ	2019年度は事業上のリスクに関する重点課題を議論する観点から、以下のテーマを取り上げました。 ① 情報システムのリスク管理 ② グローバルブランド戦略 ③ サプライチェーンの構築

＜SUBARU＞　「企業価値向上への取り組み」を記載する例

5　企業価値向上への取り組み

(1) SUBARUグループのCSR

　当社は、事業を通じて社会に貢献し、ステークホルダーの期待・要請に応えていくためには、人権尊重の考え方を基礎にしつつ、グループ・グローバルでCSRの取り組みを推進していくことが必要と考えております。そこで、当社は、2020年4月1日に新たに「SUBARUグローバルサステナビリティ方針」および「人権方針」を明文化いたしました。

① 「SUBARUグローバルサステナビリティ方針」の制定

　「SUBARUグローバルサステナビリティ方針」は、2009年6月に改定した「CSR方針」以降の社会環境やステークホルダーとの関わり方の変化を踏まえ、かつ、グループ・グローバルの従業員が意思を共有できることを意図して、CSR方針を刷新したものであります。

＜SUBARUグローバルサステナビリティ方針＞

私たちSUBARUグループ※は、人・社会・環境の調和を目指し、
1. 事業を通じて、地球環境の保護を含む様々な社会課題の解決と、持続可能な社会の実現に貢献します。
2. 高品質と個性を大切にし、先進の技術で、SUBARUならではの価値を提供し続け、
　SUBARUグループに関わるすべての人々の人生を豊かにしていきます。
3. 国際社会における良き企業市民として、人権および多様な価値観・個性を尊重し、
　すべてのステークホルダーに誠実に向き合います。
4. 従業員一人ひとりが、安全に安心して働くことができ、かつ働きがいを感じられるよう職場環境を向上させます。
5. 国際ルールや各国・地域の法令を遵守するとともに、その文化・慣習等を尊重し、
　公正で透明な企業統治を行います。
6. ステークホルダーとの対話を経営に活かすとともに、適時かつ適切に企業情報を開示します。
※ SUBARUグループ：株式会社SUBARUおよびすべての子会社

---

② 「人権方針」の制定

　「一人ひとりの人権と個性を尊重」することは、「人・社会・環境の調和」を目指して豊かな社会づくりに貢献したいという、当社の企業理念を実現するための重要な経営課題と捉え、「人権方針」を制定いたしました。サプライチェーンを含め、事業に関連するビジネスパートナーやその他の関係者にも、この方針に基づく人権尊重の働きかけを行い、人権尊重の取り組みを推進してまいります。

※：人権方針の詳細は、当社ホームページ（https://www.subaru.co.jp/outline/Humanrights_Policies.pdf）をご覧ください。

③ CSR重点6領域「2025年のありたい姿」の明確化と貢献するSDGs

「ＳＵＢＡＲＵグローバルサステナビリティ方針」をもとに、2018年に選定したＳＵＢＡＲＵグループのCSR重点6領域について「2025年のありたい姿」を明確にいたしました。中期経営ビジョン「STEP」（2018年7月発表）で目指す「モノをつくる会社から笑顔をつくる会社へ」の実現に向けて、各領域の取り組みを一層強化し、さらには持続可能な開発目標（SDGs）の達成に貢献してまいります。

ＳＵＢＡＲＵグループの CSR重点6領域	2025年のありたい姿	貢献するSDGs
人を中心とした自動車文化	人の心や人生を豊かにするパートナーとなる企業になる。	9, 11
共感・共生	広く社会から信頼・共感され、共生できる企業になる。	11, 17
安心	すべてのステークホルダーに「最高の安心」を感じていただける企業になる。	3
ダイバーシティ	すべての人々の多様な価値観を尊重しつつ、多様な市場価値を創出する事業を推進する。	5, 8
環境	企業活動を通じて「大地と空と自然」が広がる地球環境を大切に守っていく。	13, 12
コンプライアンス	誠実に行動し、社会から信頼され、共感される企業になる。	8, 16

<SDGsへの貢献の具体例：「安心」>

「2030年に死亡交通事故ゼロ※を目指す」というＳＵＢＡＲＵグループの取り組みは、ターゲット3.6「2020年までに、世界の道路交通事故による死傷者を半減させる」ことに貢献します。

※：ＳＵＢＡＲＵ乗車中の死亡事故およびＳＵＢＡＲＵとの衝突による歩行者・自転車などの死亡事故をゼロに

(2) 環境への取り組み

<ＳＵＢＡＲＵの環境理念>
『大地と空と自然』がＳＵＢＡＲＵのフィールド

自動車と航空宇宙事業を柱とするＳＵＢＡＲＵの事業フィールドは、大地と空と自然です。私たちは、この大地と空と自然が広がる地球の環境保護こそが、社会と当社の未来への持続性を可能とする最重要テーマとして考え、すべての企業活動において取り組んでいきます。

① 気候変動（地球温暖化）への取り組み

当社は、気候変動への取り組みは最も重要なものの１つと認識し、「世界的な平均気温上昇を産業革命以前に比べて２℃未満に抑える」というパリ協定の目標を尊重しております。かかる目標へ貢献するため、当社は商品および工場・オフィスなどで排出するCO_2の排出削減を通じて、脱炭素社会の実現に貢献してまいります。

具体的には、2050年頃のカーボンニュートラルを目指すべき方向性として定め、「長期目標」を策定しております。また、そのマイルストーンとして2030年頃を想定した「中期目標」を策定しております。

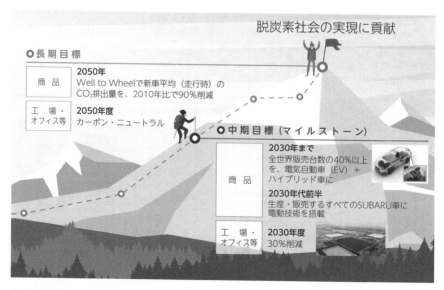

② 中期環境計画「環境アクション2030」の策定

　持続可能な社会を実現するため、当社は気候変動に限らず、世界的な環境諸課題の解決に貢献してまいります。その具現化として、現行の中期環境計画「第6次環境ボランタリープラン」が終了する2020年度以降の新計画として、「環境アクションプラン2030」を現在策定中です。

　新計画は、21世紀後半頃の社会が当社へ期待する水準を想定しつつ、当社事業との関連性や重要度を勘案した中期計画へと発展させていく予定です。

⑶　株主との建設的な対話に関する方針

　当社は、持続的な成長と中長期的な企業価値の向上に資するべく、株主との間で建設的な対話を行うことにより、長期的な信頼関係の構築に努めます。

　株主との建設的な対話全般については、CEOおよびCFOが統括し、IR部が担当するとともに、対話を充実させるために経営企画部、秘書室、財務管理部、法務部、監査部などの関係部署が有機的な連携を図ってまいります。また、株主からの経営戦略、事業内容、商品、業績などに対する理解を深めるために、各種説明会を適宜開催するほか、当社ホームページの活用などにより、株主に分かりやすい情報発信を積極的に行います。

　対話において把握した株主の意見・懸念などの内容は、定期的に取締役・監査役・執行役員のほか、関連部署にフィードバックしております。また、対話において未公表の重要な内部情報（インサイダー情報）が漏れることを防ぐために、内部者取引防止規則に基づき、情報管理を徹底します。さらに、別途定める会社情報開示規程およびディスクロージャーポリシーに基づき、フェアディスクロージャーによる株主との適切な対話を行います。

（ご参考）新型コロナウイルス感染症　感染拡大防止に向けた支援：医療用フェイスシールドの生産

　当社グループでは、新型コロナウイルスの感染拡大防止に向けた支援として、お取引先様とも協力して、医療用フェイスシールドの生産に着手いたしました。2020年4月末時点ですでに約400個を当社群馬製作所の近隣医療機関へ提供しており、5月末までに約7,000個を提供できる見込みです。

　提供先は、当社拠点の近隣医療機関のほか、当社拠点が立地する地域の医師会などを予定しています。

　当社は、今後も新型コロナウイルス感染症の拡大防止や医療現場の支援に向けて、様々な側面から対策を検討してまいります。

10 その他株式会社（企業集団）に関する重要な事項

<T&Dホールディングス> ご参考で，取締役会の実効性評価と政策保有株式の考え方について記載する例

<ご参考>取締役会の実効性評価と政策保有株式の考え方

【取締役会の実効性評価】
　当社は、2019年度の取締役会全体（任意の指名・報酬委員会を含む）としての実効性に関し、取締役・監査役の自己評価（アンケート）およびインタビュー等をベースに、取締役会において分析・評価を実施いたしました。
　アンケートの大項目は以下のとおりです。
（1）取締役会の機能　（2）取締役会の構成　（3）取締役会の運営　（4）社外役員に対する情報提供
（5）総合評価
　当社の取締役会は、取締役会における議論に至るまでの事前取組みの充実、取締役会の運営改善等により、全体として概ねその役割・責務を実効的に果たしていると判断しております。
　2018年度評価で課題と認識しました事項（ガバナンス強化のためのグループ経営におけるモニタリング機能の強化、指名・報酬委員会審議内容に係る説明、および取締役会での審議の深化・活性化のために更なる資料作成や説明の改善・工夫等）につきましては、概ね改善されております。
　なお、取締役会の実効性を向上させる態勢整備について引き続き改善の必要性を認識しており、例えば、グループ一体経営の観点から、グループ経営戦略等の一層の議論の充実、指名・報酬委員会の更なる審議事案の検討および簡潔かつ分かりやすい資料の作成と説明の工夫等に取り組んでまいります。
　本実効性評価等に基づき、監査等委員会設置会社への移行（※）も踏まえ、取締役会の監督機能および意思決定プロセスの更なる向上を図ってまいります。
※）6月25日（木）株主総会で決議されることを条件。

【政策保有株式の考え方】
　当社グループでは、政策保有株式につきまして、計画を策定のうえ継続的に縮減に取り組んでおります。今後も株式市場等の状況を踏まえ、引き続き縮減を行ってまいります。
　当社は、コーポレート・ガバナンス基本方針において、当社グループの上場株式の政策保有に関する方針や議決権行使についての考え方を次のとおり定めております。
1．当社グループは、上場株式の政策保有を行う場合、次の方針に基づくものとする。
（1）上場株式の政策保有を行う目的は、長期的・安定的な取引関係の維持・拡大を図ること、業務上の提携関係の維持・強化を図ること、並びに、株式価値の増大及び配当等の受領により中長期的な収益を享受するためとする。
（2）当社及び政策保有株式を有する当社グループ各社の取締役会は、毎年、個別の政策保有株式について、保有目的が適切か、保有に伴う便益やリスクが資本コストに見合っているか等を具体的に精査し、保有の適否を検証する。
（3）個別の政策保有株式の保有の適否の検証の結果、保有継続が適当でないと判断された政策保有株式は売却対象とし、政策保有株式の縮減を行う。
（4）当社グループにおける上記（2）（3）の検討の内容は、毎年、開示する。
2．当社グループは、適切な議決権の行使が相手先企業の健全なコーポレート・ガバナンス体制の確立や持続的成長を促すとともに、株主利益の向上に資する重要な手段と考え、政策保有株式について議決権を行使する。
3．前項の議決権の行使にあたっては、形式的な基準で判断するのではなく、相手先企業における経営判断を尊重しつつ、中長期的な視点での対話等を通じ、認識の共有を図る。なお、株主利益を損なうおそれがあると判断される場合には、議決権の適切な行使を通じて株主としての意思を表示する。

<大和証券グループ本社> ご参考で，SDGsの取り組みについて記載する例

（ご参考）大和証券グループのSDGs

　当社グループは、SDGsを、世界を牽引する重要な目標と捉え、当社グループビジネスを通じ、企業の経済的価値の追求と社会課題の解決を両立することで、豊かな社会の実現に積極的に取り組んでいきます。

SDGs（Sustainable Development Goals（持続可能な開発目標））とは
2015年9月の国連サミットで採択された2030年までの国際目標。持続可能な世界を実現するために、17のゴール・169のターゲットを掲げています。開発途上国だけでなく、日本を含む先進国の在り方を問い、その取り組みの過程で"誰一人取り残さない（No one will be left behind）"ことを誓っていることが特徴です。

Ⅱ　事業報告記載事項の分析

SDGs推進アクションプラン"Passion for SDGs"2019の策定

持続可能な資金循環を生む"大和版SDGsバリュー・チェーン"の構築

市場拡大に向けたSDGsマーケティングの推進
- SDGsの普及啓発に向けたプロモーションの強化
- SDGsを通じた投資教育による金融リテラシー向上
- 人や地球環境に配慮した店舗づくりとマーケティングツールの整備
- あらゆるお客様が利用しやすいサービスの追求

社会課題解決に資するSDGsファイナンス商品の拡充
- SDGs関連商品のラインナップ拡充（SDGs関連ファンド、SDGs債等）
- 大和ネクスト銀行預金、クラウドファンディング等を通じたソーシャルファイナンス拡大
- SDGsマーケティングと連携した新たな金融商品の組成
- SDGs関連ビジネスに取組む未上場企業への投資機会の提供

投資循環を促進するエンゲージメントの強化
- SDGsインパクト評価手法の検討
- 社内スクリーニング体制の整備
- 対話促進に資するSDGs／ESG情報の積極的な発信
- 非財務情報の開示拡充に向けたコンサルテーションの実施

SDGsに資する産業基盤の育成・支援
- M&A・事業承継を通じた産業基盤の維持・継承サポート
- スタートアップ企業・ソーシャルイノベーターの育成・支援
- 地域経済の活性化支援／各国の経済発展支援
- 先端テクノロジーを活用した新たな価値の提供
- SDGs関連ビジネスへの投資　■ NPO等との連携・支援

大和版SDGsバリュー・チェーン

大和証券グループの「ジブンゴト化」計画

会社
- 環境配慮への取り組み
- 「誰一人取り残さない」職場づくり
- SDGs人材の育成
- 働きがい改革の推進
- 取組み事例の社内外への発信

社員
- 自らを取り巻く社会課題の認知
- 課題解決に向けたアクションの実施

「第3回ジャパンSDGsアワード」（注）で特別賞を受賞

株式会社大和ネクスト銀行は、2019年12月に、特別賞「SDGsパートナーシップ賞」を受賞しました。
同行では、お客様の預入残高に一定割合を乗じた金額を、お客様が選ばれた団体・活動に同行が支援金として、寄付する「応援定期預金」をお取り扱いしており、同預金がSDGsに貢献するものとして、今回の受賞に至りました。

（写真）

（左から3番目：大和ネクスト銀行　中村社長（当時））

（注）ジャパンSDGsアワード：内閣総理大臣を本部長とするSDGs推進本部が、SDGs達成に資する優れた取り組みを行っている企業・団体等を表彰するもの

SDGs債の推進

大和証券株式会社では、従来のグリーンボンドに加え、ソーシャルボンドやサステナビリティボンドなど様々な種類のSDGs債の引受・販売を積極的に行っています。
2020年3月末時点における個人向けSDGs債の国内市場での累積販売シェアは49％と、高水準を維持しています。

主なSDGs債
- ●グリーンボンド…
　環境問題の解決に資するグリーンプロジェクトに要する資金を調達
- ●ソーシャルボンド…
　福祉や教育などの社会課題の解決に資するソーシャルプロジェクトに要する資金を調達
- ●サステナビリティボンド…
　グリーン及びソーシャル双方のプロジェクトに要する資金を調達

総額1兆5,061億円　大和証券販売額7,352億円　シェア49%

（2020年3月末時点における個人向けSDGs債の実績）

再生可能エネルギーへの投資

大和エナジー・インフラ株式会社は、再生可能エネルギーへの投資を通じて、新たなエネルギーシステムの構築等による社会課題の解決を目指しています。
国内における太陽光発電所への投資に加え、2019年6月にはモルディブで洋上太陽光発電事業を展開するSwimsol GmbHへの出資を行い、沿岸地域や島におけるクリーンな電源の提供に貢献しています。

（洋上太陽光発電システム）

トマト生産ビジネスへの参入

大和フード＆アグリ株式会社は、大規模かつ効率化を追求した農業の産業化を推進していくことで、日本の農業・食料分野を取り巻く社会課題の解決に貢献していくことを目指しています。
山形県川西町に拠点を構える農地所有適格法人への資本参加を通じて経営に参画し、大規模栽培によるトマト生産ビジネスに新たに参入しました。

（トマト栽培の様子）

Ⅲ 事業報告における事故・法令違反等特殊事例

　会社法施行規則120条1項1号から8号に定める事項以外に，重要な訴訟の提起，判決，和解，事故，不祥事，社会貢献等，会社または企業集団に関する重要な事項（事業年度の末日後に生じた財産・損益に影響を与えない重要な事象が生じた場合を含む（相澤哲＝郡谷大輔「事業報告〔上〕」商事法務1762号〔2006〕6頁）がある場合には，株式会社の現況に関する重要な事項として記載しなければならない（会社法施行規則120条1項9号）。

　また，全株懇モデルの補足説明のうち，1．企業集団の現況に関する事項〔その他の記載事項〕①においては，訴訟の提起等を，「その他企業集団の現況に関する重要な事項」として記載するか，独立した項目とせず，「(1)事業の経過およびその成果」や「(4)対処すべき課題」等に記載することも考えられるとされている。

　さらに，社外役員がいる場合においては，「法令又は定款に違反する事実その他不当な業務の執行（当該社外役員が社外監査役である場合にあっては，不正な業務の執行）が行われた事実（重要でないものを除く。）」があるときは，「各社外役員が当該事実の発生の予防のために行った行為及び当該事実の発生後の対応として行った行為の概要」を社外役員の主な活動状況として記載しなければならない（会社法施行規則124条1項4号ニ）。

　以下において，不祥事・事件，独占禁止法違反，行政処分，訴訟・和解，事故，不適切な会計処理・過年度決算の訂正等の事例を紹介する（なお，「その他会社（企業集団）の現況に関する重要事項」全般については，Ⅱ2（11）（108頁以降）およびⅡ10（236頁以降）を参照いただきたい）。

1　不祥事・事件等

＜大和ハウス工業＞　施工管理技士の技術認定試験における実務経験の不備
◎事業の経過及びその経過

> なお、当社は、2019年4月に公表の「戸建住宅・賃貸共同住宅における建築基準に関する不適合等について」及び2019年12月に公表の「施工管理技士の技術検定試験における実務経験の不備について」に関し、それぞれ外部調査委員会を設置し、事実関係の調査、原因分析を行ってまいりましたが、当該外部調査委員会より「調査報告書」を受領し、国土交通省へ報告いたしました。今後、当社は、外部調査委員会の指摘を真摯に受け止め、同様の事態を発生させることのないよう再発防止に努めてまいります。

◎社外役員に関する事項

> なお、当社は、2019年4月に「戸建住宅・賃貸共同住宅における建築基準に関する不適合等について」及び2019年12月に「施工管理技士の技術検定試験における実務経験の不備について」に関し、公表いたしました。
> 社外取締役及び社外監査役の6氏は、事前に当該事実を認識しておりませんでしたが、日頃より、同社の取締役

Ⅲ　事業報告における事故・法令違反等特殊事例

会、合同役員会及びコーポレートガバナンス委員会等において、豊富な経験と高い知見に基づき、コンプライアンスの重要性について注意喚起を行っておりました。
　当該事実の判明後、上述の6氏は、事実関係の調査、原因分析、再発防止策の検討等に積極的に関与するとともに、コンプライアンスを推進するための体制強化・徹底に向けた適切な措置を講ずることを求めるなど、その職責を果たしてまいりました。
　また、特に監査役 桑野幸徳氏につきましては、当該2つの事案の外部調査委員会の委員長として、再発防止策の提言等の取り纏めに尽力いたしました。

＜三菱マテリアル＞　検査記録データの書き換えや検査の一部不実施等の不適切な行為
◉企業集団が対処すべき課題

②品質管理を含むグループガバナンス体制強化のための施策について

　当社及び当社グループは、過去に製造販売した製品の一部について、検査記録データの書き換えや検査の一部不実施等の不適切な行為により顧客の規格値または社内仕様値を逸脱した製品等を出荷した事案が明らかとなったことから、再発防止等のため、2017年12月以降、品質管理を含むグループガバナンス体制強化のための諸施策（以下「本強化策」といいます。）に取り組んでまいりました。また、本強化策の進捗等について、会社の業務執行より独立した立場から監督することを目的として、2018年5月10日付で「ガバナンス強化策モニタリング委員会」（以下「モニタリング委員会」といいます。）を設置いたしました。
　当社及び当社グループとしては、本強化策を計画通り実施してきたことにより、各拠点において自律的に品質管理やガバナンス強化に関する取り組みを継続できる見通しが立っていることから、2020年5月13日付でモニタリング委員会を解散いたしました。
　モニタリング委員会の解散後は、2020年4月1日付で設置した「サステナブル経営推進本部」において、品質管理を含むグループガバナンスに関する取り組みを統括・推進するとともに、2018年4月から定期的に開催している「ガバナンス審議会」において、ガバナンス強化に関する

取り組み計画の審議・進捗確認を引き続き実施してまいります。当社及び当社グループの各拠点においては、サステナブル経営推進本部等が策定する方針及びガバナンス審議会で承認されたガバナンス計画に従い、自律的にガバナンス強化に関する取り組みを進めるとともに、コーポレート部門においては、各拠点の取り組み支援を行ってまいります。更に、こうしたガバナンス強化に関する取り組みの状況を取締役会等に報告し、定期的にモニタリングしてまいります。

今後も、このような事態を再び繰り返すことがないよう、引き続き当社及び当社グループの品質管理を含むグループガバナンスの更なる向上に努めてまいります。

＜カシオ計算機＞　ドイツでの不正送金
◉対処すべき課題

④コーポレートガバナンス機能の強化
　当社は2019年6月より監査等委員会設置会社へ移行し、監督と執行を分離することでコーポレートガバナンス機能を強化しております。また、事業環境の変化に対して迅速かつ柔軟に対応できる執行体制を構築し、企業価値の向上に努めております。さらに「カシオ倫理行動規範」の理解と浸透を図るために、定期的に教育を実施する等、コンプライアンスを推進しておりましたが、Casio Electronics Co.Ltd.（イギリス子会社）は英国競争・市場庁の立入調査を受け、その結果、当期において競争法違反に係る制裁金を支払いました。また、Casio Europe GmbH（ドイツ子会社）の元従業員が、不正送金した事実が当期に判明いたしました。当グループではこのような事態が発生したことを厳粛に受け止め、改めてコンプライアンスの徹底を行うとともに、内部管理体制のさらなる強化を図り、再発防止に向けて全力で取り組んでまいります。

＜ネットワンシステムズ＞　納品実体のない取引
◉事業の経過及びその成果

納品実体のない取引について
　当社は、2019年12月13日付「特別調査委員会設置に関するお知らせ」に記載のとおり、東京国税局による税務調査の過程で当社の一部取引について納品の事実が確認できない疑義があるとの指摘を受けたため、特別調査委員会を設置し、2020年3月12日付で「納品実体のない取引に関する調査最終報告書」を受領し、調査が終了いたしました。
　当社は、特別調査委員会の調査結果を真摯に受け止め、再発防止策（33ページ）を定め、取り組みを進

めています。

　納品実体のない取引は、中央省庁をエンドユーザーとする架空の物品販売を順次繰り返す形で行われていました。当社元社員は、当事会社の担当者らと連絡を取り合い、当該元社員の部下らに対して必要書類の一部の作成を命じ、当該元社員の上長に対して架空の取引である事実を秘して決裁を受け、本不正行為に係る取引を実行していました。本不正行為は、当該元社員が単独で行っていたものであり、当社における組織的な関与は認められておりません。

　連結計算書類への累計影響額は、売上高△321億円、営業利益△36億円、経常利益△36億円、親会社株主に帰属する当期純利益当期純利益△93億円となりました。また、当連結会計年度への影響額は、売上高△65億円、営業利益△10億円、経常利益△10億円、親会社株主に帰属する当期純利益当期純利益△21億円となりました。

● 対処すべき課題

(2) 対処すべき課題
「納品実体のない取引」における再発防止
特別調査委員会による原因分析
　「納品実体のない取引に関する調査最終報告書」において、本不正行為の防止及び発見に至らなかった原因について、以下のように分析しています。

大項目	中項目
不正リスクの管理に関する問題	ルール等の形骸化
	リスク管理体制上の問題点
	内部統制に係る問題
コンプライアンス活動に関する問題	コンプライアンス活動の空回り
	経営層・幹部層の取り組み姿勢の問題
	2013事案を踏まえた再発防止策の不徹底
	組織風土の問題

特別調査委員会の提言を踏まえた再発防止策
　当社は、特別調査委員会の調査結果を真摯に受け止め、以下の再発防止策を定め、取り組みを進めています。

営業取引の基本方針	架空取引リスクの排除	当社グループの付加価値（独自のサービスやソリューション等）が認められる案件のみを対応	開始済：2月13日
		明細の無い「一式」表記の案件を禁止	開始済：2月13日
		納入先お客様ならびに仕入元ベンダーが明確で、直接取引する案件のみを対応	開始済：2月13日
		中央省庁案件のみを担当する「霞が関オフィス」を閉鎖	実行済：3月31日
		PMS (Process Management System) による案件審査体制の強化	5月より開始
	リスク管理活動の抜本的見直し	最高リスク管理責任者（CRO）の役割を、「リスクの識別、リスク対応、リスク管理活動の有効性評価、継続的改善、その他のリスク管理プロセスを統括」と明確化	実行済：4月1日
		「旧・リスク・コンプライアンス委員会」を刷新し、リスク管理活動の評価と統制を行う「リスク管理委員会」、コンプ	

リスク管理体制の強化		ライアンス活動の評価と統制を行う「コンプライアンス委員会」を組織。CROが両委員会を管掌するとともに、両委員会に社外取締役も参加し、客観的な視点での意見・評価を得る	実行済：4月22日
	部門ごとの重要リスクの識別・評価	実行計画を策定	実行済：4月22日
		各部門は、期初に自部門のリスクを分析し、「リスク調査シート」をリスク管理室に提出。リスク管理室は客観的な視点からその検証と判断を行う	5月以降通年で実施
業務統制の強化	営業部門の権限の見直し	発注権限と検収権限を営業部門から分離	4月より取組開始
		業務規程を改定（見積承認、受注・売上業務、発注・納品確認・検収業務など）	6月より取組開始
		業務規程の改定と連携したシステム改修	6月より取組開始
	購買機能の強化	購買機能を「グループ購買部」として独立（旧・グループ購買・物流部）	実行済：4月1日
		仕入・検収に関する購買プロセスや機能の再定義・強化	6月より取組開始
	再発防止策の有効性向上	再発防止策に関する業務ルール変更の全社的な統轄・管理のために、社長直轄の専任組織として「営業統轄室」を新設	実行済：4月1日
	属人化の防止	部門を横断する人事ローテーションの実行	実行済：4月1日
コンプライアンス活動の見直し	内部通報制度の運用見直し	ハラスメントに関する通報と、不正に関する通報の窓口を分けるなど、有効性を高める運用形式に変更	6月中に実施
	コンプライアンス意識の強化	全社員（役員や幹部層を含む）を対象とした研修を実施	通年で実施
		各部門は、期初に「コンプライアンスの活動計画」を作成	5月中に実施
		役員や幹部層は、自身のコンプライアンス活動を宣言し、取締役会や経営委員会等で四半期ごとにレビューを実施	通年で実施
	新たな企業風土の形成	「ビジョン浸透委員会」を組織。本委員会には社外取締役も参加し、客観的な視点での意見・評価を得る	実行済：4月22日
		「ビジョン浸透委員会」における議論を経て、当社グループのゴール・ミッション・行動指針をまとめた「ビジョンブック」を更新し、社内での浸透を再徹底	9月に更新以降浸透を徹底

◎社外役員に関する事項

3）法令又は定款に違反する事実その他不当又は不正な業務の執行の予防のために行った行為及び発生後の対応

当事業年度において、当社の元社員により、2015年2月から2019年11月まで、納品実体のない取引が繰り返し行われていたことが判明いたしました。取締役河上邦雄氏、今井光雄氏、西川理恵子氏及び早野龍五氏並びに監査役菊池正道氏、堀井敬一氏及び須田秀樹氏は、いずれも事前には当該事実を認識しておりませんでしたが、日頃から取締役会等において、コンプライアンス、内部統制の強化の視点から発言を行っており、当該事実の判明後においても、原因究明のための徹底した調査を指示するとともに、再発防止に向けた対応策及び内部統制のさらなる強化等について意見を述べるなど、その職責を果たしております。

＜日立キャピタル＞　ファクタリング取引における不正常取引

◎当社グループの現況に関する事項

7．当社グループの対処すべき課題

(1) 当社グループの対処すべき課題

2019年度は、2021中計のスタートの年であり、重点事業（環境・エネルギー、モビリティ、ライフ、販売金融）への注力や付加価値の向上など、当社が掲げる社会価値創造の実現に向けた取り組みを着実に実行してまいりました。

また、当社子会社である日立商業保理(中国)有限公司にて2019年3月期に発生したファクタリング取引における不正常取引を受けて、2020年3月期を「基盤強化の年」と位置付け、グローバル事業の総点検を行い、その抜本的な見直しを実施いたしました。そして、再発防止を徹底するため、より強固なグローバルにおける与信関連規定の整備や運用、海外グループ会社と本社部門のより密接な連携、さらには、従業員に対する新たな与信関連規定の教育などを実行し、オペレーショナルリスク管理態勢と詐欺行為に対するリスクマネジメントの一層の強化に努めてまいりました。

Ⅲ　事業報告における事故・法令違反等特殊事例

＜セコム＞　元従業員の窃盗と住居侵入の疑いでの逮捕，実刑判決
◉社外役員に関する事項

> 2. 2019年11月に、当社の元従業員が窃盗と住居侵入の疑いで逮捕され、その後複数の余罪が判明し、2020年3月に神戸地裁より懲役1年10月の実刑判決が言い渡されました（被告人は控訴中）。社外取締役および社外監査役の各氏は、当該事案の発覚まで、当該事案を認識しておりませんでしたが、日ごろから取締役会等において法令遵守の視点に立った提言を行っております。また、当該事案の認識後は、当該事案の徹底的な調査及び再発防止策の策定を求める提言等、その職責を果たしております。

＜神戸製鋼所＞　品質不適切行為
◉事業の経過及びその成果並びに対処すべき課題

> ②　品質不適切行為の再発防止策等について
> 　2017年10月に公表いたしました、当社グループにおける品質不適切行為につきましては、ステークホルダーの皆様には多大なるご迷惑をお掛けしておりますこと、改めてお詫び申しあげます。
> 　対象となりました不適合製品の安全性の検証に関しましては、2019年3月29日公表のとおり、不適合製品を納入したことが判明している、のべ688社全てのお客様より、安全上の問題がない、あるいは、安全性に当面の問題はないとのご確認をいただいております。
> 　また、当社グループは、現在、2018年3月6日付「当社グループにおける不適切行為に関する報告書」にて公表いたしました再発防止策を順次実行に移しております。
> 　再発防止策の根幹となる意識改革のための様々な階層での対話機会の創出などコミュニケーションの活性化に注力しているほか、品質マネジメント体制の再構築と徹底、品質管理プロセスの強化、それに伴う設備投資などにも順次着手しており、概ね順調に進捗しております。
> 　また、現在、社外有識者が過半数を占める「品質マネジメント委員会」が、再発防止策の実効性に対するモニタリングの実施、当社グループにおける品質マネジメント強化活動のモニタリング及び提言を行なっております。
> 　再発防止策の各項目、進捗状況の詳細につきましては、当社ホームページにてご報告しておりますので、以下よりご参照ください。
> 　　（https://www.kobelco.co.jp/progress/relapse-prevention/index.html）
>
> 　なお、これまでに当社が開示してまいりました品質不適切行為に関する訴訟等の状況につきましては、以下のとおりとなっております。当社グループといたしましては、厳粛に受け止め、引き続き解決に向け、鋭意取り組んでまいります。
>
> | | 案件 | 状況 |
> |---|---|---|
> | 日本 | 不正競争防止法違反の疑いで起訴（2018年7月） | 2019年3月　罰金1億円の有罪判決 |
> | 米国 | 米国司法省の調査開始（2017年10月） | 2019年7月　調査終了 |
> | 米国 | 当社ADR証券に関する、米国証券法違反（コンプライアンス体制等の虚偽表示）に基づくクラスアクション | 2019年2月　和解（和解金500千米ドル） |
> | 米国 | 当社の製造した金属製品を使用して製造された自動車に関する、転売価値の下落等の経済的損失の賠償等を求めるクラスアクション | 2020年2月　和解基本合意
2020年4月　和解手続き完了
（和解金非公表） |
> | カナダ | 当社グループが製造した自動車向け金属製品や、それらを使用して製造された自動車に関する、経済的損失の賠償等を求めるクラスアクション | 2019年6月　和解（和解金1,950千カナダドル）訴訟取り下げを主な内容とする和解の基本合意書締結（訴訟却下手続き実施中） |

◉業務の適正を確保するための体制の運用状況

> ④　監査等委員会監査の実効性の確保に対する取組みの状況
> 　当社は、より透明性・公正性が担保され、監督機能が果たされるよう、独立性の高い社外取締役である監査等委員3名を含む5名の監査等委員を選任しております。このうち社内取締役である常勤の監査等委員2名は、監査環境の整備及び社内の情報収集に積極的に努めております。さらに、常勤の監査等委員は、内部統制システムの整備・運用状況を日常的に監査するとともに、職責の遂行上知り得た情報を他の監査等委員と共有しております。監査等委員である社外取締役は、その独立性、選任された理由等を踏まえ、中立の立場から客観的に監査意見を表明することが特に期待されていることを認識し、取締役会等に対して忌憚のない意見を述べております。
> 　また、監査等委員会は各取締役に対しヒアリングを行ない、取締役会による業務執行の決定及び内部統制システムの基本方針に謳う効率的な業務執行の実施の検証を行なっております。
> 　なお、2017年10月に公表した当社グループにおける品質不適切行為に関しては、監査等委員会として、業務執行取締役に対するヒアリングや各事業所、関係会社への往査等において、再発防止策の実行状況をはじめ、従業員の意識の変化、企業風土の

1　不祥事・事件等

改革等について確認をいたしました。
　加えて、内部監査及び会計監査と監査等委員会監査の連携については、監査等委員会は、会計監査人と定期的に会合をもち、監査体制、監査計画及び監査実施状況等について意見交換を行なうなど緊密な連携を保っております。また、監査の実施経過について適宜報告を受けております。
　さらに、監査等委員会は、内部監査部門から定期的に監査方針・計画を聴取するとともに、内部監査部門、内部統制部門の双方から、適宜コンプライアンスやリスク管理等の内部統制システムの実施状況とその監査結果の報告を受けるなど緊密な連携を保ち、効率的な監査を実施しております。

2 独占禁止法違反（各国競争法を含む）

＜大林組＞　アスファルト合材の販売価格の決定に関する独占禁止法違反に係る排除措置命令および課徴金納付命令

◉業務の適正を確保するための体制及び運用状況の開示

体制の概要	当期における運用状況の概要
5　当企業集団における業務の適正を確保するための体制	
（1）グローバル経営戦略室による指導・管理	グローバル経営戦略室がグループ会社に対する指導、管理を行っており、定常的な管理のほか、国内子会社を対象とする会議を開催し、グループ会社の業務全般にわたる指導等を行いました。
（2）経営会議等におけるグループ会社の重要事項の審議	経営会議及び取締役会は、グループ会社から経営計画や業務執行状況の報告を受けたほか、グループ会社に関する重要な事項について付議基準に則り随時、審議・決定しました。
（3）グループ会社への役員派遣	当社はグループ各社に当社役職員を1名以上役員として派遣しております。派遣された当社役職員は、当該会社の業務の適正の確保に努めるとともに、法令もしくは定款に違反するおそれがある事実等を発見したときは、グローバル経営戦略室を通じて当社取締役及び監査役に対して報告する体制をとっております。
（4）グループ会社に対する内部監査の実施	当社内部監査部門は、内部監査規程の定めに則り、財務報告に係る内部統制に関する基本方針及び内部監査計画に基づき、一部のグループ会社を対象に内部統制監査を実施しました。
当社子会社の大林道路株式会社においては、2015年1月以前の全国におけるアスファルト合材の販売価格の決定に関し、独占禁止法違反があったとして公正取引委員会の調査を2017年2月に受け、2019年7月に同委員会から排除措置命令及び課徴金納付命令を受けました。 同社の独占禁止法遵守体制としては、2015年10月に独占禁止法遵守プログラムを制定するとともに、2016年3月に設置した社外調査委員会からの提言内容を取り入れた再発防止策を実施・運用しており、また、排除措置命令に基づく「法務担当者及び第三者（弁護士）による定期的な監査」も実施しております。当社はその取り組みに関し、上記（1）～（4）の体制により指導・監督を行っております。	

＜アルフレッサ　ホールディングス＞　医療用医薬品の入札に関する独占禁止法違反の疑い

◉事業の状況

(1) 事業の経過および成果

　　　　　　　　　　　＜中　略＞

　なお、2019年11月27日に連結子会社であるアルフレッサ株式会社(本社：東京都千代田区、以下「アルフレッサ」という。)が、独立行政法人地域医療機能推進機構(JCHO)の医療用医薬品の入札に関し独占禁止法違反の疑いで公正取引委員会による立ち入り検査を受けており、株主の皆様に多大なご心配をおかけしておりますことを深くお詫び申し上げます。

＜三菱マテリアル＞　独占禁止法違反に伴う排除措置命令

◉企業集団が対処すべき課題

　　　　　③独占禁止法遵守体制強化のための施策について

当社の連結子会社であるユニバーサル製缶㈱は、2019年9月、公正取引委員会より、2016年3月31日以前に行われた飲料用アルミ缶の一部の取引に関し、独占禁止法に違反する行為があったとして、排除措置命令及び課徴金納付命令を受けました。本件につきましては、株主の皆様にご心配とご迷惑をおかけしたことを深くお詫び申し上げます。

当社及び当社グループにおいては、この事実を厳粛に受け止め、今後このような事態を再び繰り返すことがないよう、独占禁止法遵守体制を強化することとし、規定制定によるルールの明確化、教育・啓蒙の継続・拡充、監査体制の強化等の施策を策定、順次実行しております。

＜古河電気工業＞ 自動車部品取引に関するブラジル競争法当局の調査

◉企業集団の現況に関する事項

(10) その他企業集団の現況に関する重要な事項

当社子会社製の部品を組み込んだ自動車について市場回収措置（リコール）が行われており、米国において当社子会社が部品の販売先からその費用の一部分担に関し訴訟の提起を受け、係争中でしたが、2019年12月に米国裁判所の勧めにより、和解交渉を再開しました。なお、上記に関連して合理的に見積が可能な費用見込み額については、既に引当処理を行っております。

また、当社は、自動車部品取引に関し、ブラジル競争法当局の調査を受けております。このほか、電力ケーブル事業を営む㈱ビスキャスに対して、ブラジル競争法当局による調査が行われておりましたが、本年4月に、ブラジル競争法当局より課徴金の賦課決定が下され、同社ではこの決定を受容することといたしました。なお、当社および当社子会社は、競争法違反行為に関して、一部の顧客などから、損害の賠償を求められています。上記は、いずれも過去の行為に起因するものであり、現時点においてはこれらの行為は行われておりません。

＜デンソー＞ 独占禁止法違反の疑いに関連した当局の指摘

◉当社グループの現況に関する重要な事項

6 当社グループの現況に関する重要な事項

特定の自動車部品の過去の取引に関する独占禁止法違反の疑いに関連して、一部の国において当局より指摘を受けており、また、米国等で提起された民事訴訟に対応しているほか、一部の自動車メーカとの間で和解交渉を行っています。

独占禁止法の遵守は、当社グループの重要な経営基盤のひとつです。当社は今後ともこれまで徹底

Ⅲ　事業報告における事故・法令違反等特殊事例

してきた独占禁止法コンプライアンス体制をより一層強化し、信頼回復に努めてまいります。

＜メディパルホールディングス＞　医療用医薬品に関する独占禁止法違反の疑い
◉対処すべき課題

　　なお、当社連結対象の完全子会社である株式会社メディセオは、独立行政法人地域医療機能推進機構（JCHO）を発注者とする医療用医薬品の入札に関し、独占禁止法違反の疑いがあるとして、2019年11月、公正取引委員会による立ち入り検査を受けました。
　　当社といたしましては、株式会社メディセオとともに、この度の事態を厳粛かつ真摯に受け止め、公正取引委員会の検査に全面的に協力しております。また、今後は、当社グループのさらなる法令遵守の徹底、内部統制の充実に努めてまいります。
　　また、当社は、2020年3月、取締役会の諮問機関として、任意の「指名・報酬委員会」を設置いたしました。これにより、取締役の指名・報酬等に関する手続きの公正性・透明性・客観性を強化し、コーポレート・ガバナンスのさらなる充実を図ってまいります。

＜商船三井＞　完成自動車車輛の海上輸送に関する各国競争法違反の疑い
◉会社の経営戦略と対処すべき課題

　　なお、当社グループは、2012年以降、完成自動車車両の海上輸送に関して各国競争法違反の疑いがあるとして、米国等海外の当局による調査の対象となっております。また、本件に関連して、当社グループに対し損害賠償及び対象行為の差止め等を求める集団訴訟がカナダ及び英国において提起されています。このような事態を厳粛に受け止め、当社グループでは独禁法をはじめとするコンプライアンス強化と再発防止に引き続き取り組んでまいります。

＜スズケン＞　JCHOの入札に関する独占禁止法違反の疑いに係る公正取引委員会の立入検査
◉企業集団の事業の経過及びその成果

　　なお、当社は2019年11月27日に、独立行政法人地域医療機能推進機構（JCHO）の入札に関して独占禁止法違反の疑いがあるとして、公正取引委員会の立ち入り検査を受けました。立ち入り検査を受けたことを厳粛に受け止め、公正取引委員会の検査に全面的に協力しております。

◉企業集団の対処すべき課題

　3．公正取引委員会による立ち入り検査への対応
　　2019年11月、当社は独立行政法人地域医療機能推進機構（JCHO）の入札に関し独占禁止法違反の疑いがあるとして、公正取引委員会の立ち入り検査を受けました。当社といたしましては、立ち入り検査を受けたことを厳粛に受け止め、当局の検査に全面的に協力しております。
　　当社は、当局より検査を受けた事実を真摯に受け止め、改めてガバナンス体制の強化を図るため、2020年4月にコンプライアンス部、内部監査室の設置など組織再編を実施しております。
　　当社グループは、「コンプライアンスは行動の最上位にある」を掲げ、従業員一人一人のコンプライアンス意識のさらなる醸成に努め、社内ガバナンス体制の強化を図り信頼回復に努めてまいります。

　　株主の皆様におかれましては、今後とも格別のご支援、ご鞭撻を賜りますようお願い申しあげます。

3 行政処分等

(本項で取り上げている事例のほか、独占禁止法違反に係る行政処分等に関する事例については252頁以下の2で紹介した事例参照。)

＜三越伊勢丹ホールディングス＞ 消費者庁からの措置命令、課徴金納付命令
◉取締役および監査役の氏名等

> 5.当社の子会社である(株)エムアイカードは、同社が供給するクレジットカード「エムアイカードプラスゴールド」に係る役務の取引について、不当景品類および不当表示防止法第5条第1号又は第2号に該当する不当な表示を行っていたとして、消費者庁より2019年7月8日付で措置命令を、2020年3月24日付で課徴金納付命令を受けました。日頃より久保山路子氏、飯島彰己氏、土井美和子氏、小山田隆氏は当社取締役会において、宮田孝一氏、藤原宏髙氏、平田竹男氏は当社監査役会および取締役会において法令順守の観点から様々な提案を行っておりましたが、本事態の判明後においても当社取締役会での審議を通じて当社および同子会社を含む当社グループにおける再発防止策の策定と、全従業員への本事態の周知ならびに社員教育の強化に尽力いたしております。

＜日産自動車＞ 元会長らによる一連の重大な経営者不正に係る課徴金納付命令等
◉企業集団の現況に関する事項

> **(1) 事業の経過及びその成果**
>
> 当社は、2019年度も、元会長らによる一連の重大な「経営者不正」を踏まえ、ガバナンス強化に向けた取組みを迅速かつ誠実に進めてまいりました。
>
> 当社は、明確な形で執行と監督・監査を分離することにより、意思決定の透明性を向上するとともに、迅速かつ機動的な業務執行を実行するため、2019年6月の定時株主総会で株主の皆様のご承認をいただき、監査役会設置会社から指名委員会等設置会社へ移行いたしました。また、執行体制については、2019年12月に発足した新経営体制のもと、信頼回復及び業績回復に向けて抜本的改革に取り組んでおります。当社は、これらを含むガバナンスに関する改善措置の実施状況及び運用状況を記載した「改善状況報告書」を2020年1月16日付で、東京証券取引所に提出しております。
>
> なお、当社は、2019年5月14日付で、第107期（2006年3月期）から第119期（2018年3月期）までの有価証券報告書において開示した役員報酬等の内容を訂正する訂正報告書を、関東財務局に提出いたしました。このうち、第116期（2015年3月期）から第119期（2018年3月期）までの有価証券報告書等開示書類に関し、2020年2月27日付で金融庁長官から24億2,489万5,000円の課徴金納付命令の決定を受けました。米国においても、有価証券報告書における取締役報酬に係る重大な虚偽記載に関し、米国証券取引委員会との間で、行政手続による和解契約を締結し、1,500万ドルの課徴金を支払うことに合意いたしました。また当社は、2020年2月に、元会長に対して、損害賠償請求訴訟を提起いたしました。本訴訟は、長年にわたる元会長による不正行為により発生した損害を取り戻すべく、同氏に対し、100億円の損害賠償を求めるものですが、賠償請求額は、当社が将来的に支払う課徴金等により被る損害により、さらに増える見込みです。
>
> また、国内車両製造工場における完成検査に係る不適切な取扱いに関し、当社は再発防止に向けた取組みを進めてまいりましたが、2020年4月までに、計画していた全93項目の再発防止策について、その実施が完了いたしました。当社は引き続き、あらゆる業務における法令遵守、コンプライアンス意識の醸成・徹底を図ってまいります。

◉社外取締役に関する事項

> 2.前記の「1.企業集団の現況に関する事項」の「(1) 事業の経過及びその成果」に記載のとおり、当社は、2019年5月14日付で、第107期（2006年3月期）から第119期（2018年3月期）までの有価証券報告書において開示した役員報酬等の内容を訂正する訂正報告書を、関東財務局に提出いたしました。このうち、第116期（2015年3月期）から第119期（2018年3月期）までの有価証券報告書等開示書類に関し、2020年2月27日付で金融庁長官から24億2,489万5,000円の課徴金納付命令の決定を受けました。米国においても、有価証券報告書における取締役報酬に係る重大な虚偽記載に関し、米国証券取引委員会との間で、行政手続による和解契約を締結し、1,500万ドルの課徴金を支払うことに合意いたしました。
> 豊田正和、井原慶子及び永井素夫の3名は、当該命令の原因となった事案が明らかになるまで、当該事案を認識しておりませんでしたが、日頃から取締役会等において法令順守の視点に立った提言を行っており、また、当該事案の認識後は、当該事案の徹底的な調査及び再発防止を指示する等、その職責を果たしてきております。また、木村康、ベルナール デルマス、アンドリュー ハウス及びジェニファー ロジャーズの4名は、当該事案が発覚した時点では当社の取締役の地位にはありませんでしたが、

Ⅲ　事業報告における事故・法令違反等特殊事例

取締役就任後は、取締役会等において法令順守の視点に立った提言を行う等、その職責を果たしてきております。
なお、当社は、ガバナンスに関する改善措置の実施状況及び運用状況を記載した「改善状況報告書」を2020年1月16日付で、東京証券取引所に提出しております。

＜野村ホールディングス＞　情報管理にかかる経営管理態勢に関する業務改善命令
◉対処すべき課題

【リスクマネジメント、コンプライアンスなど】

＜　中　略　＞

2019年3月には、東京証券取引所で議論されている上位市場の指定・退出基準に関する情報について、市場の公正性・公平性の観点から不適切な取扱いがあり、同年5月、当社および野村證券は、金融庁より、情報管理にかかる経営管理態勢等につき、業務改善命令を受けました。当社および野村證券では、本件を重く受け止め、組織体制の見直しや規程の整備のほか、法令および規則の遵守のみならず、すべての役職員が社会規範に沿った行動ができるようにするため、野村グループの一員として取るべき行動の指針として「野村グループ行動規範」を策定するとともに、行動規範に基づく適正な行為（コンダクト）を推進する実効的な内部管理態勢の整備を行っております。

＜日本航空＞　飲酒問題にかかわる事業改善命令
◉JALグループ（企業集団）の現況に関する事項

3. 安全に関する取り組み

10月に当社は運航乗務員による飲酒問題に関わる二度目の事業改善命令を受けました。あわせて当社安全統括管理者の職務に関する警告および日本トランスオーシャン航空に対する厳重注意を受けました。当社は2018年12月に事業改善命令を受けて以降、再発防止に取り組んできましたが、対策実行のスピード感に欠け、安全管理体制の整備や意識改革が不十分なままであった結果、その後も不適切事案を再発させてしまいました。短期間に再び行政処分等を受けるに至り、お客さま、社会の皆さまの信頼を著しく損なったことは極めて深刻な事態であると厳粛に受け止めています。当社は、この危機的状況において、社長が直接安全を統括する体制に変更し、本件に対し、以下の対策を推進しました。
・全運航乗務員にアルコール検知器を個人貸与し、顔認証による本人確認含めた検査システムを活用した、出社前の自主検査を徹底するとともに、出社後においても第三者が立ち合う検査体制を導入し、検査の厳格化と精度の向上を図りました。
・教育および上司との面談に加え、役員による全運航乗務員との直接対話を実施し、意識改革の徹底を図りました。
・飲酒傾向に懸念のある運航乗務員に対し、外部専門機関によるカウンセリングなどの必要な対応を行いました。
・運航乗務員が自発的に参加できるよう、会社から独立した機関等によるカウンセリングや講習を提供するサポートプログラムを導入しました。

また、JALグループは、存立の大前提である安全の実現に向けて、経営目標に掲げた「安全管理システムの進化」「保安管理システムの進化」「事故の教訓の確実な継承」について継続して取り組みました。
「安全管理システムの進化」については、統合型安全データベースを活用したリスクの検知方法およびヒューマンエラーの分析手法の改善を通じて、航空事故（※1）や重大インシデント（※2）の未然防止に努めました。
「保安管理システムの進化」については、前期に設定した保安管理規程に従い保安リスクの特定・評価・対応などを体系的に行うことにより、高い航空保安水準の維持に努めました。また、教育を通じて、「全社員が保安要員である」という意識をさらに浸透させました。
「事故の教訓の確実な継承」については、御巣鷹山事故の経験者から話を聞く「安全講話～語り継ぐ～」の開催、御巣鷹山の慰霊登山ならびに当社安全啓発センターの見学を継続的に行い、三現主義（※3）に基づく安全意識の醸成を図りました。

（※1）航空事故：航空機の運航によって発生した人の死傷（重傷以上）、航空機の墜落、衝突または火災、航行中の航空機の損傷（大修理相当）等
（※2）重大インシデント：航空事故には至らないものの、そのおそれがあったと認められる事態、滑走路からの逸脱、非常脱出等
（※3）三現主義：安全アドバイザリーグループの畑村洋太郎氏が唱える、現地（事故現場）に行き、現物（機体残骸・遺品等）を見て、現人（事故に関わった方）の話を聞くことで、物事の本質が理解できるという考え方

社員教育施設　安全啓発センター

＜関西電力＞　役員等が社外の関係者から金品を受け取っていた問題等に関する業務改善命令

● 事業の経過およびその成果

(1) 事業の経過およびその成果

　はじめに、当社の役員等が社外の関係者から金品を受け取っていた問題等により、株主のみなさまに、多大なご迷惑とご心配をおかけいたしましたことを、深くお詫び申しあげます。

　本問題については、客観的かつ徹底的な調査を行うため、昨年10月、中立・公正な社外委員のみで構成される第三者委員会を設置し、本年3月14日に調査報告書を受領しました。報告書では、当社グループの役職員合計75名が、社外の関係者から総額約3億6千万円相当の金品を受領していたこと、社外の関係者の要求に応じる形で、個別の工事等や発注予定額に見合う工事等を発注することを約束し、実際に発注を行っている場合もあったこと、また本問題発覚後の当社の対応に関し、執行部による監査役への報告が遅滞したこと、さらには取締役および監査役が取締役会に報告せず、その結果、本問題の公表について取締役会で議論されなかったことなどに関して、コンプライアンス意識の欠如や、ガバナンスの深刻な機能不全であったと評価されました。

　また、同報告書では、一部の元役員へ退任後に嘱託等の業務を委嘱した際の報酬について、修正申告時の追加納税分の補填の趣旨が含まれており、正当性を認めることは困難であること、あわせて、過去の経営不振時の役員報酬カットに対する補填の趣旨も含まれていることが指摘されました。

　これらの問題により、経済産業大臣から電気事業法に基づく業務改善命令を受け、本年3月30日、再発防止に向けた業務改善計画を提出しました。

　当社グループは、本改善計画の実行などにより経営の刷新に取り組み、信頼回復に全力を尽くしてまいります。

● 対処すべき課題

(2) 対処すべき課題

◎ 金品受取り問題等を踏まえた再発防止に向けた取組み

　当社グループは、当社の役員等が社外の関係者から金品を受け取っていた問題等により、事業活動にとって最も大切な、お客さまや社会のみなさまから賜わる信頼を失墜させてしまいました。

　第三者委員会の報告書では、ガバナンスやコンプライアンス、工事発注、役員退任後の嘱託等の報酬に関する問題等、様々な観点から指摘を受け、これらの問題の根本的な原因は、「ユーザー目線」の欠落と、コンプライアンスよりも業績や事業活動を優先する内向きの企業体質にあると結論づけられました。

　当社は、本報告書の内容を厳粛かつ真摯に受け止め、電気事業法に基づく業務改善命令に対する業務改善計画を取りまとめ、去る3月30日に、経済産業大臣に提出しました。

　当社グループは、お客さまに選ばれ、社会から必要とされる企業であるために、失った信頼を再び賜わることができるよう、本改善計画において策定した次の3つを柱とする再発防止策を、全力を挙げて速やかに実行してまいります。

　再発防止策の主な内容は、次のとおりであります。

①コンプライアンス体制の抜本的強化とコンプライアンスを重視する組織風土の醸成

コンプライアンスに係る監督機能を強化するために、委員長を社外委員とし、過半数を社外委員で構成する「コンプライアンス委員会」を取締役会直下に新設し、外部の客観的な視点を重視したコンプライアンス体制の再構築に取り組んでおります。
　コンプライアンス委員会は、コンプライアンス推進に係る基本方針や役員に関する問題事象の対処方針等について、審議および承認を行うとともに、社長等執行に対するコンプライアンス上の指導、助言および監督ならびに取締役会への定期的な報告等を行います。
　また、コンプライアンス推進に係る基本方針等を網羅的に見直すとともに、コンプライアンス等に係るトレーニングおよび研修の強化により、コンプライアンス意識の醸成・徹底に取り組んでまいります。

②工事の発注・契約に係る業務の適切性および透明性を確保するための業務運営体制の確立
　工事の発注・契約等に係るルールを明確化するとともに、工事の発注・契約手続き等および寄付金・協力金拠出手続きについて、新設した「調達等審査委員会」が外部の専門家の視点で事後審査する仕組みを構築することにより、業務の適切性、透明性を確保してまいります。

③新たな経営管理体制の構築
　取締役会の監督機能を強化すべく、執行と監督を明確に分離し、外部の客観的な視点を重視した実効的なガバナンス体制を構築することを目的に、指名委員会等設置会社に移行いたします。「指名委員会」、「報酬委員会」および「監査委員会」のいわゆる法定3委員会は、過半数の委員を社外取締役で構成することに加え、各委員長も社外取締役とするなど、外部の客観的な視点を取り入れます。
　また、本問題の大半が原子力事業本部においてなされたことを踏まえ、コンプライアンスを所管する本部長代理を設置するなど、原子力事業本部に対する実効的なガバナンス体制を構築してまいります。
　なお、役員退任後の嘱託等の報酬に関する問題については、全額回収の目途が立っており、今後、新たに顧問等を委嘱する場合、指名委員会および報酬委員会において、その委嘱の必要性および報酬について厳正に審議し、取締役会で決定することにより、客観性を確保してまいります。

　本年4月に事業を開始した関西電力送配電株式会社においても、業務改善計画に掲げた再発防止策のうち、必要な施策を確実に実行してまいります。
　当社グループは、これらの施策を着実に実行し、誠実で、透明性の高い開かれた事業活動を実現することで、再び信頼を賜わり、お客さまから選ばれ、社会から必要とされる「新たな関西電力の創生」を目指してまいります。

◎関西電力グループ重点取組み（2020）
　2020年度は、「新型コロナウイルスへの対応」と「業務改善計画の完遂を通じた信頼回復」を「関西電力グループ重点取組み（2020）」として位置づけ、「関西電力グループ中期経営計画（2019-2021）」に掲げた5つの方向性に沿った取組みを着実に推進してまいります。
　新型コロナウイルスの感染拡大に伴い、本年4月には全国を対象に緊急事態宣言が発出され、社会全体でその克服に向けて取り組むことが求められております。こうした中、当社グループは、事業活動に関わる全ての人の生命・健康を守りながら、事業継続に万全を期すことにより、電気・ガス・通信等、社会のみなさまのくらしやビジネスに不可欠なインフラを担う事業者として、引き続き、これらを安全・安定的にお届けできるよう、総力を挙げて取り組んでまいります。
　また、金品受取り問題等を踏まえ、コンプライアンスや発注・契約、経営管理体制について、外部の客観的な視点を重視した変革を進めるなど、お客さまや社会のみなさまから信頼を再び賜わることができるよう、業務改善計画に掲げた施策を迅速かつ確実に実行してまいります。
　加えて、当社グループとして持続的な成長を図るため、徹底した効率化の追求や、販売・電源両面での競争力の向上、新規成長分野の開拓等を通じて、あらゆる面で改革を実行してまいります。
　当社グループは、こうした取組みを通じ、株主のみなさまのご期待にお応えできるよう全力を尽くしてまいります。

　株主のみなさまにおかれましては、引き続き、ご理解とご支援を賜わりますようお願い申しあげます。

◎取締役の職務の執行が法令および定款に適合することを確保するための体制その他業務の適正を確保するための体制およびその運用状況
(1) 当該体制に関する取締役会の決議内容

> 当社は、「1.企業集団の現況に関する事項(1)事業の経過およびその成果」に記載のとおり、当社の役員等が社外の関係者から金品を受け取っていた問題等により、本年3月14日に第三者委員会から調査報告書を受領しました。報告書では、当社グループの役職員合計75名が、社外の関係者から総額約3億6千万円相当の金品を受領していたこと、社外の関係者の要求に応じる形で、個別の工事等や発注予定額に見合う工事等を発注することを約束し、実際に発注を行っている場合もあったこと、また本問題発覚後の当社の対応に関し、執行部による監査役への報告が遅滞したこと、さらには取締役および監査役が取締役会に報告せず、その結果、本問題の公表について取締役会で議論されなかったことなどに関して、コンプライアンス意識の欠如や、ガバナンスの深刻な機能不全であったと評価されました。
> また、同報告書では、一部の元役員へ退任後に嘱託等の業務を委嘱した際の報酬について、修正申告時の追加納税分の補填の趣旨が含まれており、正当性を認めることは困難であること、あわせて、過去の経営不振時の役員報酬カットに対する補填の趣旨も含まれていることが指摘されました。
> これらの問題により、経済産業大臣から電気事業法に基づく業務改善命令を受け、本年3月30日、再発防止に向けた業務改善計画を提出しました。
> 当社グループは、「1.企業集団の現況に関する事項(2)対処すべき課題」に記載のとおり、業務改善計画に掲げた施策を着実に実行し、誠実で、透明性の高い開かれた事業活動を実現することで、再び信頼を賜わり、お客さまから選ばれ、社会から必要とされる「新たな関西電力の創生」を目指してまいります。

＜大阪ガス＞　独占禁止法に基づく排除措置命令および課徴金納付命令
◎内部統制システムの運用状況の概要

> ① コンプライアンスに関する事項
> CSR委員会は、コンプライアンス部会、環境部会、社会貢献部会、リスク管理部会を設置し(※)、各分野におけるCSRをより一層推進しております。
> (※) 本年4月1日より、コンプライアンス部会、リスク管理部会を、コンプライアンス・リスク管理部会として統合いたしました。
> 「Daigasグループ企業行動基準」およびその解説等を内容とする教材をイントラネットに常時掲示することなどにより、当社グループの取締役および従業員に対し周知し、理解促進と定着を図っております。
> 大阪ガスケミカル株式会社は、浄水処理施設等で使用する活性炭の入札案件において、公正取引委員会から独占禁止法に基づく排除措置命令および課徴金納付命令を受けました。同社では、再発防止に向けた規程の整備や、研修、監査等を実施しております。今後も当社グループ全体で関係法令の遵守に努めてまいります。
> また、相談・報告制度に関しては、制度のさらなる理解と利用の促進を図るため、ポスターの掲示による周知を行うとともに、イントラネット等を通じてコンプライアンスの考え方や制度に関する解説を実施しております。

III 事業報告における事故・法令違反等特殊事例

4 訴訟・和解等

（本項で取り上げている事例のほか，独占禁止法違反に係る行政処分等に関する事例については252頁以下の2で紹介した事例参照。）

＜NIPPO＞ 東京都に関する損害賠償請求
●事業の経過および成果

> ＜開発事業およびその他の事業＞
> 　開発事業およびその他の事業の売上高は、それぞれ196億16百万円、46億60百万円となり、前期に比べてそれぞれ5.7％の増加、9.0％の減少となりました。
> 　なお、開発事業におきまして、当社および神鋼不動産株式会社(神戸市中央区)は、東京都を被告として、「ル・サンク小石川後楽園」事業に対する建築確認処分を取り消した裁決の取消請求訴訟を2016年5月10日に東京地方裁判所に提起しました。その後、2018年5月24日に、同裁判所から当社らの請求を棄却する判決が言い渡され、当社らはこれを不服として、6月6日に東京高等裁判所に控訴しました。当社らは、12月19日に同裁判所が当社らの控訴を棄却する判決を言い渡したことから、これを不服として、12月27日に最高裁判所に上告したところ、2019年8月16日に、同裁判所から上告棄却・上告不受理決定がなされました。
> 　また、当社は、同事業の中断により当社に発生した損害などについて、2019年5月9日に、東京都を被告として、国家賠償法に基づく損害賠償請求の訴えを東京地方裁判所に提起するとともに、9月3日に、指定確認検査機関である株式会社都市居住評価センターを被告として、損害賠償請求の訴えを同裁判所に提起しました。
> 　なお、「ル・サンク小石川後楽園」事業につきましては、事業継続に向けて検討中であります。

＜ユニチカ＞ 豊橋市に関する損害賠償請求訴訟
●企業集団の現況に関する事項

> （11）その他企業集団の現況に関する重要な事項
> 　① 当社が、愛知県豊橋市（以下「豊橋市」）から1951年に譲り受けた工場用地を第三者に売却したことは、用地を譲り受けた際の契約に違反するとして、豊橋市住民が豊橋市長に対し、当社に対して損害賠償金の支払等を請求するよう求めていた訴訟の控訴審（当社は補助参加人として参加）で、2019年7月16日に名古屋高等裁判所は、豊橋市長に対し、約20億94百万円の損害賠償金及び遅延損害金の支払を請求するよう命ずる判決を言い渡しました。
> 　　なお、当社、豊橋市長及び豊橋市住民は、本判決に対し上告及び上告受理申立てをしており、現在も係属中です。
>
> 　　　　　　　　　　　　　＜後　略＞

＜塩野義製薬＞ 更正処分等の取消請求訴訟等
●その他企業集団の現況に関する重要な事項

> 　4．その他企業集団の現況に関する重要な事項

訴訟

・当社は、2014年9月12日、大阪国税局長（以下、「原処分庁」という）より、2013年3月期の「法人税額等の更正通知書及び加算税の賦課決定通知書」等を受領しました。当社はこれらの処分等を不服として、同年11月10日に、原処分庁に対し異議申立てを行ったものの、原処分庁より異議申立てを棄却されたため、さらに2015年3月9日に、大阪国税不服審判所に対し審査請求書を提出いたしました。しかしながら、当社は、2016年3月7日に、同審判所長より、当社の審査請求をいずれも棄却する旨の裁決書謄本を受領しましたので、同年9月2日、東京地方裁判所に更正処分等の取消請求訴訟を提起いたしました。3年を超える審理の結果、2020年3月11日に、東京地方裁判所は当社の主張をほぼ全面的に認める判決を言い渡しました。被告 国はこの判決を不服として控訴いたしましたので、今後東京高等裁判所において審理が行われる予定です。

・当社は、2017年11月、米国においてドルテグラビル、アバカビル及びラミブジンの配合剤（日本販売名：トリーメク®）の後発品申請を行った各社（Lupin Limited、Cipla Limited、Dr. Reddy's Laboratories, Inc.、Mylan Pharmaceuticals Inc.、Apotex Incなど）に対し、ViiV Healthcare Company及びViiV Healthcare UK (No.3) Limitedと共同で、当社が保有するドルテグラビルの結晶の特許権に基づき、上記後発品申請に基づくFDA承認の有効日が結晶特許満了日より早くならないこと等を求める特許権侵害訴訟をデラウエア州地区連邦地方裁判所及びその他の連邦地方裁判所に提起いたしました。

・当社は、2017年11月から12月にかけて、米国においてドルテグラビル（日本販売名：テビケイ®）の後発品申請を行った各社（Cipla Limited、Dr. Reddy's Laboratories, Inc.、Sandoz Inc.、LEK Pharmaceuticals D.D.、Apotex Inc.など）に対し、ViiV Healthcare Company及びViiV Healthcare UK (No.3) Limitedと共同で、当社が保有するドルテグラビルの結晶の特許権に基づき、上記後発品申請に基づくFDA承認の有効日が結晶特許満了日より早くならないこと等を求める特許権侵害訴訟をデラウエア州地区連邦地方裁判所及びその他の連邦地方裁判所に提起いたしました。

・当社は、2018年2月7日、米国においてビクテグラビルを含む配合剤（米国名：Biktarvy®）の承認を取得したGilead社に対して、ViiV Healthcareと共同で当社が保有するドルテグラビルの物質の特許権に基づき、米国のデラウエア州地区連邦地方裁判所に特許権侵害訴訟を提起いたしました。

当社は、2018年2月7日、カナダにおいてビクテグラビルを含む配合剤の承認取得を進めているGilead社に対して、ViiV Healthcareと共同で当社が保有するドルテグラビルの物質の特許権に基づき、カナダの連邦裁判所に特許権侵害訴訟を提起いたしました。

当社は、2019年11月20日、日本においてビクテグラビルを含む配合剤の販売を行っているGilead社に対して、ViiV Healthcareと共同で当社が保有するドルテグラビルの物質の特許権に基づき、東京地方裁判所に特許権侵害訴訟を提起いたしました。

当社は、2019年11月20日、ドイツ、フランス、イギリス、アイルランド、韓国においてビクテグラビルを含む配合剤の販売を行っているGilead社に対して、ViiV Healthcareと共同で当社が保有するドルテグラビルの物質の特許権に基づき、各国の裁判所に特許権侵害訴訟を提起いたしました。

当社は、2019年12月6日、オーストラリアにおいてビクテグラビルを含む配合剤の販売を行っているGilead社に対して、ViiV Healthcareと共同で当社が保有するドルテグラビルの物質の特許権に基づき、オーストラリアの連邦裁判所に特許権侵害訴訟を提起いたしました。

・当社は、2019年11月、米国においてドルテグラビル及びラミブジンの配合剤（日本販売名：ドウベイト）の後発品申請を行ったCipla Limitedに対し、ViiV Healthcare Company及びViiV Healthcare UK (No.3) Limitedと共同で、当社が保有するドルテグラビルの結晶の特許権に基づき、上記後発品申請に基づくFDA承認の有効日が結晶特許満了日より早くならないこと等を求める特許権侵害訴訟をデラウエア州地区連邦地方裁判所で提起いたしました。

・当社は、2020年2月、米国においてドルテグラビル及びリルピビリンの配合剤（日本販売名：ジャルカ®）の後発品申請を行ったLupin Limitedに対し、ViiV Healthcare Company及びViiV Healthcare UK (No.3) Limitedと共同で、当社が保有するドルテグラビルの結晶の特許権、およびViiV社が保有するドルテグラビルとリルピビリンの配合剤に関する特許権に基づき、上記後発品申請に基づくFDA承認の有効日がこれら特許の満了日より早くならないこと等を求める特許権侵害訴訟をデラウエア州地区連邦地方裁判所で提起いたしました。

Ⅲ　事業報告における事故・法令違反等特殊事例

＜日立造船＞　トンネル掘削工事に関する損害賠償請求訴訟
◉企業集団の現況に関する事項

---
(10) その他企業集団の現況に関する重要な事項
・当社子会社Hitachi Zosen U.S.A.社経由で、米国の土木建設会社JVに納めたシールド掘進機が、トンネル掘削工事中に停止する事態が発生しました。シールド掘進機本体の修理を行い2017年4月に掘削を完了しましたが、この事態に関して当該JVが提起した保険金請求権確認訴訟にHitachi Zosen U.S.A.社は原告として参加しました。他方、当該JVから当社およびHitachi Zosen U.S.A.社に損害賠償請求訴訟が提起され、米国の裁判所で係属中でありましたが、本損害賠償請求訴訟については、2019年10月に当該JVとの間で和解契約を締結し、取り下げられました。
・当社子会社セラケム株式会社は、2019年11月、地方自治体が運営する浄水場に対して納入する活性炭の入札に関して、公正取引委員会から独占禁止法第7条の2第18項に基づく通知を受けました。なお、2015年4月に同社内において違法行為が発覚した後、直ちに課徴金減免申請を行い公正取引委員会の調査に協力してきたことにより、同委員会から排除措置命令および課徴金納付命令は受けておりません。

＜四国電力＞　伊方原発3号機の運転差止め仮処分決定
◉事業の経過および成果

---
(1) 事業の経過および成果
　2019年度の当社グループは、電力小売りにおける競争が一層進展するなか、徹底したコスト効率の改善により競争力の強化をはかるとともに、情報通信事業や海外での発電事業、さらには新たな収益源の開拓にも取り組むなど、収益力の維持・向上に努めてまいりました。
　こうしたなか、当社の重要な基幹電源である伊方発電所3号機につきましては、本年1月、広島高等裁判所において、運転差し止めを命じる仮処分決定が出されました。同決定につきましては、到底承服できるものではないことから、当社は、本年2月、同裁判所に対して、異議申立てを行いました。また、伊方発電所におきましては、本年1月以降、重大トラブルが連続して発生したことを受け、それらの原因究明と再発防止に取り組むなど、安全性向上の追求に全力で努めております。

◉対処すべき課題

---
(4) 対処すべき課題
　当社グループのコア事業である電気事業におきましては、電力小売全面自由化の進展に伴い、新規参入事業者に加え、旧一般電気事業者との間においても、お客さま獲得競争が激しさを増しております。
　また、電力取引における新たな市場メカニズムの整備や温室効果ガスの排出削減に向けた環境規制の強化、自然災害に備えた電力供給におけるレジリエンス強化への諸施策など、今後の当社グループの事業経営に大きな影響を及ぼす様々な政策・規制面の見直しが進められております。
　さらに、新型コロナウイルス感染症に適切に対応していくことが、当社グループにおきましても喫緊の課題となっております。

　こうしたなか、当社は、電気事業法が定める送配電事業の法的分離に対応するため、本年4月1日に、一般送配電事業を完全子会社である四国電力送配電株式会社に承継させ

ましたが，当社および四国電力送配電株式会社は，大規模災害や感染症の長期化などの事態が生じた場合におきましても，引き続き，社会的責任を果たすべく，電力の安定供給に万全を期してまいります。
　また，重要な基幹電源である伊方発電所3号機につきましては，運転差し止めを命じる仮処分決定の早期の取り消しに向けて全力を尽くすとともに，特定重大事故等対処施設設置工事の早期完了に向けて，安全を大前提に，懸命に取り組んでまいります。

＜セイコーエプソン＞　ベルギーにおける著作権料に関する訴訟
◉現況に関するその他の重要な事実

1.14 現況に関するその他の重要な事実

＜中　略＞

（2）ベルギーにおける著作権料に関する訴訟について
　当社連結子会社のEpson Europe B.V.（以下「EEB」という。）は、2010年にベルギーにおける著作権料徴収団体であるLa SCRL REPROBEL（以下「REPROBEL」という。）に対して、マルチファンクションプリンターに関する著作権料の返還などを求める民事訴訟を提起しました。その後、REPROBELがEEBを提訴したことにより、これら二つの訴訟は併合され、係る訴訟の第１審ではEEBの主張を棄却する判決がなされましたが、EEBは、これを不服として上訴する方針です。

＜後　略＞

＜丸　　紅＞　不法行為による信用毀損等の損害賠償請求訴訟
◉当社グループの事業推進における個別のリスクについて

＜重要な訴訟（Sugar訴訟）について＞
　当社グループの国内及び海外における営業活動が訴訟、紛争又はその他の法的手続きの対象になることがあります。対象となった場合、訴訟等には不確実性が伴い、その結果を現時点で予測することは不可能です。訴訟等が将来の当社グループの業績及び財政状態に悪影響を及ぼす可能性があります。
　当社はインドネシアの企業グループであるSugar Groupに属する企業（以下、Sugar Group）を相手にした訴訟（以下、旧訴訟）について、2011年にインドネシア最高裁判所（以下、最高裁）において当社の勝訴が確定したにもかかわらず、Sugar Groupから、旧訴訟と請求内容が同一である別途訴訟（以下、グヌンスギ訴訟及び南ジャカルタ訴訟）を提起され、グヌンスギ訴訟及び南ジャカルタ訴訟につき最高裁で当社の敗訴が一旦確定しておりますが、当社はインドネシア最高裁に対して司法審査（再審理）を申し立て現在も係争中です。また、当社はSugar Groupの不法行為による当社の信用毀損等を原因としてSugar Groupに対し損害賠償請求訴訟を提起しておりますが、これに対し、Sugar Groupは当該訴訟の手続きの中で、当社に対して当該訴訟の提起が不法行為であるとして損害賠償請求訴訟（以下、反訴）を提起し、現在も中央ジャカルタ地裁にて係争中です。当社に不利な裁定を最高裁が下したグヌンスギ訴訟及び南ジャカルタ訴訟並びに中央ジャカルタ地裁にて現在係争中の反訴の今後の趨勢や裁判手続次第では、敗訴判決に基づく損害賠償額・金利・訴訟費用の合計金額の全部又は一部について当社が負担を強いられ損失を蒙る等、当社の業績及び財政状態に悪影響を及ぼす可能性があります(注)。各訴訟の詳細及び経緯については「その他の当社グループの現況に関する重要な事項」における説明をご参照願います。
(注) 南ジャカルタ訴訟においては被告に丸紅欧州会社も含まれるため、丸紅欧州会社の業績及び財政状態に悪影響を及ぼす可能性があります。

＜ＴＩＳ＞　システム開発等に関する損害賠償請求訴訟
◉その他企業集団の現況に関する重要な事項

（12）その他企業集団の現況に関する重要な事項
　当社の連結子会社である株式会社インテックは同社が受託したシステム開発等の業務に関し、三菱食品株式会社

Ⅲ 事業報告における事故・法令違反等特殊事例

　より損害賠償請求訴訟（損害賠償請求金額12,703百万円 訴状受領日 2018年12月17日）を受け、現在係争中であります。

5　事　故

<安藤・間>　東京多摩市における火災
◉企業集団の現況に関する事項

> **11. その他の企業集団の現況に関する重要な事項**
>
> ①東京都多摩市における火災について
>
> 　当社が2018年7月に東京都多摩市の工事現場で発生させた火災につきましては、工事目的物の修復・改修工事を終えて当連結会計年度で完成引渡をしました。なお、業務上過失致死傷および業務上失火被疑事件として2018年12月に当社社員3名が書類送検されております。
>
> 　当社は、安全衛生基本方針である「安全はすべてに優先する」を役職員一同改めて肝に銘じ、二度とこのような重大災害を繰り返さないという経営トップの強い意志のもとで、火気使用ルールの改定、ルールに関する安全教育および履行確認等、外部識者による確認・提言を受け定めた再発防止策を、これからも着実に実行していくとともに、日々の安全管理の徹底により、信頼回復に努めてまいります。

<日本軽金属ホールディングス>　豪雨による保有ダムの水位上昇に伴う周辺地域への浸水被害
◉当社グループ（企業集団）の現況に関する事項

> **（4）当社グループの対処すべき課題**
>
> 　今後の世界経済は、新型コロナウイルス感染拡大の経済活動への影響が長期化すれば、より深刻な事態になることも懸念されます。わが国経済は、政府による各種経済対策の効果が期待される一方、海外経済の悪化、新型コロナウイルス感染拡大の影響次第では、底割れも懸念され、全く予断を許さない状況が続くと思われます。
>
> 　このような状況のもと、当社グループは、ものづくりを核に付随するサービスなども拡充して事業領域を広げること、徹底的なマーケットインでお客様の新しい価値を創造すること、そして、国内で培った実績で海外での活動もさらに拡大することにより、常に挑戦し変革し続ける企業グループとして、中計の目標達成と中長期的な企業価値向上に努めてまいります。
>
> 　なお、新型コロナウイルス感染拡大への対応については、国内外各拠点の状況に応じた情報提供（感染予防・感染発生時の対処方針など）を迅速かつ丁寧に行うことで、従業員の心身の保護を図るとともに、社会の構成員として責任ある行動を徹底してまいります。併せて、事業活動への影響を最小限に留めるための取組みとして、感染拡大想定に基づく事業継続計画を、順次策定・実行に移しております。具体的には、テレワーク・業務のデジタル化の推進、工場操業の安定化などに取り組むとともに、需要動向や業績の把握・予測を適切に行っており、引き続き全社一丸となってこれらの活動を継続してまいります。
>
> 　最後に、当社子会社である日本軽金属株式会社が保有する雨畑ダム（山梨県）において、2019年8月の台風10号・同年10月の台風19号などによる豪雨の影響で雨畑ダム上流の雨畑川の水位が上昇したことにより、周辺地域で浸水被害が発生しました。地域の皆さまをはじめ関係各所に対し多大なご迷惑とご心配をおかけし深くお詫び申しあげます。雨畑ダムは、流入する土砂の堆積が進行しており、ダムの維持管理のため土砂の除去を行ってまいり

Ⅲ　事業報告における事故・法令違反等特殊事例

ましたが、今後、地域の皆さまの安全確保を最優先に、浸水被害防止の応急対策を進めつつ、堆積土砂の抜本対策について、関係機関のご協力もいただきながら、迅速かつ計画的に、誠心誠意対応してまいります。
　　株主の皆さまにおかれましては、何卒倍旧のご支援とお引き立てを賜りますようお願い申しあげます。

＜日本航空＞　航空事故，重大インシデント
◉ＪＡＬグループ（企業集団）の現況に関する事項

17．その他JALグループの現況に関する重要な事項

（1）航空貨物に関する価格カルテルを行ったとして欧州独禁当局より嫌疑をかけられている事案については、2016年2月に欧州裁判所による当局の課徴金納付命令を取り消す判決が確定しましたが、2017年3月、当局が再び当社に対し課徴金納付命令を出したことから、同年5月、当社は、命令の無効確認等を求め、欧州裁判所に再度提訴しました。また、民事訴訟としては、オランダなどにおいて、航空貨物カルテルにより損害を受けたとして、当社を含む複数の航空会社を荷主が提訴しております。独禁法関連引当金に関しては、将来発生しうる損失の蓋然性と金額について合理的に見積もることが可能なものについては、将来発生しうる損失の見積額を計上しております。
　なお、JALグループは、海外赴任者に赴任前研修、営業部門を中心に独禁法セミナーやe-ラーニングなどを実施し、カルテル行為の防止を図るとともに、営業部門の管理職に対し半年ごとに遵守状況の確認を義務付けるなど、独禁法遵守体制の強化に努めております。

（2）10月に、降下中の突然の揺れにより客室乗務員が転倒、骨折した事案が、国土交通省より航空事故に認定されました。また、1月に、奄美空港に着陸した後、滑走路から逸脱した事案が、重大インシデントに認定されました。これらの事案については、現在、国土交通省運輸安全委員会による調査が進められています。当社は、必要な対策を講じておりますが、今後の当該委員会の調査結果に応じて適切に追加処置を実施してまいります。

　これらの事態の進展によっては、JALグループの業績に影響を及ぼす可能性があります。そのほか、事業活動に関して各種の訴訟が提起され、これらがJALグループの事業または業績に影響を及ぼす可能性があります。

6 不適切な会計処理・過年度決算の訂正等

＜日鉄ソリューションズ＞ 物品仕入れ販売取引における不適切な取引

◉企業集団の現況に関する事項

(4)**対処すべき課題**
（再発防止の取り組み）
　本年2月6日に、当社の一部の物品仕入販売型取引に関する「特別調査委員会の調査結果と業績に与える影響、再発防止策等について」を開示いたしましたが、その後再発防止策の検討を進め、成案化をいたしました。
　1．リスクマネジメントの強化
　2．業務プロセスの見直し
　3．モニタリングの改善
　4．営業教育・研修
　5．営業人材のアサインメント・ローテーション
　その内、物販取引のリスク管理の強化などの「2．業務プロセスの見直し」およびそれに基づく「3．モニタリングの改善」につきましては、既に改善後の業務運用を開始しております。
　リスク感度の向上施策の実施や自律的かつ継続的なリスク管理の強化を行う「1．リスクマネジメントの強化」および、「4．営業教育・研修」、「5．営業人材のアサインメント・ローテーション」につきましては上期中の運用開始を目標に検討を進めております。
　株主をはじめとする関係者の皆様からの信頼回復に向けて全力で再発防止に取り組んでまいります。

◉会社の体制及び方針

(2)**内部統制システムの運用状況**
①当社の取締役の職務の執行が法令および定款に適合することを確保するための体制及び使用人の職務の執行が法令及び定款に適合することを確保するための体制
　当社の内部統制システムは、「内部統制基本規程」のもと、部門長の責任による自律的マネジメントを基本とし、コンプライアンス推進部が内部統制システムの基本方針の立案を行い、各機能スタッフ部門の策定した内部統制活動計画の取りまとめ、全社としての内部統制計画を策定し、内部統制維持・向上に向けた活動を進める一方、各機能スタッフ部門が全社ルールの制定・維持管理（改善を含む）及び各部門による実行・遵守状況のモニタリングを行い、その状況・結果を監査室が監査にて確認・評価するという枠組みで実行しております。
　なお、本年2月に公表いたしました当社の一部の物品仕入販売取引における不適切な取引（架空取引）の判明を受け、発生原因分析を踏まえて、再発防止に向けた取り組みを進めております。今後、業務プロセスの改善に加えて、リスク感度の向上施策の実施や自律的かつ継続的なリスク管理の強化等、リスクマネジメントの強化を図ってまいります。
　監査室は、国内全事業部・共通部門・子会社、及び海外子会社の内部監査を実施しております。
　コンプライアンス担当役員を委員長としたコンプライアンス委員会で、内部統制計画、内部統制活動の実行状況評価等、内部統制システム全体の維持・強化に関連する事項を審議し、内部統制活動の継続的改善を統括します。
　定期的に「コンプライアンス推進会議」「リスクマネジメント責任者会議」を開催し、社内各部門・子会社に内部統制に関する情報共有や各リスクへの対応方針の徹底を図っております。
　また、毎事業年度の内部統制システムの構築・運用状況については、取締役会において審議を行っております。

〔巻末資料〕**事業報告の記載例と記載要領**（2021年2月更新）

▶ 本記載例は，監査役会設置会社を前提としたものです。また，下線は2021年3月1日以後にその末日が到来する事業年度に係る事業報告から改正後の規定に基づき，作成する必要があります。なお，補償契約，役員等賠償責任保険契約に関する事項については，2021年3月1日以後に締結（更新）された補償契約，役員等賠償責任契約について，当該契約を締結した日が属する事業年度に係る事業報告から適用となります。

▶ 施規：会社法施行規則，改正施規：改正会社法施行規則，計規：会社計算規則，改正計規：改正会社計算規則

（添付書類）[1]

事業報告
（○年○月1日から
○年○月31日まで）

1．企業集団の現況に関する事項[2]
（1）事業の経過および成果
　　　　当連結会計年度におけるわが国経済は，……[3]
　　……
　　　　当業界におきましては，……
　　……
　　　　このような情勢のなか，当社グループは，……
　　……，売上高は○○○億円（前期比○○.○％増），経常利益は○○億円（前期比○○.○％増），親会社株主に帰属する当期純利益は○○億円（前期比○○.○％増）となりました。

　　　　部門別の状況は次のとおりであります。
　　【○○部門】
　　　　……
　　　　……○○部門の売上高は○○○億円（前期比○○.○％増）となりました。
　　【○○部門】
　　　　……
　　　　……○○部門の売上高は○○○億円（前期比○○.○％増）となりました。

（2）設備投資の状況[4]
　　　（省略）[5]
（3）資金調達の状況[6]
　　　（省略）[7]
（4）財産および損益の状況の推移

[8]　　　　　　　　　　　　　　　　　　　　　　　　　　　　　　　　　　　　（単位　百万円）

区　分	第××期 ○年○月1日から ○年○月31日まで	第○×期 ○年○月1日から ○年○月31日まで	第○○期 ○年○月1日から ○年○月31日まで	第×○期 ○年○月1日から ○年○月31日まで
売　上　高				
経　常　利　益				
親会社株主に帰属 する当期純利益				
1株当たり 当期純利益（円）				
総　資　産				
純　資　産				

（注）　1．1株当たり当期純利益は，期中平均発行済株式総数（自己株式を控除した株式数）により算出しております。
　　　　2．（省略）[9]

（5）対処すべき課題　（省略）[10]

— 268 —

項番	記 載 要 領
1	☐ 招集通知の「添付書類」である旨を記載 ☐ 施規133条，計規133条，134条に忠実に「提供書面」とすることも考えられる
2	☐ 会社の現況に関する事項は，連結ベースで「企業集団の現況に関する事項」を記載することで，単体の記載を省略可（施規120条2項）。この場合は，「企業集団の現況に関する事項」をすべて連結ベースで記載するのが原則的な取扱いと考えられる（以下，連結ベースで記載する前提で説明） ☐ 事業が2以上の部門に分かれている場合，部門別に区別することが困難な場合を除き，その部門別に区分された事項を記載（施規120条1項）
3	☐ 当連結会計年度における「一般的な経済環境」，「業界の状況」，「企業集団の状況」の順に記載するスタイルが一般的 ☐ 本文の記載に当たり，「企業集団」の用語は使用せず，「当社グループ」等の適宜の用語に置き換えることが考えられる ☐ 記載する売上高等の数値は連結計算書類の数値と一致しているか注意（財産および損益の状況の推移についても確認）
4	☐ 売却・撤去等も含むため，見出しを「設備投資等の状況」とすることも考えられる ☐ 重要なものを記載するため，「重要な設備投資の状況」とすることも考えられる
5	☐ 当連結会計年度中に完成した主要設備，当連結会計年度において継続中の主要設備の新設，拡充・改修，生産能力に重要な影響を及ぼすような固定資産の売却，撤去または災害等による滅失を記載 ☐ 可能であれば，部門別に記載 ☐ 資金調達の状況，附属明細書との整合性に注意
6	☐ 重要なものを記載するため，「重要な資金調達の状況」とすることも考えられる
7	☐ 増資，社債発行，多額の借入れ等設備投資に伴う非経常的な資金調達を記載 ☐ 可能であれば，部門別に記載 ☐ 設備投資の状況との整合性に注意
8	☐ 連結ベースを記載すれば足りるが，あわせて単体ベースを記載することも考えられる ☐ 直前3連結会計年度の財産および損益の状況を記載するため，当連結会計年度も含めて4年度分記載 ☐ 記載する売上高等の数値は連結計算書類の数値と一致しているか注意（事業の経過および成果についても確認） ☐ 業績を示す指標として，1株当たり純資産額やROE，TSR等を記載することも検討 ☐ 連結会計年度経過後の会計方針の変更その他の正当な理由により，過年度の定時株主総会で承認または報告された数値と異なることとなったときは，修正後の過年度事項を記載可（施規120条3項）。修正後の過年度事項を記載する場合は，平成21年12月4日付企業会計基準委員会公表の「会計上の変更及び誤謬の訂正に関する会計基準」（企業会計基準第24号）および「会計上の変更及び誤謬の訂正に関する会計基準の適用指針」（企業会計基準適用指針第24号）に従うことが考えられる
9	☐ 変動が著しい場合は，その要因を注記
10	☐ グループ全体の当面の課題を記載 ☐ 最近は中期経営計画についての記載が増加（ことに新中計策定時）

〔巻末資料〕

(6) 重要な親会社および子会社の状況 *11*
　①親会社の状況
　　当社の親会社は，○○○○株式会社で，同社は当社の株式を○,○○○,○○○株（出資比率○○％）保有いたしております。
　　当社は，親会社に対し，主として○○の販売を行っております。また，親会社との間で，……に関する取り決めをしております。

　②重要な子会社の状況

会社名	資本金	出資比率	主要な事業内容
	百万円	％	
	百万円	％	

　③重要な企業結合等の状況 *12*
　　（省略）

(7) 主要な事業内容（○年○月31日現在）*13*

部　　門	主要製品

(8) 主要な営業所および工場（○年○月31日現在）*14*

当　社	本　　社	
	営　業　所	
子 会 社	本　　社	
	工　　場	

(9) 従業員の状況（○年○月31日現在）*15*

従 業 員 数	前年度末比増減
○,○○○名	○○名増

(10) 主要な借入先（○年○月31日現在）*16*

借 入 先	借入金残高
株式会社○○銀行	○,○○○百万円
株式会社○○銀行	○,○○○百万円

(11) その他企業集団の現況に関する重要な事項 *17*

項番	記　載　要　領
11	☐ 親子会社の判定は，実質支配基準による。対象となる法人は株式会社に限られず，外国会社等も含まれる。ただし，事業報告への記載範囲は重要な親会社または子会社で足りる（施規120条1項7号） ☐ 親会社等との取引のうち，個別注記表への注記が必要なものは，当該取引にあたり当社の利益を害さないように留意した事項等を記載する必要あり（施規118条5号）。当該事項は親会社の状況に記載することが考えられる ☐ <u>親会社との間で重要な財務および事業の方針に関する契約等が存在する場合，その内容の概要を記載する（改正施規120条1項7号カッコ書き）</u> ☐ 特定完全子会社がある場合，その名称，住所，当該特定完全子会社の株式の帳簿価額等の記載が必要（施規118条4号）。重要な子会社の状況への記載が考えられる ☐ 重要な子会社の状況には，子会社の設立，解散，企業再編，商号変更，増資等の状況を注記することも考えられる
12	☐ 合併等の重要な企業結合等の状況（事業の譲渡・譲受け，合併，会社分割，他の会社の株式・新株予約権の取得および処分（施規120条1項5号ハニホへ））はここに項目を設けて記載することが考えられる。内容によっては，「事業の経過および成果」または「対処すべき課題」に記載もしくは独立の項目を設けての記載も考えられる ☐ 重要な業務提携や技術提携等についての記載も考えられる（施規120条1項9号）
13	☐ 事業部門別に主要な製品名等を記載。その際には，「事業の経過および成果」との整合性に留意 ☐ 「事業の経過および成果」の事業部門別の記載で代替し，独立した項目で記載しないことも考えられる
14	☐ 事業を行うための物的施設の状況（名称および所在地）を，当社と子会社等に区分するなどして分かりやすく記載 ☐ 見出しは，事業内容に応じて，「主要な事業所」等に変更することが考えられる ☐ 所在地は，国内であれば都道府県，海外であれば国名を記載することが考えられる
15	☐ 連結会計年度末の従業員数，前年度末比増減を記載。男性・女性に分ける例も ☐ 連結ベースを記載すれば足りるが，平均年齢や平均勤続年数を含めた単体ベースも記載することが考えられる ☐ 従業員の構成等に重要な変動がある場合には，その内容を注記
16	☐ 主要な借入先について連結会計年度末日の借入金残高を記載。連結会計年度終了後に大きな変動がある場合は，注記を検討 ☐ 主要な借入先が有する会社の株式数は不要
17	☐ （1）～（10）で記載した事項以外に，重要な訴訟の提起，判決，和解，事故，不祥事，社会貢献等，会社または企業集団の現況に関する重要な事項（財産・損益に影響を与えない重要な後発事象を含む（旬刊商事法務1762号6頁）がある場合には，項目を設けて記載することが考えられる（施規118条1号，120条1項9号）

〔巻末資料〕

2．会社の株式に関する事項[18]
 （1）　発行可能株式総数　　〇,〇〇〇,〇〇〇株
 （2）　発行済株式の総数　　〇,〇〇〇,〇〇〇株（自己株式〇〇〇,〇〇〇株を含む）
 （3）　株主数　　　　　　　〇,〇〇〇名
 （4）　大株主

株　主　名	持　株　数	持　株　比　率
	千株	％

 （注）持株比率は，自己株式（〇〇〇,〇〇〇株）を控除して計算しております。

 （5）　当事業年度中に交付した株式報酬の状況

	株　式　数	交付を受けた者の人数
取締役 （社外取締役を除く）	〇株	〇名
社外取締役	〇株	〇名
監査役	〇株	〇名

3．会社の新株予約権等に関する事項[19]
 （1）　当事業年度末日における新株予約権等の状況[20]

	第〇回新株予約権 （〇年〇月〇日発行）	第×回新株予約権 （〇年〇月〇日発行）
新株予約権の数	〇,〇〇〇個	〇,〇〇〇個
新株予約権の目的となる株式の種類および数	普通株式　〇,〇〇〇,〇〇〇株 （新株予約権1個につき〇〇〇株）	普通株式　〇,〇〇〇,〇〇〇株 （新株予約権1個につき〇〇〇株）
新株予約権の発行価額	1個あたり　〇,〇〇〇円	1個あたり　〇,〇〇〇円
新株予約権の行使価額	1個あたり　〇,〇〇〇円	1個あたり　〇,〇〇〇円
新株予約権を行使することができる期間	〇年〇月〇日から〇年〇月〇日まで	〇年〇月〇日から〇年〇月〇日まで
新株予約権の主な行使条件		

 （2）　当事業年度末日における当社役員の保有状況

	名　　称	個　数	保　有　者　数
取締役 （社外取締役を除く）	第〇回新株予約権	〇個	〇名
	第×回新株予約権	〇個	〇名
社外取締役	第〇回新株予約権	〇個	〇名
	第×回新株予約権	〇個	〇名
監査役	第〇回新株予約権	〇個	〇名
	第×回新株予約権	〇個	〇名

項番	記載要領
18	☐ 発行済株式（自己株式を除く）の総数に対する保有株式数の割合についての上位10名の株主名・持株数（種類株式発行の場合，その種類ごとの株式数含む）・持株比率も記載（施規122条1項1号）。持株比率は，出資比率でも差し支えない。なお，種類株式を発行している場合，普通株式と合算（内訳も表示）し，一表で作成するのが通例 ☐ 自己株式が上位10名の株主に該当する場合，一覧表には自己株式を除いた上位10名の大株主を記載し「自己株式は，上記大株主からは除いております。」と注記することが考えられる ☐ 外国人株主の氏名または名称は原則としてアルファベット表記で総株主通知がなされ，株主名簿上もアルファベット表記に。その結果，大株主の氏名または名称もアルファベット表記に ☐ <u>当該事業年度中に会社役員（であった者）に対し，職務執行の対価として交付した株式につき役員の区分ごとに株式数（種類株式発行会社にあっては株式の種類，種類ごとの株式数）と交付を受けた者の人数を記載する（改正施規122条1項2号）。職務執行の対価として株式を交付する場合に一定の条件や制約が付される場合に，株式に関する重要な事項に該当するときは，改正施規122条1項3号に基づいて事業報告に記載することが考えられる（旬刊商事法務2252号21頁）</u> ☐ その他株式に関する重要な事項（改正施規122条1項3号）としては，発行可能株式総数，発行済株式の総数，株主数を記載することが考えられる ☐ 新株発行や大量の新株予約権の行使，自己の株式の取得，自己株式の処分・消却，株式分割，株式併合，株式報酬制度，従業員持株ＥＳＯＰ信託の設定等，株式の状況に関するトピックスは，その内容の記載（注記）が考えられる
19	☐ 該当がなければ項目自体不要
20	☐ 施規（123条1号）では，事業年度末日における役員（当該事業年度末日において在任している者に限る）が事業年度末日現在で保有する新株予約権等（職務執行の対価として交付されたものに限る）について，当該新株予約権等の内容の概要および取締役，社外取締役，取締役以外の役員に区分した新株予約権等の保有者数を記載することとされている。ただし，従業員等に交付された新株予約権等も含め網羅的に記載したうえで，取締役，社外取締役，取締役以外の役員の区分ごとに保有状況を記載することも考えられる ☐ 記載例は，網羅的な記載をしたうえで役員の区分ごとの保有状況を記載しているが，施規123条1号に定める事項のみを記載する場合は，見出しを「当社役員が保有する職務執行の対価として交付された新株予約権」等と限定的に記載するのが望ましい ☐ 新株予約権の払込金額を報酬債権と相殺する場合，その旨を記載することが考えられる。また，いわゆる1円ストックオプションの場合，新株予約権の払込金額は無償，新株予約権の行使に際して出資される財産の価額は1円である旨を記載することが考えられる

〔巻末資料〕

(3) 当事業年度中に交付した新株予約権等の状況[21]
当事業年度中に交付した新株予約権等は(1)に記載の第×回新株予約権のとおりであります。

第×回新株予約権のうち当社従業員，当社子会社役員および従業員への交付状況

	個　　数	交付を受けた者の人数
当社従業員 （当社役員を兼ねている者を除く）	○個	○名
当社子会社役員および従業員 （当社役員および当社従業員を兼ねている者を除く）	○個	○名

(4) その他新株予約権等に関する重要な事項[22]
（省略）

4．会社役員に関する事項
(1) 取締役および監査役[23]

地　位	氏　名	担当および重要な兼職の状況
代表取締役会長		
代表取締役社長		
取締役		○○本部長
取締役		
常勤監査役		
監査役		○○○○保険相互会社　社外監査役
監査役		△△△△株式会社　社外監査役

(注) 1．取締役○○○○氏は，社外取締役であり，○○証券取引所に独立役員として届け出ております。
2．監査役○○○○氏および○○○○氏は，社外監査役であり，○○証券取引所に独立役員として届け出ております。
3．監査役○○○○氏は，○○○の資格を有しており，財務および会計に関する相当程度の知見を有しております。

項番	記 載 要 領
21	☐ 施規（123条2号）では，事業年度中に，従業員，子会社の役員および従業員に対して交付した新株予約権等（職務執行の対価として交付されたものに限る）について，当該新株予約権等の内容の概要および新株予約権等の交付者数を記載することとされている。ただし，事業年度中に交付した新株予約権等の全体像を記載したうえで，従業員等の区分ごとに交付状況を記載することも考えられる。この場合，新株予約権等の内容の概要が前記「（1）当事業年度末日における新株予約権等の状況」で記載したものと重複する場合は，前記の記載を参照する形で記載することも考えられる ☐ 記載例は，事業年度中に交付した新株予約権等の全体像を記載したうえで，従業員等の区分ごとに交付状況を記載（ただし重複記載箇所は参照）する方式で記載。施規123条2号に定める事項のみを記載する場合は，見出しを「当事業年度中に職務執行の対価として従業員等に交付した新株予約権の状況」等と限定的に記載するのが望ましい
22	☐ その他新株予約権等（職務執行の対価として交付されたものでないもの）に関する重要な事項があれば記載（施規123条3号）。転換社債型新株予約権付社債の残高，ストックオプション以外の新株予約権発行等の記載が考えられる。該当なければ項目自体不要
23	☐ ①氏名，②地位および担当，③重要な兼職の状況，④監査役が財務および会計に関する相当程度の知見を有しているものであるときはその事実を記載。①から④の記載事項となる会社役員の範囲は，直前の定時株主総会の日の翌日以降に在任していた者に限られる（施規121条1号，2号，8号および9号）。事業年度中の会社役員の異動状況は項番24で記載することが考えられる ☐ 重要な兼職の状況（施規121条8号）には，他の法人等の代表状況も含まれる ☐ 社外取締役および社外監査役である旨や，監査役が財務および会計に関する相当程度の知見を有する場合のその事実（施規121条9号）は注記 ☐ 独立役員について注記することが一般的 ☐ 社外役員が他の法人等の業務執行者を兼職しており，当該兼職が事業報告に記載すべき内容である場合には，兼職先と当社の関係を記載（改正施規124条1項1号）。社外役員が他の法人等の社外役員を兼職している場合についても同様（同124条1項2号） ☐ 兼職先と当社の関係は，たとえば取引関係であれば「○○に関する取引がある」旨等を記載することが多いが，あわせて取引の規模についても記載することが考えられる ☐ 兼職先と当社との関係については，明文上，重要なものに限るという限定は特にされていないが，社外役員としての職務執行になんら影響を与えるおそれがない一般的な取引条件に基づく単なる取引関係等については，開示の対象とならないものと考えられる（旬刊商事法務1863号19頁） ☐ 社外役員の兼職先と当社の関係については，項番30「社外役員に関する事項」で記載しない場合には，こちらに記載することが考えられる

〔巻末資料〕

(2) 当事業年度中の取締役および監査役の異動[24]
　①就任
　　○年○月○日開催の第○×回定時株主総会において、○○○○、○○○○の両氏が取締役に、○○○○氏が監査役に選任され、それぞれ就任いたしました。
　②退任
　　○年○月○日開催の第○×回定時株主総会終結の時をもって、専務取締役○○○○、取締役○○○○、○○○○、○○○○の各氏は退任いたしました。常勤監査役○○○○氏は○年○月○日辞任いたしました。
　③当事業年度中の取締役の地位・担当等の異動

氏　　名	新	旧	異動年月日

(3) 責任限定契約の内容の概要[25]
　　会社法第427条第1項の規定に基づき、取締役○○○○氏、監査役○○○○氏および○○○○氏と同法第423条第1項の損害賠償責任を限定する契約を締結しております。当該契約に基づく損害賠償責任の限度額は、○百万円または法令で規定する額のいずれか高い額としております。

(4) 補償契約の内容の概要等[26]
　　取締役○○○○氏および○○○氏、ならびに監査役○○○○氏および○○○○氏と会社法第430条の2第1項に規定する補償契約を締結しております。当該契約では、同項第1号の費用および同項第2号の損失を法令の定める範囲内において当社が補償することとしております。

(5) 役員等賠償責任保険契約の内容の概要等[27]
　　当社は、取締役および監査役の全員を被保険者とする会社法第430条の3第1項に規定する役員等賠償責任保険契約を保険会社との間で締結しております。当該保険契約では、被保険者が負担することとなる…などの損害が填補されることとなります。

項番	記載要領
24	☐ 氏名等を記載すべき会社役員の範囲は直前の定時株主総会の日の翌日以降に在任していた者に限られる（施規121条1号）ことから，直前の定時株主総会終結の日の翌日以降の事業年度中の異動状況を記載するが，直前の定時株主総会終結の日以前の異動状況も記載することが考えられる ☐ 事業年度中に辞任した会社役員がある場合は，辞任の時期にかかわらず氏名等を記載しなくてはならない（施規121条7号）ので，注意が必要 ☐ 事業年度中の役員の異動状況が少ない場合は，「取締役および監査役」（4．（1））の注記として記載することが考えられる
25	☐ 責任限定契約を締結している場合は，その概要（限度額等含む）を記載 ☐ 当該契約によって役員の職務の適正性が損なわれないようにするための措置を講じている場合は，その措置の内容も記載 ☐ 定款に責任限定契約の定めはあるが，未締結の場合，その旨の記載も考えられる
26	☐ 会社と役員間で会社補償契約を締結している場合，締結者の氏名，契約の内容の概要（当該契約により役員の職務の執行の適正性が損なわれないようにするための措置を講じている場合は，その内容を含む）を記載する（改正施規121条3号の2） ☐ 「職務の執行の適正性が損なわれないようにするための措置」としては，例えば補償契約において会社が補償する額につき限度額を設けることや，会社が役員に対して責任を追及する場合には（防御費用を含め）補償ができないこととすることなどが考えられる（旬刊商事法務2252号16頁）
27	☐ 役員等賠償責任保険を2021年3月1日後に締結（更新）した場合，①被保険者の範囲②当該役員等賠償責任保険契約の内容の概要の記載が必要 ☐ 契約の内容の概要には，①被保険者の実質的な保険料負担割合（負担している場合のみ），②填補の対象とされる保険事故の概要，③当該役員等の職務の執行の適正性が損なわれないようにするための措置を講じている場合には，その措置の内容を含む ☐ 被保険者の範囲は，被保険者の範囲を特定できるのであれば氏名の記載は不要 ☐ 被保険者の範囲には，役員等賠償責任保険の被保険者に役員等でない者（執行役員など）が含まれている場合，当該役員等でない者も含まれる ☐ 役員等賠償責任保険の被保険者に子会社役員等が含まれる場合，当該子会社が実質的に保険料の一部を負担していたとしても，契約者ではないため，当該子会社の事業報告での記載は不要。一方，契約者である親会社は，被保険者の範囲として子会社の役員等が含まれることにつき記載が必要（以上，旬刊商事法務2252号19頁～21頁等）

〔巻末資料〕

(6) 取締役および監査役の報酬等の総額[28]

役員区分	支給人数	報酬等の総額	基本報酬	業績連動報酬等	非金銭報酬等
取締役 （うち社外取締役）	○名 （○名）	○百万円 （○百万円）	○百万円 （○百万円）	○百万円 （○百万円）	○百万円 （○百万円）
監査役 （うち社外監査役）	○名 （○名）	○百万円 （○百万円）	○百万円 （○百万円）	○百万円 （○百万円）	○百万円 （○百万円）
合　計 （うち社外役員）	○名 （○名）	○百万円 （○百万円）	○百万円 （○百万円）	○百万円 （○百万円）	○百万円 （○百万円）

（注）　1．取締役の報酬等の総額には，使用人兼務取締役の使用人分給与は含まれておりません。
　　　　2．上記の支給人数には，○年○月○日開催の定時株主総会終結の時をもって退任した取締役○名（うち社外取締役○名），監査役○名（うち社外監査役○名）を含んでおります[29]

＜上記報酬等に関する事項＞
① 業績連動報酬等に関する事項
　………
② 非金銭報酬等に関する事項
　………
③ 取締役および監査役の報酬等に関する株主総会の決議に関する事項
　　当社取締役の金銭報酬の額は，20XX年○月○日開催の第○回定時株主総会において年額○○○円以内（うち，社外取締役年額○○○円以内）と決議しております（使用人兼務取締役の使用人分給与は含まない。）。当該定時株主総会終結時点の取締役の員数は○名（うち，社外取締役は○名）です。また，当該金銭報酬とは別枠で，20XX年○月○日開催の第○回定時株主総会において，株式報酬の額を年額○○○円以内（社外取締役は付与対象外）と決議しております。当該定時株主総会終結時点の取締役（社外取締役を除く）の員数は○名です。
　　当社監査役の金銭報酬の額は，20XX年○月○日開催の第○回定時株主総会において年額○○○円以内と決議しております。当該定時株主総会終結時点の監査役の員数は○名です。
④ 取締役の個人別の報酬等の内容についての決定方針に関する事項
　イ．当該方針の決定の方法
　　………
　ロ．当該方針の内容の概要
　　………
　ハ．当該事業年度に係る取締役の個人別の報酬等の内容が当方針に沿うものであると取締役会が判断した理由
　　………
⑤ 監査役の個人別の報酬等の額の決定方針に関する事項
　イ．当該方針の決定の方法
　　………
　ロ．当該方針の内容の概要
　　………
⑥ 取締役の個人別の報酬等の内容の決定の委任に関する事項
　イ．委任を受け決定した者の氏名，地位および担当
　　………
　ロ．委任された権限の内容・理由等
　　………

項番	記 載 要 領
28	☐ 会社役員の報酬等は，当該事業年度に係る会社役員の報酬等を記載（施規121条4号）。記載方法は，取締役および監査役の区分ごとの報酬等の総額（業績連動報酬等，非金銭報酬等，その他の報酬等に分かれている場合は各々の総額）の記載および員数を記載 ☐ 社外役員の報酬等についても上記と同様の考え方に基づく記載が必要 ☐ 当該事業年度に係る会社役員の報酬等の額には役員賞与，役員退職慰労金，ストックオプションや株式報酬を含み，使用人兼務取締役の使用人分給与（使用人分賞与）は含まない。使用人分給与を含まない旨を注記することも考えられる。使用人分給与が多額である場合には，その金額を注記することが望ましい（施規121条11号） ☐ 役員賞与は，当該事業年度中に役員賞与引当金として費用計上した額（役員賞与支給議案を定時株主総会で付議する予定がある場合にはその議案に定める予定額）を計上 ☐ 退職慰労金は，会社役員の当該事業年度における役員退職慰労引当金の繰入額を計上 ☐ ストックオプションは，当該事業年度の報酬分（費用計上額）に相当するものを計上 ☐ 業績連動報酬等に関する記載事項は，「業績連動報酬等の額または数の算定の基礎として選定した業績指標の内容および選定理由」，「業績連動報酬等の額または数の算定方法」，業績連動報酬等の額または数の算定に用いた業績指標に関する実績」（改正施規121条5号の2） ☐ 非金銭報酬等に関する記載事項は，非金銭報酬等の内容を記載する（同5号の3）。例えば，非金銭報酬等に募集株式が含まれる場合は当該募集株式の当該種類，数や当該募集株式を割当てた際の条件の概要等の記載が考えられる ☐ 報酬等に関する株主総会決議に関する記載事項は，株主総会決議の日，当該決議の内容の概要，当該決議に関する会社役員の員数を記載（同5号の4）。会社役員の員数は，総会決議時点での員数を記載する ☐ 一定の期間を対象とした報酬等についての株主総会の決議による定めについては，当該期間が経過し，当該枠組みによる報酬等が付与されるまでは，事業報告に記載することが必要になると考えられる ☐ 取締役の個人別の報酬等の内容についての決定方針に関する事項は，当該方針の決定の方法，当該方針の内容の概要，個人別の報酬等の内容が当該方針に沿うと取締役会が判断した理由」を記載する（同6号） ☐ 報酬決定の方針の概要の記載時点は，事業報告の作成または当該事業年度末日時点のいずれの考え方もある。ただし，事業年度中または事業年度末日後に変更があった場合には，変更前の方針についても記載をすることが考えられる ☐ 当該方針の決定の方法としては，取締役会の決議により決定したこと等に加えて，任意に設置した報酬諮問委員会への諮問を行ったり，外部の専門家の助言を受けた場合にはその旨を記載することが考えられる（旬刊商事法務2252号18頁） ☐ 報酬の決定方針の決定を義務づけられている会社が取締役を除く各会社役員（監査役）の報酬等の決定方針に関する事項を定めているときは，当該方針の決定方法と方針の内容の概要を記載する ☐ 取締役の個人別の報酬等の内容の決定の委任を受けた取締役が当該事業年度に係る取締役の個人別の報酬等の内容の全部または一部を決定した場合に記載する事項は，その旨，当該委任を受けた者の氏名および当該内容を決定した日における地位・担当，委任された権限の内容，委任理由，権限が適切に行使されるための措置を講じた場合はその内容を記載する（同6号の3） ☐ 任意の報酬委員会が取締役の個人別の報酬等の内容の全部または一部を決定したときは，当該委員会の各構成員が「当該委任を受けた者」に該当する
29	☐ 無報酬の会社役員は員数に含まないことや，記載すべき会社役員の対象が「直前の定時株主総会の終結の日の翌日以降に在任していた者」に限定されないことから，「会社役員の氏名」の箇所で記載した役員の員数と会社役員の報酬等の箇所で記載する員数が一致しないことがある。この場合，員数が不一致となる理由を注記することが考えられる

〔巻末資料〕

(7) 社外役員に関する事項[30]
　① 重要な兼職先と当社との関係
　　(省略)
　② 特定関係事業者との関係[31]
　　(省略)
　③ 当事業年度における主な活動状況等[32]

区　分	氏　名	主な活動状況
社外取締役		当事業年度開催の取締役会○回のうち○回（○％）に出席し，必要に応じ，企業経営者としての専門的見地からの発言を行っております。また，上記のほか，指名諮問委員会の委員長を務め，当該事業年度開催の当該委員会の全て（○回）に出席するなどにより，独立した客観的立場から経営陣の監督に務めております。
社外監査役		当事業年度開催の取締役会○回のうち○回（○％），監査役会○回のうち○回（○％）に出席し，必要に応じ，弁護士としての専門的見地からの発言を行っております。
記載省略		

　④ 社外役員が当社の親会社等または当社の親会社等の子会社等から当事業年度の役員として
　　受けた報酬等の総額
　　　○名　　○百万円

項番	記載要領
30	☐ 社外取締役または社外監査役ごとに，施規124条各号に掲げる事項を記載。必須記載項目は，「主な活動状況」（「社外取締役が果たすことが期待される役割に関して行った職務の概要」（改正施規124条4号ホ）を含む。），「社外役員に対する報酬等の総額」である。その他の項目は，該当がないまたは重要でない場合は記載不要 ☐ 社外役員ごとに各項目を箇条書きする方法，各項目を網羅的に一覧表形式とする方法も考えられる ☐ 施規124条1項1号・2号で開示が求められる「当社と兼職先との関係」は，明文上，重要なものに限るという限定は特にされていないが，社外役員としての職務執行に何ら影響を与えるおそれがない一般的な取引条件に基づく単なる取引関係等については，開示の対象とならないとされている（旬刊商事法務1863号19頁） ☐ 社外役員が親会社等や親会社等の子会社等，親会社等がない場合，会社の子会社から役員としての報酬等を受けている場合，その総額を記載する必要がある（社外役員であった期間に受けたものに限定）
31	☐ 社外役員が，会社またはその特定関係事業者（施規2条3項19号）の業務執行者または役員（業務執行者であるものを除く）ならびに会社の親会社等（自然人に限る）の配偶者，3親等以内の親族その他これに準ずる者であることを会社が知っているときは，重要でないものを除き，その事実を記載 ☐ 「知っているとき」とは，事業報告への記載を前提に行った調査の結果として知っている場合を意味する（旬刊商事法務1762号11頁）ため，事前に書面等により確認するのが望ましい
32	☐ 社外取締役については取締役会（社外監査役については取締役会および監査役会）への出席，発言の状況を記載。出席回数や発言回数を定量的に記載するだけでなく，どういった観点から発言をしたのか等，定性的な記載が求められる ☐ 取締役会の回数には書面開催分は含まれないものと解される ☐ 以下について該当がある場合は，重要でないものを除き記載 ・社外役員の意見により，会社の事業の方針または事業その他の事項に係る決定が変更されたときはその内容 ・事業年度中に法令または定款違反その他不当な（社外監査役は「不正な」）業務執行が行われた事実があるときは，社外役員が当該事実の発生の予防のために行った行為および当該事実の発生後の対応として行った行為の概要 ☐ 仮に当該社外取締役への期待役割に関して行った職務が，施規124条4号イ～ニの記載事項と重複する場合でも，事業報告で期待役割との関連性を示したうえで，当該社外取締役の職務の内容の概要をより具体的に記載することが求められる

〔巻末資料〕

5．会計監査人に関する事項[33]
　（1）会計監査人の名称
　　　○○○○有限責任監査法人

　（2）会計監査人の報酬等の額

① 当社が支払うべき報酬等の額	○○百万円
② 当社および当社子会社が支払うべき金銭その他の財産上の利益の合計額	○○百万円

　　　（注）　1．当社と会計監査人との間の監査契約においては，会社法上の監査に対する報酬等の額と金融商品取引法上監査に対する報酬等の額等を区分しておらず，かつ，実質的にも区分できないことから，上記①の金額はこれらの合計額を記載しております。当該金額について監査役会が同意をした理由は，……です。
　　　　　　2．当社の重要な子会社のうち，○○株式会社，○○○○ Ltd. は当社の会計監査人以外の監査法人の監査を受けております。

　（3）非監査業務の内容
　　　（省略）

　（4）会計監査人の解任または不再任の決定の方針
　　　（省略）

6．業務の適正を確保するための体制の整備に関する事[34]
　　（省略）

7．会社の支配に関する基本方針[35]
　　（省略）

8．剰余金の配当等の決定に関する方針[36]
　　（省略）

本事業報告に記載の金額および株式数は，表示単位未満を切り捨てております。
また，比率は表示単位未満を四捨五入しております。

項番	記 載 要 領
33	☐ 会計監査人の氏名または名称，報酬等の額，報酬等の額につき監査役会が同意をした理由，非監査業務の対価を支払っているときは当該非監査業務の内容，責任限定契約を締結している場合は当該契約の内容の概要，<u>補償契約を締結しているときは当該契約の内容の概要等一定の事項，会計監査人を被保険者とする役員等賠償責任保険契約を締結しているときは役員等賠償責任保険契約に関する事項（4．会社役員に関する事項で記載した場合を除く）</u>，会社および子会社が支払うべき金銭その他の財産上の利益の合計額，会社の会計監査人以外の監査法人等が子会社の計算関係書類の監査をしているときはその事実，会計監査人の解任または不再任の決定の方針等を記載 ☐ 「当社および当社子会社が支払うべき金銭その他の財産上の利益の合計額」は，あくまで「当社の会計監査人である監査法人」に「当社および当社子会社」が支払うものを記載するものであり，有価証券報告書に記載する基準と異なる点に注意する ☐ 有限責任監査法人への移行や合併等による会計監査人の名称変更については，その旨を注記することも考えられる ☐ 報酬等の額は，会計監査人との契約において会社法上の監査と金融商品取引法上の監査を明確に区分せず，かつ，実質的にも区分できない場合には，合算して開示し，その旨を注記することが考えられる。会計監査人が複数の場合，それぞれについて記載する ☐ 会計監査人の解任または不再任の決定の方針は，決定していない場合はその旨を記載。また，会計監査人が株主総会によらず解任された場合で，会計監査人から解任についての意見があるときはその意見を事業報告に記載（施規126条9号ニ）
34	☐ 業務の適正を確保するための体制（いわゆる内部統制システム）について，取締役会決議の内容の概要および当該体制の運用状況の概要を記載。事業年度中に取締役会決議で変更している場合，変更前後の決議の内容の概要が分かるように記載するのが望ましい ☐ 「反社会的勢力排除に向けた体制整備に関する内容」や金融商品取引法上の「財務報告の信頼性を確保するための体制の整備」についても記載することが考えられる ☐ 「コーポレート・ガバナンスに関する報告書」や有価証券報告書に記載する「コーポレート・ガバナンスの状況等」と平仄が合うように注意
35	☐ 株式会社の支配に関する基本方針を定めている場合に，基本方針の内容の概要，取組みの具体的な内容の概要等を記載。買収防衛策を導入した会社では記載するのが通例 ☐ 「コーポレート・ガバナンスに関する報告書」や有価証券報告書の記載ぶりと平仄が合うように注意
36	☐ 剰余金の配当等の決定権限を取締役会に委譲する旨の定款の定めがある場合は記載が必須。当該定款の定めがなければ，項目自体不要であるが，ＣＧコード対応という観点等から任意に配当の方針等を記載することも考えられる

別冊商事法務 No.460
事業報告記載事項の分析
〔2020年6月総会会社の事例分析〕

2021年3月25日　初版第1刷発行

編　　者　三菱UFJ信託銀行法人コンサルティング部

発 行 者　石　川　雅　規

発 行 所　株式会社　商 事 法 務
〒103-0025 東京都中央区日本橋茅場町 3-9-10
TEL 03-5614-5651・FAX 03-3664-8844〔営業〕
TEL 03-5614-5649〔編集〕
https://www.shojihomu.co.jp/

落丁・乱丁本はお取替えいたします。　印刷／サンパートナーズ㈱
© 2021 三菱UFJ信託銀行法人コンサルティング部　　Printed in Japan
Shojihomu Co., Ltd.
ISBN978-4-7857-5294-1
＊定価は表紙に表示してあります。

JCOPY ＜出版者著作権管理機構 委託出版物＞
本書の無断複製は著作権法上での例外を除き禁じられています。
複製される場合は、そのつど事前に、出版者著作権管理機構
（電話03-5244-5088、FAX 03-5244-5089、e-mail: info@jcopy.or.jp）
の許諾を得てください。